L'ESPACE D'UNE VIE (tome II)

En mai 1933 naît à Leeds, dans le Yorkshire (Angleterre), une enfant appelée Barbara Taylor. Elle a seize ans quand elle commence dans sa ville natale une carrière de journaliste qu'elle poursuit à Londres quatre ans plus tard. En 1963, elle épouse Robert Bradford et s'installe aux Etats-Unis (1964).

Spécialiste de la mode et de la décoration d'intérieur, elle publie en 1968 The Complete Encyclopedia of Homemaking Ideas *(somme de conseils pour décorer le foyer), puis assume une rubrique* Designing Woman *(La décoratrice), très suivie dans l'ensemble des Etats-Unis. On doit à cette journaliste bien connue quatre autres ouvrages sur le même thème, une série en quatre volumes sur* How To Be the Perfect Wife *(Comment être l'épouse parfaite), plus un certain nombre de livres pour enfants.*

Le premier roman de Barbara Taylor Bradford : L'Espace d'une vie *(titre original :* A Woman of Substance) *paraît en 1979 et connaît aussitôt un immense succès.*

L'argent est synonyme de puissance et, depuis qu'elle l'a compris, Emma Harte travaille à son grand « Plan » : gagner l'un pour avoir l'autre. Elle n'a négligé son but que le temps de son idylle avec Edwin, le fils cadet du *squire* Adam Fairley. La réaction d'Edwin en apprenant qu'elle était enceinte l'a frappée au cœur. Jurant de ne plus jamais le revoir, elle part pour Leeds où habite son ami Blackie O'Neill — il l'aidera à obtenir un emploi.

Pendant le temps passé comme domestique chez les Fairley, elle s'est instruite, polie, affinée. Elle n'est plus une petite paysanne du Yorkshire au lourd accent, mais une vraie demoiselle élégante au goût sûr, aux doigts de fée, une « lady ».

Sur son départ de Fairley s'achevait la première partie de *L'Espace d'une vie*. Quand elle arrive à Leeds, la chance met sur sa route Abraham Kallinski, l'entrepreneur de confection. Une place dans son atelier, c'est peut-être le commencement de sa fortune et de son ascension sociale. Emma n'en est pas à une invention près pour expliquer sa situation — 1905 n'est pas une époque tendre aux filles-mères.

Menteuse, Emma ? Non, diplomate. Toutes les feintes sont bonnes pour atteindre son objectif premier : protéger sa réputation et accroître ses ressources, ce qui lui permettra d'atteindre son second objectif : se venger des Fairley.

Ainsi commence dans le monde rude des hommes d'affaires la carrière fantastique d'Emma Harte, l'enfant qui a voulu faire fortune.

BARBARA TAYLOR BRADFORD

L'Espace d'une vie

Tome 2

TRADUIT DE L'AMÉRICAIN
PAR MICHEL GANSTEL

BELFOND

Ce livre a été publié sous le titre original :

A WOMAN OF SUBSTANCE

par Doubleday, New York.

1905-1910

L'humilité est une épreuve pour
une jeune ambition qui s'impatiente
et se tourne vers les degrés
qu'elle veut gravir...

William Shakespeare, *Jules César*

« Nous voilà rendus, ma petite demoiselle! »

La charrette s'arrêta dans un grand bruit de ferraille au beau milieu de York Road et le rétameur tendit un doigt boudiné et pas trop propre vers la façade du pub. Au-dessus de la porte, des lettres à demi effacées proclamaient qu'il s'agissait du Cygne-Blanc et, pour ne laisser aucun doute dans l'esprit des passants, une enseigne le confirmait en se balançant à côté. Sa peinture écaillée représentait naïvement cet animal nageant, le cou bizarrement tordu, sur une mare trop bleue cernée d'une végétation trop verte. L'aspect de l'établissement ne concordait guère avec le faste de la ville de Leeds dont Blackie avait rebattu avec lyrisme les oreilles d'Emma.

La jeune fille se leva de son banc et descendit de la charrette, son réticule précieusement serré contre sa poitrine. Quand elle fut à terre, le rétameur lui tendit la grande valise de cuir qu'Edwin avait déposée la veille au soir dans sa chambre avec les cinq livres promises. Emma leva les yeux vers le rétameur et sa femme, une grosse tzigane au sourire constellé d'or aussi étincelant que ses boucles d'oreille, et les remercia cérémonieusement :

« Vous avez été vraiment trop aimables de m'amener ici depuis Shipley. Je vous en remercie infiniment. »

Le rétameur lui fit un sourire épanoui :

« Tout le plaisir était pour nous! On n'allait quand

même pas laisser une si jolie demoiselle sur le bord de la route, voyons!

— Bonne chance à Leeds, ma jolie! » ajouta la femme.

Elle gratifia Emma d'un scintillement de ses dents en or, le rétameur fit claquer son fouet et la charrette s'ébranla dans le vacarme des casseroles bosselées et autres ustensiles qui en ornaient les flancs.

Emma les suivit des yeux en agitant la main. Quand elle fut seule sur le trottoir, elle examina la façade du pub en hésitant, respira un bon coup et se décida finalement à saisir sa valise et à pousser les portes battantes. Elle se retrouva dans un étroit couloir aux fortes odeurs de bière rance et de tabac froid auxquelles se mêlaient des relents de gaz provenant des becs qui sifflaient sur les murs en dispensant une lumière chiche. Le papier brun maculé de taches, la lueur tremblotante des luminaires, les remugles qui lui sautèrent au nez faillirent la faire reculer. Mais Emma n'avait pas fait tout ce chemin pour se laisser rebuter et elle continua d'avancer.

Sous un bec de gaz, un avertissement imprimé éveilla sa surprise : « Entrée interdite aux femmes en châle. » Pourquoi, se demanda-t-elle, le châle, accessoire respectable et fort utile par temps froid, jette-t-il le discrédit sur celles qui le portent ? Elle ignorait encore que cet euphémisme servait à désigner les prostituées. Plus loin, un miroir était décoré d'une hideuse peinture représentant un taureau en train de charger un matador. En face d'elle, enfin, une double porte battante faisait pendant à celle de la rue. Les panneaux supérieurs, en verre dépoli orné de cygnes et de fleurs gravés, laissaient filtrer de la lumière. Ceux du bas, en bois peint, gardaient la trace des brodequins cloutés des consommateurs.

Emma poussa résolument les battants et pénétra dans la salle principale qui formait un contraste frappant avec le corridor sinistre qu'elle venait de traverser. C'était une grande pièce claire et accueillante, aux murs couverts d'un papier peint et sur lesquels étaient accrochées des gravures encadrées. Il y avait un piano dans un coin. La salle était inoccupée, à l'exception de deux hommes adossés à un mur qui buvaient de la bière en bavardant. Au fond s'ouvraient deux autres salles, presque vides elles aussi. Un joueur solitaire de fléchettes s'exerçait dans l'une tandis que, dans l'autre, deux retraités s'absorbaient dans une partie de dominos en tirant sur leurs pipes.

Emma tourna alors les yeux vers le long bar d'acajou verni derrière lequel de grands miroirs vantaient les mérites de marques de *stout* et d'*ale*. Des rangées de bouteilles multicolores, flanquant de gros fûts de bière posés sur une étagère, s'y reflétaient. Enfin, à l'autre bout du comptoir, Emma aperçut une mèche de cheveux blonds. Elle traversa la salle dans cette direction, consciente du regard des deux consommateurs qui s'étaient tus en la voyant.

Elle serra plus fort son réticule, posa la valise à ses pieds, se gratta la gorge et héla discrètement la personne blonde affairée derrière le bar et dont on ne voyait que le haut de la tête.

« Excusez-moi ! » répéta-t-elle plus fort.

La tête blonde surgit alors. Les cheveux bouclés surmontaient un visage féminin plaisant, aux joues roses et rebondies creusées de fossettes. Deux yeux marron s'écarquillaient sous des sourcils blonds bien arqués. Deux lèvres pleines s'écartèrent en un sourire d'accueil :

« Vous désirez ? » dit une voix aussi agréable que le reste du visage.

La femme entreprit alors de se déplier et apparut, un torchon dans une main et un verre dans l'autre. Emma retint un cri de surprise. Car la charmante tête blonde appartenait au corps le plus énorme qu'elle ait jamais vu et qu'une robe jaune vif au décolleté généreux dévoilait sans la moindre gêne. Le bois verni du bar refléta en la multipliant une extraordinaire montagne de chair délicatement teintée de rose et de blanc. Des promontoires aux courbes amples, des vallées profondes, des bourrelets et autres rondeurs formaient un ensemble si inattendu qu'Emma resta sidérée devant une aussi rare merveille de la nature. Car, en dépit de son volume, la femme opulente ainsi plantée devant elle n'avait rien de monstrueux ni de disproportionné. Elle respirait plutôt la majesté tempérée par la bonhomie.

Les yeux marron la regardaient d'un air interrogateur et Emma parvint à dominer sa surprise.

« Je cherche une demoiselle Rosie, dit-elle de sa voix la plus distinguée. On m'a dit qu'elle était barmaid dans cet établissement. »

La tête rose et blonde fit un nouveau sourire, encore plus engageant que le premier :

« Ne cherchez plus. Rosie, c'est moi. Que puis-je faire pour vous, mademoiselle ? »

Emma céda à l'amabilité communicative de l'imposante barmaid et lui rendit son sourire :

« Je suis une amie de Blackie O'Neill. Il m'a dit que vous pouviez lui faire parvenir un message. Pourrais-je le joindre rapidement, lui ou son oncle Pat ? »

Rosie éteignit l'éclat ironique qui s'était allumé dans son regard et toisa Emma d'un œil exercé. Tiens, tiens, se dit-elle. Voilà donc notre ami Blackie encore en chasse. Au moins, il sait les choisir, celle-ci est une vraie beauté. Mais elle est quand même un peu jeune, le chenapan !

Elle posa son verre et son torchon et s'appuya au bar :

« Je ne peux pas joindre Blackie, mon petit, il n'est pas en ville et vous l'avez manqué de peu. Il est parti hier pour Liverpool prendre le bateau pour l'Irlande. Il m'a dit quelque chose au sujet d'un vieux prêtre malade qui le réclame, ou quelque chose de ce genre...

— Oh ! mon Dieu ! » s'écria Emma.

En la voyant pâlir, Rosie se pencha par-dessus son comptoir et posa sa main potelée sur celle d'Emma.

« Il ne faut pas se frapper comme ça, voyons ! dit-elle d'un ton rassurant. Vous êtes toute pâlotte. Un petit verre de rhum vous fera du bien. »

La gorge serrée, Emma secoua négativement la tête.

« Non merci, vous êtes gentille. Mais je ne bois pas d'alcool », parvint-elle à murmurer.

10

La nouvelle que Blackie s'était absenté de Leeds lui causait un tel choc qu'elle était sur le point de défaillir. Jamais elle n'avait envisagé cette éventualité.

« Alors, une bonne citronnade toute fraîche, insista Rosie. Voulez-vous bien rentrer ça ! ajouta-t-elle avec indignation en voyant Emma tirer son porte-monnaie. C'est ma tournée. »

La barmaid se retourna pour verser la citronnade dans un verre. Quand elle fit de nouveau face à Emma, elle poussa un cri. La jeune fille était blanche comme un linge et ses mains, dans des gants blancs au crochet, tremblaient sur le rebord du bar où elle s'agrippait. Elle héla d'une voix de stentor l'un des consommateurs :

« Harry ! Va chercher un tabouret dans l'autre salle et approche-le au trot ! Plus vite, fainéant ! »

Quand le nommé Harry eut obtempéré, Rosie s'accouda au bar et dévisagea Emma d'un air soucieux :

« Ecoutez, mon petit, je me mêle peut-être de ce qui ne me regarde pas. Mais est-ce que vous n'auriez pas des ennuis, par hasard ? Vous avez une tête de déterrée. »

Méfiante par nature, Emma hésita à se confier à cette étrangère. Mais son esprit pratique eut vite raison de son angoisse et elle réfléchit rapidement à sa situation. Elle était absolument seule dans une grande ville inconnue. Avec Blackie en Irlande, elle ne connaissait plus personne vers qui se retourner. Elle n'avait donc pas le choix : il fallait qu'elle fasse confiance à cette Rosie, qui avait au demeurant l'air d'une bonne personne, mais jusqu'à un certain point seulement. Plus tard, elle aviserait.

Avant de faire ses confidences à la barmaid, elle voulut éclaircir un dernier point :

« Si Blackie est absent, je pourrais peut-être voir son oncle Pat. Il doit savoir quand Blackie va rentrer.

— Dans une quinzaine de jours, d'après ce qu'il m'a dit avant de partir. Mais l'oncle Pat n'est pas là lui non plus. Il a un gros chantier à Doncaster, je crois bien, et il est parti pour un bon bout de temps.

Emma poussa un soupir et fixa son verre de citronnade avec désespoir. Rosie l'observait, un pli soucieux
au front.

— Voyons, mon petit, pourquoi ne me dites-vous pas
ce que vous avez sur le cœur ? dit-elle au bout d'un long
silence. Je pourrais peut-être vous aider. »

Emma hésita encore un peu et releva enfin les yeux :
« Eh bien, oui, mademoiselle Rosie, j'ai un problème
auquel il faut que je trouve une solution immédiate. Je
cherche un logement, une pension de famille, n'importe
quoi. C'est pour cela que je voulais voir Blackie le plus
vite possible. Pourriez-vous m'aider, ou me conseiller ?

— Qu'est-ce que j'entends là, *mademoiselle* Rosie ?
s'esclaffa la barmaid. Allons, on ne fait pas de manières
avec moi ! Appelez-moi Rosie, voyons ! Et vous, mon
petit, comment vous appelez-vous ? Les amis de nos
amis sont nos amis, n'est-ce pas ? »

Emma réfléchit rapidement. Son père essayerait sans
doute de la retrouver. Mais, dans la lettre qu'elle avait
laissée en partant, elle avait dit qu'elle irait à Bradford.
Personne de sa famille ne connaissait Blackie et n'avait
jamais entendu parler du Cygne-Blanc. Elle pouvait
donc se nommer sans risque.

« Emma Harte, répondit-elle. Mme Emma Harte. »

Rosie écarquilla les yeux, stupéfaite :

« Vous êtes mariée, à votre âge ? » s'écria-t-elle.

Et où est donc passé le mari ? faillit-elle ajouter.

Emma se contenta de hocher la tête, incapable d'en
dire davantage. En se présentant ainsi, elle était encore
plus surprise elle-même que ne l'était Rosie.

Celle-ci secoua la tête et fit un geste fataliste. Elle
croyait tout savoir de la vie mais, apparemment, il lui
en restait encore à apprendre.

« Bon, maintenant que nous voilà présentées, reve-
nons-en aux choses sérieuses. Un logement, voyons, laissez-moi un peu réfléchir... »

Sourcils froncés, Rosie se plongea dans ses réflexions. Emma hasarda timidement :

« Et la pension de famille de Blackie ? Je pourrais
peut-être m'y installer ?

— Là-bas ? Il n'en est pas question ! s'écria la barmaid scandalisée. Dans un quartier pareil, plein d'individus qui se battent pour un oui ou pour un non ! Non, mon petit, ce n'est pas un endroit pour une personne convenable ! Mais patientez un peu, je vais avoir une idée. »

Un moment plus tard, elle sourit d'un air de triomphe.

« Voilà, j'ai trouvé ! Allez voir Mme Daniel de ma part. C'est une veuve qui loue des chambres. Sa maison n'est pas loin d'ici, vous pourrez y aller à pied. Dites-lui bien que c'est Rosie du Cygne-Blanc qui vous envoie, cela fait des années que nous nous connaissons. Mme Daniel n'est pas toujours commode mais c'est une bonne personne. Chez elle, vous serez en sûreté.

— Combien prend-elle ? » demanda Emma en hésitant.

Rosie lui décocha un regard plein de curiosité. Cette jeune personne paraissait avoir des ennuis sérieux et sa réaction à l'annonce de l'absence de Blackie était excessive pour une simple relation cherchant à se renseigner pour trouver un logement... Que diable avait encore fait cet animal d'Irlandais ? se demanda-t-elle. La petite a beau dire qu'elle est mariée et avoir l'air convenable, il ne faut pas toujours tout prendre pour argent comptant...

« Les fonds sont maigres, n'est-ce pas ?

— Je ne roule pas sur l'or mais j'ai quelques livres devant moi. De quoi voir venir... »

Tout en parlant, elle serrait convulsivement son réticule, qu'elle n'avait pas lâché depuis son départ de Fairley le matin à l'aube. Il contenait toute sa fortune jusqu'au dernier sou et les rares bijoux qu'elle possédait.

« Dans ce cas, il n'y a pas de quoi s'affoler. Mme Daniel est raisonnable, elle ne vous écorchera pas. A mon avis, elle ne prend pas plus de quelques shillings par semaine pour une bonne chambre, sans les repas bien entendu. Mais le quartier est plein de boutiques et de petits restaurants à prix fixe, vous vous débrouillerez.

« — Oui, je me débrouillerai », dit Emma en avalant sa salive.

Ces derniers temps, la seule pensée de nourriture lui donnait la nausée. Le malaise qu'elle ressentait tous les matins au réveil se prolongeait parfois jusque tard dans la journée.

« Merci, Rosie, reprit-elle. Je ne sais comment vous remercier. Je suis sûre que je m'arrangerai avec Mme Daniel.

— C'est la moindre des choses, Emma. Mais j'y pense. Vous n'êtes jamais venue à Leeds, vous allez vous perdre. Restez bien sagement assise et attendez-moi, je vais à côté prendre une grande feuille de papier et vous écrire toutes les indications pour aller chez Mme Daniel.

— Merci, Rosie. Vous êtes si gentille !

— Pff ! N'en parlons pas ! »

Rosie s'extirpa avec agilité de derrière le comptoir et propulsa son corps majestueux en direction d'une des arrière-salles. L'arrivée inopinée d'Emma Harte l'avait intriguée au plus haut point et la personnalité de la jeune fille la laissait perplexe en excitant sa sympathie. Qu'avait-elle donc, en plus de sa beauté peu commune ? Voilà, de la dignité ! se dit-elle. Une dignité que Rosie avait rarement observée chez les filles du peuple rencontrées ordinairement dans les cercles qu'elle fréquentait.

« Cette jeunesse-là, elle n'est pas ordinaire. Ce n'est sûrement pas une fille d'ouvriers. Une bourgeoise ou même une noble dans la dèche », déclara-t-elle à haute voix à la pièce vide.

Car Rosie Miller se flattait, à raison d'ailleurs, d'être bon juge de l'humanité et de ne jamais se tromper, ou presque, sur le compte des gens si divers qu'elle observait de son bar. Ainsi, elle avait tout de suite remarqué la diction raffinée d'Emma, sans la moindre trace de l'épais accent du Yorkshire. Son maintien, ses attitudes n'avaient rien de plébeien et trahissaient une éducation soignée. Tout en elle respirait la classe, y compris ses vêtements. Tenez, marmonna-t-elle en fourgonnant dans un tiroir, sa robe noire. Ce n'était pas à la dernière mode, il fallait bien l'admettre. Mais la qualité du tissu, l'élégance de la coupe ne trompaient pas. Le petit chapeau, un peu passé, était lui aussi de première qualité, avec ses fleurs de vraie soie sur la coiffe. Des chapeaux comme celui-là, il n'y avait que les modistes de Londres à savoir en faire. Quant aux gants de fil d'Ecosse, au sac à main de maroquin et au collier de perles d'ambre, ils ne pouvaient appartenir qu'à une *Lady*, sans même parler de la valise en cuir qui, un peu défraîchie, avait quand même dû coûter une petite fortune. Tout cela, conclut Rosie en s'asseyant, sentait à cent pas sa noblesse, même ruinée.

Sa conclusion ne fit qu'aviver sa perplexité. Tout en humectant consciencieusement la mine de crayon pour écrire l'adresse de Mme Daniel et l'itinéraire pour s'y rendre, elle retournait dans sa tête les données du problème. Qu'est-ce qu'une jeune dame de qualité comme cette Emma Harte pouvait bien avoir en commun avec un maçon irlandais comme Blackie O'Neill ? Il était certes beau garçon et on ne comptait plus ses ravages dans la population féminine des quartiers populaires de Leeds et des faubourgs. Mais ce n'était qu'un vulgaire ouvrier, même s'il se vantait d'être l'associé de son oncle et clamait sur les toits qu'il deviendrait riche. Qu'avaient-ils bien pu fricoter, ces deux-là ? Malgré son expérience de la vie, la bonne Rosie était incapable d'imaginer la simple vérité. Elle aurait été horrifiée d'apprendre que la distinguée Emma Harte était, la veille encore, une fille d'ouvrier vivant dans une chaumière, une fille de cuisine promue au rang de femme de chambre, une humble domestique qui haïssait les maîtres dont elle se donnait l'allure. Tout cela aurait réduit en poussière ses idées les mieux établies sur la nature humaine et l'organisation de la société.

Elle retourna dans la grande salle d'une démarche rapide qui soulevait autour d'elle un véritable tourbillon.

« Me voilà ! s'écria-t-elle en se glissant derrière le comptoir. J'ai bien écrit tous les détails pour aller chez Mme Daniel. »

Elle tendit la feuille de papier à Emma qui sursauta, perdue dans de sombres réflexions, mais remercia Rosie et glissa la feuille dans son sac. La barmaid se pencha au-dessus du bar et parla d'un ton confidentiel :

« Comme je disais tout à l'heure, mon petit, je sais bien que cela ne me regarde pas, mais vous n'avez vraiment pas l'air dans votre assiette. Je ne peux rien faire d'autre pour vous aider ? Blackie est un bon ami et il m'a rendu des services. Je serais contente de faire quelque chose pour le lui rendre, même si ce n'est pas directement... »

Emma hésita. Elle avait, moins que jamais, l'intention de dévoiler ses vrais problèmes à une étrangère. Mais cette grosse Rosie paraissait avoir bon cœur et, mieux encore, connaissait sûrement Leeds comme sa poche. Elle devait donc être en mesure de conseiller efficacement Emma sur un autre problème auquel il était urgent de trouver une solution.

« Eh bien, oui, répondit-elle. Il faut que je trouve du travail. Pourriez-vous m'aider ?

— Du travail ? dit Rosie avec surprise. Je ne vois pas comment une jeune dame comme vous pourrait trouver à Leeds quelque chose qui lui convienne... Mais, au fait, poursuivit-elle en baissant la voix, où donc est passé votre mari ? »

Malgré ses louables efforts pour paraître discrète, sa curiosité avait fini par être la plus forte. Mais Emma ne fut pas prise au dépourvu car, pendant la courte absence de Rosie, elle avait eu le temps de trouver une réponse plausible à cette inévitable question.

« Il est dans la marine, répondit-elle avec aplomb. Pour le moment, il est avec la flotte en Méditerranée et les manœuvres doivent durer au moins six mois. »

Emma avait réussi à imprimer à son mensonge un tel accent de vérité que Rosie la crut. Il restait néanmoins d'autres points à élucider.

« Vous n'avez donc pas de famille ? Où habitiez-vous, avant de venir ici ?

— J'ai perdu mes parents et mon mari aussi. J'habitais avec sa grand-mère, près de Ripon, mais elle est morte récemment et c'est pourquoi je suis toute seule. Au moins jusqu'à la prochaine permission de Winston... »

Emma se trouvait soudain embarquée dans une succession de mensonges dont elle n'avait pas prévu l'ampleur. Aussi se raccrochait-elle à des bribes de vérité qui, plus tard, lui permettraient de ne pas se perdre dans le lacis de ses explications. Mais la curiosité de Rosie, maintenant débridée, avait encore à se satisfaire.

« Comment avez-vous connu Blackie, alors ? demanda-t-elle.

— Il était venu faire des travaux chez la grand-mère de mon mari, répondit Emma en improvisant de son mieux. Il était toujours gentil et complaisant, il faisait des petits travaux supplémentaires ou aidait dans la maison sans faire payer trop cher, car il aimait bien la vieille dame. Comme il savait qu'elle n'en avait plus pour très longtemps à vivre et que j'allais me retrouver seule, il m'a conseillé de m'adresser à lui quand je lui ai demandé si je pourrais trouver du travail à Leeds, pour joindre les deux bouts... »

Emma s'interrompit et trempa ses lèvres dans sa citronnade pour gagner du temps. La facilité avec laquelle elle dévidait son histoire, le ton convaincant qu'elle adoptait avec le naturel d'une actrice chevronnée la plongeaient dans la stupeur. Jamais elle ne s'en serait crue capable ! Mais maintenant qu'elle était lancée, mieux valait aller jusqu'au bout et finir d'établir son personnage pour ne plus avoir à y revenir ensuite.

« Ainsi, reprit-elle, Blackie m'a dit que je pourrais sans doute me faire engager dans une boutique de mode ou de lingerie. Je suis capable de me débrouiller avec les clientes et je suis habile de mes mains pour les retouches et les travaux de couture.

— Oui, c'est en effet une bonne idée », approuva Rosie.

Elle était ravie de sa perspicacité sur l'origine de sa jeune visiteuse. Elle venait donc d'une vieille famille ruinée, de ces hobereaux campagnards qui vivent dans leurs manoirs en ruine et tiennent à leurs traditions. A la mort de la vieille dame, les créanciers avaient dû tout rafler et la pauvre petite était sans le sou, obligée de travailler de ses mains pour gagner sa vie. L'histoire était triste mais classique. Quant à Blackie, pour une fois, elle l'avait injustement soupçonné. Quoi de plus naturel, en effet, pour la pauvre orpheline désemparée que de se tourner vers un jeune homme entreprenant et serviable, sachant se faire mousser et qui avait dû l'éblouir de sa faconde et lui faire croire qu'il faisait la pluie et le beau temps à Leeds ? La pauvre innocente l'avait cru sur parole, voilà tout. Devant ce mélodrame vécu, Rosie se sentit émue de pitié. Mais elle n'avait guère de relations chez les commerçants en nouveautés et ne pourrait pas faire grand-chose pour aider celle qu'elle considérait déjà comme sa protégée.

« Vous savez quoi, dit-elle en posant sa main sur celle d'Emma. Lundi matin, vous irez dans Briggate, c'est la grande rue commerçante. C'est là qu'il y a toutes les boutiques de mode et de fanfreluches, sous les arcades. Ce serait bien le diable que... »

Des rires et des éclats de voix à la porte interrompirent son discours et Rosie se tourna vers le groupe de consommateurs qui venait d'entrer.

« Allons bon, reprit-elle en soupirant, voilà des clients. Allez vous mettre au bout, c'est plus tranquille. Mais nous n'allons plus guère avoir le temps de bavarder, Emma.

— Je vais vous laisser travailler, Rosie, répondit Emma en se levant. Il vaudrait mieux que j'aille le plus tôt possible chez Mme Daniel régler la question de la chambre. Merci pour tout, ajouta-t-elle en souriant. Je vous suis profondément reconnaissante de votre aide et de vos conseils.

— De rien du tout, voyons, c'est bien la moindre des choses ! protesta la barmaid. Et faites-moi signe, hein ? Tenez-moi au courant, surtout si vous déménagez de chez Mme Daniel, pour que je sache où vous êtes et que je le dise à Blackie quand il reviendra. Venez me voir de temps en temps pour bavarder.

— J'y compte bien, Rosie. Et merci encore. »

Sur un dernier sourire, Emma prit sa valise et sortit du pub. Rosie la suivit des yeux pensivement. La pauvre petite, espérons qu'elle s'en tirera! pensa-t-elle avec un gros soupir. Une si belle fille, si douce! Quel malheur, quand même, qu'elle soit toute seule dans la vie!

Une fois dans la rue, Emma étudia attentivement les indications écrites par Rosie et se mit résolument en route vers la maison de Mme Daniel. Le quartier ne manquait pas de chambres à louer, mais Rosie avait préféré envoyer Emma dans un secteur un peu plus éloigné et mieux fréquenté, car elle avait tout de suite éprouvé envers elle une sympathie protectrice. Elle ne voulait donc pas la voir seule dans les taudis mal famés qui environnaient York Road.

Emma marchait d'un bon pas, évitait de regarder autour d'elle et ne levait les yeux que pour vérifier les noms des rues. L'agitation de la grande ville l'effrayait et la désorientait. Partout, ce n'étaient que piétons qui se hâtaient, charrettes, cavaliers, lourds camions de livraison dont les cochers s'invectivaient à grands cris. A ce vacarme s'ajoutaient les pétarades des automobiles, encore rares dans ce quartier populaire, le grondement des tramways, toute une activité fébrile si différente du calme de Fairley qu'on se serait cru dans un autre monde. Assez vite, cependant, Emma s'y accoutuma et ne le remarqua presque plus. Elle avait trop l'habitude de se concentrer sur un seul objectif à la fois en éliminant tous les autres de son esprit sans se laisser distraire. Ce qui importait avant tout était, dans l'ordre, de trouver un logement, un emploi et d'attendre le retour de Blackie. Elle ne voulait, elle n'osait penser à rien d'autre, surtout pas à l'enfant qu'elle attendait. Ainsi avançait-elle dans les rues bondées, droite et fière, serrant d'une main son réticule contre sa poitrine et de l'autre la poignée de sa valise.

Il lui fallut près d'une demi-heure d'une marche rapide pour trouver la rue de Mme Daniel et, pour la première fois depuis son départ du Cygne-Blanc, Emma s'arrêta et consulta le papier écrit par Rosie. Sa future logeuse habitait au numéro cinq et Emma poussa un soupir de soulagement en constatant que la maison tranchait nettement sur la pauvreté lépreuse des bâtiments qui l'entouraient. C'était une sorte de pavillon haut et étroit, à l'architecture victorienne tarabiscotée et aux murs noircis par la fumée que dégorgeaient les usines d'alentour. Mais les vitres étaient immaculées et l'on y voyait des rideaux blancs fraîchement amidonnés. Un heurtoir de cuivre bien astiqué brillait sur une porte récemment repeinte en vert bouteille, les trois marches du petit perron avaient été lavées à grande eau et étaient ornées de géraniums en pots.

Emma gravit vivement les marches et heurta à la porte. Au bout d'une brève attente, une petite femme maigre au visage buriné et revêche sous ses cheveux gris vint ouvrir et la considéra avec méfiance.

« Qu'est-ce que c'est ?

— Je voudrais voir Mme Daniel, s'il vous plaît.

— C'est moi. Qu'est-ce que vous voulez ? »

Il en fallait davantage pour rebuter Emma. Elle s'était fixé pour objectif de trouver une chambre, aujourd'hui même, et elle la trouverait, ici. Elle n'avait ni le temps ni le courage de courir dans tout Leeds à la tombée du jour et, aux manières inhospitalières et franchement désobligeantes de la dame, elle allait opposer un déploiement de charme et une politesse qui auraient raison de sa répugnance.

« Je suis très heureuse de faire votre connaissance, madame Daniel, dit-elle de son ton le plus suave. Rosie, du Cygne-Blanc, m'a recommandé votre maison où, m'a-t-elle dit, je pourrais louer une chambre.

« Je ne prends que des messieurs et, de toute façon, je n'ai plus de place, grogna la logeuse.

— Oh ! mon dieu ! s'écria Emma en ouvrant de grands yeux. Que vais-je devenir ? Rosie était sûre que vous pourriez me loger. Je me contenterais d'une petite chambre, vous savez. Votre maison a l'air grande, de l'extérieur...

— Je n'ai que deux chambres et elles sont prises. Il ne me reste qu'une petite mansarde que je ne loue jamais et je n'ai pas l'intention de prendre davantage

20

de pensionnaires. Bonsoir », conclut-elle en repoussant la porte.

Emma ne se laissa pas démonter. Armée de son sourire, elle insista, plaida, dévida de manière bouleversante l'histoire dont Rosie avait eu la primeur et termina sur ce qu'elle croyait un argument massue en proposant de payer un mois de loyer d'avance :

« Pour une mansarde qui ne vous rapporte rien d'habitude, dit-elle d'un ton persuasif. Par les temps qui courent, cela vous rendrait sûrement service, madame Daniel. »

Gertrude Daniel la vit ouvrir son sac sans se dérider. Veuve et sans enfants, elle se protégeait des vicissitudes de la vie derrière des manières rébarbatives et une physionomie sévère. Mais elle n'était pas dépourvue de qualités de cœur, comme Rosie l'avait dit. L'histoire déchirante de la jeune orpheline dont le mari voguait sur les mers lointaines ne l'avait pas laissée insensible sans, cependant, l'attendrir. L'argent ne l'intéressait pas. Elle se refusait surtout à enfreindre une règle inflexible : ne pas prendre de femmes sous son toit. Bien des années auparavant, son mari s'était enfui au bras d'une sémillante pensionnaire. Depuis, le pauvre Bert Daniel reposait sous six pieds de terre et sa complice était ridée comme une vieille pomme. Mais l'intransigeante Mme Daniel ne leur avait jamais pardonné et étendait son exécration à toutes les femmes qui, selon elle, ne pouvaient que causer des ennuis sans nombre dans une maison.

Aussi fut-elle stupéfaite de s'entendre inviter la jeune peste aux touchants yeux verts à franchir le seuil de sa porte :

« Ne restons pas là, les voisins sont encore à m'épier, ces vauriens, dit-elle en bougonnant. Ce n'est pas pour vous louer ma mansarde, se hâta-t-elle d'ajouter. C'est simplement pour réfléchir où je pourrais vous envoyer... »

Les pourparlers reprirent de plus belle, avec autant d'obstination de part et d'autre. Emma eut un trait de génie en faisant à Mme Daniel des compliments dithyrambiques sur son salon. C'était un véritable musée de ce que l'époque victorienne avait produit de plus atroce dans le mauvais goût et la bonne dame en était très fière. Légèrement radoucie par les exclamations extasiées de sa visiteuse, elle se rembrunit de plus belle en s'inquiétant du rapport qu'il pouvait y avoir entre Emma et Rosie, dont elle connaissait les qualités mais qui pratiquait un métier ne la prédisposant guère à fréquenter des jeunes femmes de la bonne société.

Car elle avait, elle aussi, été immédiatement impressionnée par les vêtements d'Emma, son comportement, son ton plein de distinction et de raffinement. Depuis quelques minutes, en fait, son entêtement à refuser sa mansarde venait moins de ce qu'elle considérait Emma comme une intruse que de sa gêne à proposer à une dame de qualité un galetas tout juste bon pour une domestique.

Devant l'insistance de la jeune femme, elle haussa les épaules d'un air excédé :

« Enfin, puisque vous y tenez, montons la voir, cette chambre. Mais je vous préviens que je ne vous la louerai pas pour plus de quinze jours, trois semaines... »

Emma faillit lui sauter au cou. Mais elle se contint et refit une de ses meilleures imitations d'Olivia Wainright :

« Vous êtes vraiment trop aimable, chère madame. »

La mansarde était minuscule mais d'une propreté parfaite et l'ameublement, pour simple qu'il fût, était amplement suffisant pour assurer un minimum de confort. Emma le vit d'un coup d'œil et se tourna en souriant vers son hôtesse :

« Je la prends », dit-elle d'un ton qui ne souffrait pas la discussion.

L'autre eut un haut-le-corps et lança une contre-attaque désespérée :

« J'en demande trois shillings par semaine. Cela à l'air beaucoup, mais c'est plus que raisonnable, compte tenu des circonstances...

— C'est très raisonnable, en effet », interrompit Emma.

Elle compta posément le montant d'un mois de loyer qu'elle posa sur la table. Elle aurait au moins un toit au-dessus de sa tête jusqu'au retour de Blackie.

Totalement désarçonnée, Mme Daniel empocha les douze shillings alors qu'elle ne voulait pas s'encombrer d'Emma plus d'une quinzaine de jours. Pour la seconde fois de la journée, elle se surprit à dire des mots qu'elle n'avait pas l'intention de prononcer :

« Merci quand même. Je vais descendre chercher votre bagage. »

Avant qu'Emma ait pu protester, elle faisait déjà craquer les marches de l'escalier et revenait presque tout de suite après avec la valise. Son aspect luxueux, la souplesse du cuir dont elle était faite avaient éveillé en elle de nouveaux soupçons et elle lança à Emma un regard sévère :

« Une dernière chose. Je ne peux m'occuper que des chambres des deux messieurs. Il faudra que vous fassiez votre lit et votre ménage... A vous voir, poursuivit-elle d'un ton accusateur, je n'ai pas l'impression que vous ayez vécu bien à la dure! Etes-vous capable de faire le ménage, au moins ? »

Emma dut faire un violent effort pour ne pas éclater de rire au nez de sa logeuse :

« Je m'y mettrai très facilement.

— Allons, tant mieux. Pour trois shillings par semaine, vous vous doutez que je ne peux pas vous nourrir... »

Mme Daniel s'interrompit pour toiser avec méfiance la jeune femme calme et digne qui lui souriait et, pour la troisième fois et avec une stupeur croissante, laissa tomber de ses lèvres des paroles inouïes :

« Mais vous pourrez vous servir de ma cuisine, si vous voulez. Je vous ferai de la place dans un placard pour y serrer vos affaires. »

Emma, réprimant toujours son fou rire, se borna à répondre brièvement :

« Merci beaucoup, madame Daniel.

— Bon, eh bien, je vous laisse vous installer. Prévenez-moi si vous avez besoin de quelque chose. »

Quand sa logeuse eut refermé la porte derrière elle et que ses pas eurent décru dans l'escalier, Emma se rua sur son lit et s'enfouit le visage dans l'oreiller pour étouffer ses éclats de rire. Si je suis capable de faire le ménage ? se répétait-elle entre deux accès d'hilarité. Si je suis capable de faire le ménage ! La pauvre femme, si elle savait !

Enfin calmée, elle s'essuya les yeux et retira ses gants. Elle avait eu raison de les garder toute la journée, se dit-elle en contemplant ses mains rouges et rendues rugueuses par les travaux domestiques. Depuis son départ de Fairley, elle avait réussi à créer son personnage de jeune fille de bonne famille victime des circonstances et tous ceux qu'elle avait rencontrés, le rétameur de Shipley, Rosie et Mme Daniel, avaient mordu à l'hameçon. Sa robe, son chapeau, tout, jusqu'à sa voix et son élocution, lui venait d'Olivia Wainright. Elle n'avait d'ailleurs pas eu grand mal à soutenir son imitation, car elle avait de l'oreille et s'était habituée avec Edwin à s'exprimer avec raffinement. Cette partie-là de son Plan s'exécutait donc de manière pleinement satisfaisante.

Le reste, elle en était convaincue, suivrait tout aussi facilement. Elle était venue à Leeds sous les traits d'une jeune dame pauvre. Elle y deviendrait une grande dame riche. Très riche, naturellement. Le sourire qui apparut sur ses lèvres avait une touche de dureté cynique et ses yeux verts lancèrent des éclairs déplaisants. Car Emma pensait aux Fairley et à sa vengeance. Mais elle n'avait pas le temps, aujourd'hui, de trop s'appesantir là-dessus. A partir de maintenant, chaque minute de son temps comptait précieusement. Elle ne pouvait se permettre d'en perdre une seconde. S'il le fallait, elle travaillerait dix-huit heures par jour sept jours par semaine mais elle atteindrait son but : être quelqu'un. Etre une grande dame.

Sa brève rêverie terminée, Emma ôta son chapeau et se mit à examiner soigneusement sa chambre. Elle avait une telle horreur de la crasse ou du négligé que son premier soin fut de défaire le lit pour en vérifier les draps, les couvertures et même le matelas. A son soulagement, tout était soigneusement propre, bien qu'usé et reprisé par endroits. Ensuite, malgré sa fatigue, elle défit sa valise, pendit ses vêtements dans l'armoire, rangea son linge dans la commode où elle trouva deux serviettes de toilette. Dans le tiroir du bas elle fit une découverte qui excita sa curiosité.

Plusieurs livres y étaient empilés, épais volumes richement reliés en cuir et ornés de dorures. Elle en prit un, l'ouvrit. C'était un recueil de poèmes de William Blake, auteur dont Emma n'avait jamais entendu parler. Sur la page de garde, un *ex-libris* annonçait en anglaise soigneusement calligraphiée que le livre avait appartenu à Albert H. Daniel. Emma le remit en place et sortit les autres un par un. Avec le théâtre de Shakespeare en plusieurs tomes, ce qui éveilla un souvenir dans la mémoire d'Emma, il y avait des auteurs qui lui étaient totalement inconnus et dont elle prononçait le nom à mi-voix : Platon, Aristote, Spinoza... Qui donc était le défunt mari de Mme Daniel pour s'intéresser à des lectures aussi ardues ? Avec un soupir, Emma rangea les ouvrages au fond du tiroir. Elle n'aurait pas de temps à perdre à lire des livres qui ne lui donneraient rien de concret pour l'exécution de son Plan. Mais quel bonheur aurait eu Frank à mettre la main sur de telles œuvres !

A la pensée de son jeune frère, Emma sentit son cœur se serrer et elle se laissa tomber sur une chaise. Pour la première fois de la journée, elle se sentit coupable d'avoir ainsi abandonné son père et son frère dont l'évocation la remplissait de tristesse. En partant, ce matin, elle avait laissé une lettre sur la table pour dire qu'elle était allée à Bradford chercher une meilleure place. Il ne fallait pas qu'ils se fassent du souci pour elle car elle avait mis assez d'argent de côté pour tenir le coup quelques semaines. Elle avait conclu en promettant qu'elle reviendrait les voir dès qu'elle pourrait et leur écrirait pour leur donner son adresse dès qu'elle aurait trouvé un emploi convenable.

Qu'allait-elle leur écrire, se demanda-t-elle avec un bref sursaut d'angoisse, et quand ? Elle n'en savait rien.

Et les prochains jours ne lui laisseraient guère le temps d'y penser. Car il fallait avant tout s'organiser et survivre. Survivre : le mot clef du vocabulaire d'Emma Harte. La fortune viendrait ensuite.

23

Près d'une semaine après son arrivée à Leeds, Emma n'avait toujours pas trouvé de travail. Dès le lundi, elle avait systématiquement entrepris d'aller voir toutes les boutiques de Briggate et des rues adjacentes, postulant n'importe quel emploi, même le plus humble. Les refus s'accumulaient mais Emma, inquiète sans être découragée, recommençait le lendemain. Elle frappait obstinément à toutes les portes et foulait inlassablement ces pavés que Blackie lui avait dit être en or mais qui, sous ses pieds fatigués, paraissaient de plus en plus durs et poussiéreux.

Elle avait ainsi eu l'occasion de se familiariser avec le centre de la ville et, malgré sa vive déception, ne pouvait s'empêcher de trouver Leeds passionnante et attachante. Cette immense métropole n'effrayait plus la petite villageoise, intimidée d'abord par les proportions gigantesques des grands immeubles. De fait, passé le premier effarement ressenti en sortant de chez Mme Daniel, elle avait vite compris le caractère de ces écrasantes bâtisses : il s'agissait de temples élevés au commerce, à l'industrie, au progrès. Ils étaient les symboles de l'argent et de la puissance dont elle était avide. Ses premiers échecs ne la rebutaient pas, au contraire : ils ne faisaient que renforcer sa détermination et raffermir son ambition. Si d'autres avaient accompli ce dont elle avait les signes sous les yeux, elle était nécessairement capable de faire mieux.

Car Emma avait trouvé une curieuse similitude entre ces usines, ces entrepôts et ces immeubles de rapport qui l'écrasaient de leur masse noircie et les monolithes géants de la lande, dont ils semblaient posséder le caractère implacable et éternel. Comme elle avait trouvé sa force de caractère au contact des collines sauvages, de même puisait-elle l'espoir et le courage de continuer à la vue de ces puissants édifices. D'emblée, Emma avait compris que son avenir était là, à Leeds qui était alors la cinquième ville d'Angleterre. C'est au cœur de cette lande urbaine, où seuls les plus forts survivent, qu'elle bâtirait sa fortune et assiérait le pouvoir dont elle avait fait le seul et unique objet de ses pensées.

En ce vendredi matin, au bout de quatre jours de recherches infructueuses, Emma se retrouva par hasard devant l'hôtel de ville et s'arrêta un instant pour en admirer l'austère grandeur. Précédée de quelques marches, la façade était gardée par quatre colossaux lions de pierre qui se détachaient devant les colonnes corinthiennes du fronton. Le corps de bâtiment central était surmonté d'un beffroi qui semblait se perdre dans les nuages. Ce monument pesant, d'un style gothique en faveur à l'époque victorienne et dont la pierre était déjà noircie par les fumées d'usines, n'était cependant pas laid. Inauguré en 1858 par la reine elle-même, il paraissait incarner la passion dominatrice qui suintait de chaque pierre de la ville et qui nourrissait l'Empire au faîte de sa puissance. Cette ville, se dit Emma le regard levé vers les flèches et les balustres, cette ville peut vous écraser. Mais moi je ne me laisserai pas dominer par elle.

Ainsi raffermie dans sa résolution, elle reprit sa quête obstinée et se heurta partout à la même fin de non-recevoir. Il n'y avait pas de travail. Les qualités dont elle était si fière resteraient-elles sans emploi ? Le modeste salaire dont elle avait le plus impérieux besoin lui serait-il toujours refusé ?

Pensive, ébranlée dans la certitude de sa réussite, elle arpentait alors Boar Lane, rue commerçante où s'alignaient de luxueuses boutiques. De temps en temps, elle s'arrêtait pour regarder une devanture, admirer les étalages de fine lingerie, de robes élégantes, de bijoux ou de maroquinerie. C'est alors qu'elle sentit évoluer dans son esprit la conception de son Plan. Si elle voulait faire fortune, il fallait en définir les moyens avec plus de précision, s'y attaquer avec plus de force. Une certitude se présenta à elle et s'imposa peu à peu : elle devait avoir un magasin. Un magasin à elle. Un magasin où elle vendrait des choses indispensables, que les clients viendraient acheter tous les jours. Voilà la vraie solution : le commerce. Sa fortune serait fondée sur le commerce ! Au début, elle n'aurait qu'une petite boutique mais, peu à peu, elle l'agrandirait. Plus tard, elle pourrait en voir une autre, deux, trois peut-être. Alors, elle serait vraiment riche !

Soulevée par l'exaltation, Emma sentit sa lassitude se dissiper d'un coup et pressa le pas. La foule autour d'elle, les tramways, les voitures élégantes, tout respirait la prospérité, l'esprit d'entreprise, l'avenir. Au milieu de ses compatriotes durs à l'ouvrage, industrieux et tenaces, elle communiait à cette atmosphère fiévreuse et sentait ses propres qualités exacerbées par l'air même qu'elle respirait. Plus que jamais, elle sentait que Leeds lui était bénéfique et qu'elle pourrait donner ici la pleine mesure de ses capacités.

Quelques instants plus tard, elle arriva au marché central de Kirkgate. C'était une immense surface de halles juxtaposées où l'on trouvait, dans un incroyable désordre apparent, les marchandises les plus variées, allant des ustensiles de cuisine aux soieries, de la porcelaine aux vêtements. On y trouvait surtout, à emporter ou à consommer sur place, toutes sortes de denrées alimentaires, des plus communes aux plus délicates, légumes, viandes, poissons fumés, fruits de mer, pâtisseries, tout ce que l'agriculture et l'industrie peuvent inventer pour satisfaire les goûts les plus divers.

Emma erra lentement au milieu de cette profusion de couleurs et d'odeurs et s'arrêta devant l'immense étalage du « Penny Bazar » de Marks & Spencer. Au-dessus des rayons, un énorme écriteau proclamait :

NE DEMANDEZ PAS LE PRIX,
TOUT EST A UN PENNY !

Fascinée, Emma observa attentivement les marchandises offertes à la convoitise des chalands. Elle admira la manière parfaitement organisée dont les articles étaient classés, leur diversité et leur aspect attrayant. Voilà, se dit-elle, une idée remarquable. Tout à un penny! Pour cette modeste somme, l'on pouvait voir, toucher, comparer presque tout ce dont on pouvait avoir besoin, chandelles, produits d'entretien, jouets, papeterie, lingerie... Les commis n'avaient pas besoin de vendre ni de marchander, ils se contentaient d'encaisser le prix. Simple et efficace, ce système l'impressionna profondément et Emma s'y serait volontiers attardée.

Mais il était près de deux heures et, après avoir mangé un cornet de moules marinières, elle quitta le marché pour se diriger vers North Street, où se trouvaient la plupart des ateliers de confection. Le matin, en effet, une vendeuse lui avait conseillé d'y tenter sa chance. « Mais allez-y pendant qu'il fait jour, avait-elle recommandé. Le quartier est plutôt mal famé. »

Il faisait une journée d'août étouffante. Sous le ciel couvert et orageux, l'air était irrespirable dans les rues étroites où les passants soulevaient la poussière. Emma s'arrêta un instant à l'ombre d'une maison et s'éventa avec son sac à main. La chaleur lui montait au visage par bouffées du pavé surchauffé. Mais elle reprit bientôt son chemin avec résolution. Il fallait qu'elle trouve du travail pour vivre jusqu'à la naissance du bébé. Après, elle travaillerait jour et nuit s'il le fallait, économiserait sou par sou mais elle amasserait de quoi s'acheter sa première boutique. Maintenant que sa décision était prise et que le processus était clair dans son esprit, elle ne sentait plus la fatigue de ses pieds gonflés, de son dos courbaturé. Plus forte que jamais, la certitude du succès lui était revenue et la portait presque. D'ailleurs, elle n'avait pas le choix. elle ne pouvait pas se permettre d'échouer.

Elle se trouva bientôt à l'entrée de North Street, longue rue en pente où s'alignaient les ateliers de confection. Emma pénétra dans le premier, pour y entendre la réponse désormais familière. Elle essaya un autre, puis un autre, un autre encore. Partout, on lui disait avec impatience ou commisération les mots fatidiques : « Pas de travail. » Au sixième ou septième, un contremaître compatissant lui conseilla un confrère, dans une impasse vers le haut de la rue. Là, nouvelle déception : « Désolé, pas d'embauche. » Nullement découragée mais seulement un peu plus lasse, Emma s'arrêta au coin de l'impasse et regarda le chemin qu'elle avait parcouru le long de North Street. Elle n'en était encore qu'à la moitié mais il se faisait tard. Mieux valait continuer tout droit jusqu'à York Road et rentrer chez Mme Daniel. Elle reviendrait demain et finirait par trouver cet emploi dont elle avait tant besoin.

Elle continua donc à remonter la rue, dont la pente devenait plus sévère, et arriva quelques minutes après au sommet. Elle s'était à peine arrêtée pour reprendre haleine quand elle sentit quelque chose la heurter violemment à l'épaule et vit une pierre rouler à ses pieds. Elle se retourna, stupéfaite : à quelques pas, un peu plus bas, deux gamins dépenaillés la regardaient en souriant bêtement. Furieuse, Emma brandit le poing :

« Vilains garnements ! s'écria-t-elle. Attendez un peu que je vienne vous tirer les oreilles ! »

Ils lui répondirent en ricanant et se baissèrent pour ramasser des poignées de cailloux. Emma s'apprêtait à fuir quand elle se rendit compte que les projectiles ne lui étaient pas destinés et qu'elle se trouvait simplement sur leur trajectoire. Alors, elle s'aperçut avec indignation que les deux petits voyous prenaient pour cible un homme qui avait trébuché et était tombé à terre. Il essayait de se relever, retombait en esquivant les pierres et cherchait un abri le long d'une maison en levant les bras pour se protéger le visage. Excités par ce spectacle, ses tortionnaires le bombardaient d'une grêle de pierres en poussant des cris de victoire. Leur victime, un homme entre deux âges proprement vêtu, avait laisser tomber un paquet. Il avait perdu ses lunettes et son chapeau et Emma vit qu'il avait une joue ensanglantée.

Scandalisée par cette lâche agression, elle s'élança

sans réfléchir vers les deux chenapans, sa rage étant plus forte que sa crainte.

« Petits voyous ! hurla-t-elle. Sauvez-vous tout de suite ou j'appelle un agent ! Vous finirez en prison ! »

Son intervention n'eut pas grand succès tout d'abord et les deux gamins lui rirent au nez en lui tirant la langue. Mais voyant qu'elle ne reculait pas, qu'elle ramassait deux pierres et paraissait décidée à les leur jeter, ils finirent par prendre peur et détalèrent en faisant des pieds de nez et en couvrant leur retraite par des bordées d'injures. Quand l'écho de leurs provocations se fut évanoui dans une rue de traverse, Emma courut vers l'inconnu pour l'aider à se relever. C'était un petit homme mince mais d'allure vigoureuse. Ses cheveux noirs et bouclés, qui se dégarnissaient au sommet, grisonnaient sur les tempes. Ses traits accusés étaient expressifs et non sans noblesse et ses yeux noirs pleins de vivacité.

La fureur d'Emma avait fait place à l'inquiétude et à la compassion.

« Etes-vous blessé, monsieur ? » demanda-t-elle avec sollicitude.

Debout, appuyé au mur, l'inconnu épongeait avec son mouchoir le sang qui lui coulait de la joue.

« Non, ce n'est rien de grave, répondit-il. Je tiens à vous remercier, mademoiselle, vous avez fait preuve de beaucoup de courage et de bonté. Si je ne craignais d'abuser, je vous demanderais de m'aider à chercher mes lunettes. Je les ai perdues et sans elles je n'y vois rien... »

Emma ramassa les lunettes et les examina avant de les tendre à leur propriétaire :

« Les voici, dit-elle. Heureusement, elles sont intactes. »

L'inconnu les chaussa avec un soupir de soulagement.

« Grand merci ! Cela va beaucoup mieux. »

Pendant ce temps, Emma ramassait le paquet qu'il avait laissé tomber. C'était un sac en papier contenant divers objets, dont une miche de pain d'une forme peu courante qui avait roulé dans la poussière. Emma souffla dessus et l'épousseta de son mieux avant de la remettre dans le sac.

« Voilà, votre pain n'a pas trop souffert non plus », dit-elle en le lui rendant.

L'homme remettait son chapeau, sous lequel il portait une sorte de petite calotte noire. Il observa Emma avec intérêt et lui adressa un sourire de gratitude :

« Je ne sais comment vous exprimer ma gratitude, ma jeune demoiselle. Il n'y a pas beaucoup d'hommes qui oseraient faire ce que vous venez de faire dans un quartier comme celui-ci ! Vous êtes vraiment très courageuse, oui, très courageuse... »

Il regardait Emma avec une admiration non dissimulée. Emma, de son côté, l'observait avec curiosité. Il était vêtu simplement et sans recherche mais son costume était manifestement de bonne qualité. La manière parfaite dont il s'exprimait trahissait un léger accent, difficile à définir. Emma qui n'avait jamais rencontré d'étrangers se dit qu'il devait venir du Continent.

« Pourquoi ces affreux voyous vous jetaient-ils des pierres ? demanda-t-elle.

— Parce que je suis un juif », répondit-il simplement.

Qu'est-ce donc qu'un juif ? se demanda Emma avec perplexité. Mais plutôt que d'avouer son ignorance, elle préféra répéter sa question en termes différents :

« Pourquoi cela leur donnerait-il envie de vous lapider ? »

L'inconnu s'étonna de la question d'Emma mais, la voyant de bonne foi, lui répondit gravement :

« Parce que les gens ont toujours peur de ce qu'ils ne connaissent pas, de ce qu'ils ne comprennent pas, de ce qui est différent, étranger. Et toujours, cette peur dégénère en haine, une haine aveugle, d'autant plus violente qu'elle est irraisonnée. Or ici, voyez-vous, les juifs sont ceux que l'on hait et que l'on persécute... »

Il s'interrompit pour soupirer avec tristesse.

« La nature humaine est bien étrange, reprit-il. L'on hait sans savoir pourquoi. L'on hait sans comprendre que cette haine finit toujours par se retourner contre celui qui la nourrit et le détruire lui-même. Non, voyez-vous, rien au monde n'est plus destructeur que la haine... »

Ces paroles, le ton plein de mélancolie avec lequel elles avaient été prononcées, l'absence d'amertume et l'élévation de pensée qu'elles dénotaient chez cet étranger firent à Emma une profonde impression. Avait-elle tort de haïr Edwin comme elle le faisait ? Non, lui répondit une petite voix qu'elle prit pour celle de sa conscience. La haine dont parle cet homme est aveugle, irraisonnée, brutale. Emma, elle, avait cent bonnes raisons de ressentir de la haine envers Edwin Fairley, qui l'avait trahie et abandonnée. Ainsi rassérénée, Emma s'éclaircit la voix et posa la main sur le bras de son compagnon :

« C'est affreux, dit-elle d'un ton pénétré. Penser qu'il y a des gens qui vous haïssent sans vous connaître, qui cherchent à vous faire du mal... Comment peut-on vivre au milieu d'une telle cruauté, d'une telle... »

Elle s'interrompit pour chercher le mot propre. L'homme lui fit un sourire triste :

« Une telle persécution, dit-il. Mais ce petit incident n'est rien à côté des massacres qui se produisent encore aujourd'hui dans le monde. Ici même, dans ce pays, il arrive que des foules surexcitées s'en prennent à nos biens, saccagent nos maisons, nous menacent dans notre vie. Allons, ma chère petite, je vous ai assez ennuyée avec toutes ces histoires qui ne vous concernent pas, conclut-il avec un sourire. Il me reste à vous remercier encore... »

Emma était stupéfaite de le voir se résigner aux criantes injustices qu'il venait d'évoquer et qu'il ne se révolte pas d'être ainsi exposé à la violence. La police ne pouvait-elle donc rien faire ? lui demanda-t-elle.

« Pas grand-chose, répondit-il. Leeds, voyez-vous, est loin d'être paisible et sûre, même à notre époque. Alors, la police laisse faire plutôt que d'être débordée. De notre côté, nous essayons de nous faire remarquer le moins possible et d'éviter les affrontements. Mais dites-moi, poursuivit-il en voyant l'expression d'horreur incrédule qui envahissait les traits d'Emma, ne savez-vous donc pas qui sont les juifs ? »

Gênée d'admettre une telle lacune dans ses connaissances, Emma rougit.

« Non... Mais pouvez-vous me le dire ? J'aime apprendre le plus possible. »

En quelques phrases claires et précises, l'inconnu entreprit de raconter à Emma l'essentiel de l'histoire du peuple hébreu, les origines de sa religion et les liens entre le judaïsme et le christianisme. Parfois, quand une référence à la Bible ou à l'histoire semblait dépasser les connaissances d'Emma, il expliquait en quelques mots et poursuivait le cours de son récit.

« Ainsi, conclut-il avec un soupir, nous autres juifs devons paraître bien étranges à beaucoup de gens. Nos coutumes, nos règles alimentaires, les rites de notre religion ne sont pas les mêmes que ceux des Gentils... Pourtant, les hommes ne sont pas si différents les uns des autres. Il suffirait qu'ils veuillent bien s'en apercevoir... »

Emma approuva avec véhémence. Dans les propos de son compagnon, elle retrouvait les cruelles différences de classes qui existaient dans la société anglaise. N'avait-elle pas elle-même été victime de leurs injustes conséquences ?

« Ainsi, monsieur, vous venez du pays des juifs ? » dit-elle en pensant au curieux accent avec lequel il parlait.

L'homme eut un sourire amusé :

« Non, ma jeune demoiselle, il n'y a pas de pays des juifs. Nous sommes dispersés dans le monde entier voyez-vous. Je suis moi-même originaire de Kiev, en Russie. La plupart des Juifs de Leeds viennent de Russie ou de Pologne, d'où nous avons fui pour échapper aux pogroms et aux massacres. Ici, en Angleterre, nous sommes libres et en sécurité. Cela vaut bien de supporter quelques menus inconvénients... Vous n'êtes sans doute pas originaire de Leeds vous-même, sinon vous sauriez qu'il y a beaucoup d'immigrants juifs en ville et que nous y subissons bien des tracasseries et des humiliations.

— Non, répondit Emma. Je suis... des environs.

— Ah! je comprends! dit-il avec un rire de bonne humeur. Eh bien, il est grand temps que je vous laisse aller, au lieu de vous assommer avec mes discours. Acceptez encore toute ma gratitude et que Dieu vous protège tout au long de votre vie. »

Emma refréna une grimace en entendant parler du Dieu auquel elle refusait désormais de croire mais elle s'abstint de commentaires pour ne pas froisser inutilement son nouvel ami. Ils se séparèrent cordialement et Emma suivit l'homme des yeux avant de s'éloigner à son tour. Il n'avait pas fait dix pas qu'Emma le vit vaciller et se rattraper à un mur en se tenant la poitrine à deux mains. Elle courut le rejoindre et vit qu'il était devenu livide. Ses lèvres bleuies, sa respiration saccadée et la sueur qui lui perlait au front inquiétèrent Emma au point qu'elle le prit par le bras et déclara qu'elle allait le raccompagner jusque chez lui.

« Mais non, mais non, protesta-t-il faiblement. Ce n'est qu'une légère indigestion, sans doute...

— Je ne vais pas vous laisser partir seul, insista Emma. Où habitez-vous?

— Imperial Street, dans le quartier des Leylands. C'est à dix minutes d'ici. »

Emma eut une bouffée d'inquiétude. On l'avait mise en garde à plusieurs reprises contre le caractère peu sûr de ce quartier, curieusement affublé du nom de « ghetto » auquel elle n'avait rien compris. Sans rien laisser paraître de sa réticence, elle prit d'autorité le paquet des mains de son compagnon et le força à s'appuyer à son bras.

Au bout de quelques minutes, l'homme sentit ses douleurs diminuer. Sa respiration redevenait régulière, son pas s'affermissait. Il tourna alors son attention vers cette jeune inconnue qui se montrait si secourable, ce dont il n'avait guère l'habitude. Il lui exprima sa gratitude en termes mesurés et s'arrêta pour tendre cérémonieusement la main :

« Permettez-moi de me présenter, mademoiselle. Abraham Kallinski, pour vous servir. Puis-je avoir l'honneur de connaître votre nom ? »

Emma cala sous son bras le paquet qu'elle portait et serra la main tendue :

« Emma Harte », dit-elle en inclinant la tête.

Kallinski avait déjà remarqué l'anneau d'argent qui brillait à l'annulaire d'Emma :

« Doit-on dire madame Harte ? »

Emma hocha la tête sans rien ajouter. Homme courtois et qui respectait l'intimité d'autrui, il n'insista pas.

Ils se remirent en marche d'un pas égal et Abraham Kallinski, naturellement disert et d'un naturel confiant, raconta à sa jeune compagne quelques-uns des faits saillants de sa vie. Ainsi apprit-elle qu'il avait quitté Kiev en 1880 et était arrivé à Leeds après avoir séjourné en Hollande. A l'exemple de la plupart de ses coreligionnaires, il espérait y gagner rapidement de quoi poursuivre vers Liverpool et payer son passage pour l'Amérique. Mais, comme pour beaucoup, les circonstances se révélèrent défavorables et il se fixa tout naturellement dans le quartier des Leylands où se formait une assez forte population de juifs russes et polonais.

« Nous nous entraidions et j'étais jeune, à l'époque. A peine vingt ans... Un an plus tard, j'ai eu la bonne fortune de rencontrer celle qui allait devenir ma femme. Elle était native de Leeds, car ses parents avaient quitté la Russie avant moi. C'est ainsi que je suis resté, sans poursuivre mon chemin vers l'Amérique, comme tant d'autres... Ah ! nous voilà arrivés ! » dit-il avec un geste large.

Emma pénétrait pour la première fois dans ce quartier interdit des Leylands, qu'elle examina avec curiosité. Elle vit un assemblage de ruelles étroites, de cours sombres, de venelles inquiétantes où les maisons se serraient comme pour se protéger de quelque danger. A mesure qu'elle s'enfonçait dans le ghetto, elle voyait s'y multiplier les signes de la pauvreté. Des enfants en haillons jouaient pieds nus au milieu de la rue. Çà et là, on voyait la silhouette furtive d'hommes qui marchaient les yeux baissés en rasant les murs. Ils étaient pour la plupart vêtus d'une manière qui surprenait Emma, avec des chapeaux noirs à larges bords, verdis par l'usure, et de curieuses ceintures dont les broderies leur battaient les jambes. Ils ne ressemblaient en rien à M. Kallinski qui, à côté d'eux, avait une allure typiquement britannique.

Ils s'arrêtèrent enfin au bout de la rue, devant une maison nettement plus grande et de meilleure apparence que ses voisines. Emma remarqua son aspect soigneusement entretenu, ses volets de bois fraîchement repeints, les rideaux blancs aux fenêtres. Abraham Kallinski se redressa avec fierté :

« Voici ma maison, annonça-t-il.

— Alors, vous voilà arrivé sain et sauf, répondit Emma. Votre conversation m'a beaucoup intéressée et instruite, monsieur Kallinski. J'espère que nous nous reverrons un jour. »

Il hésita en observant cette jeune femme si charmante et qui s'était montrée si secourable à son égard. Avant qu'elle ne s'éloigne, il la retint par le bras :

« Ne partez pas si vite, madame Harte! Entrez un instant. Je voudrais vous présenter ma femme, qui vous exprimera elle-même sa reconnaissance.

— Il se fait tard, protesta Emma. Il faut que je rentre.

— Rien qu'un instant! Il fait chaud, vous êtes fatiguée. Un verre de thé et quelques instants de repos vous feront du bien. Faites-nous ce plaisir. »

Emma hésita. Certes, elle était fatiguée et elle avait soif. Mais elle ne voulait pas se montrer indiscrète et, d'ailleurs, le jour déclinait et elle n'avait nulle envie de se retrouver dans les Leylands à la nuit tombée. Abraham Kallinski prit alors l'initiative et la poussa vers la maison.

« Venez, venez. Vous avez grand besoin d'un rafraîchissement », dit-il en souriant.

Il la fit entrer dans une vaste pièce qui servait de cuisine et de pièce à vivre. A leur entrée, une femme qui s'affairait devant le fourneau se tourna vers eux et regarda son mari avec inquiétude :

« Abraham ! Que t'est-il donc arrivé? s'écria-t-elle en courant à sa rencontre. Tu es plein de poussière et... mon Dieu, tu es blessé ! »

Abraham Kallinski rassura sa femme en quelques phrases apaisantes. Puis il poussa Emma devant lui pour la présenter en vantant son intrépidité et son dévouement. Janessa Kallinski lui serra les mains et la remercia avec effusion. Elle dut presque la faire asseoir de force avant qu'Emma ne convienne de sa fatigue.

Pendant qu'Abraham allait se changer et que Janessa préparait le thé, Emma observait autour d'elle avec curiosité. La cuisine, illuminée par les derniers rayons du soleil, était une vaste pièce accueillante. Dans un coin, sur une nappe blanche, la table était mise pour quatre couverts. Les meubles, le tapis, le papier des murs étaient simples mais de belle qualité et composaient un ensemble sans luxe tapageur mais évoquant un solide bon sens et un bonheur paisible, à l'image des occupants. Janessa Kallinski était plus grande que son mari. Mince, d'allure jeune, son visage avait des traits slaves assez accusés qui lui donnaient une beauté austère. Son abondante chevelure noire et lisse était ramenée en un chignon tordu sur la nuque et ses grands yeux bleu pâle exprimaient la douceur. Dans une robe de coton noir égayée d'un tablier blanc, elle en imposait. Emma ressentit immédiatement de la sympathie pour cette femme qui devait avoir, estima-t-elle, à peu près l'âge de sa mère.

Abraham Kallinski revint quelques instants plus tard. Il avait mis un costume propre, brossé ses cheveux et soigné sa coupure à la joue. Avant de rejoindre Emma, il échangea quelques mots à voix basse avec sa femme. Celle-ci apporta trois verres de thé sur un plateau et en tendit un à Emma en s'asseyant en face d'elle.

Emma trempa ses lèvres dans son verre et retint un mouvement de surprise. C'était délicieux mais elle n'avait encore jamais goûté au thé préparé de cette façon, fortement parfumé au citron et très sucré. Elle se retint toutefois de tout commentaire pouvant trahir son ignorance et compromettre son image de *lady*.

Pendant ce temps, Janessa Kallinski s'était tournée vers son mari avec inquiétude :

« Es-tu sûr d'aller tout à fait bien, Abraham ? Tu n'as pas encore de ces douleurs dans la poitrine ? »

Abraham Kallinski lança à Emma un regard pour la mettre en garde et se hâta de répondre :

« Mais non, ma chérie, je n'ai rien du tout ! Mon égratignure est complètement guérie et ma chute n'était pas grave, rassure-toi... Dites-moi, madame Harte, poursuivit-il pour détourner la conversation, habitez-vous loin d'ici ?

— Assez, oui. Tout au bout de York Road, de l'autre côté de la ville. »

Kallinski jeta un coup d'œil à l'horloge en faisant la moue :

« Il se fait tard, plus tard que je ne pensais. Mes fils ne vont pas tarder à rentrer et je leur demanderai de vous raccompagner jusque chez vous. Ce ne serait pas prudent, pour une jeune femme, de rentrer seule à cette heure.

— J'aurais peur d'abuser... commença Emma.

— C'est le moins que nous puissions faire pour vous exprimer notre reconnaissance, intervint Mme Kallinski. Nous ne voudrions pas que votre mari s'inquiète et vous devez avoir hâte d'être à la maison. »

Emma se racla la gorge et hésita à répondre, retenue par sa méfiance habituelle envers les étrangers. Mais la bienveillance qu'elle lisait dans les yeux de son hôtesse la décida :

« Je n'ai pas de mari qui m'attende à la maison, répondit-elle. Il est dans la marine et je vis seule.

— Seule ? s'écria Janessa. Vous n'avez pas de famille ? »

A la penséé qu'une aussi jeune femme puisse vivre seule dans une ville comme Leeds, elle changea de visage. Cela lui était d'autant plus inconcevable qu'elle avait elle-même toujours vécu au sein d'un clan innombrable et uni où tout le monde s'entraidait et se protégeait en cas de besoin.

« Non, nous n'avions que la grand-mère de mon mari

qui est morte récemment... Mais je ne suis pas malheureuse, se hâta-t-elle d'ajouter en voyant l'effet que produisaient ses paroles. J'ai trouvé une chambre très convenable chez une logeuse aimable et qui me rend souvent service... »

Les Kallinski échangèrent des regards expressifs et Abraham hocha la tête en réponse à la question muette de sa femme. Janessa se pencha alors vers Emma en souriant :

« Si vous n'êtes pas attendue et si vous n'avez pas de raison impérieuse de partir tout de suite, faites-nous le plaisir de rester partager notre repas du sabbat. »

Emma rougit de confusion. Elle ne voulait surtout pas donner l'impression qu'elle manœuvrait pour se faire inviter.

« Non, je ne peux pas rester dîner! répondit-elle. Vous êtes très aimable, madame Kallinski, mais je ne veux pas abuser de votre hospitalité en m'imposant...

— Il n'est pas question de vous imposer, interrompit Abraham. Comment pouvez-vous dire cela après ce que vous avez fait pour moi aujourd'hui! Nous ne vous remercierons jamais assez et c'est pour nous un honneur de vous avoir à notre table pour le repas du sabbat... »

L'expression étonnée d'Emma le fit sourire :

« Oui, notre sabbat, notre jour du seigneur est le samedi et il commence au coucher du soleil le vendredi. Nous en célébrons le début par un repas rituel. »

Emma hocha la tête et jeta un discret coup d'œil vers l'horloge. Abraham devina ses pensées :

« Ne vous tracassez pas, ma chère madame Harte! Nos fils vous raccompagneront après le dîner. Avec eux, vous ne risquez rien, même dans l'obscurité.

— Vous avez l'air fatiguée, dit à son tour Janessa, et vous verrez comme un bon repas vous redonnera des forces! Allons, reposez-vous en attendant l'arrivée de David et de Victor. Ils voudront eux aussi vous remercier de ce que vous avez fait aujourd'hui pour leur père et ils seront enchantés d'avoir à notre table une invité d'honneur telle que vous. »

Emma se laissa finalement convaincre par l'autorité pleine de charme dont faisait preuve Mme Kallinski. A vrai dire, les odeurs appétissantes qui venaient du fourneau lui donnaient faim et elle renonça sans regret aux maigres restes qui l'attendaient dans le placard de la cuisine de Mme Daniel.

« Vous n'avez sans doute encore jamais goûté à la cuisine juive traditionnelle, dit Janessa. Je suis sûre que vous l'aimerez beaucoup. »

Elle entreprit de détailler le menu en train de cuire, qui comprenait du bouillon de poulet avec des boulettes de *matzo,* un poulet rôti accompagné de légumes bouillis, des gâteaux au miel et autres mets dont Emma entendait parler pour la première fois, quand le bruit de la porte l'interrompit. Elle se retourna, un sourire de fierté maternelle aux lèvres, et interpella deux jeunes gens qui s'étaient arrêtés sur le seuil et regardaient Emma avec surprise.

« David ! Victor ! Venez que je vous présente à notre invitée. Mes enfants, voici Emma Harte, une jeune femme pleine de courage et de bonté qui a rendu un immense service à votre père. Madame Harte, voici David, l'aîné, et Victor, le cadet. »

David et Victor vinrent serrer la main d'Emma avant de s'asseoir côte à côte en face d'elle sur le canapé. En voyant la cicatrice et le bleu sur la joue de son père, David fronça les sourcils avec colère, car il avait compris que c'était l'œuvre de quelque voyou antisémite.

« Que vous est-il arrivé, père ? » demanda-t-il.

Abraham narra l'incident dont il avait été victime sans en omettre le moindre détail. Il mit particulièrement en valeur le rôle joué par Emma et trouva des mots pleins d'humour pour décrire la déroute de ses agresseurs. Emma l'écoutait en rougissant, gênée des compliments dont il l'accablait. Mais elle observait en même temps les deux jeunes gens avec un intérêt croissant et tentait de les juger.

David et Victor Kallinski étaient aussi différents l'un de l'autre que peuvent l'être deux frères. David, l'aîné, avait dix-neuf ans. Il était aussi grand que sa mère et avait une carrure athlétique. Comme chez Janessa, dont il avait hérité les yeux bleus, les traits accusés de son visage lui donnaient un air plus slave que sémite. Il tenait de son père la chevelure noire bouclée et les manières expansives et cordiales qui, chez le jeune homme, s'exprimaient avec la vitalité et l'enthousiasme de la jeunesse. Il était facile de déceler en lui des qualités d'allant et d'énergie au service de l'ambition. Si, par moments, un observateur attentif voyait un éclair cynique durcir son regard, ce trait de caractère était amplement compensé par la générosité de cœur que trahissait l'expression de sa bouche et la sympathie amicale qui se dégageait de tout son comportement. David était un garçon intelligent à l'esprit intuitif et qui, comme Emma et Blackie, était poussé par une motivation exclusive : le désir de réussir. Connaissant déjà bien la nature humaine, il souscrivait à la loi de la jungle où seul le plus fort survit. David Kallinski entendait bien rester le plus fort et non seulement survivre mais vivre avec tous les agréments que procure la fortune.

A seize ans, Victor avait la grâce fragile d'un oiseau. Il avait les cheveux plus raides de sa mère mais là s'arrêtait sa ressemblance physique avec ses parents. De grands yeux noisette éclairaient son visage régulier où se reflétait son tempérament contemplatif. Comme son frère, Victor possédait une maturité d'esprit et une connaissance des faiblesses de la nature humaine d'une profondeur surprenante chez un garçon de son âge. Ce n'était pas un homme d'action mais un rêveur à l'âme de poète. Il n'était vraiment heureux que seul avec ses lectures, dans un musée ou au concert, où son caractère romantique se délectait des œuvres de Beethoven et de Mahler. De naturel réservé au point de paraître timide, il avait souvent du mal à lier conversation avec des inconnus. Encore mal amadoué, il observait Emma sous ses longs cils à demi baissés et un léger sourire venait peu à peu adoucir l'expression pensive de son visage. Le récit de l'intervention de la jeune femme le remplissait d'admiration pour elle et il en oubliait, contrairement à son frère, la cruauté imbécile des voyous qui avaient attaqué Abraham. Comme son père, en effet, Victor ignorait l'amertume et la rancune.

Ce fut David, le plus hardi, qui s'adressa le premier à Emma :

« Mon père a raison, dit-il. Vous avez fait preuve d'un courage peu commun. Et pourtant, vous n'êtes pas juive, n'est-ce pas ? »

Il était vraiment impressionné par le calme et la dignité de la jeune femme, assise bien droite dans son fauteuil, les mains croisées sur ses genoux.

« Non, je ne suis pas juive, répondit Emma. Mais je ne vois pas la différence que cela pourrait faire. Quand je vois quelqu'un en danger, comme l'était votre père, il est tout naturel que je lui vienne en aide.

— Il y a malheureusement peu de gens qui pensent comme vous », répondit David.

En fait, il était surpris de la présence d'une personne d'apparence aussi raffinée qu'Emma dans un tel quartier. Mais avant qu'il ait pu lui poser la question qui le démangeait, sa mère intervint pour annoncer que le repas allait être servi.

Quelques instants plus tard, ils étaient tous debout autour de la table. David se pencha vers Emma :

« Ma mère va bénir les bougies », lui souffla-t-il à l'oreille.

Immobile, Emma observa la scène avec curiosité. Janessa alluma deux grandes bougies blanches et dit une prière dans une langue étrangère à laquelle Emma ne comprit rien. Ensuite, voyant les quatre Kallinski courber la tête, Emma les imita tout en continuant de regarder attentivement les rites incompréhensibles auxquels ils se livraient. Elle vit Abraham bénir à son tour une petite coupe de vin en accompagnant la cérémonie d'une incantation dite dans la même langue aux inflexions gutturales et qui n'était autre que l'hébreu. Elle le vit enfin boire une gorgée de vin et dire une nouvelle prière en se tournant vers la miche de pain torsadée qu'elle avait elle-même ramassée dans la poussière de la rue.

« Nous commencerons à manger après que notre père aura rompu le pain », lui chuchota David.

Abraham Kallinski brisa la miche en portions égales et les tendit à tous. Puis Janessa alla chercher une grande soupière qu'elle déposa au milieu de la table.

À mesure que le repas progressait, Emma se sentait enveloppée par l'atmosphère d'affectueuse harmonie qui se dégageait de la famille. Désormais à son aise, touchée des marques d'amitié sincère que tous lui prodiguaient, elle se sentait envahie d'émotions inattendues et ne pouvait s'empêcher de retourner les mêmes pensées dans sa tête : pourquoi hait-on les juifs ? Ceux-ci, du moins, sont des gens paisibles, aimables, remplis des qualités les plus recommandables. Il est scandaleux de les soumettre à des persécutions... C'est ainsi qu'Emma Harte prit conscience de la valeur précieuse de la tolérance et de la fidélité dans l'amitié, sentiments qu'elle garderait toute sa vie.

Le poulet rôti était aussi délicieux que le potage et, pour la première fois depuis son départ de Fairley Hall, Emma se sentit rassasiée. Elle n'avait presque rien mangé de la semaine et la sensation de bien-être qu'elle éprouvait lui fit comprendre qu'elle avait eu tort. Désormais, elle ne négligerait plus son alimentation car c'était une fausse économie. Elle avait trop besoin de ses forces pour les compromettre inutilement.

Pendant tout le repas, la conversation avait été animée, principalement nourrie par le volubile David et le non moins bavard Abraham. Ils passaient d'un sujet à l'autre avec une aisance qui déconcertait Emma en la fascinant. De temps en temps, Janessa faisait un bref commentaire ou hochait la tête sans perdre son sourire. Elle offrait l'image du contentement, de la joie d'être chez elle, entourée d'une famille aimée dans l'atmosphère de fête d'un repas de sabbat. Victor, de son côté, proférait à peine un mot de temps en temps mais souriait parfois à Emma avec un regard timide.

Au dessert, définitivement adoptée par les Kallinski, Emma remercia Janessa avec effusion pour son excellent repas. Des sourires furent échangés qui scellaient cette nouvelle amitié. C'est alors que David, en reposant son verre de thé, posa enfin la question qui l'intriguait depuis le début :

« Je ne veux pas paraître indiscret, mais que diable faisiez-vous dans une rue comme North Street? Je bénis le Ciel de votre présence à ce moment-là, mais ce n'est quand même pas un quartier où l'on s'attendrait à vous rencontrer. »

Comme les autres membres de la famille, David avait été frappé de la distinction d'Emma et du raffinement de ses manières. Son œil exercé avait immédiatement reconnu la qualité de ses vêtements et la perfection de la coupe de sa robe.

« J'y cherchais du travail », répondit Emma calmement.

Sa déclaration fut saluée d'un silence stupéfait et de regards effarés. La première, Janessa reprit ses esprits et exprima les sentiments des trois autres :

« Une jeune femme comme vous, chercher du travail dans cette rue abominable? C'est impossible!

— C'est pourtant vrai », répondit Emma.

Alors, voyant l'incrédulité qui éclatait sur tous les visages, elle entreprit de raconter l'histoire qui avait déjà si bien servi auprès de Rosie et de Mme Daniel.

« Depuis le début de la semaine, conclut-elle, j'ai été dans tous les magasins de Leeds sans pouvoir trouver une place de vendeuse. C'est pourquoi j'avais décidé aujourd'hui de tenter ma chance dans les ateliers de confection de North Street. Je n'avais encore rien trouvé et je m'apprêtais à rentrer chez moi quand j'ai vu ces garnements qui s'attaquaient à M. Kallinski. »

Tous les regards se tournèrent alors vers ce dernier.

« Abraham! s'écria sa femme. Tu as entendu? Il faut que tu fasses quelque chose pour Emma!

— Bien entendu, répondit-il en tapotant affectueusement le bras d'Emma. Ne cherchez plus, ma chère petite. Venez lundi matin à huit heures précises à mon atelier et je vous engagerai, c'est une affaire faite. Nous trouverons sûrement un emploi qui vous conviendra, n'est-ce pas, David ?

— Sans difficulté, répondit-il. Emma pourrait par exemple commencer à faire des boutonnières, ce n'est pas trop difficile. »

Stupéfaite de la tournure prise si soudainement par les événements, Emma était restée bouche bée.

« Je ne sais pas comment vous remercier ! s'écriat-elle enfin. Mais j'apprends vite, vous savez, et le travail ne me fait pas peur. Ainsi, vous avez un atelier de couture ?

— Comment pouviez-vous le deviner ? répondit Abraham en riant. De toute façon, nous ne sommes pas installés dans North Street mais un peu plus loin, dans Rockingham Street. David va vous donner l'adresse exacte par écrit. Ce n'est pas un très grand atelier, nous n'employons qu'une vingtaine de personnes. Mais nous nous en sortons très bien en travaillant à façon.

— Pardonnez-moi, qu'est-ce que cela veut dire ?

— Cela veut dire que nous travaillons pour les gros confectionneurs, comme *Barran's* et plusieurs autres. La plupart des ateliers de Leeds fonctionnent d'ailleurs ainsi et les patrons sont presque tous des juifs, comme nous. En d'autres termes, nous sommes sous-traitants.

— Je vois, dit Emma. Vous fabriquez les vêtements pour le compte de ceux qui les vendent sous leur marque.

— Non, ce n'est pas tout à fait cela non plus... Mais je préfère laisser David vous l'expliquer. Il passe ses journées et ses nuits à l'atelier et il ne pense qu'à cela !

— Pas à ce point ! répondit le jeune homme en riant. En fait, reprit-il en se tournant vers Emma, nous fabriquons une partie seulement d'un costume, les manches par exemple, ou le plastron, parfois les pantalons. Nous façonnons ce que les grands confectionneurs préfèrent nous sous-traiter en fonction de leurs besoins.

— Pourquoi ? s'étonna Emma. N'est-ce pas plus commode de fabriquer un costume entier au même endroit ?

— Non, aussi curieux que cela vous paraisse. La méthode dont je vous parle est à la fois plus rapide et moins coûteuse. Il suffit d'assembler les parties qui ont été fabriquées en série dans les autres ateliers. C'est d'ailleur un petit tailleur juif, Herman Friend, qui a mis cette méthode au point et c'est grâce à son invention que Leeds est devenu l'un des plus grands centres mondiaux de la confection. La profession ne cesse de croître. Vous verrez, Emma, un jour Leeds sera la ville la plus riche du monde et je compte bien être au cœur de cette industrie pour en profiter !

— Mon fils a de ces idées... » murmura Abraham, choqué.

Mais l'attention d'Emma avait été piquée au vif par la déclaration fracassante du jeune homme. Elle lui posa des questions qui, par leur pertinence et leur précision, provoquèrent très vite la surprise admirative de David. De l'avenir promis à l'industrie de la confection, ils en vinrent à évoquer l'idée encore révolutionnaire du « prix unique » de Marks & Spencer. David en profita pour raconter l'histoire exemplaire de Michael Marks, petit immigrant juif arrivé de Pologne muni de sa seule ambition et qui, avec son associé Tom Spencer, avait récemment débordé de leur modeste stand au marché central de Leeds pour couvrir la région de leurs « Penny Bazars ».

« Un jour, ils auront une chaîne de magasins dans tout le pays, vous verrez, Emma ! » conclut-il.

Emma avait dévoré ses paroles et refrénait mal son enthousiasme. Ainsi, pensait-elle, Blackie avait vu juste : les rues de Leeds étaient bien pavées d'or et elle avait eu raison d'y croire. C'était ici et nulle part ailleurs qu'elle bâtirait sa fortune.

« Rien n'est impossible si on a une bonne idée et que l'on est prêt à travailler ! » s'écria-t-elle.

David l'approuva chaleureusement et se lança dans un nouveau récit de réussite exemplaire.

Pris par leur conversation, ils ne voyaient pas l'heure passer. Très vite, ils se rendirent compte qu'ils étaient tous deux possédés par la même ambition et partageaient les mêmes idées, aspiraient aux mêmes buts. Il fallut l'intervention d'Abraham Kallinski pour les rappeler sur terre.

« Il se fait tard, mes enfants. Ce ne serait pas prudent d'être dans les rues à l'heure de fermeture des pubs. David, n'oublie pas d'écrire l'adresse de l'atelier ! Nous comptons sur vous lundi matin, Emma. »

Emma promit d'être ponctuelle, remercia avec émotion les Kallinski pour leur hospitalité et l'emploi qui lui sauvait la vie et les trois jeunes gens se mirent en route.

Le trajet de retour était long. Mais Emma se sentait parfaitement en sécurité, flanquée du taciturne Victor et de l'expansif David. Ils ne firent aucune mauvaise rencontre et le temps passa très vite en une conversation qu'Emma trouvait passionnante et à laquelle elle participait avec entrain. Quand ils se trouvèrent enfin devant la porte de Mme Daniel, Emma se retourna avant d'introduire la clef dans la serrure et regarda les deux frères qui se tenaient sous la lumière d'un bec de gaz. Ils étaient si sympathiques, chacun dans son genre, qu'elle eut l'impression de les avoir toujours connus et sentit que des liens indissolubles s'étaient déjà tissés entre eux.

David parut deviner ses pensées et les partager, comme cela s'était si souvent produit au cours de la soirée, car il s'approcha d'elle et lui saisit les mains :

« Nous nous ressemblons comme frère et sœur, Emma. Nous serons toujours bons amis, je le sais. De très bons amis. »

Emma lui serra gravement la main.

« Je le crois aussi, David. »

Victor ouvrit la bouche pour la première fois et lui souhaita bonne nuit avec une conviction touchante. Elle resta un instant sur le pas de la porte en les regardant s'éloigner.

Les jours passèrent, devinrent des semaines. Août fit place à septembre puis à octobre. Et Blackie ne revenait toujours pas.

Seule dans sa mansarde, Emma se demandait avec inquiétude ce qui justifiait son interminable séjour en Irlande et espérait qu'il ne lui était rien arrivé de mal. L'absence de Blackie lui pesait. Il était son plus proche ami et, sans qu'elle en ait pleinement conscience, son seul lien avec le passé, avec sa famille qu'elle aimait et dont l'éloignement lui coûtait. L'anxiété qu'elle ressentait en pensant à lui n'était d'ailleurs pas motivée par l'égoïsme, sentiment qu'Emma n'avait jamais éprouvé. Pour elle, elle n'avait pas à se plaindre de son sort. Son emploi à l'atelier des Kallinski et sa petite chambre chez Mme Daniel suffisaient à lui donner un certain sentiment de sécurité et de réconfort.

Sa logeuse devenait en effet de moins en moins rébarbative. Elle avait vite constaté qu'Emma était parfaitement ordonnée, honnête et discrète. Elle se contentait de faire un signe de tête courtois aux deux pensionnaires masculins quand il lui arrivait de les croiser dans l'escalier. Ce n'était pas une aventurière et elle ne semait aucune perturbation dans la maison. Aussi, un beau jour, Mme Daniel lui avait-elle dit :

« Vous pouvez rester chez moi tant que vous voudrez. Vous ne causez aucun désordre. »

Cette surprenante déclaration avait été ponctuée d'un sourire et d'un tapotement sur le bras qui, chez cette acariâtre personne, pouvaient passer pour les marques d'une affection débordante.

Emma gagnait de quoi vivre décemment sans avoir à puiser dans ses économies. Elle vivait frugalement et ne dépensait que le minimum indispensable, sans même s'octroyer le prix d'un billet de tramway. Mais elle se tenait à sa sage résolution, prise lors du dîner chez les Kallinski, et achetait de quoi se nourrir convenablement. Sa santé était son seul bien et elle était effrayée à la pensée qu'elle pourrait tomber malade. Il ne fallait pas non plus compromettre la santé du bébé à naître.

Son emploi à l'atelier la prenait de huit heures du matin à six, parfois sept heures du soir. Emma s'y était plu dès le premier jour. Abraham Kallinski était un patron efficace sans être tyrannique et, parce qu'il se montrait juste, ses employés n'abusaient pas de sa libéralité. Chez lui, il n'y avait pas d'horloges pointeuses ni de règles définies quant à la durée des pauses. Les employés étaient payés aux pièces et c'était à eux de décider leur rythme de travail, compte tenu des engagements envers les clients.

Les femmes, pour la plupart, étaient anglaises mais les hommes étaient tous juifs. Il régnait dans le personnel une atmosphère de camaraderie pleine d'entrain et les plaisanteries fusaient toute la journée au milieu du cliquetis des machines à coudre. Emma travaillait avec les autres, à une longue table de bois, et son rythme ahurissait les ouvrières les plus expérimentées. Mais nulle ne la jalousait. Sans effort et sans affectation, elle leur en avait tout de suite imposé. Son accent distingué lui avait d'abord valu quelques lazzis tant il tranchait sur le patois argotique de Leeds qu'elles parlaient toutes. Emma les avait accueillis d'une manière si bon enfant que ses camarades de travail lui vouaient désormais une admiration unanime.

Abraham gardait sur elle un œil paternel sans lui manifester extérieurement de favoritisme, malgré sa sincère affection. Emma était consciente, en revanche, de la constante présence de Victor, toujours prompt à intervenir et à l'aider au moindre problème. Elle ne prenait pourtant pas garde à l'adoration qui se lisait parfois dans ses yeux noisette, tant elle se concentrait sur son ouvrage.

Quant à David, il l'avait pratiquement accaparée. Dès le premier jour, il avait deviné la vivacité de son intelligence et son application au travail. Aussi n'avait-il pas été surpris de la voir maîtriser rapidement la technique de la couture des boutonnières et, à la première occasion, il lui avait confié la coupe des manches. Peu à peu, instruite par lui, Emma connut tous les éléments de la coupe et de la couture, de sorte qu'elle était toujours prête à venir en renfort à n'importe quel poste de travail quand le besoin s'en faisait sentir. Dès le milieu de septembre, elle était capable de couper et de monter complètement un costume sans l'assistance de David. Abraham était stupéfait devant sa capacité de travail et la rapidité avec laquelle elle apprenait. Victor l'admirait de plus en plus profondément et toujours en silence. David, lui, se contentait de sourire avec assurance. Il avait deviné le véritable caractère d'Emma Harte à leur première rencontre et avait compris qu'elle irait loin. Or il avait lui aussi son Plan, avec un grand P. Et Emma en faisait dorénavant partie intégrante.

Janessa Kallinski lui transmettait toutes les semaines une invitation pour le dîner du sabbat, car elle était elle aussi sous le charme d'Emma. Mais celle-ci prenait soin d'espacer ses visites pour ne pas devenir importune. Quand elle venait, car ces soirées au sein d'une famille unie et aimante la réconfortaient, elle apportait toujours un menu présent, un bouquet de fleurs acheté au marché, un pot de confitures préparées dans la cuisine de Mme Daniel, où elle avait désormais ses habitudes. Une fois, elle arriva même avec une mousse au chocolat faite selon la meilleure recette d'Olivia Wainright et pour laquelle Mme Daniel avait bien voulu prêter son plus beau compotier en verre taillé. Ce fut un triomphe pour Emma, qui se vit chaudement félicitée de ses dons évidents pour la cuisine.

La plupart du temps, cependant, Emma était seule pendant ses moments de loisir. Elle n'avait d'autres amis à Leeds que les Kallinski et rentrait dans sa mansarde après s'être rapidement préparé à dîner sur un coin du fourneau. Souvent, elle passait une partie de sa nuit à réparer ou retoucher les robes qu'Olivia Wainright lui avait données en partant pour Londres, au moment de la mort d'Adèle Fairley. Elle n'avait pas encore eu le temps de s'atteler à ce travail fastidieux et disposait donc d'une provision assez abondante de vêtements qui, s'ils étaient usés, restaient toujours élégants et qui, une fois remis en état, renouvelleraient sa garde-robe et lui permettraient de réaliser de précieuses économies. Car il n'était pas question pour Emma de dépenser de l'argent pour s'habiller.

Souvent, aussi, elle passait une soirée à lire les livres trouvés au fond du tiroir le jour de son installation. Les ouvrages philosophiques lui restaient encore difficilement compréhensibles, et il lui fallait parfois relire une phrase à plusieurs reprises pour en comprendre la signification. De même, les pièces de Shakespeare écrites en anglais archaïque la laissaient assez froide. Elle avait cependant fait l'effort d'acheter un dictionnaire chez un bouquiniste tant était grande son envie de s'instruire et d'acquérir de nouvelles connaissances. Mais elle avait été conquise par les poèmes de William Blake et passait des heures à les apprendre et à les déclamer, en s'appliquant à soigner sa diction et à articuler les mots difficiles. Ainsi, Emma Harte ne restait jamais une minute inactive et s'efforçait toujours de s'élever et de s'améliorer.

Les premiers jours de son arrivée à Leeds, elle avait passé des nuits entières à se tourmenter pour l'enfant qu'elle portait. Mais son esprit pratique finit par reprendre le dessus. A quoi bon s'inquiéter, se dit-elle, au sujet d'un événement qui ne va pas se produire avant plusieurs mois ? C'était une perte de temps, un gaspillage de ses forces. Elle s'en occuperait le moment venu et pas avant. Quand elle y pensait, Emma espérait avoir une fille car un garçon pourrait ressembler à Edwin Fairley et elle risquerait de le haïr pour cette raison, ce qui serait profondément injuste. Aussi se répétait-elle avec une conviction croissante qu'elle aurait une fille, et la certitude qu'elle en acquérait la réconfortait.

Emma était allée deux fois rendre visite à Rosie, au Cygne-Blanc. La dernière fois, elle lui avait laissé une enveloppe pour Blackie l'informant de ce qu'elle faisait et lui donnant son adresse. Elle s'était également décidée à écrire à son père en lui disant qu'elle n'avait toujours pas trouvé de place à Bradford mais qu'elle y restait encore un peu en espérant réussir. Par un luxe de précaution, elle avait fait tout exprès le voyage de Bradford en train pour y poster sa lettre, malgré la dépense que cela représentait.

Un samedi matin d'octobre, Emma s'assit à sa table dans sa mansarde et s'apprêta à écrire la deuxième lettre promise. Encore une fois, il lui faudrait mentir. Mais elle en éprouvait moins de scrupules que la première fois car, dans son esprit, ces mensonges étaient dictés par le souci d'épargner à son père une vérité qui lui serait insupportable et de calmer les inquiétudes qu'il pourrait avoir sur le sort de sa fille. Elle allait cependant s'efforcer de simplifier son histoire et de la rendre plausible.

Elle réfléchit à ce qu'elle allait dire, trempa sa plume dans l'encrier et se mit à écrire :

Mon cher papa,

Pardonnez-moi de ne pas vous avoir donné de mes nouvelles depuis septembre. J'ai cherché sans arrêt du travail et je suis heureuse de vous annoncer que j'ai enfin trouvé une place chez...

Elle s'interrompit pour penser de nouveau. Il fallait trouver un nom assez répandu pour qu'il soit difficile à reconnaître et à repérer, car elle ne doutait pas que son père remuerait ciel et terre pour retrouver sa trace. Elle reprit alors :

...chez une Mme Smith qui m'a engagée comme femme de chambre. Nous quittons Bradford demain pour passer un mois à Londres. Dès que je serai de retour, je demanderai un congé pour venir vous voir. Ne vous tourmentez pas à mon sujet, je vais très bien. Je vous embrasse très fort ainsi que Frank et Winston quand vous le verrez.

Votre fille qui vous aime toujours, Emma.

Prise d'une dernière hésitation, elle s'interrompit avant d'ajouter :

P.S. Voici une livre qui vous rendra service, j'espère.

Elle se relut soigneusement, plia le billet de banque à

l'intérieur de la lettre et mit le tout dans une enveloppe qu'elle scella avant d'écrire l'adresse et de la timbrer. Il n'y avait plus qu'à la poster. A Bradford, bien entendu.

Elle s'habilla en hâte et descendit dans la rue. Il faisait une superbe journée d'automne. Un soleil encore chaud brillait dans le ciel bleu parsemé de petits nuages blancs. Toutes ses inquiétudes envolées, Emma prit le chemin de la gare d'un pas léger. Le train pour Bradford était à quai et elle put y monter juste avant le départ. A Bradford, elle courut jusqu'à la grande poste et parvint à reprendre le même train qui faisait son voyage de retour vers Leeds. Cette conjonction de heureux hasards l'avait mise de belle humeur.

Bien calée dans le coin de son compartiment, Emma se sentait soulagée d'avoir écrit à son père. Elle avait maintenant un mois de répit pour mettre au point une nouvelle excuse à son absence. Naturellement hostile à la dissimulation, elle n'avait cependant pas l'impression de commettre une mauvaise action car il importait avant tout de tranquilliser son père jusqu'à la naissance du bébé. Si elle lui écrivait régulièrement et de manière rassurante, comme elle venait de le faire, il ne se sentirait pas obligé de partir à sa recherche. Où irait-il, d'ailleurs ? A Bradford, il devait y avoir une bonne centaine de Mme Smith ! Bien malin qui la retrouverait.

A son arrivée à Leeds, Emma se rendit compte que l'heure du déjeuner était passée depuis longtemps et qu'elle avait très faim. Il faisait trop beau pour rentrer, les restaurants étaient trop chers. Elle alla donc au marché central, qu'elle affectionnait particulièrement, et y mangea un cornet de moules et un petit pâté à la viande tout en se promenant entre les stands. Elle les examinait d'un œil critique, comparait les éventaires, les prix des marchandises, prenait mentalement note de tout ce qui, plus tard, pourrait lui servir quand le magasin de ses rêves deviendrait une réalité. Ensuite, comme elle le faisait presque tous les samedis, elle regagna le centre pour arpenter Briggate et les rues commerçantes et se livrer au même travail d'observation systématique. Elle entra dans plusieurs boutiques pour se mêler à la foule des chalands, observer ce qu'ils achetaient, ce qu'ils désiraient sans pouvoir l'obtenir, les réactions des vendeuses, les prix qui se pratiquaient. Elle devenait de plus en plus consciente de la sensation de plaisir qu'elle éprouvait à se trouver dans un magasin. Elle était heureuse de se sentir dans la presse, de jeter les yeux sur les étalages, la diversité des marchandises, l'arc-en-ciel des couleurs; de remarquer, amusée ou admirative, une présentation ingénieuse ou originale, d'entendre tinter les tiroirs-caisses, de voir évoluer les femmes élégantes, de frôler leurs toilettes... Plus elle se plongeait dans ce bain de négoce, plus elle devenait impatiente de s'y mêler activement, d'avoir enfin sa boutique – non, *ses* boutiques ! – bien à elle pour y exposer des objets à son goût. Car ce dernier, elle s'en rendait compte en regardant une vitrine de chapeaux, s'accommodait de moins en moins de la médiocrité ou du mauvais goût que l'on voyait trop souvent. Elle ne vendrait que des marchandises parfaites.

Quelques heures plus tard, elle s'arracha à regret à cette instructive flânerie. Ses pieds lui faisaient mal, le jour déclinait et il lui restait à faire du reprisage auquel elle ne voulait pas consacrer la nuit. A peine avait-elle refermé la porte d'entrée derrière elle que Mme Daniel surgit du couloir et fondit sur elle, le regard brillant de curiosité :

« Il y a un homme qui est venu vous voir ! » s'excla-ma-t-elle.

Emma se figea, le cœur battant. Un homme ! Qui était-ce ? Son père ? Winston ? Ils avaient donc retrouvé sa trace ! Le premier moment de panique passé, elle se raisonna. Non, il était impossible que Winston ou son père ait pu la débusquer jusqu'ici. Ce n'était sans doute que David Kallinski, qui était déjà venu une fois laisser un message de la part de sa mère. Mme Daniel était sortie à ce moment-là et ne l'avait donc jamais vu. Voilà probablement toute l'explication du mystère. En réprimant un soupir de soulagement Emma répondit avec calme :

« A-t-il laissé son nom ?

— Non, mais il m'a chargé de vous remettre ceci »,
répondit la logeuse en tirant une enveloppe de la poche
de son tablier.

Emma remercia, glissa l'enveloppe dans son sac et se
dirigea vers l'escalier. Elle avait le pied sur la première
marche quand Mme Daniel la rappela :

« Eh bien, vous n'allez pas l'ouvrir pour savoir ce que
c'est ? »

Le visage de la logeuse exprimait si comiquement la
curiosité déçue qu'Emma ne put s'empêcher de sourire.

« Mais si, chère madame, répondit-elle de son ton le
plus gracieux. Dès que je serai dans ma chambre. »

Elle tourna le dos et monta l'escalier dignement.
Mais elle avait hâte d'être seule et le cœur lui battait.
Cette fois, ce n'était plus d'inquiétude, car elle avait
reconnu sur l'enveloppe l'écriture de Blackie. Il n'était
évidemment pas question d'afficher devant Mme Daniel
sa joie de lire une lettre n'émanant pas de son cher
« mari » Winston, censé voguer au loin sur les navires
de Sa Gracieuse Majesté...

Une fois derrière la porte soigneusement refermée,
Emma déchira l'enveloppe en tremblant d'impatience
et sauta à la signature. C'était bien Blackie. Il était
revenu d'Irlande en bonne santé et attendrait Emma au
Cygne-Blanc à partir de cinq heures ce même soir.

Emma laissa la lettre lui glisser des doigts et se jeta
sur son lit. Appuyée contre les oreillers, les yeux clos,
elle se sentit pour la première fois envahie d'un soulagement si intense qu'il devenait du bonheur.

A la demie de quatre heures, qui sonnait à la grande
horloge du vestibule, Emma descendit l'escalier et sortit de la maison avant que Mme Daniel ait eu le temps
de l'intercepter pour donner libre cours à sa curiosité.
Extérieurement, Emma était aussi calme et digne que
d'habitude. Mais elle était bouleversée à l'idée de revoir
enfin Blackie O'Neill. Il lui avait cruellement manqué.
Et ce n'était que maintenant qu'elle mesurait pleinement la discipline qu'elle s'était imposée pour ne pas
céder au découragement et surmonter la sensation de
solitude qui l'accablait depuis son arrivée à Leeds. En

regardant en arrière, elle était stupéfaite de constater à quel point et avec quel succès elle avait été capable de dominer ses émotions.

Elle était si absorbée dans ses pensées, si impatiente d'arriver, qu'elle ne s'apercevait même pas des regards qui la suivaient et des têtes qui se tournaient sur son passage. Car sa mise faisait sensation, dans ce quartier populaire où les élégances étaient rares. Elle avait habilement retouché et réparé un tailleur de laine grise à la ligne sobre d'un chic qui n'aurait pas déparé les rues les plus élégantes de Mayfair. Elle avait épinglé au revers de sa veste la petite broche en toc, cadeau de Blackie, qui en perdait son clinquant et se fondait harmonieusement dans l'ensemble.

Emma était alors enceinte de cinq mois. Elle était seule à s'être rendu compte que sa taille et ses hanches s'épaississaient, car son état ne pouvait pas se remarquer tant elle prenait soin de le dissimuler. Le tailleur qu'elle portait ce jour-là soulignait au contraire sa taille élancée et sa coiffure, ramenée sur le haut de la tête en épaisses torsades, la faisait paraître plus grande. Toujours légère et mesurée, sa démarche était presque bondissante. Il émanait d'elle un tel sentiment de gaieté qu'on ne pouvait pas ne pas la remarquer.

Dans sa hâte, elle avait parcouru plus de la moitié du chemin en moins d'un quart d'heure et elle se força à ralentir son allure pour ne pas se trouver au pub avant Blackie. Dès son arrivée à Leeds au mois d'août, Emma avait réfléchi à ce qu'elle allait lui dire pour expliquer sa situation. Elle à qui le mensonge répugnait se trouvait contrainte par les circonstances à s'en servir avec ceux qui, précisément, la touchaient de plus près, et elle en était profondément chagrinée. Mais elle avait avant tout le devoir de protéger l'enfant qu'elle portait et de sauvegarder ses propres chances pour l'avenir. La dernière chose qu'elle voulait était de voir son père ou Adam Fairley fondre sur elle, hypothèse qui n'avait rien d'absurde pour qui connaissait le tempérament impulsif et chevaleresque de Blackie. Car ce dernier aurait été capable, pour venger l'honneur de son amie, de se livrer

aux pires inconséquences sans réfléchir à leurs répercussions sur celle qu'il aurait voulu protéger. C'est
pourquoi Emma avait mis au point une histoire assez
plausible pour qu'il la crût mais assez trompeuse pour
qu'il n'en déduise pas la vérité. C'est cette histoire
qu'Emma repassait dans sa tête tout en se dirigeant
vers le Cygne-Blanc.

Elle arriva enfin dans York Road, avec quelques
minutes d'avance, et hésita avant de pousser la porte
battante. Elle entendit alors une voix qui dominait le
brouhaha des conversations à l'intérieur et parvenait
même à se faire entendre sur le trottoir, dans le tohu-
bohu de la rue. Cette voix, elle l'aurait reconnue entre
mille.

Blackie était déjà là et Emma s'arrêta à l'entrée pour
mieux l'admirer. Il était plus resplendissant que jamais.
Ses boucles brunes cascadaient sur son front. Ses yeux
noirs étincelaient malicieusement dans son visage hâlé
par l'air de la mer et la lumière du gaz allumait des
reflets sur ses dents blanches. Dans son coin, le pianiste
s'escrimait sur son clavier aux sons de *Danny Boy* et
Blackie, debout près de lui et une main fièrement posée
sur le piano comme s'il en avait pris possession, faisait
sonner sa voix de baryton qui dominait le tintement
des verres et le bruit des voix. Emma ne put contenir
son fou rire et le dissimula de son mieux derrière sa
main gantée. Elle n'avait jamais encore vu Blackie
O'Neill sous ce jour-là, un Blackie dans toute sa gloire
entouré d'une cour d'admirateurs. La pose théâtrale
qu'il affectait, les mimiques de cabotin, les trémolos
dans la voix lui paraissaient du plus haut comique. Malgré elle, cependant, elle finit par s'y laisser prendre.

Car Blackie O'Neill avait tout ce qu'il fallait pour
faire une brillante carrière sur la scène. Il avait les dons
d'un grand acteur, la présence, le physique charmeur, le
sens du rythme, l'instinct de la réplique ou du jeu de
scène qui porte. Sans oublier le cabotinage indispensable qui fait « passer la rampe » et provoque les ovations
du public le plus blasé. Pour sa « rentrée », Blackie
usait et abusait sans la moindre vergogne des ressour-

ces de son art et reprenait en main ses admirateurs, dont la petite foule paraissait électrisée par sa présence.

Redressé de toute sa taille, le torse bombé, un bras levé avec emphase, Blackie détailla son dernier couplet, le plus mélodramatique :

Je t'entendrai marcher à petits pas légers
Et mon tombeau en sera réchauffé.
Penchée vers moi, tu me diras « Je t'aime »
Et je pourrai dormir en paix en t'attendant.

Bien qu'elle eût souvent entendu Blackie chanter cette complainte, Emma sentit sa gorge se serrer. Autour d'elle, on reniflait discrètement, on tirait son mouchoir. Mais l'émotion ne dura que ce qu'il fallait pour souligner l'emprise de l'artiste sur son auditoire et des applaudissements frénétiques éclatèrent bientôt. Puis des cris s'élevèrent : « Une autre ! Une autre ! » Sans la moindre modestie, Blackie savourait son triomphe. Il s'inclinait, saluait de la main avec un sourire avantageux, s'inclinait encore. Il semblait prêt à céder à l'enthousiasme de ses adorateurs et à reprendre son tour de chant quand il aperçut Emma.

D'un geste il imposa le silence :

« Tout à l'heure, les amis ! Videz d'abord une pinte à ma santé ! »

Sourd aux ovations qui continuaient à monter vers lui, Blackie fendit la foule et traversa la salle en quelques enjambées. Presque intimidée, Emma était restée près de la porte en serrant son sac contre sa poitrine. Déjà, Blackie était en face d'elle, la dominant de son imposante stature. D'un regard, il la toisa de la tête aux pieds sans parvenir à dissimuler la surprise que lui causait la nouvelle apparence de la jeune fille. Mais il se ressaisit immédiatement et retrouva son exubérance coutumière :

« Emma ! s'écria-t-il en la serrant dans ses bras. Quelle joie de te revoir, *mavourneen* ! »

Il l'écarta un instant et la tint à bout de bras pour mieux la regarder :

« Ma parole, tu es plus belle que jamais ! reprit-il. Tu as vraiment l'allure d'une dame, une vraie dame !

— Merci, Blackie ! répondit Emma en riant. Moi aussi, je suis heureuse de te revoir. »

Ils se regardèrent en souriant, tout à la joie des retrouvailles. Autour d'eux, le vacarme devenait assourdissant.

« Viens dans la salle du fond, dit Blackie en la prenant par le bras. Ce sera plus calme qu'ici et nous pourrons nous entendre parler. Attends, je vais chercher quelque chose à boire. Que veux-tu ?

— Une citronnade, s'il te plaît. »

Emma le suivit des yeux pendant qu'il se frayait un chemin vers le bar. Blackie avait changé, lui aussi. Malgré ses manières exubérantes, il semblait avoir mûri et s'être assagi. Emma crut même déceler un peu de tristesse dans son expression. Il y avait là un mystère à élucider.

Une fois assis à une table d'angle, Blackie but une gorgée de sa bière mousseuse et regarda Emma sérieusement.

« Et maintenant, dit-il, vas-tu me dire ce que tu fais à Leeds ? Je t'avais pourtant bien dit que ce n'était pas un endroit pour toi, à ton âge ! Pourquoi n'es-tu pas plus raisonnable, Emma ? Pourquoi n'as-tu pas attendu un an ou deux ?

— Il n'y a pas lieu de t'inquiéter, Blackie...

— D'après ce que je vois, tu as l'air de te débrouiller, interrompit-il sévèrement. Mais tu peux dire que tu as eu de la chance ! Allons, assez de cachotteries. Pourquoi as-tu quitté Fairley ? »

Emma n'était pas prête à lui faire ses fausses confidences et préféra éluder la question.

« En effet, j'ai eu de la chance, comme tu dis. Je ne savais d'ailleurs pas que tu serais absent. Pourquoi es-tu resté si longtemps en Irlande ? J'ai cru que tu ne reviendrais jamais. »

Le visage de Blackie se rembrunit.

« C'est à cause de mon vieil ami, le père O'Donovan dont je t'avais parlé, je crois. C'est lui qui m'a appris tout ce que je sais, *mavourneen*. Il m'a fait appeler quand il est tombé malade et je suis resté auprès de lui jusqu'à la fin. C'était bien triste, crois-moi, bien triste... »

A l'évocation de la mort du vieux prêtre, les yeux de Blackie se remplirent de larmes. Emue, Emma posa la main sur la sienne.

« Je ne savais pas, Blackie. Je suis désolée, tu sais. Je sais combien tu l'aimais. C'est donc pour cela que tu es resté si longtemps absent ?

— Non, Emma. Le père O'Donovan est mort quinze jours après mon arrivée. Mais j'ai dû aller passer quelque temps chez mes cousins qui ne m'avaient pas revu depuis cinq ans et qui ne voulaient plus me laisser partir. Il a fallu que mon oncle Pat leur écrive pour dire que je devais rentrer tout de suite en Angleterre. Je suis revenu à Leeds hier au soir. Tu peux juger de ma surprise quand Rosie m'a remis ta lettre. Je n'en suis pas encore remis, si tu veux tout savoir. Alors, vas-tu enfin te décider à me dire pourquoi tu es ici ? »

Emma lui lança un coup d'œil circonspect avant de parler :

« Avant que je te le dise, Blackie, il faut que tu me promettes quelque chose. »

Surpris par le ton sérieux qu'elle avait pris, il la regarda bouche bée :

« Une promesse ? Quelle promesse ?

— Il faut me promettre de ne dire à personne, tu m'entends, ni à mon père ni à personne d'autre, que je suis à Leeds. Jure-le !

— Et pourquoi toutes ces cachotteries ? s'écria-t-il. Ton père ne sait donc pas où tu es ?

— Il croit que je travaille à Bradford.

— Mais... Ce n'est pas bien, Emma ! Comment as-tu pu partir de chez toi sans dire où tu allais ?

— Je ne te dirai rien tant que tu n'auras pas promis, répondit Emma froidement.

— A ton aise ! dit Blackie avec un soupir découragé. Si tu y tiens vraiment, je te promets sur la Sainte

Vierge et tous les saints que je ne dirai pas un mot à âme qui vive.

— Merci, Blackie. »

Emma se redressa et prit son air le plus calme et le plus digne :

« J'ai dû quitter Fairley parce que j'attends un enfant. »

En d'autres circonstances, l'incrédulité de Blackie aurait paru comique. Il agitait les lèvres pour répéter le mot « enfant » sans réussir à proférer un son.

« Un... enfant ? parvint-il à dire d'une voix de fausset.

— Oui, un enfant qui doit naître en mars. Si je suis partie, c'est parce que le garçon, enfin le père m'a abandonnée. »

Blackie faillit littéralement s'étrangler de fureur et devint cramoisi.

« Il t'a... quoi ? s'écria-t-il. Attends un peu que je mette la main sur cet ignoble individu ! Je lui ferai comprendre à coups de poing ce que c'est que l'honneur ! Dès demain, tu m'entends, nous irons à Fairley. Je vais voir ton père et le sien et je te promets qu'il t'épousera, même s'il faut que je le réduise en bouillie pour le traîner jusqu'à l'église !

— Chut, Blackie, pas si fort ! Oublie tes poings, cela ne servirait à rien. Quand j'ai appris à ce garçon la situation où j'étais, il m'a tout de suite dit qu'il m'épouserait et que je n'avais pas de soucis à me faire. Et sais-tu ce qu'il a fait, le soir même ?

— Non, Emma, grommela-t-il. Je n'ai pas la moindre idée de ce qui passe par la tête de ce genre d'individus. »

Les dents serrées, le visage congestionné, Blackie s'efforçait de combattre la folie meurtrière qu'il sentait monter en lui. A l'idée qu'on ait pu traiter ainsi Emma, il avait pour la première fois de sa vie l'envie de tuer un homme de ses propres mains.

« Je vais te le dire, reprit Emma. Il s'est enfui. Il a été s'engager dans la marine, imagine un peu ! Pire encore, il s'est engagé sous le nom de mon frère Winston ! Quand il n'est pas revenu me voir au château, comme il me l'avait promis, je suis descendue au village. C'est là que son père m'a appris qu'il était parti et il m'a même montré la mettre qu'il avait laissée. Que voulais-tu que je fasse, Blackie? Je ne pouvais pas dire la vérité à son père et encore moins au mien. Voilà pourquoi je suis venue à Leeds.

— Mais pourquoi n'avoir rien dit à ton père? Il aurait compris, lui...

— Absolument pas! s'écria Emma en pâlissant à cette réaction qu'elle redoutait. Cela l'aurait sans doute rendu malade ou même tué de honte. Depuis la mort de ma mère, il n'est déjà plus le même homme et je m'en serais voulu toute ma vie de lui infliger un tel tourment. Crois-moi, Blackie, j'ai eu raison de faire ce que j'ai fait. Mieux vaut le laisser dans l'ignorance. Il est coléreux, violent, il pourrait faire un malheur. Ce n'est pas non plus la peine de causer un scandale au village, j'en serais la première victime avec mon bébé... Il ne faut surtout pas que mon père le sache, Blackie. Il n'y survivrait pas, je le connais.

— Tu n'as peut-être pas tort, *mavourneen...* » répondit-il pensivement.

Emma avait vu juste : la révélation qu'elle venait de lui faire n'avait pas choqué Blackie. Elle l'avait stupéfait, rendu fou de rage envers le lâche qui l'avait abandonnée. Mais il ne portait sur elle aucun jugement de moralité. Blackie était trop au fait des faiblesses de la chair et trop enclin à la tolérance que lui avait inculquée son éducation irlandaise pour jeter la pierre à Emma et songer à lui reprocher un égarement passager.

Mais il restait troublé. L'histoire qu'elle lui avait débitée sonnait faux quelque part et son intuition lui répétait avec insistance que ce n'était qu'un mensonge, sans qu'il sache exactement de quoi il s'agissait. Il avait beau la scruter, il ne voyait aucune trace de dissimulation dans son expression. Les beaux yeux verts le dévisageaient avec innocence et toute la personne d'Emma respirait la douceur et la fermeté de caractère qu'il avait appris à aimer. Pourtant, se disait-il, il se cache autre chose derrière cette façade. Mais quoi?

Avec un haussement d'épaules, il balaya ses soupçons et se força à sourire.

« Que vas-tu faire à la naissance du bébé? demanda-t-il.

— Je ne sais pas encore, Blackie. D'ici là, j'ai le temps de trouver une solution. Ce qui compte, pour le moment, c'est de protéger mon père, de continuer à lui faire croire que je n'ai quitté la maison que pour améliorer ma condition. Bien entendu, j'irai le voir après la naissance du bébé. Entre-temps, je lui écrirai pour le rassurer. »

Emma expliqua alors comment elle allait poster à Bradford les lettres destinées à son père. Elle peignit ensuite, avec des couleurs sensiblement plus gaies que la réalité, ce qu'avait été sa vie depuis son arrivée à Leeds.

Blackie écoutait Emma avec attention et ne la quittait pas des yeux. A mesure qu'elle parlait, il s'apercevait que sa transformation était plus profonde que son aspect physique et ne se limitait pas à la coiffure savante ou à l'élégant tailleur qu'elle portait, vraisemblablement donné par quelqu'un du château. C'était la personnalité même d'Emma qui avait changé en profondeur. Certes, elle allait être mère et les événements qu'elle venait de traverser avaient dû laisser leur marque. Mais il y avait autre chose d'encore plus spectaculaire : ce n'était plus l'adolescente famélique rencontrée sur la lande un matin de brouillard, ce n'était plus la jeune et pimpante femme de chambre encore engluée dans sa campagne qu'il avait sous les yeux. L'Emma assise devant lui était une jeune femme, belle et attirante, une jeune femme qui avait réussi à se transformer en dame. Une *lady*, voilà ce que s'était faite Emma Harte. A force de volonté, elle avait brûlé les étapes. Blackie s'adressa mentalement des félicitations pour sa perspicacité. Il avait su deviner le pur-sang de grande classe dans la jeune pouliche malhabile. Il comprenait maintenant pourquoi Rosie lui avait fait des descriptions si pleines d'enthousiasme de celle qu'il voyait encore en tablier blanc, un plumeau à la main.

La voix mélodieuse et distinguée d'Emma perça soudain le brouillard de ses réflexions et le ramena sur terre.

« ... les Kallinski sont vraiment charmants, tu sais. J'espère que tu feras bientôt leur connaissance. Et puis, je suis très heureuse de travailler dans leur atelier. Tu verras, Blackie, je m'en sortirai très bien à Leeds, beaucoup mieux que je n'espérais.

— Peut-être, Emma. Mais tu ne vois pas encore plus loin que le bout de ton nez ! Comment vas-tu faire pour t'occuper de cet enfant tout en travaillant ? »

Emma lui jeta un regard agacé :

« Je te l'ai déjà dit, chaque chose en son temps ! Pour le moment, il faut que je gagne de l'argent. Allons, ne t'inquiète donc pas comme tu le fais. Il y a toujours une solution à tous les problèmes. »

Encore à demi perdu dans sa rêverie, Blackie vit soudain le visage d'Emma tout proche du sien, illuminé par un sourire dont elle seule avait le secret. D'un seul coup, il fut conscient de sa nouvelle présence, de sa personnalité de femme, de sa beauté et son cœur se mit à battre plus vite. Jamais encore, il ne l'avait vue ainsi. Jamais encore il n'avait pensé à elle comme maintenant... Les mots lui vinrent aux lèvres sans qu'il puisse les retenir :

« J'ai la meilleure solution du monde à te proposer, Emma. Marions-nous ! Avec moi, tu seras toujours en sécurité. Je prendrai toujours soin de toi et de ton enfant. Epouse-moi, *mavourneen*, tu me rendras heureux. »

Les yeux écarquillés, Emma en resta muette de stupeur. La proposition de Blackie dénotait tant d'amour sincère et d'absence d'égoïsme qu'elle fut incapable de résister à son émotion. Elle baissa la tête pour cacher les larmes qui coulaient sur ses gants et son sac où elle cherchait maladroitement un mouchoir. Puis elle se ressaisit et répondit d'une voix encore mal assurée :

« Tu es bon, Blackie. Ce que tu me dis me touche comme je ne saurais l'exprimer, et je ne l'oublierai jamais. Mais je ne peux pas accepter. Ce ne serait pas juste, à ton âge, de prendre le fardeau d'une femme et de l'enfant d'un autre. Tu as des projets, toi aussi, tu veux devenir millionnaire, souviens-toi ! La responsabilité d'une famille est une charge trop lourde et ce n'est pas moi qui te l'imposerai. »

Blackie avait parlé trop vite, sans même être sûr des sentiments qu'il éprouvait réellement pour Emma dont la réponse raisonnable le convainquit sans mal. Il n'en éprouva pas moins une douloureuse déception qui lui fit honte du soulagement qu'il avait brièvement ressenti. Obéissant encore à ses impulsions, il saisit la main d'Emma :

« Tu ne peux pourtant pas rester seule, voyons ! Tu serais bien mieux avec moi, *mavourneen* !

— Et toi, Blackie, serais-tu vraiment mieux en vivant avec moi ? répondit Emma avec un sourire mélancolique. Non, vois-tu, je ne peux pas te faire cela à toi, Blackie. Je t'ai dit non et je ne puis que te le répéter. Mais je tiens à te remercier d'y avoir pensé. Ta proposition me flatte et m'honore, je le dis sincèrement. »

Surpris par la fermeté de son ton, Blackie regarda Emma sans plus savoir ce qui l'emportait en lui de la tristesse ou du soulagement.

« Soit, répondit-il, n'en parlons plus pour le moment, du moins. Car je ne retire rien de ce que j'ai dit et ma proposition restera toujours valable, tu m'entends ? »

Emma éclata de rire en essuyant ses derniers pleurs.

« Quelle tête de mule tu as ! s'écria-t-elle. Tu ne changeras donc jamais ? »

L'accès de colère qui l'avait saisi plus tôt s'était dissipé, les doutes qu'il avait eus sur la véracité de l'histoire d'Emma étaient oubliés et Blackie ne résista pas à son rire communicatif.

« Au lieu de pleurer, s'écria-t-il avec bonne humeur, nous ferions bien mieux de célébrer nos retrouvailles. Ce soir, c'est moi qui décide ! Nous allons d'abord dîner dans un de ces restaurants de grand luxe dont je t'ai parlé. Après cela, je t'emmènerai aux Variétés ! Ce soir, il y a justement la grande Vesta Tilley en personne et on ne peut pas manquer cela ! Hein, qu'en dis-tu,

Emma ? Cela te fera du bien de te changer les idées. Acceptes-tu ma proposition, cette fois-ci ?

— Oui, Blackie, je l'accepte avec plaisir. Et puis, tu sais, Blackie... »

Emma hésita et posa timidement sa main sur celle de son ami :

« Je suis heureuse que tu sois revenu. En sachant que tu es là, tout près, et que je peux compter sur toi, je me sens beaucoup mieux. »

Blackie eut un sourire ému et rougit un peu.

« Tu pourras toujours compter sur moi, Emma. Je suis content que tu m'aies fait confiance en me racontant ce qui t'es arrivé. Maintenant que je suis au courant, je vais pouvoir penser un peu à l'avenir et m'arranger pour être toujours là quand tu auras besoin de moi. Mais assez parlé de problèmes pour ce soir ! poursuivit-il avec bonne humeur. Tu as raison, chaque chose en son temps. Maintenant, il est temps d'aller s'amuser et temps que j'aille me pavaner en ville avec la plus belle fille d'Angleterre ! »

Emma lui rendit son sourire. Depuis qu'elle avait retrouvé Blackie, ses problèmes semblaient disparaître d'eux-mêmes. Dès leur première rencontre sur la lande, elle s'était sentie en sécurité avec lui. D'instinct, Emma savait que Blackie la protégerait toujours et serait son bon génie.

Il la fit passer devant lui pour sortir de l'arrière-salle. La grande salle du pub grouillait de monde et la vanité de Blackie ne put résister au spectacle de toutes les têtes qui se tournaient au passage d'Emma, des regards admiratifs voire des discrets sifflements qui se manifestaient dans son sillage. Il se redressa de toute sa taille, bomba le torse, fit son plus beau sourire et distribua des saluts avec condescendance. Il n'y a pas un homme au monde, se dit-il, qui ne crève d'orgueil d'être vu au bras d'une beauté comme Emma Harte.

C'est alors que Blackie s'arrêta net, les yeux fixés sur la silhouette fine et élégante qui le précédait. Il venait de comprendre ce qui l'avait troublé dans l'histoire racontée par Emma : cette Emma-là, cette *lady* qui glissait d'une démarche de princesse sur le parquet du pub n'aurait pour rien au monde laissé un des rustres du village porter la main sur elle, jamais! En fait, elle ne les regardait même pas. Envisager le contraire était pire qu'odieux, c'était grotesque, impensable! Alors, qui donc est le père? se demanda Blackie, perplexe. Ce n'était certes pas ce soir qu'il allait oser le lui demander et mieux valait, dans le doute, s'abstenir de conclure trop hâtivement. A nouveau rembruni, Blackie chassa cette pensée de son esprit, réussit à retrouver son sourire et rejoignit Emma en deux enjambées. Dès qu'ils furent dans la rue, il se lança dans un des bavardages dont il avait le secret.

Mais son regard n'avait pas retrouvé l'insouciance.

25

Au début de janvier 1906, par un dimanche après-midi glacial, Emma et Blackie étaient dans le tramway qui les emmenait à Armley, proche banlieue de Leeds. Rencognée sur son siège, Emma n'offrait à son compagnon que la vision de son profil et un silence aussi polaire que la température.

Blackie fulminait et faisait de grands efforts pour ne pas laisser éclater son exaspération. Elle est plus têtue qu'une mule, plus dure à fléchir que les rochers de Ramsden Crags! se disait-il en lui jetant des regards en coin. Mais il la connaissait assez pour rester coi. Quand il lui avait parlé de ce déplacement, quinze jours auparavant, Emma lui avait immédiatement opposé un refus véhément. Il lui avait fallu user de trésors de persuasion et déployer toute sa faconde pour obtenir enfin un acquiescement de mauvaise grâce. Jusqu'à la dernière minute, il avait craint qu'elle se rétracte. Mieux valait donc ne pas la provoquer par une parole imprudente alors qu'ils touchaient au but. C'est pourquoi

Blackie ne faisait rien pour briser le silence qui s'était installé entre eux.

Par moments, il ne comprenait pas Emma. Il découvrait en elle une personnalité déroutante de complexité, une étrangère à la volonté inébranlable et secrète qui la lui faisait maudire. Parfois, au contraire, il devait s'incliner devant son intelligence supérieure et ses intuitions brillantes. La plupart du temps, grâce à Dieu, Emma l'écoutait volontiers et restait ouverte à ses suggestions. Alors, pourquoi pas cette fois-ci ?

Il la regarda de nouveau à la dérobée. Son expression sévère ne nuisait en rien à sa beauté et lui donnait même une mine impérieuse qui la rendait encore plus belle. Ce jour-là, elle avait tressé ses cheveux en nattes rassemblées sur la nuque par un gros nœud de taffetas. Elle s'était coiffée du béret écossais en *tartan* vert assorti à l'écharpe dont il lui avait fait cadeau pour Noël et qui lui allait à la perfection. Ses mains gantées de mitaines vert bouteille, tricotées par la dévouée Rosie, serraient précieusement son petit sac à monture d'écaille. L'assemblage de ces nuances de vert et du noir de son manteau de grosse laine faisait admirablement ressortir son teint clair et l'émeraude de ses yeux. Dans les derniers mois de sa grossesse, Emma n'avait jamais paru aussi éclatante de santé.

Le tramway traversait les quartiers périphériques, en route vers Whingate Junction et Armley, pittoresque village perché sur une colline à environ une demi-heure du centre de Leeds. Blackie préféra se distraire en regardant le paysage et attendit patiemment que l'humeur d'Emma s'améliorât — de préférence avant qu'ils arrivent à destination. Il avait hâte de voir le bébé enfin né afin qu'Emma puisse aller à Fairley. Elle avait eu beau paraître accepter philosophiquement sa grossesse et ne pas manifester d'inquiétude, Blackie savait combien Emma se souciait du sort de son père et surtout du jeune Frank. Comme il lui fallait maintenir la fiction de ses voyages en compagnie de la prétendue Mme John Smith, elle avait mis Blackie à contribution en lui demandant de confier ses lettres à tous ses amis et connaissances susceptibles d'aller à Londres. La chance lui avait été favorable en novembre et décembre, certains camarades de pub se rendant dans la capitale pour chercher du travail sur les docks de l'East End et acceptant de se charger de la commission sans poser de questions embarrassantes. Mais Blackie n'avait pas pu s'empêcher de faire observer sévèrement à Emma que cette cascade d'inventions risquait d'avoir de graves conséquences :

« Ton père va bien finir par s'étonner que tu ne lui donnes jamais d'adresse où il puisse t'écrire ! avait-il dit.

— Pas du tout, avait répliqué Emma. Dans ma lettre de novembre, je lui ai dit que j'allais à Paris avec ma patronne. Et dans celle de décembre que je l'accompagnais en Italie. Tant que je lui donne de mes nouvelles, il ne s'inquiétera pas. D'ailleurs, c'est mon affaire.

— Tu as vraiment réponse à tout... »

Blackie ne savait s'il devait admirer ou réprouver de telles machinations. Comme Emma n'avait plus daigné poursuivre la conversation, il s'en était tenu là. Mais il n'en avait pas pour autant oublié ses sombres pressentiments.

Le tramway continuait de rouler et Blackie jeta un nouveau coup d'œil vers Emma. Croyant voir son expression s'adoucir, il lui fit son sourire le plus irrésistible, se rapprocha d'elle prudemment et lui passa un bras autour des épaules. Emma ne réagit pas et continua de regarder droit devant elle.

« Tu n'as pas froid ? demanda-t-il avec sollicitude.

— Non », dit Emma sèchement.

Il accentua son sourire avant de poursuivre :

« Armley est un village ravissant, tu sais. Je suis sûr qu'il te plaira et que tu auras envie de t'y installer. »

Il avait lancé sa phrase avec prudence, prêt à essuyer une bordée de protestations. Agréablement surpris de ne rien voir venir, il s'enhardit et poussa son avantage bien qu'Emma affectât de ne pas s'apercevoir de sa présence.

« Tu seras beaucoup plus heureuse chez Laura Spencer que dans ta mansarde, crois-moi, *mavourneen*. Je t'ai déjà expliqué qu'elle cherche à partager les frais de la maison depuis que sa mère est morte. C'est une très jolie maison, pas très grande mais très confortable. Son père était chef d'atelier à l'imprimerie et sa mère tisserande. Ils avaient de l'argent et ils ont très bien installé leur intérieur... »

Il s'interrompit pour voir si ses paroles avaient un effet sur Emma, mais se heurta à la même froideur impénétrable. Sans se décourager, il poursuivit :

« Tu serais vraiment très bien, tu aurais une belle chambre, tout le confort... Et puis, Laura te trouverait du travail à la filature Thompson, à Armley même, où elle est employée. Je ne comprends vraiment pas pourquoi tu t'entêtes... »

Emporté par son éloquence, il avait parlé imprudemment. Emma se tourna brusquement vers lui, le regard plein de colère :

« Je te l'ai déjà dit cent fois, Blackie ! Je m'entête, comme tu dis, parce que je n'ai aucune envie d'être encore une fois déracinée et de voir ma vie bouleversée ! Je viens à peine d'apprendre la confection que tu me demandes de quitter les Kallinski pour aller m'enfermer dans une filature et me mettre au tissage. C'est absurde ! Quant à ma mansarde, dont tu fais si peu de cas, j'y suis très bien. Mme Daniel est très gentille avec moi. Je peux me servir de la cuisine comme je veux... »

Blackie l'interrompit d'un grognement exaspéré :

« Chez Laura, tu auras la moitié d'une maison à toi toute seule ! Et c'est à moins de dix minutes de la filature. En ce moment, tu passes plus de trois quarts d'heure pour aller à l'atelier des Kallinski et autant le soir pour en revenir. Ne me dis pas que c'est raisonnable de perdre autant de temps ! Les Kallinski l'ont très bien compris, d'ailleurs. Pas plus tard que l'autre jour, David lui-même m'a dit qu'il ne demande qu'à te reprendre après la naissance du bébé. De quoi as-tu peur, qu'as-tu à perdre ? Absolument rien ? »

Il poussa un soupir d'énervement.

« Tu es vraiment la plus têtue de toutes les filles que

j'aie jamais connues, Emma! Tu ne veux même pas comprendre que je ne te propose tout cela que pour ton bien. »

Emma parut ébranlée par les arguments de Blackie mais, pour une fois dans sa vie, elle n'arrivait pas à prendre une décision ferme et hésitait sur la conduite à tenir. Blackie sentit son hésitation, reprit espoir et lui assena ce qu'il croyait être l'argument massue :

« Ecoute, tout ce que je te demande c'est d'y réfléchir sérieusement et en toute connaissance de cause. Il faut que tu aies vu Laura et la maison avant de te décider, c'est la moindre des choses. Et puis... poursuivit-il en hésitant, promets-moi d'être gentille avec Laura. C'est une bonne amie à moi et je ne voudrais pas que tu sois désagréable avec elle ou que tu prennes tes grands airs... »

Emma rougit de colère :

« Moi, désagréable? Tu sais bien que je ne suis jamais grossière avec les gens, Blackie! Comment oses-tu me dire cela? Et qu'est-ce que c'est cette histoire de grands airs? »

Blackie comprit trop tard son erreur et s'efforça avec suavité de corriger l'effet déplorable de sa sortie.

« Je ne t'ai jamais dit que tu étais grossière, Emma chérie. Il y a simplement des circonstances où..., comment dirais-je? Tu donnes parfois aux gens l'impression que tu les regardes un peu de haut, c'est tout.

— Moi? »

Elle avait l'air sincèrement stupéfaite et réfléchit à cette remarque inattendue en se mordant les lèvres. En fait, Emma ne se rendait pas compte combien, à certains moments, elle se donnait inconsciemment un air hautain et réfrigérant. C'était d'avantage dû à ses préoccupations, qui l'empêchaient souvent de s'intéresser à ceux qui l'entouraient, qu'à une véritable morgue. Il n'empêche que la réflexion de Blackie, dont elle discernait le bien-fondé, la mortifiait. Elle garda le silence, l'air boudeur. Blackie essaya de l'amadouer.

« De toute façon, tu ne pourras pas t'empêcher d'aimer Laura. Elle est si douce, si gentille que personne ne lui résiste. Et je suis sûr qu'elle t'aimera tout de suite elle aussi, *mavourneen*.

— Après ce que tu viens de dire, dit Emma avec un ricanement, j'en doute ! »

Blackie dut faire appel à tout son sang-froid pour rire d'une manière conciliante.

« Allons, allons, n'en parlons plus, je ne suis qu'une grosse bête. Je te connais, tu seras charmante comme d'habitude... »

Il lui serra la main en signe de paix et s'empressa de détourner la conversation :

« Armley est un endroit ravissant, tranquille et tout... En été, surtout, c'est plein d'arbres et de fleurs, tu verras. Il y a un grand parc, avec un kiosque à musique où on donne des concerts tous les dimanches. Il y a quantité de promenades à faire dans la campagne aux environs. L'hôpital Sainte-Marie est tout près, tu pourrais y aller pour la naissance du petit. Et il y a beaucoup de magasins et de boutiques. Tu n'aurais même pas besoin d'aller faire tes courses à Leeds. »

Emma releva les yeux, soudainement intéressée :

« Des magasins ? Je croyais qu'Armley était un tout petit village ?

— Pas si petit que cela. Il n'y a pas beaucoup d'habitants mais l'agglomération est très étendue. Il y a surtout beaucoup de maisons bourgeoises et de petits châteaux qui appartiennent aux gens riches et aux industriels de Leeds. C'est pour cette clientèle que se sont montés les commerces de Town Street, par exemple. Tu les verras toi-même, on passe par la rue principale pour aller chez Laura. »

Emma avait oublié sa mauvaise humeur et se mit à bombarder Blackie de questions sur Armley, sa population et ses boutiques. Ses idées préconçues fondaient rapidement et Blackie, qui faisait de son mieux pour satisfaire sa curiosité, était ravi de la voir envisager sans répugnance d'aller vivre chez Laura Spencer.

Le temps passa rapidement et le tramway s'arrêta bientôt au terminus, situé à mi-pente à l'entrée du village. Blackie sauta à terre et tendit la main à Emma pour l'aider à descendre. Il fit un geste large avec la fierté du propriétaire et montra une grande avenue plantée d'arbres, bordée de belles maisons :

« Voilà ! déclara-t-il. Ici, les Towers. C'est le quartier chic. Droit devant, Town Street et le centre. Fais bien attention de ne pas glisser et accroche-toi à mon bras. »

Emma se serra frileusement contre lui. Un vent du nord mordant balayait l'avenue. Le ciel était d'un gris clair métallique où se profilait à peine le pâle soleil hivernal. Tout était étrangement silencieux, car aucun piéton ni aucune voiture ne s'était hasardé à braver le froid en ce dimanche où rien ne justifiait que l'on sorte de chez soi.

Tout en avançant avec précaution sur la neige tassée et durcie par le gel, Blackie jouait son rôle de guide et faisait admirer à Emma les arbres dénudés du jardin public, les façades des maisons. Emma regardait autour d'elle avec intérêt. Ils arrivèrent très vite dans le centre du village à l'entrée de Town Street, la rue commerçante. Elle offrait un spectacle digne d'un conte de Noël. Les toits de tuile étaient recouverts de neige dont des pans entiers, en glissant, s'étaient accrochés aux gouttières en formant des stalactites scintillantes dans l'air sec et limpide. Sous cette décoration féerique, le village prenait des allures d'enluminure. Les barrières de bois, les arbres, les buissons des jardins étaient couverts de cristaux de neige glacée comme le sucre d'un gâteau. La lueur des lampes et les reflets des feux allumaient des rougeoiements dans les fenêtres et des filets de fumée tournoyaient en haut des cheminées. Mais c'étaient là les seuls signes de vie. On imaginait, derrière ces vitres, des familles heureuses réunies autour de la chaleur du foyer, des enfants en train de jouer en riant. Emma sentit son cœur se serrer. En cet instant, elle aurait tout donné pour se retrouver avec son père et Frank devant la cheminée de la chaumière de Fairley. La voix de Blackie la tira de sa rêverie :

« Et voici les fameuses boutiques ! Elles commencent ici et continuent tout le long de la rue, jusqu'à Branch

Road. Regarde, *mavourneen*! Ne t'ai-je pas dit la vérité? »

A la vue des devantures alignées de chaque côté de la rue, Emma refoula son accès de tristesse et regarda avec attention. Ils dépassèrent une poissonnerie, une chemiserie, une pharmacie, une épicerie et un élégant magasin de modes, digne de Briggate. Une idée prenait peu à peu consistance dans l'esprit d'Emma. Il lui serait certainement plus facile d'ouvrir son premier magasin ici où les loyers devaient être plus abordables qu'à Leeds. Rien ne l'empêcherait de s'installer aussitôt après la naissance du bébé. Ce serait un bon début, sans risques excessifs. A mesure qu'elle longeait la rue, Emma sentait sa détermination s'affermir et, en arrivant au bout de la rue de Laura Spencer, elle était presque décidée. Au passage, elle avait jeté son dévolu sur quelques boutiques et imaginait déjà les marchandises qu'elle y vendrait. Oui, se dit-elle, c'est une sage décision de m'installer à Armley où il y a une clientèle fortunée. Blackie avait eu raison d'insister, après tout...

Ils dépassèrent une rangée de maisons attenantes, bien entretenues et d'allure respectable avec leurs portes peintes en vert, leurs jardinets et leurs grilles en fer. Peu avant d'arriver à celle de Laura Spencer, Emma retint Blackie par le bras :

« Qu'as-tu dit à Laura à mon sujet? » demanda-t-elle.

Blackie fut un peu surpris de cette soudaine inquiétude.

« Je lui ai raconté l'histoire dont tu t'es déjà servie avec tout le monde, *madame* Harte! répondit-il d'un air moqueur. Celle que tu m'as toi-même demandé de répéter, tu sais, la pauvre femme délaissée par son navigateur de mari pris par le devoir pendant qu'elle se morfond en attendant son enfant et n'a d'autre ressource que d'appeler à l'aide son seul et fidèle ami, Blackie O'Neill! De quoi faire sangloter un rocher... »

Emma sourit, hocha la tête. Ils arrivèrent à la grille du petit jardin et Emma se demanda comment était cette Laura, à qui elle était désormais décidée à plaire et dont Blackie ne lui avait pratiquement rien dit. Elle s'attendait à une jeune fille douce et aimable, mais elle était si peu préparée au sourire de bienvenue, au plaisir évident et sincère de celle qui leur ouvrit la porte qu'elle en resta interdite. Laura Spencer avait le visage d'une madone, un regard confiant et candide, un sourire plein d'amour envers le genre humain et une fragilité si évidente qu'Emma vit en elle un être fondamentalement différent de tous ceux qu'elle avait approchés jusque-là. Elle débarrassa ses visiteurs de leurs manteaux et les introduisit dans un petit salon où flambait un bon feu.

« Je suis si heureuse de vous rencontrer enfin, Emma ! dit-elle en lui prenant les mains. Blackie n'a pas cessé de me chanter vos louanges et je suis sûre qu'il est resté très au-dessous de la vérité. Mais vos mains sont glacées ! Venez vous asseoir près du feu. »

Emma répondit en usant de tout son charme. Pendant ce temps, elle examinait discrètement la pièce et fut tout de suite séduite par le bon goût et la simplicité qui y régnaient. Le papier à rayures blanches et bleues, les rideaux de velours bleu, les meubles d'acajou cirés, la qualité des rares bibelots, tout lui plut instantanément. On était très loin du salon surchargé d'horreurs de Mme Daniel.

« Je suis désolée de ne pas être tout à fait prête, reprit Laura d'un ton d'excuse. J'étais allée voir une amie malade et je suis rentrée juste avant votre arrivée. Mais le thé sera bientôt fait. En attendant, mettez-vous à l'aise.

— Ne te tracasse donc pas tant, ma chère Laura, répondit Blackie. Nous avons tout notre temps. »

Il avait parlé d'un ton si chargé de douceur, d'une voix si inattendue qu'Emma lui jeta un regard surpris et soudain intéressé. Depuis qu'ils étaient entrés, le comportement de Blackie s'était transformé. Son exubérance était tempérée par une sorte de révérence, sa voix éclatante s'adoucissait comme par miracle et il jetait sur Laura des regards à la fois respectueux et adorateurs.

Laura s'excusa et alla vers la cuisine pour terminer

les derniers préparatifs. De là où elle était assise, Emma l'observa quelques instants et sa première impression en fut confirmée et renforcée. Simplement vêtue d'une robe de laine bleue ornée d'un grand col blanc, Laura Spencer aurait pu, à certains observateurs superficiels, paraître terne ou fade. Mais la finesse de ses traits, la délicatesse qui émanait de toute sa personne, les reflets d'or qui s'allumaient parfois dans ses longs cheveux blonds lui donnaient l'allure d'un biscuit de Dresde. Ses immenses yeux noisette étaient si pleins de tendresse et de sagesse qu'ils en paraissaient lumineux. Il émanait de toute sa personne, à la silhouette élancée et presque trop fine, un halo de pureté qui lui enlevait toute pesanteur matérielle. Laura Spencer était avant tout un être spirituel, dont l'âme s'élevait à des hauteurs que l'on devinait sans pouvoir toujours les comprendre. Emma en ressentit un respect instinctif. Elle se surprit à penser : je veux l'avoir pour amie, je veux me faire aimer et apprécier d'une personne comme elle, je désire vraiment vivre avec elle. Car avec elle, on se sent meilleur...

« Tu es bien calme, *mavourneen*! dit soudain Blackie. Cela ne te ressemble pas, toi qui bavardes toujours comme une pie! »

Emma sursauta :

« Je pensais », répondit-elle distraitement.

Blackie sourit sans rien dire. Comme il l'avait espéré et prévu, Emma était manifestement captivée par Laura et se trouvait déjà sous son charme. La partie était gagnée.

Quelques instants plus tard, Laura revint en portant un plateau chargé de choses appétissantes. Blackie redevint lui-même, dévora comme un ogre et se lança avec son talent de conteur dans des histoires qui firent rire sans arrêt les deux jeunes filles. Le cabotin était chez lui toujours prompt à reparaître et, pendant une grande heure, il ne laissa ni Emma ni Laura placer un mot. Emma, pendant tout ce temps, ne cessait d'observer Laura, qui la fascinait. Elle put ainsi constater que la jeune fille était douée d'un solide sens de l'humour et parfaitement capable, comme elle le prouva à plusieurs reprises, de battre Blackie sur son propre terrain ou de lui river son clou s'il s'égarait.

De son côté, Laura avait été vivement impressionnée par Emma. En la voyant, elle avait d'abord été frappée par sa beauté inhabituelle puis, pendant qu'ils prenaient le thé, par la dignité naturelle qui émanait d'elle. Elle n'était pas non plus restée insensible à l'intelligence que reflétaient ses yeux verts, au raffinement sans ostentation de ses manières et au magnétisme qui se dégageait de toute sa personne. Blackie lui avait peint un tableau très noir de la situation d'Emma et lui avait dit qu'elle vivait seule dans une mansarde sans confort, qu'elle passait des heures de marche épuisante à aller au travail et qu'il s'inquiétait pour sa santé. Laura en avait été profondément émue. Enceinte de sept mois et seule dans la vie, la malheureuse a plus que jamais besoin d'un peu de tendresse et de protection, se disait-elle en sentant un élan de sympathie la porter vers Emma.

Quant à Blackie, son incessant bavardage ne l'empêchait pas d'observer les deux jeunes filles. Il les aimait autant toutes deux, chacune à sa manière, et était enchanté de constater la sympathie qu'elles se manifestaient spontanément. Elles étaient pourtant si différentes que leur contraste était frappant. D'un côté, la douce, la tendre, la fragile Laura, toute en nuances, tout entière tournée vers l'esprit et la vie intérieure. De l'autre, Emma à la beauté presque sauvage, au caractère impérieux, inflexible et qui, par moments, lui faisait presque peur. Car Blackie ne doutait pas qu'elle serait parfaitement capable, si les circonstances l'y poussaient, de se montrer impitoyable et sans scrupules. Pourtant, en dépit de ces oppositions irréductibles, elles avaient en commun un certain nombre de qualités, droiture, courage, bonté, qui les rapprochaient aussi sûrement. Blackie espérait y voir les fondements d'une amitié. Car Laura, à vingt et un ans, avait beau ne pas être beaucoup plus âgée qu'Emma, elle saurait lui prodiguer l'affection et les soins quasi maternels dont son cœur débordait. Tandis qu'Emma, par sa présence, son entrain et l'énergie qu'elle irradiait, saurait faire oublier à Laura la solitude qui l'accablait depuis la mort de sa mère, quatre mois auparavant. C'était, du moins, ce qu'espérait Blackie. La rencontre, jusqu'à présent, semblait porter ses fruits.

Il avait enfin cessé d'accaparer le devant de la scène et Emma parlait avec animation. Elle racontait à Laura la vie qu'elle menait à Leeds, le métier qu'elle avait appris chez les Kallinski, ses impressions de la grande ville. Blackie la contemplait comme s'il la voyait pour la première fois et fut frappé de sa beauté. Voilà, se dit-il, une fille capable d'éblouir et de subjuguer n'importe quel homme sur qui elle aura jeté son dévolu. Auquel a-t-elle tourné la tête il y a sept ou huit mois ? Cette question, il ne cessait de se la poser, sans jamais encore avoir osé demander carrément à Emma qui était le père de son enfant. Il dut faire un effort pour s'arracher à ces réflexions troublantes et se concentra sur le meilleur moyen d'amener la conversation sur l'objet de leur visite à Armley : faire emménager Emma chez Laura et lui trouver du travail à la filature Thompson.

Laura parut deviner ses pensées :

« Vous avez appris la confection incroyablement vite, dit-elle à Emma. Je suis sûre que vous n'auriez aucun mal à vous mettre au tissage, si toutefois vous le vouliez.

— J'ignore tout de ce métier. Est-ce difficile ?

— Non, pas vraiment. L'essentiel est d'en comprendre le principe et d'attraper le tour de main qu'il faut. Avec vos dons, Emma, vous n'en auriez pas pour longtemps, j'en suis sûre. »

Emma jeta un rapide coup d'œil à Blackie qui hocha imperceptiblement la tête.

« Laura... Pourriez-vous me faire embaucher chez Thompson ? Etes-vous sûre que ce soit possible ?

— Mais certainement ! J'en ai parlé l'autre jour au chef d'atelier, il est prêt à vous prendre quand vous voudrez. Ils cherchent toujours de nouvelles employées à former et vous pourriez commencer tout de suite en apprentissage sur un métier. »

Emma ne marqua qu'une brève hésitation. Sa décision était déjà virtuellement prise depuis son passage dans Town Street.

« Dans ce cas, Laura, accepteriez-vous que je partage votre maison ? Je paierais ma part des dépenses, bien entendu.

— Avec joie, Emma ! s'écria Laura en souriant. Seule, voyez-vous, je n'ai pas les moyens d'entretenir la maison et je serais navrée de la quitter. J'y ai passé presque toute ma vie et j'y ai tant de souvenirs... Je cherchais justement à la partager avec quelqu'un comme vous, avec qui je puisse m'entendre. Et puis... »

Elle se pencha et prit affectueusement la main d'Emma :

« Vous seriez tellement mieux ici, avec la naissance de l'enfant. Blackie est d'accord, je crois...

— Absolument ! » interrompit-il bruyamment.

Laura se leva avec vivacité :

« Venez visiter le reste de la maison, Emma. Je vais vous montrer votre chambre. »

Ils sortirent du salon et s'engagèrent l'un derrière l'autre dans un étroit escalier. Sur le palier, Laura ouvrit une porte et pénétra dans la pièce pour allumer une bougie :

« Voici la chambre qui vous est destinée, Emma, annonça-t-elle en souriant.

— Fichtre, c'est une bien belle chambre ! commenta Blackie en poussant Emma qui hésitait sur le seuil.

— Très belle, en effet », répondit Emma à mi-voix.

Il y avait un grand lit de cuivre couvert d'un édredon. Les murs étaient peints en blanc, le plancher recouvert d'un tapis.

« C'était la chambre de mes parents, expliqua Laura. J'espère qu'elle vous plaît, Emma. C'est la plus grande de la maison et il y a un lit double... Votre mari pourra venir vous voir ici pendant ses permissions. »

Emma ouvrit la bouche pour répondre, la referma en voyant l'expression de Blackie qui se hâta de répondre à sa place :

« Eh bien, il vaut mieux ne pas compter sur lui pour

un bon moment. Il est à l'autre bout du monde, pour l'instant, et nous ne le reverrons malheureusement pas avant... euh... cinq, six mois... »

Il regardait désespérément autour de lui pour trouver un changement de conversation et se remit à parler à toute vitesse pour meubler le silence :

« Tiens, Emma, regarde là, du côté de la fenêtre entre l'armoire et la table de toilette. Tu vois, il y a de la place, juste de quoi mettre un berceau. Et tu pourrais t'installer une table à ouvrage et coudre les robes dont tu me parlais, tu sais ? Laura n'y verra sûrement pas d'inconvénient, n'est-ce pas, Laura ?

— Mais non, bien sûr, Emma peut arranger les meubles comme elle veut... »

Elle voyait Emma observer la chambre d'un air pensif, les sourcils froncés, et sentit l'inquiétude la gagner. Emma était si élégante, si raffinée, elle ne se contenterait sûrement pas d'une chambre aussi simple... Elle se gratta la gorge pour dissimuler son trouble :

« Il n'y a pas de feu dans la cheminée et il ne fait pas chaud, ici. Si nous redescendions au salon ? Emma aura le temps de réfléchir, n'est-ce pas, Emma ? »

Celle-ci vit l'air consterné de Laura et comprit en un éclair la raison de son désarroi. Avec un sourire, elle posa sa main sur le bras de la jeune fille :

« La chambre me plaît énormément, Laura ! s'écriat-elle. J'aimerais beaucoup habiter ici, croyez-moi. Mais je ne sais pas si j'aurai les moyens...

— Venez, nous allons en parler. »

Ils redescendirent tous trois au salon. Pendant que Blackie remettait une bûche et tisonnait le feu, Laura alla chercher les livres de comptes et en ouvrit un.

« Regardez, Emma, dit-elle. Le loyer est de quatre shillings par semaine, ce qui en fera deux pour votre part. Il faut compter ensuite les dépenses de bois et de charbon pour le chauffage, le pétrole pour les lampes, les bougies. En tout, Emma, votre part ne dépasserait pas cinq shillings par semaine en hiver. En été, naturellement, ce serait beaucoup moins élevé.

— Cinq shillings ! » s'écria Emma.

Laura la regarda, affolée :

« Mon dieu, serait-ce trop cher ? Je pourrai peut-être...

— Mais non, ce n'est pas trop cher ! interrompit Emma. Je m'attendais au contraire à ce que ce soit bien plus élevé. Cinq shillings, c'est plus que raisonnable, Laura. Je paie déjà trois shillings pour ma chambre chez Mme Daniel ! »

Déconcertée par ce retournement de situation, Laura la regardait sans répondre. Blackie intervint d'une voix tonnante :

« Je te le disais bien que cette femme te volait, et tu ne voulais pas m'écouter ! Emma, Emma, si tu n'avais pas été si têtue, tu te serais installée chez Laura il y a des semaines, comme je t'en suppliais !

— Allons, Blackie, calme-toi ! lui dit Laura fermement. Tenez, Emma, regardez vous-même, poursuivit-elle en tendant les livres de comptes. Vous verrez combien coûte l'entretien de la maison... »

Emma l'interrompit en repoussant les cahiers malgré l'insistance de Laura.

« Non, Laura, non, je vous crois sur parole ! J'ai même scrupule à accepter ce que vous me dites car j'ai l'impression que vous en êtes de votre poche et je ne voudrais pas vous causer du tort. Cinq shillings, c'est insuffisant...

— C'est plus qu'assez, je vous le promets. Au fait, vous ne serez payée à la filature qu'à la fin du mois. Vous ne me devrez donc rien pendant le premier mois de votre séjour. »

Emma protesta avec vigueur et les deux jeunes filles eurent une discussion animée, sous l'œil amusé de Blackie. Elles convinrent enfin d'un compromis, qu'Emma se promit de ne pas respecter en puisant dans ses économies.

« Eh bien, tout est réglé ! conclut Blackie. Emma peut venir s'installer dès samedi prochain. Vous voyez que j'avais raison de vous présenter ! Je le savais bien que vous vous entendriez, toutes les deux. »

Laura rougit modestement. Emma sourit sans répondre. Elle était heureuse d'avoir pris sa décision de venir à Armley. Dans cette maison, elle se sentait à l'abri, en paix avec elle-même et le reste du monde. Détendue, maintenant que tout était réglé, elle pouvait envisager l'avenir avec plus de confiance qu'elle n'en avait eue depuis longtemps. Désormais, elle le savait, elle n'avait plus d'inquiétude à se faire. Sa rencontre avec Laura Spencer marquait un tournant dans sa vie et elle le sentait déjà confusément.

Le vendredi suivant, Emma prit tristement congé de ses camarades de l'atelier Kallinski et fit ses adieux à la famille au cours du dîner du sabbat auquel elle avait été conviée comme à l'accoutumée. Après le repas, Janessa l'attira dans un coin de la pièce :

« Promettez-moi de me prévenir si vous aviez besoin de quoi que ce soit, Emma. Armley n'est pas loin, j'y viendrais très facilement. »

Emma promit, trop émue pour faire de longues phrases. Tout le monde versa des larmes, sauf David. Il était convaincu que leur séparation n'était que temporaire et qu'il reverrait bientôt Emma Harte. Mme Daniel elle-même pleura au départ de sa locataire modèle et fit promettre à Emma de lui donner de ses nouvelles.

Le lundi matin, Emma se fit embaucher à la filature Thompson. Dès qu'elle en franchit le seuil, Emma exécra l'usine autant qu'elle avait aimé le petit atelier des Kallinski. L'endroit était triste et laid. Il n'existait aucun esprit de camaraderie entre les ouvriers. On n'y entendait ni rires ni plaisanteries. Les contremaîtres faisaient régner la discipline la plus stricte et arpentaient continuellement les allées entre les métiers pour surveiller le travail et harceler les travailleurs. Emma ne pouvait supporter la puanteur du suint qui imprégnait la laine, l'incessant fracas des métiers. Trois jours après son arrivée, elle fut témoin d'un accident qui la bouleversa : une ouvrière avait été défigurée par une navette mal maîtrisée, ce qui, lui dit-on, se produisait fréquemment.

Laura fut pour elle une bonne instructrice, patiente, claire et précise dans ses explications. Emma eut néanmoins plus de mal que prévu pour apprendre le processus du tissage; elle vivait dans la terreur d'une fausse manœuvre qui risquait de casser la trame, ce qui demandait des heures de réparation. Mais Emma ne pouvait s'avouer vaincue. Elle persévéra, déterminée à franchir les obstacles et à gagner sa vie pour ne pas laisser ses objectifs lui échapper. En à peine un mois, comme Laura l'avait prévu, elle avait maîtrisé la technique et rejoignit bientôt les plus experts. Mais elle ne surmonta jamais le dégoût que lui inspirait ce travail et les conditions où elle l'exerçait.

Laura et elle commençaient à six heures du matin et travaillaient jusqu'à six heures du soir, douze interminables heures d'un travail qui épuisait Emma. Les semaines qui passaient la rapprochaient de l'accouchement et diminuaient sa résistance. Continuellement debout, les jambes enflées et douloureuses, elle se demandait parfois si elle n'allait pas donner subitement naissance à son enfant au beau milieu de l'atelier. Sans Laura, elle n'aurait sans doute pas tenu.

Un mardi soir, vers la fin du mois de mars, elle sentit des douleurs inhabituelles et comprit que son enfant allait naître. Laura l'accompagna immédiatement à l'hôpital. Emma donna naissance à l'enfant au bout de dix heures de travail. Il s'en fallait exactement d'un mois, jour pour jour, qu'elle ne fête son dix-septième anniversaire.

A sa grande joie, son plus cher désir avait été exaucé : c'était une fille.

26

Assise devant la cheminée, le regard perdu dans le vague, Emma avait l'air morose. Elle retournait dans sa tête un problème qui, depuis la naissance du bébé quelques jours auparavant, éclipsait tous les autres sans qu'elle parvienne à s'en défaire. Il fallait maintenant qu'elle y trouve une solution, le plus vite possible. Emma était assaillie de problèmes, tous pressants, tous vitaux. Mais le bien de son enfant était le plus pressant et le plus crucial. Elle ne pouvait se permettre de retarder indéfiniment sa décision sur l'avenir immédiat de sa fille.

Le salon de Laura était aussi plaisant et confortable que d'habitude. Emma frissonna pourtant, les jambes engourdies par le froid, le corps tout entier perclus de douleurs diffuses. Elle dut se forcer à remuer, alourdie par la fatigue, tisonna rageusement le feu comme pour se venger sur lui du désarroi qui la paralysait. Les bûches tombèrent, se brisèrent en projetant des étincelles. Une haute flamme s'éleva joyeusement en illuminant la pièce. Elle fit sortir de l'ombre le bébé étendu aux pieds d'Emma.

Elle l'avait couché dans un berceau de fortune, aménagé dans un tiroir de commode douillettement tapissé de couvertures et rembourré de coussins. La petite fille dormait paisiblement. Les flammes faisaient doucement briller le duvet des fins cheveux blonds qui lui couvraient déjà la tête. Sa figure ronde et rose n'avait pas l'aspect rouge et ridé de bien des nouveau-nés et ses petits poings, aux doigts délicatement modelés, étaient serrés sur le drap. Emma la contempla avec mélancolie. C'était son enfant à elle. Elle était faite de sa chair et de son sang. Comment pourrait-elle jamais s'en séparer ? Un puissant sentiment maternel, une bouffée d'instinct protecteur l'envahit et servit paradoxalement à renforcer son obsession de réussite, son besoin de toujours se sentir maîtresse des circonstances. Jamais, se dit-elle avec véhémence, jamais je ne laisserai la vie lui faire de mal. Elle aura tout ce dont j'ai été privée, tout ce que l'argent peut acheter et que je n'ai jamais eu.

L'enfant était née depuis quatre jours. Depuis quatre jours, Emma se trouvait malgré elle entraînée dans des pensées absolument contraires à son esprit pratique qui voulait qu'à chaque jour suffît sa peine. Elle pensait trop à l'avenir, se souciait trop d'événements hypothétiques qui ne surviendraient peut-être jamais. Elle s'ébroua, en colère contre elle-même et la faiblesse dont elle faisait preuve. Il fallait réagir, avancer pas à pas, lentement, sûrement, sans se laisser distraire ni détourner de son but. Elle se remit rageusement à son ouvrage.

Mais elle n'arrivait pas à s'y absorber ni à rejeter la sensation d'abattement dont elle était si peu coutumière. Elle souhaitait ardemment garder son enfant avec elle, mais elle savait qu'elle ne le pourrait pas. Pour gagner sa vie, se nourrir, la nourrir, il fallait qu'elle continue de travailler à la filature. Or, elle ne connaissait personne à qui confier l'enfant pendant la journée. La seule idée de la donner en adoption ou de la mettre dans un orphelinat lui faisait horreur. Il ne restait donc qu'une seule solution sur laquelle se rabattre et Emma y répugnait encore. Depuis quatre jours, elle avait retourné dans sa tête toutes les données du problème. Elle avait passé quatre nuits presque sans sommeil. Elle était bien forcée d'admettre qu'elle n'avait pas d'autre choix. Pourtant, contre toute raison, elle ne parvenait pas à prendre une décision qu'elle redoutait, et espérait un miracle auquel elle ne croyait pas.

« Bonsoir ! Il y a quelqu'un ? »

Emma sursauta et se tourna vers la porte pour voir Blackie O'Neill la refermer derrière lui. Il faisait une belle journée de mars, fraîche et venteuse, et le jeune homme avait les joues rosies par le froid, ses cheveux bouclés ébouriffés par le vent. Les bras chargés de paquets, il avait l'air plus que jamais content de tout et de lui-même.

« Blackie ! s'écria Emma. Je ne t'attendais pas si tôt ! » Elle posa en hâte son ouvrage et se leva pour l'accueillir. Toujours souriant, Blackie laissa tomber ses paquets sur la table et prit Emma dans ses bras en une affectueuse accolade.

« Cela te réussit de ne pas sortir ! s'écria-t-il avec bonne humeur. Tu es plus belle que jamais, mon Emma ! »

Elle s'efforça de sourire pour dissimuler sa tristesse. Blackie ne parut pas s'apercevoir de son humeur sombre et reprit, avec son exubérance habituelle :

« Viens voir ! J'ai apporté quelques cadeaux pour la petite. Ce ne sont que des broutilles mais j'espère qu'elles te plairont.

— Tu es trop généreux, Blackie ! Il ne faut pas dépenser tout ton argent comme tu le fais. Déjà, la semaine dernière, tu m'as donné ce châle...

— L'argent, c'est fait pour être dépensé, *mavourneen* ! interrompit Blackie en enlevant son pardessus. D'ailleurs, mon oncle Pat et moi n'avons jamais fait autant d'affaires qu'en ce moment. Rien que cette semaine, nous avons pris trois nouveaux chantiers et il faut encore embaucher des compagnons. Tu vois, les O'Neill nagent dans l'opulence. Et puis, ajouta-t-il avec un clin d'œil, hier j'ai eu un coup de chance. J'ai parié aux courses de Doncaster en misant une livre gagnant et une livre placé sur un cheval coté à vingt contre un. Et c'est lui qui a gagné ! Imagine un peu ce que ça m'a rapporté ! Ce matin, je me suis dit : Blackie, mon garçon, tu serais le dernier des égoïstes si tu ne partageais pas un peu de ta bonne fortune avec Emma. J'ai donc été faire un tour dans Briggate et j'y ai trouvé quelques petits riens pour mon bébé préféré. Voilà toute l'histoire.

— Cela me touche, Blackie. Mais tu ferais mieux de ne pas gaspiller ton argent et d'en mettre de côté pour ce fameux château que tu dois te construire un jour. »

Blackie haussa les épaules avec un sourire amusé :

« Ce ne sont pas quelques shillings de plus ou de moins qui m'en empêcheront, Emma. »

Il s'approcha du tiroir où dormait la petite fille et, pour mieux la voir, s'agenouilla délicatement :

« Qu'elle est adorable, murmura-t-il. Un vrai petit ange. »

Malgré le soin qu'il avait pris pour étouffer sa voix, l'enfant ouvrit les yeux, esquissa un semblant de sourire et agita les jambes sous la couverture. Blackie se retourna avec un sourire extasié :

« Regarde, Emma, regarde ! Elle reconnaît déjà son tonton Blackie, ma parole ! »

Emma se pencha en souriant :

« On le dirait, en effet. Elle est si gentille, tu sais. Depuis que nous sommes revenues de l'hôpital, elle n'a presque pas pleuré... »

Tout à sa contemplation de l'enfant, Blackie ne vit pas le nuage de tristesse qui assombrit le regard d'Emma. Un instant plus tard, il se releva vivement et prit Emma par la main pour l'attirer vers la table :

« Viens donc ouvrir les cadeaux ! »

Il lui tendit un paquet. Emma alla s'asseoir pour le déballer plus commodément et poussa un cri admiratif en sortant de la boîte un petit manteau de laine rose avec des rubans assortis. Le paquet suivant contenait un bonnet et une paire de chaussons. Blackie s'excusa de son manque d'habitude :

« J'espère avoir choisi la bonne taille. Tiens, voici le dernier. Ce n'est pas aussi utile mais c'est presque plus indispensable, à mon avis... »

Quand elle eut défait le papier, Emma sortit de la boîte un mouton tout blanc avec, noué autour du cou, un ruban rose où était attachée une clochette.

« Oh ! Blackie, qu'il est mignon ! Et tu as même acheté un hochet ! »

Elle déposa les deux jouets à côté de l'enfant et se tourna pour embrasser affectueusement Blackie, émue par le soin évident qu'il avait pris pour choisir ces objets. Gêné de ces marques de gratitude, Blackie rougit et se détourna.

« Laura n'est pas encore rentrée ? demanda-t-il pour changer de sujet.

— Elle tient un stand à la vente de charité de sa paroisse. Mais elle devrait revenir à temps pour le thé. Tu restes avec nous, n'est-ce pas ? Nous comptions sur toi.

— Bien sûr, je ne vais pas repartir sans m'être empiffré de toutes les bonnes choses que vous savez faire, toutes les deux ! s'écria-t-il en s'asseyant. Je peux fumer ? »

Emma lui fit un signe approbatif et Blackie fouilla dans ses poches pour y trouver ses cigarettes. Quand il en eut tiré les premières bouffées, il posa sur Emma un regard sérieux :

« Quand dois-tu retourner à la filature ? » demanda-t-il.

Emma baissa la tête et parut réfléchir avant de répondre :

« Quand je veux. Le chef d'atelier a dit à Laura que je pouvais prendre une semaine ou deux après la naissance. Il n'y a pas tellement de commandes en ce moment, de toute façon, et l'usine ne me paie pas tant que je ne travaille pas. Cela leur est donc égal.

— Tu devrais te reposer la semaine prochaine, Emma. Tu en as grand besoin, à mon avis.

— C'est aussi ce que me dit Laura. Mais je t'assure que je me sens très bien et que je pourrais parfaitement retourner travailler lundi si je voulais... Je crois quand même que je ne le ferai pas, ajouta-t-elle en hésitant. Il faut que je m'occupe de certaines choses. »

Emma détourna les yeux et Blackie n'insista pas, sachant qu'il était impossible de lui tirer des confidences tant qu'elle n'aurait pas décidé de parler. Il y eut un moment de silence.

« Ainsi, dit enfin Emma, tu me disais que tes affaires marchaient bien ?

— Merveilleusement, *mavourneen* ! Et puis, tu sais quoi ? Je suis en train de dessiner les plans de ma première maison ! A vrai dire, ce n'est qu'une aile à ajouter chez un client de Headingley. Mais c'est un début, n'est-ce pas ? Le client a beaucoup apprécié mes idées et m'a laissé carte blanche. Tu vois, mes cours du soir vont finir par me servir à quelque chose !

— Tant mieux, Blackie. J'en suis ravie pour toi. »

Elle avait répondu d'un ton si distrait et si distant qu'il fut bien forcé de remarquer l'humeur sombre d'Emma, qui lui avait échappé jusque là. Il la scruta avec curiosité, vit alors son visage fermé, son regard dur... Non, se reprit-il, pas dur. Malheureux, comme désespéré. Soudain inquiet, il s'abstint cependant de poser des questions risquant de déclencher la redoutable colère de son amie ou, au contraire, de l'enfermer dans le mutisme. Il reprit donc son bavardage sur ses débuts d'architecte, sans que ses propos semblent éveiller le moindre écho. A la fin, il n'y tint plus :

« Pourquoi fais-tu cette tête d'enterrement, Emma ? Cela ne te ressemble pas. Veux-tu me dire ce qui te tracasse ?

— Rien du tout, je t'assure... »

Elle s'interrompit, hésita. Alors, comme si elle se déchargeait soudain d'un grand poids, elle lâcha :

« Je m'inquiète de ce que le bébé ne soit pas baptisé. »

Blackie la dévisagea bouche bée, complètement ahuri par cette déclaration incongrue. Soudain, il éclata d'un rire tonitruant qu'il fut incapable de réprimer malgré l'air peiné d'Emma.

« Excuse-moi, *mavourneen*, parvint-il à dire entre deux hoquets, mais il y a de quoi être surpris... Tu t'inquiètes parce que la petite n'est pas baptisée ? Non, je n'en crois pas mes oreilles ! Toi, te faire du souci pour cela, après tout ce que tu m'as raconté sur ce que tu ne crois plus en Dieu et qu'tu es devenue athée ? Il y a de quoi rire !

— Je n'ai pas changé ! s'écria Emma, furieuse, en s'efforçant de couvrir les éclats de rire de Blackie. Mais ce n'est pas de moi qu'il s'agit. Plus tard, elle pourra me reprocher de ne pas l'avoir fait baptiser, si elle croit en Dieu. Je n'ai pas le droit de lui refuser cela ! »

Blackie s'essuya les yeux et calma son hilarité. Emma ne plaisantait pas.

« Rien de plus simple, dit-il en reprenant son sérieux. Il suffit d'aller voir le curé du Christ-Roi pour que... »

Emma le foudroya du regard :

« C'est précisément ce que je ne peux pas faire ! interrompit-elle sèchement. Le curé me demandera son acte de naissance et il verra tout de suite que cette enfant est... illégitime. Il pourra me refuser le baptême. De toute façon, personne n'a besoin de connaître mes affaires personnelles. D'ailleurs, je ne t'en aurais pas parlé si tu n'avais pas insisté pour savoir pourquoi j'avais l'air malheureuse. Elle se passera de baptême, un point, c'est tout. Espérons qu'elle n'en souffrira pas un jour. »

Si cette enfant souffre un jour, se dit Blackie, ce sera plus d'apprendre qu'elle est illégitime que de ne pas avoir été baptisée. Et c'est exactement ce qui tracasse Emma et lui fait chercher des mauvaises raisons pour ne pas l'emmener à l'église... Il s'abstint prudemment de commentaires sur ce thème et dit avec un sourire rassurant :

« Je ne savais pas que cela te tenait tellement au cœur, Emma. Aucun prêtre, en tout cas, ne te refusera de la baptiser. Il suffit que tu ailles dans n'importe quelle église de Leeds ou des environs, dans un quartier où personne ne te connaît. Cela n'aura pas d'importance qu'on voie l'acte de naissance.

— Non, cent fois non ! s'écria Emma. Jamais je n'irai crier sur les toits que ma fille est illégitime ! »

Déconcerté par cette explosion, Blackie en resta coi. Alors, il lui vint une idée si brillante, croyait-il, qu'il eut un sourire épanoui en se frappant le front :

« J'ai trouvé ! Nous allons la baptiser nous-mêmes, pas plus tard que maintenant ! La compagnie des eaux de Leeds vaut bien le Jourdain, que je sache ! »

Stupéfaite, Emma le suivit des yeux pendant qu'il traversait le salon pour aller ouvrir le robinet sur l'évier de la cuisine.

« Mais... Que veux-tu dire, Blackie ? demanda-t-elle d'un air effaré. Cela ne serait pas valable ! Je veux qu'elle ait un vrai baptême. »

Blackie ne se laissa pas démonter :

« Apporte-la ici, près de l'évier ! cria-t-il par la porte ouverte... Je suis peut-être un mécréant et un mauvais catholique, mais je suis baptisé et je peux donner le baptême tout aussi bien qu'un chanoine ou un évêque, tu ne le savais pas ? D'ailleurs, je ne mets peut-être plus souvent les pieds à l'église mais je crois toujours en Dieu. S'Il me voit en ce moment, Il ne m'en voudra pas, au contraire. »

Debout devant la porte, Emma le regardait, incrédule. Il se tourna vers elle et reprit, persuasif :

« Crois-moi, Emma, Dieu ne peut pas nous en vouloir de prendre cette décision. Dans les cas d'urgence, on a le devoir de baptiser. Dieu acceptera cette enfant parmi les siens sans poser de question. Jésus lui-même l'a dit : « Laissez venir à moi les petits enfants, car le royaume « des Cieux leur appartient. » Ce ne sont pas les circonstances qui comptent mais l'esprit dans lequel on le fait. Nous n'avons pas besoin d'une église ou de fonts baptismaux. »

Emma hésita longuement avant de répondre :

« Je te crois, Blackie.

— Allons, j'aime mieux ça ! Maintenant, sois gentille, va chercher la petite pendant que je prépare ce qu'il faut. »

Blackie remplit un bol d'eau tiède et alla fouiller dans un placard pour y trouver un linge propre. Pendant ce temps, Emma retourna au salon et prit le bébé dans ses bras. Elle resta un instant debout devant la cheminée en serrant tendrement son enfant contre sa poitrine. Elle la berça en lui murmurant des mots d'amour, soudain submergée d'une vague de mélancolie. Le visage d'Edwin Fairley apparut devant elle. Si seulement *son* Edwin n'avait pas été aussi cruellement égoïste... Si seulement *son* Edwin était ici, avec elle. Il ne pourrait pas faire autrement que d'aimer cette enfant, leur enfant... Depuis des semaines, des mois, Emma avait réussi à chasser Edwin de sa mémoire et il revenait la hanter alors même qu'elle avait à peine pensé à lui, sinon pour le haïr, au moment de la naissance de ce bébé qui était aussi le sien. Prise à l'improviste par ses souvenirs, Emma se laissa aller à évoquer Edwin Fairley et raviver, au plus profond d'elle-même, cette sensation douce-amère d'un amour qu'elle avait cru éternel...

Blackie passa la tête par la porte pour la héler :

« Comment veux-tu l'appeler, ce petit ange ? As-tu pensé à un nom ? »

Prise au dépourvu, Emma répondit sans réfléchir.

Elle était si bien plongée dans ses souvenirs que le nom lui vint aux lèvres malgré elle :

« Edwina... »

Elle se figea aussitôt, épouvantée de son imprudence. Elle était plus encore furieuse contre elle-même et de ce que ce choix révélait d'inconscient. Elle s'était juré d'oublier à jamais Edwin Fairley. Pourquoi infligeait-elle ce nom à sa fille ? Cela faisait plus d'un mois qu'elle avait décidé de l'appeler Laura...

Bouche bée, Blackie s'était immobilisé, les yeux fixés sur Emma qui lui tournait le dos et dont il voyait qu'elle s'était soudain raidie. Edwina... Plus besoin de chercher qui en était le père et l'énigme qui l'intriguait venait de recevoir sa réponse. Pourquoi, en effet, n'avait-il pas pensé plus tôt à Edwin Fairley ? C'était tellement évident, tellement logique, dans un sens. Depuis le jour où il avait entendu Emma lui débiter son histoire, il avait subodoré le mensonge et compris qu'Emma n'aurait jamais pu avoir de privautés avec un rustaud du village. Voilà donc l'explication du mystère. Edwin Fairley...

Blackie comprit alors les raisons profondes du silence d'Emma et la cruauté des épreuves qu'elle s'était infligées pour protéger son secret. Il se garda bien d'exprimer sa compassion, car il n'avait pas besoin de la voir en face pour deviner l'embarras où l'avait plongée son lapsus. C'en était bien évidemment un : jamais la prudente Emma ne se serait aussi ouvertement trahie de son plein gré. Elle ne pouvait plus, maintenant, rattraper son erreur sans l'aggraver et perdre complètement la face...

Il affecta la bonne humeur ironique et poussa un sifflement moqueur :

« En voilà un nom élégant, ma parole ! Je parie que tu as encore été pêcher ça dans un de tes magazines illustrés ! Mais tu as raison, *mavourneen*. Un nom de princesse pour notre petite princesse. Cela lui ira comme un gant. »

Emma hocha la tête sans oser ouvrir la bouche. Pendant que Blackie retournait vers l'évier, elle le rejoignit.

Il semblait ne rien avoir remarqué, tâtait l'eau du bout du doigt pour juger de sa température, se drapait la serviette blanche sur un bras et prenait son temps, moins pour terminer ses préparatifs que pour donner à Emma l'occasion de reprendre contenance. Quand il vit qu'elle s'était ressaisie, il se tourna vers elle en souriant :

« Voilà, je suis prêt ! Approche-toi, tends le bébé vers moi, comme ça, voilà... »

Emma osa enfin parler et bafouilla sur les premières syllabes :

« Je voudrais qu'elle s'appelle Edwina, Laura, Shane.

— Shane ? s'écria Blackie. Mais...

— Oui, comme toi, dit Emma en souriant. Je ne peux quand même pas l'appeler Patrick ou Desmond.

— Tu me flattes, *mavourneen* ! s'esclaffa Blackie. Enfin, comme tu voudras... Et maintenant, reprit-il d'un ton solennel, Edwina, Laura, Shane, je te baptise... »

Il s'interrompit pour tremper les doigts dans l'eau et commença à tracer un signe de croix sur le front de l'enfant.

« Au nom du Père, et du...

— Arrête ! cria Emma. Je ne suis pas catholique, tu le sais bien. Selon le rite anglican, on ne fait pas de signe de croix. Il faut faire les choses convenablement. Recommence. »

Blackie réprima un sourire ironique. Pour une athée, se dit-il, Emma avait un sens bien aigu des convenances !

— Bien sûr, Emma, je recommence », se borna-t-il à répondre.

Il effaça le signe de croix avec sa serviette blanche, retrempa ses doigts dans l'eau, en aspergea de quelques gouttes le front de la petite fille et prononça à nouveau la formule sacramentelle :

« Edwina, Laura, Shane, je te baptise au nom du Père, du Fils et du Saint-Esprit. »

Blackie se signa ensuite et se pencha pour déposer un baiser sur la joue du bébé. En se redressant, il en fit autant à Emma avec un sourire affectueux :

« Et voilà ton bébé baptisé, *mavourneen*. Te sens-tu plus tranquille, maintenant ?

— Oui, Blackie. Merci de l'avoir fait. Et regarde la petite Edwina ! poursuivit-elle en butant légèrement sur le nom. Elle semble avoir compris et nous fait un sourire. As-tu remarqué qu'elle n'a même pas pleuré quand tu l'as aspergée ? »

Elle serra l'enfant contre sa poitrine et leva vers Blackie un regard solennel :

« Je ferai tout pour qu'elle soit toujours heureuse, Blackie. Je lui donnerai toujours tout ce qu'il y a de mieux. Les plus beaux vêtements, les meilleures écoles, tout... Un jour, elle sera une vraie grande dame. Rien ne pourra jamais m'en empêcher, j'en fais la promesse... »

Elle baissa les yeux vers l'enfant avec un sourire attendri :

« Je me demande à qui elle ressemblera quand elle sera grande. Qu'en penses-tu, Blackie ? »

A une Fairley, se dit-il en l'observant avec attention. Il sera impossible de s'y tromper, on en distingue déjà les traits. Elle ressemblera à sa grand-mère Adèle...

« Je ne sais pas, répondit-il. Mais on peut déjà être sûr qu'elle sera ravissante. Elle tournera toutes les têtes, comme sa mère... Allons, remets-la dans son berceau pendant que je sors une bouteille de porto de la poche de mon pardessus ! Il faut boire à la santé de la jeune baptisée !

— Oh ! Blackie ! se récria Emma d'un ton scandalisé. Crois-tu que ce soit correct ? »

Blackie éclata de rire :

« C'est une vieille coutume irlandaise, *mavourneen* ! Elle est parfaitement correcte, même dans le Yorkshire ! »

Quelques instants plus tard, après avoir joyeusement choqué leurs verres, ils s'assirent en silence devant le feu. Emma releva la tête :

« Il ne faut pas dire à Laura que tu l'as baptisée toi-même. Elle se demandera pourquoi je n'ai pas fait les choses régulièrement en allant à l'église.

— Tu as raison. Mais que vas-tu lui dire ? Laura ne

95

connaît pas ta vraie situation. Elle trouvera bizarre que tu ne la fasses pas baptiser du tout. »

Emma eut une brève hésitation. Elle prit en un éclair la décision qui la tourmentait depuis quatre jours :

« Je lui dirai que la cérémonie aura lieu à Ripon.

— A Ripon ? répéta Blackie avec curiosité. Pourquoi là ?

— Parce que je compte l'y emmener la semaine prochaine, répondit Emma d'un ton résolu. Je vais la confier à ma cousine Freda. Tu sais bien que je ne peux pas la garder, il faut que je travaille. Toi-même, tu me l'as dit il y a des mois, conclut-elle pour prévenir l'objection que Blackie s'apprêtait à faire.

— Tu as donc déjà écrit à ta cousine ? Elle est d'accord pour se charger d'Edwina ?

— Non, j'ai eu peur en lui demandant d'avance qu'elle ne refuse. Mais si j'arrive à sa porte avec le bébé dans les bras, elle ne pourra pas me mettre dehors... »

Emma s'interrompit pour s'éclaircir la voix et garder le ton décidé qu'elle était loin de ressentir :

« Freda a très bon cœur, reprit-elle. C'est la cousine germaine de ma mère et elles étaient très proches, bien que Freda soit beaucoup plus jeune. Elle a deux petits enfants et je sais qu'elle adore s'en occuper. En voyant Edwina, elle ne pourra pas refuser. D'ailleurs, je compte bien la défrayer de toutes les dépenses.

— C'est sans doute la solution raisonnable... Mais ne va-t-elle pas te manquer, Emma ?

— Oh ! si, elle va me manquer ! Dès que je pourrai, je la reprendrai avec moi, tu peux en être sûr. D'ici là, j'irai la voir au moins une ou deux fois par mois. »

Des deux, c'était Blackie qui paraissait le plus éprouvé par cette séparation. Il poussa un soupir à fendre l'âme et dut avaler d'un trait son verre de porto pour retrouver son sourire.

« Quand vas-tu partir pour Ripon ? demanda-t-il.

— Je pensais y aller jeudi et rester chez Freda jusqu'à vendredi soir, pour être le plus longtemps possible avec la petite... Il le faut, Blackie, je n'ai pas le choix ! s'écria-t-elle au bord des larmes.

— Je sais, Emma, je sais, répondit-il d'un ton apaisant. C'est le plus sage, compte tenu des circonstances...

— Au moins, elle sera avec quelqu'un de ma famille, reprit Emma comme pour se convaincre du bien-fondé de sa décision. Elle sera bien soignée, au bon air de la campagne... »

Blackie hocha pensivement la tête.

« Et... ton père ? demanda-t-il en hésitant. Ne crains-tu pas que ta cousine lui en parle ?

— Non, pas si je lui demande de garder le secret, dit Emma en s'efforçant de paraître sûre d'elle. Elle connaît bien mon père et elle me protégera par affection pour ma mère... Naturellement, je lui dirai toute la vérité, poursuivit-elle en lançant à Blackie un regard de défi. Je lui parlerai de ce garçon du village qui m'a abandonnée pour s'engager dans la marine...

— Naturellement, Emma, c'est le moins que tu puisses faire », répondit Blackie, conciliant.

Ils restèrent un moment silencieux avant que Blackie n'aborde un sujet qui, depuis les premiers mots qu'Emma lui en avait dit, l'intriguait et le souciait.

« Dis-moi, *mavourneen,* tu me parlais de l'acte de naissance... Pour le moment, tu n'as que le certificat de l'hôpital. Il va falloir que tu ailles le faire enregistrer à l'état civil de Leeds et ils te demanderont le nom du père. C'est la loi, tu sais. »

Le visage d'Emma se crispa. Elle n'avait pas cessé de penser avec effroi à ce problème qui devenait pressant.

« Je devine à quoi tu penses, reprit Blackie. Tu déclareras la naissance de père inconnu, n'est-ce pas ? »

Emma hocha la tête sans répondre.

« J'ai une bien meilleure idée à te proposer, poursuivit Blackie sans la quitter des yeux. Fais mettre mon nom sur le certificat... »

Elle bondit, partagée entre la stupeur et la colère :

« Non, Blackie! C'est impossible, voyons! Ce n'est pas à toi de prendre cette responsabilité!

— Préfères-tu donner le véritable nom de son père ? » demanda-t-il froidement.

Elle se laissa retomber sur son siège et avala sa salive avec peine.

« Non, murmura-t-elle.

— Alors, pourquoi ne pas mettre le mien ? Ce sera déjà assez pénible pour la petite d'apprendre qu'elle est illégitime. Epargne-lui au moins d'être née de père inconnu. Penses-y un instant, tu verras que j'ai raison.

— Mais voyons, Blackie ! »

Il l'interrompit d'un geste impérieux et la regarda avec sévérité :

« Sais-tu que tu me réponds : « Voyons, Blackie ! » chaque fois que je te dis quelque chose de sensé, Emma ? Tu commences toujours par me contredire pour t'apercevoir en fin de compte que j'avais raison ! Cette fois-ci, je ne veux pas discuter. Dès lundi, j'irai avec toi au bureau de l'état civil pour être sûr que tu feras ce que je te dis ! Allons, Emma, poursuivit-il en se radoucissant, tu verras que ce n'est pas si difficile. Je n'ai rien contre cette responsabilité-là, crois-moi. Après tout, elle est un peu ma filleule, cette enfant ! »

Emma ne répondit rien et dut se moucher énergiquement pour dissimuler les larmes qui lui montaient aux yeux.

« Pourquoi es-tu si bon, Blackie ? dit-elle enfin d'une voix tremblante. Je ne mérite pas tout ce que tu fais pour moi...

— Mais si, *mavourneen,* tu le mérites parce que je t'aime bien, toi et cette petite chose couchée si sagement devant nous. Et puis, il faut bien que quelqu'un te protège un peu contre toi-même. Si on te laissait faire, tu te mettrais dans des situations impossibles, conclut-il en riant.

— Quand même, Blackie... Tu pourrais le regretter, plus tard, d'avoir mis ton nom sur cet acte de naissance.

— Je ne regrette jamais ce que je fais, *mavourneen* ! déclara-t-il fermement. C'est une perte de temps. Et tu sais comme moi que c'est un péché de perdre son temps. N'en parlons plus, veux-tu ? »

Emma ne put s'empêcher de sourire. Blackie pouvait,

quand il le voulait, se montrer aussi têtu qu'elle et il ne servirait à rien de vouloir le faire changer d'avis.

« Il faudra en tout cas conserver cet acte de naissance à l'abri de tous les regards, dit-elle à voix basse. Laura ne devra le voir à aucun prix... »

Elle s'était parlé comme à elle-même et Blackie crut avoir mal entendu.

« Qu'est-ce que tu viens de dire ?

— J'ai dit que Laura ne doit jamais voir cet acte de naissance, Blackie. Avec ton nom dessus...

— Quelle importance ? s'écria-t-il avec surprise. S'il ne faut pas le lui montrer, c'est plutôt pour éviter qu'elle ne découvre la vérité à ton sujet ! Quand je pense lui avoir raconté que tu étais mariée à un marin du nom de Winston Harte ! M'avoir fait mentir à cette pauvre Laura, qui est l'innocence même... Emma, Emma, tu n'aurais jamais dû commencer à mentir ainsi !

— Ce sont des mensonges innocents, répondit Emma en rougissant. Tu sais très bien que je ne les ai faits que pour protéger l'enfant. Maintenant, il faut protéger ta réputation à toi aussi, puisque tu ne sembles pas comprendre. Il ne faut surtout pas que Laura puisse croire que c'est vraiment toi le père.

— Mais pourquoi donc ? Qu'est-ce que cela vient faire dans cette histoire ? »

Blackie avait l'air si sincèrement étonné qu'Emma le dévisagea avec incrédulité.

« Mais parce que Laura t'aime, Blackie !

— Quoi ? Laura... m'aime ? Allons donc... »

Il éclata de rire tant cela lui paraissait comique.

« Laura, m'aimer ? Non, décidément tu as trop d'imagination, *mavourneen* ! Laura ne s'aperçoit même pas que j'existe ! Tu sais très bien qu'elle est plus dévote qu'un évêque et que je ne suis qu'un affreux mécréant. Allons, Emma, tu te fais de ces idées... Laura, m'aimer ! Non, c'est trop drôle, ma parole ! »

En voyant son hilarité redoubler, Emma lui lança un regard mi-agacé mi-affectueux :

« Tu fais la bête ou tu es vraiment aveugle, Blackie !

Cela crève pourtant les yeux : Laura est amoureuse de toi.

— Elle te l'a dit ?

— Non, bien sûr. Mais je sais ce dont je parle. Ne prends pas cet air sceptique ! s'écria-t-elle, exaspérée. Je m'y connais quand même mieux que toi. »

Blackie se mit à rire de plus belle et Emma haussa les épaules avec résignation.

« Ne me crois pas si tu veux, dit-elle. Je sais pourtant ce que je dis. Il n'y a qu'à voir la manière dont elle te regarde, à l'entendre parler de toi... Si tu le lui demandais, elle t'épouserait demain. »

Du coup, Blackie s'arrêta net de rire. Emma ne put déchiffrer l'expression énigmatique qui avait pris la place de sa gaieté et ajouta, inquiète :

« Ne lui répète surtout pas ce que je viens de te dire, Blackie ! Elle serait sûrement mécontente que nous parlions d'elle derrière son dos et puis... elle ne m'a jamais dit qu'elle t'aimait. Je t'ai simplement dit ce que je pensais. Tu me promets que tu ne diras rien ? » répéta-t-elle.

Blackie sourit, ses yeux noirs brillant de nouveau d'un éclair malicieux.

« Je te jure que je ne répéterai pas tes élucubrations à âme qui vive, *mavourneen* !

— J'espère que tu tiendras parole... Je vais préparer le thé », dit-elle en s'éloignant vers la cuisine.

Resté seul, Blackie mit des bûches dans le feu qu'il tisonna distraitement. Puis il se carra confortablement dans son fauteuil et alluma une cigarette. Les assertions d'Emma l'avaient d'abord amusé, comme quelque histoire imaginée par une jeune fille romanesque. Mais il ne parvenait pas à les chasser complètement de son esprit et elles éveillaient en lui des réflexions plus troublantes qu'il ne l'aurait voulu. Il avait été sincère en affirmant que jamais il n'aurait pensé que Laura puisse l'aimer. Maintenant que l'idée lui en avait été suggérée, il en éprouvait un véritable choc. Il revit peu à peu ses précédentes rencontres avec Laura, entendit à nouveau des paroles qu'elle avait prononcées depuis les quelques années où ils se connaissaient. Tout ce qui, auparavant, lui avait semblé banal ou insignifiant prenait, à la lueur des révélations d'Emma, une tout autre signification. Emma ne s'était-elle pas trompée, son intuition avait-elle été prise en défaut? Blackie ne savait plus que penser. Emma se trompait rarement sur le compte des gens et sa sûreté d'appréciation l'avait trop de fois émerveillé pour qu'il rejette son hypothèse...

Intrigué, désorienté, Blackie concentra alors ses pensées sur Laura. Il tenta, sans y parvenir, de sonder la profondeur de ses sentiments pour elle et d'en estimer la vraie nature. Certes, il aimait beaucoup Laura Spencer. Il était impossible de ne pas aimer cette jeune fille si pleine de douceur, au cœur débordant de tendresse. Mais l'aimait-il d'amour? La voudrait-il pour femme, lui demanderait-il de devenir la mère de ses enfants? Etait-il prêt à lui offrir de partager son lit et sa vie? Etait-ce vers une Laura que se dirigeaient ses désirs masculins, dont il connaissait la fougue? De plus en plus déconcerté, Blackie secoua la tête sans pouvoir décider d'une réponse claire et précise à toutes ces questions troublantes.

Et Emma? se demanda-t-il. Elle aussi, il l'aimait. Peu à peu, il avait été amené à se demander si l'amitié quasi fraternelle qu'il éprouvait pour elle au début ne s'était pas transformée et s'il ne se leurrait pas en s'efforçant de s'y tenir. Quand, par un réflexe protecteur, il lui avait étourdiment demandé de l'épouser, il avait en fait obéi à un instinct plus profond éveillé par l'éclatante féminité d'Emma et qui répondait si bien aux exigences de sa nature masculine. De plus en plus perplexe, Blackie tenta honnêtement de sonder les replis secrets de son cœur et ne réussit qu'à s'irriter contre lui-même et son impuissance à se comprendre. Un homme, se demanda-t-il avec effarement, peut-il aimer deux femmes à la fois? Je m'abuse, je m'aveugle, je me trompe...

Il se passa avec exaspération la main dans les cheveux, se retourna dans son fauteuil, alluma nerveusement une cigarette qu'il jeta aussitôt dans le feu. Comment allait-il se sortir de cet inextricable guêpier? Comment, après s'être posé de telles questions, allait-il pouvoir regarder Laura et Emma du même œil? Aimait-il Laura, aimait-il Emma? La réponse le fuyait obstinément et Blackie sentait confusément qu'il s'en faudrait de longtemps avant qu'il ne vît clair en lui.

27

En ce dimanche d'avril, à deux heures de l'après-midi, la grand-rue de Fairley était déserte. Il faisait frais, presque froid. Le ciel roulait de lourds nuages gris fer qui s'amoncelaient au-dessus de la lande. Le silence était total et le soleil ne parvenait même pas à percer la grisaille uniforme. Sous cette lumière sourde, le village avait une allure rebutante et inhospitalière. Ses murs de pierre grise et ses toits d'ardoise lui donnaient un air de banlieue industrielle où les cheminées de la filature, dans la vallée, semblaient cracher leurs fumées. Le vent de la mer du Nord était chargé d'humidité et l'on sentait qu'il allait pleuvoir. Des averses étaient déjà tombées pendant la nuit et la matinée en laissant une pellicule luisante sur les toits et les pavés. L'ensemble était d'une tristesse que rien ne venait soulager.

Emma gravissait la pente d'un pas vif. Habituée aux vastes perspectives et aux imposants édifices de Leeds, elle trouvait le village comme rapetissé, mesquin. Mais elle remarquait à peine l'aspect déprimant de ce qui l'entourait tant sa joie était grande. A la pensée de revoir enfin son père et son frère Frank, à qui elle n'avait cessé de penser ces derniers jours, elle souriait. Elle ne les avait pas prévenus de son arrivée pour leur en faire la surprise et le plaisir qu'elle anticipait de cette réunion tant désirée se reflétait sur son visage. Depuis dix mois, Frank avait dû grandir. Avait-il beaucoup changé? se demanda-t-elle. Et son père, s'était-il ressaisi, était-il redevenu le colosse souriant dont le souvenir ne l'avait pas quittée? Avant de venir, elle avait passé de longs moments à sa toilette, non seulement pour leur apparaître à son avantage mais surtout pour donner à son père la preuve visible que son départ n'avait pas été inutile et que ses efforts étaient couronnés de succès. Elle portait, pour l'occasion, une robe de soie rouge et un manteau de laine noire ayant appartenu, comme presque toute sa garde-robe, à Olivia Wainright. Elle avait même consenti au sacrifice d'acheter, la semaine passée, une paire de bottines neuves. Le sac qu'elle portait était rempli de cadeaux soigneusement choisis : des chaussettes, une chemise et une cravate pour son père, ainsi qu'une grosse boîte de son tabac préféré; des chaussettes et une chemise pour Frank, à qui elle avait aussi acheté une belle édition de *David Copperfield* et deux cahiers neufs. Elle n'avait pas non plus oublié un bouquet de fleurs destiné à la tombe de sa mère. Ses emplettes avaient sérieusement écorné ses économies. Mais elle avait dépensé avec joie et sans arrière-pensées, tant le plaisir d'offrir à ceux qu'elle aimait compensait cette légère entorse à ses règles de vie. Elle avait même ajouté trois billets d'une livre tout neufs, glissés dans le réticule précieusement serré contre sa poitrine.

La pente était rude mais Emma ne s'en apercevait qu'à peine. Elle marchait d'un pas léger, élastique, portée par la joie de vivre qui l'emplissait. Sa nature optimiste avait chassé toutes ses idées noires et elle n'avait jamais eu autant confiance en l'avenir.

L'avant-veille, elle avait laissé son enfant à Ripon où elle était confortablement installée chez sa cousine Freda. Comme Emma l'avait prédit, Freda avait accueilli la petite Edwina sans hésitation et acceptait de s'en charger aussi longtemps qu'il le faudrait. Elle n'avait rien laissé paraître de sa surprise en voyant Emma arriver à l'improviste et avait écouté sa bouleversante histoire avec compassion. Elle avait tout de suite choyé Emma en lui offrant de rester quelques jours pour se reposer, s'était répandue en compliments extasiés sur la beauté et la sagesse de l'enfant dont elle promettait de s'occuper comme de la sienne. Elle avait également solennellement juré à Emma de ne pas souffler mot de sa situation à John Harte, avec qui elle était d'ailleurs en froid et dont elle n'avait eu aucune nouvelle depuis la mort d'Elizabeth en 1904. En quittant Ripon pour rentrer à Armley, Emma avait retrouvé sa paix intérieure. La tristesse de se séparer de son enfant était grandement allégée par la certitude de la savoir en bonnes mains car sa cousine, elle n'en doutait pas, prodiguerait à Edwina l'affection d'une véritable mère.

Emma fut bientôt à mi-pente et, au moment de dépasser le pub du Cheval-Blanc, pressa le pas. Elle n'avait en effet aucune envie de se trouver nez à nez avec la troupe débraillée des hommes ou des garçons du village venus vider leurs chopes de bière jusqu'à la fermeture avant de rentrer chez eux en retard pour le déjeuner, comme ils le faisaient tous les dimanches. A quelques mètres de là, comme elle le craignait, elle entendit derrière elle la porte du pub qui s'ouvrait pour dégorger dans la rue des buveurs aux voix éraillées par la bière et la fumée. L'air calme retentit de leurs gros rires et du raclement des brodequins.

« Emma ! Ho, Emma ! »

Son cœur cessa de battre et elle dut faire un effort pour ne pas courir. Ainsi, un de ces ivrognes l'avait reconnue et osait l'interpeller ! se dit-elle avec colère. Allait-il falloir qu'elle s'arrête et subisse leurs questions pleines de curiosité malveillante ?

« Emma, Emma ! Pas si vite, bon sang ! C'est moi, Winston ! »

Une vague de joie l'envahit et elle pivota sur place, un large sourire aux lèvres. Superbe dans son uniforme, son frère aîné courait pour la rattraper en agitant son bonnet blanc. Derrière lui, ses compagnons de beuverie le suivaient des yeux, bouche bée, et lançaient à Emma des regards lourds de surprise égrillarde.

Elle ne les voyait même pas. Winston venait de la rejoindre, haletant, et ils tombèrent dans les bras l'un de l'autre. Winston la couvrit de baisers en la serrant contre lui à l'étouffer, en bousculant sa coiffure soigneusement échafaudée. Mais elle ne s'en souciait pas, toute au bonheur de retrouver ce frère qu'elle aimait et qui, elle s'en rendait maintenant compte, lui avait si cruellement manqué. Quelques instants plus tard, ils s'arrachèrent à leur étreinte pour mieux se regarder, se reconnaître. Emma laissa échapper un cri admiratif. Au moment de son départ, Winston était déjà beau garçon, mais il avait encore la mièvrerie de l'adolescence. Il était devenu un homme aux traits durcis, à la beauté virile. On sentait qu'il s'était affirmé en mûrissant. L'éclat de ses yeux bleus, dont Emma avait oublié la profondeur, formait un contraste remarquable avec ses sourcils noirs. Son teint clair, pâli par les privations et le travail, était devenu hâlé. Winston avait surtout grandi et forci au point de presque égaler la stature de leur père et sa musculature tendait le gros drap de l'uniforme. Il est trop séduisant pour son propre bien, ne put s'empêcher de penser Emma. Tel qu'il est, il doit traîner derrière lui l'adoration des femmes et la jalousie forcenée des hommes. Combien de victimes consentantes a-t-il déjà accumulées au hasard des escales et des garnisons ? Elle s'émerveilla à la pensée qu'un si rare spécimen masculin puisse être son frère, que cette statue de toutes les séductions viriles ait pu émerger de l'ébauche maigrichonne du gamin irascible toujours à lui tirer les cheveux et à la taquiner mais qui, au moindre prétexte, prenait son parti avec un dévouement aveugle. En fait, elle n'avait jamais cessé d'adorer Winston, malgré leurs querelles. Sa joie de le retrouver était complète.

De son côté, Winston était stupéfait de la transformation d'Emma. Elle avait non seulement embelli au point d'en être méconnaissable, mais il avait tout de suite senti un changement plus subtil et plus profond qui avait modifié sa personnalité même. Emma n'était plus une jeune fille, c'était désormais une femme épanouie, à la féminité provocante. A cette pensée, il eut une bouffée de jalousie possessive. Car aucun homme à ses yeux ne serait jamais digne d'une perfection comme sa sœur. Winston avait toujours éprouvé pour Emma une dévotion égale à celle qu'elle lui vouait. Cet amour fraternel, où ne se glissait nulle équivoque, pesait depuis longtemps sur la vie de Winston. Pourchassé par ses conquêtes, il les rejetait aussitôt séduites car il n'en trouvait jamais une digne d'égaler son Emma et allait de déception en déception.

Emma rompit le silence la première :

« Que je suis heureuse de te retrouver, Winston ! Tu as énormément changé, tu sais.

— Toi aussi, Emma. Tu as embelli au point que j'ai failli ne pas te reconnaître... »

Son sourire se figea soudain à la pensée de Frank, que le départ d'Emma avait rendu inconsolable.

« Dis-moi, où te cachais-tu depuis bientôt un an ? Comment as-tu pu t'enfuir comme tu l'as fait, nous laisser tous ici à nous faire du mauvais sang sur ton compte...

— C'est toi qui me fais des reproches ? répliqua Emma en riant. Tu es bien le dernier à pouvoir m'en faire !

— Moi, ce n'est pas pareil. Je suis un homme. Tu n'avais pas le droit d'abandonner la maison. On avait besoin de toi.

— Ne crie donc pas si fort, Winston ! Papa sait très bien où j'étais, je lui ai écrit régulièrement en lui envoyant de l'argent.

— Belle façon de donner de tes nouvelles, sans jamais mettre d'adresse où on puisse te répondre ! dit Winston en fronçant les sourcils. Ce n'est pas bien ce que tu as fait, Emma ! Tu as eu tort.

— Papa sait que j'ai été tout le temps en voyage avec ma patronne ! s'écria Emma en affectant l'indignation. Arrête de me regarder comme si tu voulais me manger et lâche-moi le bras, Winston, tu me fais mal ! »

Il fit un grognement d'excuse et desserra sa poigne pour prendre la main d'Emma et l'entraîner à sa suite.

« Ne restons pas ici à nous donner en spectacle à tous ces imbéciles », grommela-t-il.

Ils marchèrent quelques instants en silence. Emma s'attendait à des reproches mais était surprise du brusque changement d'humeur de son frère et de son comportement hostile. Il n'a donc pas tant changé, se dit-elle avec dépit. Toujours aussi mauvais caractère...

« Tu dois être embarqué sur un bateau, maintenant ? lui dit-elle d'un ton enjoué.

— Oui.

— Dans quel port ?

— Scapa Flow. »

Emma ne se laissa pas rebuter par la sécheresse taciturne de Winston et continua de déployer son charme :

« Il faut que tu me donnes ton adresse, je t'écrirai toutes les semaines. Tu veux bien, Winston ?

— Oui. »

Emma poussa un soupir agacé. Mais elle n'allait pas se laisser décourager, car il était bien digne du caractère de Winston de lui en vouloir encore pour le mystère dont elle s'était entourée. Son père, elle l'espérait, réagirait différemment. Il n'était pas homme à nourrir longtemps sa rancune et le plaisir de revoir sa fille l'emporterait vite sur les reproches qu'elle méritait.

« Tu dois être heureux dans la marine, Winston ! reprit-elle gaiement. As-tu déjà beaucoup voyagé ? Tu as eu raison de t'engager, tu sais. Tu vas enfin pouvoir visiter le monde, comme tu en rêvais quand nous étions petits... »

Elle crut remarquer que l'expression de son frère s'adoucissait et insista pour renouer le dialogue :

« N'est-ce pas que tu es heureux, Winston ? Réponds-moi ! »

Il était incapable de résister longtemps à Emma. Sa brusquerie si mal venue au moment de leurs retrouvailles, était moins due aux fautes qu'avait pu commettre Emma qu'à son propre état d'esprit. Il se força à sourire et répondit avec un enjouement qu'il était loin de ressentir :

« Tu as raison, Emma, je suis très heureux en ce moment. J'adore la marine et j'y apprends des tas de choses. Pas seulement sur la mer et la navigation, d'ailleurs. Je suis des cours, je fais des études générales qui me passionnent. Si tout va bien, je compte m'y faire une carrière... non, vois-tu, je prends tout cela très au sérieux, maintenant. Pour moi, la marine n'est plus simplement le moyen d'échapper à Fairley, comme je l'avais prise au début.

— Je suis fière de toi, Winston ! s'écria Emma. Et je suis sûre que papa l'est aussi.

— Oui, oui, bien sûr, bougonna Winston en perdant son sourire. Allons, dépêchons-nous ! Tu traînes... »

Il remarqua du coin de l'œil l'expression de surprise d'Emma et se hâta de reprendre la parole :

« Et toi, que deviens-tu ? Tu ne t'habilles pas seulement comme une dame, j'ai remarqué que tu en as pris la voix.

— Et toi aussi, Winston, répondit Emma avec un sourire ironique. Je ne suis pas sourde. Qu'as-tu fait de ton accent ?

— Je me suis surveillé, dans tous les sens du terme. Car je me prépare à gagner des galons, annonça-t-il avec fierté. Je vais bientôt passer matelot de première classe, après cela quartier-maître. Ensuite j'espère bien devenir second maître ou même premier maître, pourquoi pas ?

— Pourquoi pas amiral ? demanda Emma en souriant.

— Quand même pas ! répondit Winston en riant. Je connais mes possibilités... »

Il la prit par les épaules en un geste protecteur et la serra contre lui, comme il l'avait si souvent fait quand ils étaient enfants. Touchée de cette marque d'affection venue du passé, Emma se sentit complètement rassérénée. Dans un moment, elle allait enfin embrasser Frank et son père. Il ne manquerait plus rien à son bonheur.

Quelques instants plus tard, ils arrivèrent dans l'impasse et Emma vit enfin se profiler la chaumière. Son cœur battit plus vite quand elle poussa la barrière du jardin. Elle se dégagea de l'étreinte de Winston, sans voir la grimace de tristesse qui lui tordit le visage, fit en courant les derniers pas, ouvrit la porte à la volée et s'immobilisa sur le seuil.

Frank tournait le dos à l'entrée, penché devant le four de la cuisinière à côté de la cheminée.

« Tu es encore en retard, Winston! cria-t-il sans se retourner. Tante Lily était furieuse. J'ai essayé de te garder ton déjeuner au chaud mais il a pris une drôle d'allure. Enfin, c'est de ta faute... Il faudra bien t'en contenter. »

Le jeune garçon se redressa au même moment. A la vue d'Emma, il faillit lâcher l'assiette qu'il tenait à deux mains et resta un instant paralysé de stupeur, bouche bée, les yeux écarquillés. Enfin, il lança plus qu'il ne posa l'assiette sur la table, se précipita à travers la pièce et se rua dans les bras que lui tendait Emma, si fort qu'il faillit la renverser. Ils restèrent ainsi enlacés un long moment. Emma embrassait Frank, lui caressait les cheveux, les joues. Il se mit soudain à pleurer à gros sanglots, le corps secoué de tremblements convulsifs qui laissèrent Emma plus surprise qu'inquiète.

« Allons, mon Frankie, ne pleure pas, voyons... Je suis là, tu le vois bien. Je t'ai même apporté des cadeaux, rien que pour toi, pour te faire plaisir... »

Frank leva vers sa sœur un visage contracté et mouillé de larmes et renifla à plusieurs reprises avant de pouvoir parler :

« Tu m'as tant manqué, Emma... J'ai cru que tu ne reviendrais pas et que je ne te reverrais jamais.

— Tu sais bien que je serais revenue, Frankie. Tu m'as manqué, toi aussi. Allons, ne pleure plus et laisse-moi enlever mon manteau. »

Winston était debout devant la table et contemplait son assiette avec dégoût. On y voyait un magma figé où la purée, le rôti trop cuit et des choux de Bruxelles à demi écrasés se mélangeaient dans de la sauce desséchée.

« Je n'ai vraiment pas faim », murmura-t-il.

Il avait surtout perdu tout courage. Il fallait qu'il parle à Emma mais les mots s'étranglaient dans sa gorge.

« Tante Lily ne va pas être contente si tu ne manges rien, Winston! » dit Frank en reniflant.

Winston haussa les épaules et jeta son bonnet de marin sur une chaise d'un geste rageur. Pendant ce temps, Emma était allée accrocher son manteau à la patère derrière la porte et revenait près de la cheminée avec son sac de cadeaux. Après avoir mis les fleurs dans l'évier pour les garder au frais, elle se tourna vers Frank avec un sourire et commença à sortir les paquets qui lui étaient destinés.

« Tiens, mon chéri, voilà pour toi, dit-elle en les lui tendant. Je suis désolée, Winston, poursuivit-elle, je ne t'ai rien apporté, je ne savais pas que tu serais en permission. Attends, j'ai quelque chose qui te fera autant plaisir, je crois... »

Elle ouvrit son sac à main et en tira un des billets de banque destinés à son père.

« Tiens, prends cela. Tu pourras t'acheter des cigarettes et boire une pinte avec tes amis... »

Frank prit ses cadeaux et commença à les ouvrir avec des cris de joie. Winston accepta la livre en souriant d'un air contraint et s'assit devant son assiette peu appétissante. Pendant ce temps, Emma sortait les cadeaux pour son père et les posait sur le buffet.

« Ceux-ci sont pour papa, annonça-t-elle. Où est-il ? »

Elle se tourna vers ses frères avec un sourire joyeux. Winston reposa ses couverts avec bruit tandis que Frank se figeait et détournait les yeux.

« Eh bien, où est papa ? » insista Emma.

Elle surprit le regard que Winston décochait à Frank, prêt à répondre, et qui pâlit en refermant la bouche.

« Mais enfin, qu'avez-vous, tous les deux ? demanda-t-elle en fronçant les sourcils. Pourquoi ne dites-vous rien ? »

Soudain inquiète, elle agrippa le bras de Winston et le regarda dans les yeux :

« Parle, Winston ! Où est-il ? Pourquoi n'est-il pas à la maison ? »

Winston hésita, se gratta la gorge :

« Il est avec notre mère, Emma.

— Ah ! bon, dit Emma avec soulagement. Tu veux dire qu'il est au cimetière. Si j'étais arrivée plus tôt, j'aurais pu l'accompagner. Mais ça ne fait rien, je vais courir le rejoindre avant qu'il...

« — Non, Emma ! s'écria Winston. Ce n'est pas cela du tout. »

Il se leva, prit Emma par les épaules et la poussa doucement vers une chaise avant de s'asseoir en face d'elle.

« Tu ne m'as pas bien compris, Emma, dit-il en lui prenant la main. Je n'ai pas voulu dire qu'il était sur la tombe de maman. Quand j'ai dit qu'il était avec elle, c'est... c'est parce qu'il y est vraiment, couché lui aussi au cimetière. »

Emma le dévisageait, incrédule, comme si les mots n'arrivaient pas à ses oreilles. Frank intervint avec la brutalité directe de la jeunesse.

« Papa est mort, Emma, dit-il d'une voix sourde.

— Mort ? répéta Emma. Papa, mort ? Non, c'est impossible. C'est impossible. S'il était mort, je le saurais. Je l'aurais su, je l'aurais senti, là, dans mon cœur. J'aurais su qu'il était mort... Je l'aurais su... »

A mesure qu'elle parlait, la réalité se faisait jour en elle et elle s'effondra sur les derniers mots. Soudain voûtée, tassée, elle était immobile sur sa chaise, comme accablée d'un poids insupportable. Des larmes silencieuses ruisselèrent sur ses joues.

En face d'elle, Winston pleurait aussi comme le jour de la mort de son père. Mais il pleurait cette fois pour Emma, Emma qui avait été plus proche de leur père qu'aucun des deux garçons, qu'il avait aimée plus tendrement que Frank et Winston. Il se força à essuyer ses larmes et se ressaisit de son mieux. Ce n'était pas le moment de se laisser aller lui aussi. Il devait conserver ses forces pour aider Emma à surmonter sa douleur, pour la consoler. Il s'agenouilla devant elle et l'entoura de ses bras. Alors, elle se laissa aller contre lui et s'abandonna à ses sanglots.

« Oh ! Winston, murmura-t-elle d'une voix entrecoupée. Quand je pense que je ne l'ai jamais revu... »

Ils restèrent ainsi un long moment, Emma appuyée contre l'épaule de son frère qui faisait de son mieux pour essuyer ses larmes et lui murmurer des paroles consolantes. Peu à peu, les sanglots d'Emma s'apaisèrent, ses pleurs cessèrent et elle parut retrouver son calme.

Pendant ce temps, Frank s'affairait pour préparer du thé en faisant un effort pour ravaler ses larmes. Winston lui avait souvent dit qu'il était un grand garçon et qu'il devait être brave. La douleur d'Emma était cependant trop forte pour qu'il n'en fût pas affecté et, tourné vers l'évier, il dissimulait ses grimaces sans pouvoir cacher ses épaules secouées par les sanglots. Winston finit par le remarquer et lui fit signe de le rejoindre. Le jeune garçon obéit et vint à son tour enfouir son visage dans la poitrine de son frère. Les bras étendus, serrant contre lui son frère et sa sœur, Winston fut pour la première fois pénétré de son nouveau rôle dans la vie. C'était lui, désormais, le chef de famille, il avait la responsabilité de veiller sur ces deux êtres plus jeunes et plus fragiles que lui. Ils restèrent ainsi longtemps, blottis les uns contre les autres, tirant un réconfort de leur unité retrouvée jusqu'à ce que leurs yeux soient secs et leur douleur apaisée. La salle était silencieuse et le ciel gris la plongeait dans la pénombre, que n'éclairaient pas les braises du feu en train de mourir. On n'entendait que le tic-tac régulier de l'horloge et le crépitement doux de la pluie contre les vitres.

Winston se redressa enfin et parla à voix basse pour ne pas éveiller trop brutalement les échos :

« Nous sommes tous les trois seuls, désormais. Il faut que nous restions unis, que nous formions plus que jamais une famille. C'est ce que nos parents attendent de nous. Nous devrons veiller les uns sur les autres, vous m'entendez ?

— Oui, Winston », chuchota Frank.

Emma avait la gorge trop serrée pour répondre. Elle redressa la tête, s'essuya les yeux et fit signe à Winston qu'elle l'approuvait.

« Frank, dit l'aîné, mets le thé sur la table. Cela nous fera à tous du bien. »

Il se releva lourdement et se rassit en face d'Emma en tirant distraitement de sa poche un paquet de cigarettes. Il le contempla tristement avant d'en allumer une. A chacune de ses permissions, son père lui reprochait de laisser ses mégots traîner partout...

Les yeux rouges et gonflés, la bouche encore tremblante, Emma se dominait peu à peu. Elle se redressa enfin et s'adressa à Winston d'une voix redevenue ferme :

« Pourquoi ne m'as-tu rien dit quand nous nous sommes rencontrés devant le Cheval-Blanc, tout à l'heure ?

— Je n'aurais jamais pu, Emma. Pas en plein milieu du village et devant tous ces gens. Et puis, sur le moment, j'ai été si heureux, si soulagé de te revoir que j'ai oublié tout le reste. Ensuite, j'ai eu peur de te parler. Voilà pourquoi j'ai commencé par être si désagréable avant de te raconter n'importe quoi sur la marine. Pour apprendre cette nouvelle, il valait mieux que tu sois ici, seule avec nous.

— Merci, Winston, tu as bien fait. Et quand papa est-il mort ? »

Elle dissimula en hâte son visage dans ses mains pour tenter d'étouffer les sanglots qui la reprenaient. La mort de sa mère l'avait bouleversée sans la surprendre. Celle de son père, qu'elle apprenait brutalement et sans y être préparée, lui causait un choc violent.

« Cinq jours après ton départ, en août dernier. »

D'un coup, Emma devint livide et son visage se durcit. Je ne l'ai jamais senti, jamais deviné, se dit-elle. Pendant tout ce temps, je lui ai écrit, je lui ai raconté ces mensonges. Pendant tout ce temps où je redoutais qu'il me cherche, il était déjà dans sa tombe. Elle fut soudain saisie d'un tremblement qui la secoua de manière incontrôlable.

Winston parvint enfin à la calmer. Frank lui mit de force dans les mains un bol de thé brûlant, qu'elle dut reposer en hâte pour ne pas le répandre. Quand elle se maîtrisa, elle leva les yeux vers ses frères comme pour les rassurer.

« Comment est-il mort ? demanda-t-elle d'une voix à peine audible.

— D'un accident, répondit Winston. J'étais à la base de Scapa Flow. Tante Lily m'a prévenu par télégramme et on m'a donné une permission exceptionnelle. Nous ne savions pas où te trouver, Emma. On pensait que tu reviendrais dans quelques jours, on espérait, mais... »

Emma lui fit signe de se taire. Oui, sa conduite était inexcusable et rien n'adoucirait sa faute. L'estomac noué autant par la douleur que par le sentiment de sa culpabilité, elle dut encore repousser un nouvel accès de tremblements nerveux. Maintenant, il fallait qu'elle sache tout, qu'elle aille jusqu'au bout pour savoir si, vraiment, sa fuite était responsable de cette tragédie. Mieux valait souffrir un instant que toute sa vie.

« Quel genre d'accident? demanda-t-elle. Frank, tu étais ici avant Winston. Peux-tu m'expliquer? N'est-ce pas trop dur pour toi d'en parler?

— Non, Emma. Winston m'a dit qu'il fallait être brave et accepter les épreuves que la vie nous envoie... »

Il dut s'interrompre pour avaler sa salive avant de reprendre :

« Le samedi matin de ton départ, papa et moi sommes allés travailler à la filature, comme tu le sais. Il y a eu un gros incendie et papa a été brûlé au dos, aux épaules et aux jambes. Des brûlures au troisième degré, comme a dit le docteur Malcolm. Il paraît qu'il avait aussi avalé beaucoup de fumée. »

Emma avait de nouveau pâli et frissonna en pensant aux effroyables douleurs que ces blessures avaient dû infliger à son père. Elle se contint toutefois pour ne pas provoquer chez Frank une nouvelle crise de larmes.

« Continue, Frankie », lui dit-elle.

Frank lui fit alors avec gravité une relation détaillée des blessures subies par leur père, des soins qui lui avaient été prodigués, du souci et de la compassion dont avait fait preuve Adam Fairley, du dévouement dont John Harte avait été entouré tant de la part du docteur Malcolm et de sa femme que de celle du personnel de l'hôpital.

Quand il eut terminé, Emma resta un instant sans parler.

« C'est affreux, murmura-t-elle enfin. Notre pauvre père, mourir de manière aussi horrible... Qu'il a dû souffrir! »

Frank leva sur elle un regard circonspect :

« Tante Lily a dit qu'il n'avait plus la volonté de vivre », dit-il avec simplicité.

Emma sursauta :

« Quoi ? Pourquoi a-t-elle dit cela ? »

Frank consulta Winston du regard avant de répondre :

« Nous sommes allés voir papa tous les jours, dans la voiture du château. Mais papa n'avait pas l'air d'aller mieux. Le mercredi qui a suivi l'accident, tante Lily était venue avec nous et elle lui a dit, à un moment : « Il « ne faut pas te laisser aller, John. Si tu ne fais pas un « effort, tu vas aller rejoindre cette pauvre Elizabeth, « au cimetière. » Alors, papa l'a regardée avec un drôle d'air, comme s'il était très loin, et lui a répondu : « Je « voudrais justement y être, Lily. Avec mon Elizabeth. » Quand nous sommes partis, je l'ai embrassé et il m'a dit : « Adieu, Frankie. Sois toujours un bon garçon. » Comme si c'étaient ses derniers mots. A Winston, il a dit... Dis-le toi-même, Winston. »

Winston tira pensivement sur sa cigarette.

« Voilà ce que papa m'a dit : « Occupe-toi bien des « jeunes, Winston. Restez unis. Quand Emma revien- « dra de Bradford, dis-lui de cueillir un brin de bruyère « là-haut, au Sommet du Monde, pour sa mère et moi, « et qu'elle le garde toujours près d'elle en souvenir. » Ensuite... »

Sa voix se brisa et il dut s'interrompre un instant.

« Ensuite, reprit-il, papa a voulu me prendre la main mais les siennes étaient enveloppées de bandages. Alors, je me suis penché vers lui, nous nous sommes embrassés et il m'a dit : « Je vous aime bien tous, mes « enfants. Mais c'est Elizabeth que j'ai toujours aimée « le mieux et je ne peux plus vivre sans elle. » Je me suis mis à pleurer mais papa souriait d'un air heureux, comme je ne lui en avais jamais vu. Oui, il avait vrai-ment l'air heureux... Il m'a dit qu'il ne fallait pas être triste, parce qu'il allait rejoindre maman et il a conti-nué à parler comme cela pendant plusieurs minutes, si bien que je me suis demandé s'il n'avait pas le délire. A ce moment-là, le docteur est entré et nous a dit de partir. Pendant que nous rentrions à Fairley, tante Lily nous a dit que s'il mourait, ce serait d'un cœur brisé et non pas à cause de ses brûlures, car il ne s'était jamais consolé de la mort de maman. En effet, il est mort dans la nuit, Emma. Dans son sommeil, sans souffrir. Exactement comme s'il s'était laissé mourir, comme s'il avait voulu vraiment aller rejoindre maman.

— A-t-il parlé de moi? demanda Emma avec effort. A-t-il compris que je n'étais pas près de lui parce que je n'étais pas revenue de Bradford?

— Oui, Emma. Il ne t'en voulait pas. Il nous a dit qu'il n'avait pas besoin de te voir parce qu'il t'emportait avec lui dans son cœur. »

Emma ferma les yeux sans retenir ses larmes et se laissa aller contre le dossier de sa chaise. Mon père avait besoin de moi et j'étais loin de lui, se dit-elle avec amertume. Si seulement j'avais attendu quelques jours de plus...

Malgré sa répugnance à raviver ces douloureux événements, elle se força à demander de nouveaux détails :

« Grâce à Dieu, tu n'as rien eu, Frank Mais cela a dû être un terrible incendie. Y a-t-il eu beaucoup de blessés?

— Non, répondit Frank. Quelques hommes légèrement blessés seulement. Papa a été la seule victime.

— Comment cela? demanda Emma surprise. Si le feu a pris dans les ateliers...

— Non, justement, interrompit Frank, ce ne sont pas les ateliers qui ont brûlé mais le grand entrepôt. Papa traversait la cour quand il a vu les flammes et il n'aurait sûrement rien eu s'il n'y était pas entré. Mais M. Edwin était à l'usine ce matin-là et papa l'a vu qui essayait d'ouvrir la porte. Il a couru pour le prévenir du danger mais M. Edwin était déjà à l'intérieur et papa s'est précipité pour le tirer au dehors. Une balle de laine enflammée est tombée de la galerie juste à ce moment, papa s'est jeté sur M. Edwin pour le protéger, et c'est lui qui a été brûlé à sa place. Il lui a sauvé la vie et le *Squire* a dit que c'était un héros. »

Emma bondit :

« Mon père, sauver la vie d'Edwin Fairley! s'écriat-elle avec une sauvagerie qui fit sursauter ses frères. Mon père est mort pour sauver la vie d'un Fairley! Il s'est sacrifié pour un de ces... un de ces *gens-là*! » crachat-elle avec un mépris haineux.

Elle retomba sur sa chaise, secouée d'un rire hystérique. Inquiet devant cette explosion qu'il ne s'expliquait pas, Winston la dévisageait avec ahurissement. Frank s'était écarté d'elle avec effroi et semblait être au bord des larmes.

« Mais enfin, Emma... hasarda Winston. N'importe qui en aurait fait autant...

— Ah! oui, vraiment! hurla Emma en se levant d'un bond. Crois-tu qu'*ils* l'auraient fait, *eux*? Le grand *Squire* Fairley, ou *Monsieur* Gerald, ou *Monsieur* Edwin? Crois-tu qu'un de ces beaux *messieurs* aurait risqué sa vie pour sauver celle de notre père? Non, jamais, jamais ils n'auraient levé un doigt, tu m'entends? Notre père n'était qu'un ouvrier, lui! Oh! Dieu tout-puissant!... »

Debout au milieu de la salle, tremblante de rage et de haine, les poings serrés, Emma hurlait, crachait ses mots comme des insultes, comme si le venin qu'elle y mettait avait pu foudroyer ses victimes. Frank s'était retiré dans un coin, pâle de frayeur. Winston lui-même regardait sa sœur avec crainte et tenta de la calmer.

« Ne te mets pas dans des états pareils, Emma! Ce qui est fait est fait, nous ne pouvons rien y changer...

— Et tu as tort de dire du mal du *Squire*, ajouta Frank en se rapprochant. Il a été très bon avec nous. Il me verse le salaire de papa, une livre par semaine, et a promis de me payer jusqu'à ce que j'aie quinze ans...

— Oh! oui, quelle bonté! cria Emma, le visage crispé et enlaidi par la haine. Une livre par semaine, quarante-huit livres par an, une vraie fortune! Il te paie *généreusement* cela depuis dix mois et il en a encore pour deux ans. Oh! oui, tu peux le dire, le *Squire* est bien bon et bien généreux. Mais vous ne savez donc pas compter? poursuivit-elle en hurlant de plus belle. C'est tout ce que la vie de notre père représente pour les Fairley ? Cent cinquante livres ! Oui, cent cinquante livres pour la vie d'un homme ! C'est ignoble ! »

Elle s'interrompit, à bout de souffle, tremblante de rage et le visage tordu de tics. Winston profita de l'accalmie pour intervenir d'un ton mesuré, dans l'espoir de la ramener à la raison.

« Tu n'es pas juste, Emma, le *Squire* ne fait pas que cela. D'abord il a enlevé Frank de l'atelier pour le faire travailler dans les bureaux où il fait des écritures et apprend la comptabilité. Tous les dimanches, tante Lily va au château où la cuisinière lui donne un panier de provisions pour toute la semaine. C'est assez pour elle et Frank. J'avais oublié de te dire que tante Lily est venue s'installer ici. A la mort de papa, elle a quitté sa maison pour s'occuper de Frank. Elle ne va d'ailleurs pas tarder à rentrer, elle est partie au château chercher les provisions. Cela rend service, tu sais...

— Un panier de provisions ! interrompit Emma avec un ricanement. Un panier de provisions ! Tu as raison, quel modèle de générosité que notre *Squire* !... »

Elle se tourna brusquement vers Frank qui recula en se protégeant la figure de son bras levé.

« Et tu les manges, ces provisions ? Elles ne t'étranglent pas ? Tu as de la chance. Moi, je ne pourrais même pas les regarder sans avoir envie de vomir... »

Sans plus accorder un regard à ses frères, Emma tourna les talons et traversa la salle, raide, la tête haute. Frank et Winston la suivirent des yeux, échangèrent des regards mi-soucieux mi-étonnés. Ils la virent mettre son manteau, prendre les fleurs qui trempaient dans l'évier et sortir. Sur le pas de la porte, elle se retourna :

« Je vais au cimetière. Ensuite, je monterai au Sommet du Monde. Il n'y a probablement pas de bruyère à cette époque-ci de l'année mais j'en chercherai quand même. De toute façon, j'ai besoin d'être seule. Quand je rentrerai, nous pourrons parler plus calmement et essayer de prévoir l'avenir de Frank. Je serai contente aussi de revoir tante Lily. »

Elle avait parlé d'une voix froide, dure, inexpressive

et hachait ses mots comme s'ils lui blessaient les lèvres. Winston se leva et fit un signe de tête à son frère :

« Nous allons t'accompagner, Emma. N'est-ce pas Frank ? »

Elle coupa net le hochement approbateur du jeune homme.

« Non, dit-elle sèchement. Je vous ai déjà dit que je voulais rester seule. J'ai besoin de réfléchir. »

Avant qu'ils aient pu réagir, elle referma la porte derrière elle et s'engagea lentement dans l'impasse. Elle se sentait épuisée. En allant au petit cimetière, près de l'église, elle n'éprouvait rien d'autre qu'un écrasant sentiment de douleur. Le visage fermé, elle regardait droit devant elle, une lueur inquiétante au fond des yeux.

C'est quand elle se releva pour regagner la lande que sa haine viscérale pour les Fairley refit surface et la posséda tout entière. La mort tragique de son père, ses propres remords, son chagrin, tout fut balayé. Seule, désormais, comptait sa haine, cette bête malfaisante tapie en elle et qui la déchirait de ses griffes, substituait sa volonté à la sienne, lui insufflait une nouvelle énergie.

Seule sur la lande, Emma avançait vers ce Sommet du Monde, cet amas de rochers où reposait désormais tout son passé, tout ce qui lui avait été cher, sa mère, son père, son propre amour détruit... N'y aurait-il jamais de fin aux souffrances que cette famille lui infligerait, à elle et aux siens ? Allait-elle subir éternellement la malédiction des Fairley, sans jamais pouvoir échapper à leur emprise ? Une litanie d'imprécations lui monta aux lèvres, éclata en silence. Que Dieu maudisse les Fairley, tous les Fairley ! Puissent-ils brûler éternellement en enfer ! Qu'ils soient maudits, maudits !

Loin de la soulager, ses cris exacerbaient sa douleur. Elle se laissa tomber sur la terre détrempée, la tête pleine d'un tumulte confus, aveuglée par sa fureur. De l'orage qui l'agitait, une idée se dégagea peu à peu, prit corps, s'imposa avec force en puisant dans le passé les aliments dont elle avait besoin. La vengeance. Il ne suffisait pas de maudire les Fairley. Elle devait s'en venger. Elle s'en vengerait.

28

Et c'est ainsi que tout commença. Le plus insatiable des appétits de fortune et de pouvoir, le plus inhumain des programmes de travail que se soit volontairement imposé une jeune fille de dix-sept ans, tout avait pris naissance dans le désir de vengeance d'une âme blessée, aveuglée par la haine.

Pendant la journée, Emma travaillait à la filature. Le soir, après un repas sommaire hâtivement avalé, elle se retirait dans sa chambre et passait une partie de la nuit à tailler et coudre les toilettes commandées par ses clientes, dont le nombre croissait rapidement. La dévouée Laura se chargeait de faire connaître en ville les talents de son amie et vantait son bon goût et ses prix raisonnables.

Emma passait ses dimanches à la cuisine. Elle y préparait toutes sortes de pâtés, d'entremets et de pâtisseries tirés des recettes d'Olivia Wainright. Elle y cuisinait aussi des repas entiers, d'abord pour des voisins, puis pour la bourgeoisie et la noblesse d'Armley et des environs. Quand sa nombreuse clientèle lui laissait un répit, elle mettait en bocaux des conserves de fruits et de légumes, faisait des confitures et des sauces qu'elle étiquetait ensuite en les datant soigneusement. Ces trésors entassés dans la cave de Laura, formeraient bientôt le fonds du stock de son magasin. Emma vivait scrupuleusement du salaire qu'elle gagnait à la filature. Mais tous ses bénéfices de couturière ou de traiteur étaient réinvestis, jusqu'au dernier sou, dans ce qu'elle appelait déjà « son affaire » et servaient à racheter de la mercerie ou des produits alimentaires.

Aux affectueux reproches de Laura, qui s'inquiétait de son surmenage et la poussait à conserver pour elle un peu de cet argent, Emma répondait qu'il fallait investir pour réussir. Et elle continuait de plus belle, impitoyable avec elle-même, économisant sou par sou, travaillant sans relâche sept jours par semaine et, à quelques heures près, sept nuits. Elle ne pouvait plus se permettre de perdre une minute si elle voulait atteindre l'objectif qu'elle s'était fixé : son magasin. Son premier magasin. Car elle ambitionnait désormais d'en posséder une chaîne, tout comme Michael Marks avait organisé la chaîne de ses bazars. Mais là s'arrêtait le parallèle, car les boutiques d'Emma seraient élégantes. Elle y vendrait non pas des objets de première nécessité au prix uniforme d'un penny, mais des marchandises de luxe destinées à une clientèle aisée. C'est ainsi, estimait-elle, que l'on peut sûrement faire fortune. Tout dépendait donc de cette première boutique et, pour s'y installer, il fallait de l'argent. Le loyer, les aménagements, les vitrines et les comptoirs, la constitution du premier stock, tout cela coûterait cher. Emma amassait donc son capital de départ et rien ni personne ne se mettrait en travers de sa route. Elle n'avait d'ailleurs pas le plus léger doute quant à sa réussite. Le mot, la notion même d'échec étaient irrémédiablement rayés de son vocabulaire. Elle avait en elle-même une confiance absolue, fondée sur sa certitude de posséder le capital le plus précieux de tous : une infatigable, une inépuisable capacité de travail.

Au cours de l'année qui suivit sa visite à Fairley et l'annonce de la mort de son père, Emma ne prit pas une seule journée de repos, à l'exception de sa visite mensuelle à Edwina. Elle regrettait amèrement de n'avoir pas le temps d'aller plus souvent à Ripon, comme elle l'avait promis à Freda. Mais elle s'efforçait de faire taire ses remords en se répétant qu'elle travaillait pour sa fille et lui préparait son avenir.

Pendant cette même période, Emma ne retourna qu'une seule fois à Fairley y voir son frère Frank et fit coïncider sa visite avec une permission de Winston. Ils avaient décidé, en ce sinistre dimanche d'avril, qu'il valait mieux laisser Frank continuer de vivre à la maison avec tante Lily. La sagesse commandait, en effet, de ne rien bouleverser dans la vie du jeune garçon. Il poursuivrait donc son travail aux bureaux de la filature jusqu'à l'âge de quinze ans et déciderait lui-même, à ce moment-là, s'il voulait ou non s'engager dans la carrière littéraire ou journalistique dont il rêvait. Si tel était le cas, Emma et Winston s'efforceraient de l'aider, en le faisant par exemple engager dans l'un des journaux de Leeds où il apprendrait le métier tout en suivant des cours du soir. Ou en se cotisant pour l'envoyer dans une école où il pourrait reprendre ses études.

« Frank a un don qu'il serait criminel de gâcher, Winston, avait dit Emma. Nous avons le devoir de l'aider à le développer, quoi qu'il arrive. »

Winston avait volontiers acquiescé. Emma avait ensuite insisté pour qu'ils procurent régulièrement à leur jeune frère les fournitures nécessaires à ses études. Winston se chargerait du papier et des plumes, « même s'il devait se priver d'une chope de bière ou d'un paquet de cigarettes », lui dit véhémentement Emma. Elle-même lui enverrait un dictionnaire et des livres, car il était essentiel que Frank soit mis en contact avec la vraie littérature. Victor Kallinski, l'intellectuel, saurait utilement la conseiller dans ce domaine. En veine d'autorité ce jour-là, à l'issue de la crise morale qu'elle venait de subir et de surmonter, Emma avait conclu en donnant à son jeune frère des instructions précises qu'il devait suivre à la lettre : il lui faudrait dorénavant se consacrer à l'étude et à la lecture pendant tout son temps libre et tous les soirs jusqu'à une heure raisonnable. Tante Lily, effarée, promit de veiller au respect de ce programme. Pour sa part, Frank avait accepté d'enthousiasme, tant ces obligations correspondaient à ses plus chers désirs.

Emma avait donné à sa famille son adresse à Armley en restant évasive sur les détails de sa vie. Elle se faisait appeler Mme Harte et s'était inventé un mari dans la marine, avait-elle dit, pour se protéger des importuns et ne pas avoir à subir les assauts des soupirants. Winston avait accepté sa version des faits sans manifester de méfiance et l'avait même félicitée de sa ruse. Bien entendu, Emma n'avait soufflé mot de l'existence d'Edwina.

C'est ainsi que sachant Winston occupé de sa carrière navale, Frank à l'abri du besoin et Edwina en sûreté à Ripon, Emma avait pu se consacrer totalement à la réalisation de son Plan. Elle n'avait plus de scrupules à satisfaire ses ambitions ni à se plonger corps et âme dans un travail écrasant pour tout autre qu'elle. Elle en oubliait le passage du temps et tout ce qui l'entourait pour ne plus tourner ses regards que vers l'avenir. Rien de ce qui peuplait les pensées d'une fille de son âge n'avait prise sur elle.

Elle en arrivait même à négliger ses amis. Au début, Blackie l'avait laissée faire, convaincu qu'elle ne pourrait pas soutenir ce train d'enfer, et avait même discrètement conseillé à Laura de ne pas chercher à intervenir. A mesure toutefois que les mois passaient sans qu'Emma fasse mine de ralentir, ils s'en inquiétèrent. David Kallinski, lui-même travailleur acharné et poussé par l'ambition, finit par s'alarmer à tel point du comportement d'Emma qu'il alla un soir trouver Blackie au Cygne-Blanc.

« Emma ne m'écoute même plus, Blackie! s'était-il écrié. La dernière fois que je l'ai vue, je lui ai dit de se ménager un peu plus, de prendre au moins un jour de repos par semaine, comme le font tous les gens sensés. Je lui ai démontré que l'excès ne mène à rien de bon et qu'il faut agir avec modération. Eh bien, savez-vous ce qu'elle m'a répondu ? »

Blackie secoua la tête, le front barré par un pli soucieux. L'inquiétude de David faisait écho à la sienne.

« Je n'en ai pas la moindre idée, mon vieux. Depuis quelque temps, il est impossible de prévoir ses réactions.

— Je vous le donne en mille! avait poursuivi David en souriant malgré lui. « A mon avis, David, m'a-t-elle « dit textuellement, la modération est une qualité très « surfaite et que l'on a trop tendance à invoquer, sur- « tout dans le travail. » Hein, que dites-vous de cela ?

— Cela ne m'étonne pas d'elle, avait soupiré Blackie. Emma est têtue comme une mule. J'ai moi-même essayé à plusieurs reprises de lui faire entendre raison mais il n'y avait rien à faire. Elle n'écoute plus personne.

— Essayez encore, Blackie! Forcez-la à se reposer, rien que dimanche prochain. Je viendrai à Armley, nous irons nous promener dans le parc, cela lui fera au moins prendre l'air. Vous me promettez d'essayer?

— Bon sang, oui, j'essaierai, David! avait répondu Blackie avec un coup de poing sur la table. Je lui dirai qu'elle nous rend tous malades, je l'étranglerai, je lui ferai n'importe quoi mais je vous promets qu'elle sera dans ce parc dimanche prochain avec Laura et moi, même s'il faut que je l'y traîne par les cheveux! C'est juré! »

Aussi la déception de David fut-elle extrême quand, au jour dit, Emma ne se présenta pas au rendez-vous. Depuis près d'une demi-heure, en avance sur l'heure prévue, il arpentait les allées du jardin public sous le chaud soleil de juillet. Elégamment vêtu de son meilleur complet, chaussé de bottes éblouissantes, coiffé et rasé de frais, laissant autour de lui des effluves d'eau de Cologne, David Kallinski attirait les regards des promeneuses. Mais il ne jetait qu'un œil distrait sur les massifs de fleurs éclatants de couleurs, il entendait à peine les flonflons de la musique des grenadiers de la Garde, campés dans leurs rutilants uniformes dans le kiosque aux allures incongrues de pagode. Son esprit était ailleurs.

Le spectacle valait pourtant la peine qu'on s'y arrête. En cette année 1907, à l'apogée du règne débonnaire d'Edouard VII, jamais le Royaume-Uni n'avait paru plus aimable, jamais les promesses de paix et de prospérité n'avaient semblé plus grandes. Ce bien-être insouciant des classes dirigeantes, cette joie de vivre satisfaite des classes moyennes se reflétaient typiquement dans la foule qui se pressait à Armley Park ce jour-là. Femmes aux toilettes bigarrées, hommes engoncés dans leurs habits sombres, nurses aux tabliers amidonnés allant et venant gravement en poussant les voitures d'enfant aux immenses roues fragiles, militaires en permission arborant leurs plus beaux uniformes, tout ce microcosme grouillant symbolisait la puissance de l'Empire. Il n'y manquait pas même çà et là, la touche d'exotisme d'un Hindou en turban ou d'une Chinoise en robe de soie. Comme tous ses compatriotes, David Kallinski partageait l'euphorie trompeuse de l'époque. Les années à venir ne pourraient que récompenser les efforts passés. L'air du temps était rempli des promesses du changement et du progrès. Tout irait nécessairement toujours de mieux en mieux et l'horizon du futur s'éclairait des lumières de l'espoir.

Pénétré de ces vérités, David ne se souciait donc pas des progrès de sa carrière ni de l'accomplissement de ses ambitions. Sa mine préoccupée, sa distraction n'étaient dues qu'aux pensées qui l'occupaient entièrement ce jour-là et tournaient toutes autour d'Emma. Il avait dû finir par reconnaître que l'intérêt croissant qu'il lui portait avait peu de rapports avec ses projets d'affaires. En fait, les sentiments tendres et passionnés qu'il lui vouait, nés dès leur première rencontre, n'avaient cessé de se fortifier malgré ses efforts pour les refouler. Il avait été surpris quand ils avaient fini par prendre totalement possession de son cœur et de son esprit. Mais il était trop tard pour les combattre.

Son tourment n'en était que plus grand. Les mêmes questions revenaient l'assaillir : que pensait-elle de lui ? N'éprouvait-elle rien d'autre que de l'amitié ou une affection toute fraternelle ? S'était-elle absorbée dans son travail au point de ne même plus lui accorder la moindre pensée ? Il y avait pire encore : Emma était mariée et David était bien forcé de s'accommoder de ce fait. Un homme amoureux d'une femme mariée ne pouvait guère avoir d'espoir ni se faire d'illusions sur ses chances de succès. Et pourtant, David Kallinski était amoureux d'Emma Harte. Où diable est donc ce satané mari ? se demandait-il avec colère. Jamais encore il ne s'était montré, même pour la naissance de l'enfant. Les marins, même dans la marine de guerre, ont pourtant bien des permissions ! Malgré son envie d'élucider ce mystère, David n'avait pas osé s'en ouvrir à Emma ni même lui demander si elle aimait encore son loup de mer. L'on pouvait à bon droit en douter, car Emma n'en parlait jamais et ne semblait pas souffrir de son interminable absence. Malgré tout, l'existence de ce marin fantôme lui liait les mains et David ne pouvait pas, en conscience, déclarer son amour à Emma tant que sa situation matrimoniale n'était pas éclaircie.

David s'était assis devant le kiosque à musique et il était si bien plongé dans sa rêverie qu'il sursauta en sentant une main se poser sur son épaule. La voix de Blackie résonna à ses oreilles malgré les éclats des cuivres et les roulements des tambours :

« Ah ! vous voilà enfin ! On vous cherchait partout ! »

David leva vivement les yeux et ne put dissimuler sa déconvenue en ne voyant que Laura Spencer. Il se leva néanmoins en souriant, serra la main de Blackie, embrassa Laura sur la joue avec un entrain qu'il était loin d'éprouver. Mais il ne fut pas capable de feindre l'indifférence en demandant pourquoi Emma ne les accompagnait pas.

« Je suis vraiment désolé, David, répondit Blackie. J'ai eu beau faire et beau dire, je ne suis pas arrivé à la décider. Elle avait, paraît-il, à terminer une robe pour une cliente des Towers et n'a rien voulu entendre. Elle m'a quand même dit qu'elle serait enchantée de vous voir pour le dîner... Allons, mon vieux, reprit-il en voyant la mine déconfite de David, ne faites pas cette tête-là ! On va la rejoindre tout à l'heure à la maison. Elle aura peut-être fini sa couture avec un peu de chance... En attendant, profitons du beau temps et allons nous promener. »

Ils se mirent lentement en marche sous les ombrages du parc. Blackie et Laura bavardaient de choses et d'autres tandis que David, toujours si volubile, restait muré dans un silence morose. Sa nervosité n'échappa pas à Laura qui lui jeta à plusieurs reprises des regards pénétrants mais se garda de tout commentaire.

Le hasard de la promenade les amena au bord de la falaise qui domine la vallée de l'Aire. Laura se plaignit de la chaleur et ils s'assirent tous trois sur un banc, à l'ombre d'un saule pleureur. Pendant quelques instants, ils admirèrent en silence le panorama étendu que l'on découvrait du promontoire. Sur la rive opposée, presque en face d'eux, on voyait les ruines enchâssées de lierre de l'abbaye cistercienne de Kirkstall. Au-delà et jusqu'à l'horizon, la masse vert sombre de la forêt de Horsforth montait à l'assaut des coteaux que dominaient les villages de Rawdon et de Whaferdale's Reach. Le soleil de l'après-midi baignait ce paysage paisible d'une lumière dorée qui en adoucissait les contours et le silence n'était troublé que par des chants d'oiseaux.

David offrit une cigarette à Blackie, les deux jeunes gens en tirèrent quelques bouffées. Finalement, David n'y tint plus :

« Je ne comprends pas, Blackie. Qu'est-ce qui pousse Emma à se tuer littéralement au travail ?

— La haine... » commença Blackie.

Il se mordit les lèvres, conscient de son étourderie, et détourna le visage pour cacher sa gêne. Laura poussa un cri de protestation :

« Blackie ! C'est absurde, voyons !

— La haine ? s'écria David. C'est impossible ! Emma est trop douce, trop bonne. Et de la haine pour qui ? »

Blackie se maudissait de sa maladresse et ne répondit pas tout de suite, cherchant désespérément un moyen de réparer sa gaffe. Il n'était évidemment pas question de parler des Fairley à Laura et à David.

« Allons, Blackie, répondez ! insista David. Qu'avez-vous voulu dire ? »

Blackie se tourna vers ses amis et affecta l'innocence :

« En réalité, David, je n'en sais rien... Je n'aurais pas dû parler aussi inconsidérément, c'est vrai. Mais vous savez ce qu'on dit des Irlandais, toujours prêts à raconter n'importe quoi... »

Il marqua une pause, fit un geste désarmant :

« Quand j'ai dit haine, je ne voulais bien entendu parler que de sa haine pour la pauvreté où elle a vécu, pour les injustices de la vie. Voilà ce qui pousse Emma : son ambition, son besoin d'argent. »

David l'avait écouté avec une moue sceptique :

« Je sais aussi bien que vous qu'Emma veut devenir riche. Mais cela n'a rien d'original. Vous aussi, Blackie. Et moi. Nous avons tous de l'ambition et c'est tout à fait légitime. Mais cela ne nous entraîne pas à ne vivre plus que pour amasser de l'argent sou par sou, comme elle le fait. A se retrancher de tout, à vivre dans une idée fixe. »

Blackie se pencha vers lui, le regard soudain grave :

« C'est vrai, mon vieux. Mais nous voulons la richesse pour d'autres raisons qu'Emma. Ce que nous désirons acquérir, vous et moi, c'est une vie meilleure, le confort. Une belle maison, une belle voiture, des beaux costumes. La sécurité pour nos vieux jours. C'est bien cela, n'est-ce pas ?

— C'est exact, approuva David. Mais quelles sont alors les raisons que pourrait avoir Emma ? Que veut-elle faire de son argent ?

— Une arme », répondit Blackie avec un sourire énigmatique.

Pour la deuxième fois, Laura protesta :

« Une arme ? Mais contre qui, grand dieu ?

— Je me suis sans doute mal exprimé », dit Blackie. Il regrettait amèrement d'avoir provoqué par son imprudence une conversation d'où il ne voyait pas le moyen de se sortir sans commettre de nouvel impair. Mais il était trop tard pour reculer et ses deux compagnons le dévisageaient, exigeaient qu'il s'explique. Blackie s'éclaircit la voix :

« Emma elle-même, à mon avis, considère l'argent comme une arme. Je ne crois pas qu'elle ait l'intention de s'en servir contre qui que ce soit en particulier. Non, c'est plutôt une arme contre le monde entier ou, plus précisément, pour se défendre contre ceux qui lui voudraient du mal. Si Emma veut de l'argent, c'est pour protéger Edwina, se protéger elle-même. Elle veut bâtir une véritable forteresse autour d'elle pour se mettre à l'abri avec son enfant et être capable de repousser tous les dangers qui pourraient la menacer. C'est tout ce que j'ai voulu dire, je vous le promets. »

David affichait une incrédulité croissante et avait l'air choqué par les propos de Blackie :

« Vous faites d'Emma un bien curieux portrait, mon vieux Blackie. Vous ne parlez pas du tout de l'Emma que je connais...

— C'est possible, interrompit Blackie. Mais n'oubliez pas que je la connais mieux et depuis plus longtemps que vous. Et je crois aussi mieux comprendre les raisons profondes qui la poussent à agir ainsi, poursuivit-il en revoyant l'état inquiétant des yeux verts lors de leur première rencontre sur la lande. Tant qu'elle n'aura pas cette boutique dont elle nous rebat les oreilles, elle n'aura pas de repos. Après, il lui en faudra une autre, et une autre, et une autre encore... Emma a l'intention de devenir riche, très riche. Elle me l'a toujours dit. Et vous savez quoi, David ? Je suis certain qu'elle y arrivera.

— Oui, mais à quel prix ! Regardez-la, en ce moment. Elle est maigre à faire peur, elle tombe de fatigue. Ses yeux sont cernés de noir du matin au soir... Voyons, Laura, vous vivez avec elle, vous savez bien que ce que je dis est vrai !

— Jusqu'à un certain point, David. Soyons justes : Emma se nourrit et se soigne convenablement...

— En ne dormant pas ?

— Elle dort au moins cinq heures par nuit ! protesta Laura. Il lui faut moins de sommeil qu'à la plupart des gens, c'est tout. Je reconnais cependant que je me fais du souci à son sujet. Il faut lui parler, Blackie, lui faire comprendre qu'elle doit se ménager.

— Cela ne servira à rien, répondit Blackie avec une moue désabusée. Elle n'en fait qu'à sa tête...

— Nous n'allons quand même pas la laisser se tuer sous nos yeux sans rien faire ? » s'écria David avec indignation.

Blackie réprima un rire amusé :

« Si elle vous entendait ! Pour elle, ce n'est pas le travail qui tue mais plutôt la paresse ! Et je ne parle même pas de la modération... Non, David, croyez-moi, on ne peut pas parler d'Emma comme de n'importe qui. Elle est unique, Emma. Unique. »

Décontenancé, David regarda longuement Blackie avant de se détourner pour réfléchir à la portée de ses paroles.

« Vous savez, dit alors Laura, j'ai longtemps cru qu'Emma n'était pas raisonnable de vouloir sa boutique à tout prix. Maintenant, j'ai changé d'avis. Cela aura au moins pour résultat de la sortir de la filature qu'elle déteste.

— J'avais espéré la décider à s'associer avec moi, répondit David. L'année prochaine, à cette époque-ci, j'aurai assez d'argent de côté pour ouvrir mon propre atelier. Je compte lancer une collection de vêtements féminins tout en continuant à prendre des travaux en sous-traitance, comme mon père. Emma a d'ailleurs déjà dessiné la première collection, ajouta-t-il en s'animant. Vous l'avez vue, Laura ?

— Oui, elle m'a montré ses dessins et je les ai trouvés remarquables. Certaines de ses idées sont même révolutionnaires, comme le manteau transformable, la jaquette réversible et tous les vêtements de maternité ajustables. Je n'ai encore jamais vu cela nulle part, n'est-ce pas David ?

— Emma a des années d'avance sur son temps...

— Je suis incapable de discuter de ces choses-là avec vous ! interrompit Blackie. Mais écoutez-moi un peu, tous les deux. Arrêtons de ne regarder que le mauvais côté des choses. Je connais Emma, elle n'a rien à craindre à long terme. Ce n'est pas une femmelette, croyez-moi, elle est faite pour survivre. Maintenant si cela peut vraiment vous tranquilliser, parlons-lui ce soir mais parlons-lui tous ensemble et faisons bien attention de ne pas la braquer. On arrivera peut-être à la faire ralentir un tout petit peu, à condition d'être prudents. D'accord ?

— Bonne idée », approuva David.

Laura hocha la tête et Blackie affecta une confiance qu'il n'éprouvait pas. Il était presque sûr d'avance qu'Emma ne ferait pas plus attention à eux que d'habitude et ne se gênerait pas pour les rembarrer. Son initiative n'avait pour but que de calmer les appréhensions de ses deux amis et surtout celles de Laura.

David le regardait comme s'il hésitait à parler et alluma nerveusement une cigarette.

« Dites-moi, Blackie, je me mêle de ce qui ne me regarde pas mais... où diable est donc passé ce fameux mari d'Emma ? C'est quand même bizarre qu'il ne se soit jamais montré, pas même pour une permission de quarante-huit heures ! Elle est venue travailler chez mon père en août 1905 et depuis bientôt deux ans, on n'a pas vu l'ombre de ce personnage ! »

Depuis des mois, Blackie redoutait qu'on lui pose cette question. Il avait prévenu Emma à plusieurs reprises en insistant pour qu'elle prépare une excuse plausible. La semaine passée, elle lui avait enfin annoncé qu'elle s'apprêtait à « révéler » à tous la triste « vérité » : son pseudo-mari l'avait honteusement abandonnée pour sacrifier à son ambition. L'occasion était bonne et Blackie la déchargerait donc de ce mensonge qui, espérait-il, serait le dernier.

« Je suis bien content que vous me le demandiez, David, répondit-il avec aplomb. Autant vaut que tu le saches aussi, Laura, ajouta-t-il en lui prenant la main. Cela fait déjà quelque temps qu'Emma est trop gênée pour vous en parler elle-même. Car, voyez-vous, son vaurien de mari... »

Il s'interrompit, comme accablé par la honte de devoir dévoiler une telle turpitude, et en profita pour constater avec plaisir que son public était suspendu à ses lèvres et avalerait sans discuter tout ce qu'il lui plairait de dire.

« Oui, le vaurien, le misérable, reprit-il en grommelant comme s'il était étouffé par l'indignation. Lui faire cela, à elle, cette pauvre Emma...

— Qu'a-t-il donc fait ? s'écrièrent Laura et David avec ensemble.

— Cela fait bientôt un an, oui un an, qu'il l'a définitivement abandonnée. Vous rendez-vous compte ? Sous prétexte, a-t-il osé lui écrire, qu'il veut faire carrière dans la marine, qu'il veut devenir officier et qu'il n'a pas le temps, vous m'entendez, le temps ! de subir le fardeau d'une femme, d'enfant, de responsabilités qui nuiraient à sa carrière. Une honte! »

Si Blackie avait eu quelque crainte de ne pas jouer sa comédie de manière assez convaincante, les soupirs horrifiés qui échappèrent à ses deux compagnons lui enlevèrent toute inquiétude.

« Dans ces conditions, reprit-il avec assurance, vous pensez bien qu'on ne le reverra pas de sitôt! Non, il n'osera même pas montrer le bout de son nez dans les parages, et Emma en est débarrassée pour toujours, j'en mettrais ma main à couper. »

Laura poussa un cri et sembla se trouver au bord des larmes :

« Oh! Blackie, s'écria-t-elle. Pauvre Emma, pauvre enfant... Abandonnée! »

Blackie se pencha vers elle et lui entoura les épaules d'un bras protecteur :

« Allons, Laura, allons, il ne faut pas prendre cela tellement à cœur! Emma n'en est pas affectée le moins du monde, au contraire. Elle en est contente et soulagée. Quand elle m'a raconté les détails, elle a conclu en disant : « Bon débarras! » Je n'aurais pas trouvé mieux moi-même.. »

Ravi d'avoir épargné cette corvée à Emma tout en mettant aussi brillamment à l'épreuve ses propres talents d'acteur, Blackie eut un sourire épanoui qu'il effaça de justesse. Mais il n'avait rien à craindre. Laura était encore sous le choc de sa révélation. Quant à David, qui l'avait écouté sans mot dire, il sentait son cœur battre plus vite et l'espérance renaître en lui.

« Je suis navré, dit-il en s'efforçant de ne pas trahir sa jubilation. Mais si Emma n'en souffre pas, cela vaut sans doute mieux, en effet... »

Il supputait déjà les frais qu'entraînerait un divorce et les formalités à remplir.

« C'est vrai », approuva Blackie d'un air convaincu.

Sa mélancolie soudain évanouie, David se leva d'un bond :

« Pourquoi restons-nous là sans rien faire? Venez, mes amis, allons écouter la fin du concert avant de rentrer à la maison! »

132

Ils quittèrent leur banc et reprirent d'un bon pas la direction du kiosque à musique. Laura cherchait le meilleur moyen de se rendre utile à Emma. David se voyait déjà à ses pieds en train de lui demander sa main. Quant à Blackie, un peu inquiet, il se disait qu'il fallait coincer discrètement Emma pour lui apprendre la manière expéditive dont il l'avait débarrassée de son encombrant époux.

Tandis que cette conversation se déroulait sous les arbres d'Armley Park, Emma n'était pas enfermée dans sa chambre en train de coudre comme le croyaient ses amis. Elle était en route pour se rendre chez un certain Joe Lowther, à l'autre tout d'Armley.

A peine avait-elle entendu la porte d'entrée se refermer derrière Laura et Blackie qu'Emma s'était changée prestement pour mettre sa robe de soie noire et coiffer son chapeau de paille. Elle avait ensuite extrait soixante livres de la boite de fer-blanc où elle gardait ses économies, les avait glissées dans son sac et s'était précipitée dans la rue, la mine plus résolue que jamais.

La veille, en faisant ses courses, elle avait vu par hasard la boutique. *Sa* boutique! Trois petits magasins contigus avaient été aménagés au rez-de-chaussée d'une maison de Town Street. L'un d'eux était libre. Emma s'était arrêtée net, hypnotisée par ce spectacle. C'était exactement ce qu'il lui fallait. Exactement! Elle était prête à s'installer, car elle possédait l'argent nécessaire au premier loyer et à l'achat du stock. La boutique était juste assez grande. Dans la vitrine passée au blanc, on avait réservé un rectangle où se voyait la pancarte : A LOUER. Au-dessous, le nom du propriétaire, M. Joe Lowther, et son adresse. Emma l'avait apprise par cœur et s'était hâtée de rentrer dîner. Elle avait déjà décidé d'aller voir ce M. Lowther dès le lendemain et d'être la première à postuler le bail. Que la coutume s'oppose à ce que l'on traite des affaires le dimanche importait fort peu à Emma, pour qui tous les jours de la semaine étaient bons pour faire des affaires.

Elle marchait à grands pas dans le labyrinthe des

rues étroites du vieux village et regrettait d'avoir mis sa robe noire. Il faisait une chaleur accablante. Mais cela ne ralentit pas son allure, et elle se trouva dans la rue de M. Lowther moins d'un quart d'heure après être partie de chez Laura. Elle repéra la maison, gravit résolument les marches du perron, heurta trois fois et attendit. Quelques instants plus tard, un jeune homme vint ouvrir la porte. Il était grand, solidement bâti. Sous ses cheveux blonds ébouriffés, il avait des yeux gris étonnés, un visage ouvert et honnête. En manches de chemise et manifestement surpris de recevoir une telle visite, il dévisagea Emma sans aménité :

« Que voulez-vous, mademoiselle ? demanda-t-il sèchement

— Je voudrais voir votre père, répondit Emma avec son plus beau sourire.

— Mon père ? Vous avez dû vous tromper de maison, il est mort depuis six ans !

— Oh ! je suis désolée, j'ai dû mal lire l'adresse. Je cherche un M. Joe Lowther. Pouvez-vous me dire où il habite ?

— Ici, mademoiselle. Joe Lowther, c'est moi. »

Emma eut un mouvement de surprise :

« Je vous demande pardon, mais vous me paraissiez trop jeune pour être le propriétaire d'une boutique de Town Street. Celle qui est à louer, précisa-t-elle. C'est bien à vous qu'elle appartient ? »

Le jeune homme lança à Emma un regard agacé :

« Oui, en effet. Pourquoi, vous voulez la louer ? Pour le compte de votre mère, sans doute ? »

Emma réprima son envie de rire et se dit qu'il valait mieux adoucir la démangeaison qu'elle avait involontairement infligée à la susceptibilité de son futur propriétaire.

« Non, monsieur, répondit-elle aimablement. C'est pour moi-même.

— Tiens donc ! N'êtes-vous pas un peu trop jeune pour vous lancer dans le commerce ! En avez-vous au moins l'expérience ? »

Emma domina l'irritation qu'elle ressentait à cette

rebuffade et entreprit, en déployant tout son charme, d'expliquer au jeune Joe Lowther qu'elle exerçait depuis plus d'un an à Armley les professions de traiteur et de couturière. La boutique lui permettrait d'étendre ses activités et l'âge, conclut-elle, n'avait rien à voir dans l'affaire.

« Non, non, répondit l'autre d'un air buté. Cela ne marchera jamais. Je ne peux pas vous louer cette boutique, mademoiselle.

— Je suis pourtant disposée à vous débarrasser d'un local vide, monsieur Lowther, d'un capital improductif. Aujourd'hui même si vous voulez... »

Voyant le jeune homme la regarder de haut, elle gravit les deux dernières marches pour se mettre à son niveau. Là, elle déploya de nouveau son charme le plus troublant et le fixa des yeux en ajoutant :

« Nous pourrions peut-être discuter plus commodément à l'intérieur, monsieur Lowther...

— Je n'en vois pas l'intérêt, je n'ai absolument pas l'intention de changer d'avis ! »

En fait la résistance de Joe Lowther faiblissait à vue d'œil. La proximité de cette jeune fille, l'éclat de son regard, les courbes de son visage à quelques centimètres du sien lui donnaient soudain des bouffées de chaleur qui ne devaient rien à la température extérieure.

Emma le comprit et décida alors d'user de l'argument auquel elle savait que rien ne résistait :

« Je peux vous payer un terme d'avance, monsieur Lowther », dit-elle en ouvrant son sac.

Le jeune homme se sentit rougir sous les yeux verts qui le dévisageaient et eut un moment d'affolement. Qu'allaient penser les voisins s'il invitait cette inconnue chez lui ? Il se sentait par ailleurs honteux de son incivilité, peu conforme à son caractère. Encore tiraillé entre ces émotions contradictoires, il dit presque malgré lui :

« Vous avez raison, mademoiselle, entrons. On ne parle pas affaires dans la rue, surtout un dimanche, ajouta-t-il pour bien montrer qu'il ne cédait pas. Je n'ai jamais encore parlé affaires le jour du Seigneur...

— Il faut un début à tout, cher monsieur. »

Emma ponctua ses mots d'un regard coulé sous ses cils à demi baissés. Elle s'était parfaitement rendu compte du trouble qu'elle éveillait chez le malgracieux Joe Lowther et entendait profiter sans vergogne de son avantage.

Le jeune homme en était pantois. L'audace dont sa visiteuse faisait preuve l'exaspérait sans qu'il puisse lui résister comme il l'aurait souhaité. Il la fit entrer sans rien dire, l'introduisit au salon où il l'invita à s'asseoir et s'excusa pour quelques minutes.

Emma resta debout au milieu de la pièce et cligna des yeux pour s'habituer à la pénombre, car on avait fermé les volets contre la chaleur. Quand elle fut capable d'y voir nettement, elle fit une grimace : le salon évoquait irrésistiblement celui de Mme Daniel. C'était un amoncellement de guéridons, de bibelots et d'étagères, de napperons brodés et de plantes en pot au milieu d'un fouillis de meubles capitonnés surchargés de pompons et de passementeries. Elle distingua cependant quelques belles pièces. Au prix d'un nettoyage impitoyable, le salon pourrait être agréable. Elle s'assit sur une chaise de crin et attendit.

Depuis qu'elle était arrivée à Leeds, Emma avait fait une découverte souvent confirmée par la suite : l'argent parle un langage d'une irrésistible persuasion. Bien rares étaient ceux capables de résister à la vision de billets posés sur une table. Un paiement d'avance constituait également une tentation trop forte pour ne pas faire céder les plus intraitables. Enfin, autre leçon bien apprise, il fallait toujours saisir fermement une occasion dès qu'elle se présentait car on ne pouvait savoir si elle se représenterait. Emma hésitait cependant sur la stratégie à mettre en œuvre avec Joe Lowther, car elle n'était pas sûre qu'il fût vulnérable au pouvoir de l'argent.

Elle s'efforça de l'évaluer d'après le peu qu'elle avait vu de lui. Il était certainement timide et sans doute timoré. Pendant leur brève conversation sur le pas de la porte, elle l'avait dérouté et cela lui laissait l'avantage, pour le moment du moins. Car il n'avait toujours pas donné formellement son accord pour lui louer la boutique. Il semblait croire que la jeunesse d'Emma était un inconvénient, alors qu'il ne paraissait pas lui-même beaucoup plus âgé qu'elle, vingt ans peut-être, vingt et un ans tout au plus. Il fallait donc impérativement qu'Emma le convainque qu'elle serait une locataire responsable et digne de foi. Un trimestre d'avance suffirait-il à faire pencher la balance ? C'était certainement une somme assez importante pour constituer une garantie et prouver par ailleurs qu'Emma avait su gagner de l'argent grâce à son commerce. Mais là n'était peut-être pas la clef de la négociation, se dit enfin Emma en réfléchissant. Il fallait qu'elle affole Joe Lowther. S'il succombait, ce serait à son charme et à sa douceur. Le charme et l'argent : combinaison imbattable ! Ainsi rassérénée, Emma se prépara à l'entrevue, lissa sa robe, rajusta son chapeau.

Joe revint quelques secondes plus tard. Il avait remis sa cravate et s'était recoiffé. Emma baissa précipitamment la tête pour qu'il ne voie pas le sourire de triomphe qui lui avait échappé. Elle l'avait percé à jour et sa capitulation ne faisait plus de doute. Il y aurait des marchandages, des discussions, mais elle aurait sa boutique.

La conversation s'engagea pourtant mal. Lowther s'assit en face d'elle et déclara avec brusquerie :

« J'ai réfléchi, mademoiselle. Je ne peux pas vous louer cette boutique.

— Et pourquoi donc ? s'enquit Emma de sa voix la plus mélodieuse.

— Depuis le début de l'année, deux personnes bien plus expérimentées que vous y ont fait faillite. Comprenez-moi, mademoiselle, je ne vous dis pas cela par plaisir. Je ne peux simplement pas me permettre de louer ma boutique à des novices. Il me faut un locataire qui sache faire marcher son commerce pour que je ne me retrouve pas la moitié du temps avec ce local inoccupé sur les bras. »

Emma lui décocha un sourire qui aurait fait fondre la banquise du pôle Nord et darda sur lui ses yeux verts :

« Je vous comprends très bien, monsieur Lowther, et je partage entièrement votre point de vue. J'ai moi-même assez d'expérience, voyez-vous, pour ne pas me lancer à l'aveuglette dans n'importe quel commerce. Laissez-moi, par exemple, vous donner une idée de ce que j'ai vendu et de ma clientèle... »

Pendant un grand quart d'heure, Emma étourdit Joe Lowther sous un déluge de paroles, citant des références prestigieuses qui le laissaient froid, des chiffres qui ne semblaient guère l'impressionner davantage, faisant des promesses, des prévisions qu'il jugeait irréalistes ou trop optimistes. Malgré tout, elle sentait ses défenses tomber l'une après l'autre. Depuis son enfance, Joe Lowther avait toujours été intimidé par les femmes et cette inconnue, plus belle et séduisante que toutes celles qu'il avait rencontrées, le mettait en état d'infériorité et lui causait un malaise de plus en plus difficile à surmonter. Elle n'était pourtant venue que pour discuter d'un bail de boutique...

Le voyant fléchir en se retranchant derrière de nouvelles objections hâtivement mises en avant, Emma interrompit soudain son exposé et lui tendit la main :

« Oh! monsieur Lowther, veuillez pardonner mon impolitesse, je vous prie! Je ne me suis même pas présentée. Emma Harte. »

Le jeune homme lui prit timidement la main, la sentit fraîche et ferme sous le gant de crochet blanc. C'était une poignée de main d'homme.

« Enchanté, mademoiselle...

— Pardon, *madame* Harte, précisa Emma.

— Oh! je vous prie de m'excuser! » bafouilla Joe Lowther, soudain saisi d'une vive déconvenue.

Emma vit la victoire à sa portée et poussa l'offensive finale. Elle allait maintenant lui faire une proposition qu'il ne pourrait pas refuser :

« J'ignore encore le montant du loyer mais, comme je vous le disais il y a un instant, je suis disposée à vous verser une avance substantielle. Cela devrait suffire à vous prouver ma bonne foi et ma confiance dans l'avenir. Disons… six mois. Cela vous convient-il ? »

Joe Lowther ne répondit pas. Ses dernières protections s'écroulaient et plus rien ou presque ne le mettait à l'abri de la personnalité aussi fascinante qu'impérieuse de son interlocutrice. Il se rendait compte, à son vif désarroi, de l'attirance qu'elle exerçait sur lui. Lui, Joe Lowther, jetait les yeux sur une femme mariée ! Horreur ! De fait, sa répugnance à la prendre pour locataire venait de sa crainte à se laisser ensorceler par elle.

Emma avait en main toutes les cartes maîtresses et il lui suffisait d'un peu de patience pour remporter la victoire. Elle ne put cependant résister au plaisir d'abattre son dernier atout et de triompher :

« Bien entendu, dit-elle avec distinction, le bail sera assorti d'un préavis pour vous garantir contre tout départ abusif de ma part. Trois mois, cela me semble raisonnable. Qu'en dites-vous ? »

L'infortuné propriétaire ne pouvait plus rien objecter ni trouver le moindre prétexte pour se débarrasser de cette envahissante jeune femme. Elle venait de lui faire une démonstration irréprochable de son sens des affaires et lui offrait, de plus, des conditions qu'il ne pouvait refuser sans se couvrir de ridicule ou paraître odieux.

« Eh bien… vous avez vraiment confiance en vous, madame Harte, bafouilla-t-il en rougissant. Votre proposition est extrêmement raisonnable. Avant de vous décider, voulez-vous quand même visiter les lieux ? »

Emma fit, de la main, un geste hautain souligné d'un rire dédaigneux :

« Je les connais déjà très bien, cher monsieur. Je ne suis pas surprise que votre dernière locataire ait fait faillite, elle ne connaissait rien aux affaires. Elle n'avait que des marchandises médiocres et vendait beaucoup trop cher, ce qui en dit long sur ses qualités d'acheteuse. J'ai aussi remarqué qu'elle ne connaissait pour ainsi dire pas ses clients. »

Joe Lowther ouvrit la bouche sans pouvoir dire un mot.

« Eh bien, dans ce cas, nous sommes d'accord, déclara Emma d'un ton sans réplique.

« — Bon... Oui... Bien sûr... Le loyer est d'une guinée par semaine, ce qui fait quatre guinées par mois. Cela comprend un logement derrière le magasin. Une grande pièce à usage de salon et de cuisine, une chambre à coucher. Il y a aussi une grande cave qui peut servir de réserve. C'est très confortable, vous pourriez y habiter si vous vouliez... »

Le jeune homme reprenait un peu d'assurance en énumérant les merveilles dont il laissait la jouissance à Emma. Celle-ci fit mine de réfléchir à cette suggestion qui, en fait, la comblait d'aise :

« Je ne dis pas non, ce serait peut-être pratique, dit-elle négligemment. Voyons, vous disiez quatre guinées par mois, ce qui nous fait... »

Elle fit un rapide calcul mental et sortit de son sac une épaisse liasse de billets qu'elle se mit à compter avec affectation sous l'œil stupéfait du jeune Lowther.

« Pourriez-vous me préparer un reçu ? » lui dit-elle en tendant la somme requise.

Il hésita et rougit en empochant l'argent.

« Naturellement, c'est la moindre des choses. Je vais vous chercher les clefs. Faut-il établir le bail au nom de votre mari ?

— Non, au mien, je vous prie. Mon mari est dans la marine et vit à l'étranger la plupart du temps. »

Le jeune homme rougit de plus belle et avala sa salive.

« Ah ! bon...

— De mon côté, reprit Emma sans lui laisser le temps de se ressaisir, je vais préparer ma lettre d'accord pour la clause du préavis et je vous la déposerai demain soir, si cela vous convient. Vous pourrez la soumettre à votre notaire afin de l'inclure dans le bail.

— Non, non, ce n'est pas la peine... Enfin, je veux dire, de la montrer au notaire... Demain soir, oui, cela me convient parfaitement... Je vais chercher les clefs. »

Complètement désarçonné, incapable de dissimuler plus longtemps son embarras, Joe Lowther se leva précipitamment en manquant faire tomber sa chaise, buta contre une table et se dirigea vers la porte. Emma le héla :

« Vous ne vérifiez pas si le compte y est ? dit-elle avec suavité.

— Oh ! Je vous fais confiance, madame Harte, je vous fais confiance ! »

Il disparut enfin en se cognant contre le montant de la porte. A peine fut-il hors de vue qu'Emma l'entendit siffloter gaiement; elle eut le plus grand mal à ne pas éclater de rire.

Elle tenait sa boutique. Sa première boutique !

29

Les mains enfoncées dans les poches de son épais manteau, Joe Lowther frissonna et pressa le pas pour se réchauffer. Un vent glacial balayait la rue et soulevait des tourbillons de neige poudreuse qui s'insinuaient dans son col et ses poignets. Ce soir-là, comme tous les jours de la semaine, il était encore trempé et frigorifié. A un automne clément avait succédé un hiver rigoureux qui avait fait son apparition dès la première semaine de décembre et semblait vouloir s'installer pour longtemps. Pour comble de malchance, Joe rentrait chez lui plus tard que d'habitude, ce qui arrivait trop fréquemment ces derniers temps. Le directeur de la fonderie, M. Ramsbotham, lui demandait de rester après les heures normales pour vérifier les comptes et Joe, qui avait commis l'erreur d'accepter la première fois, ne pouvait plus maintenant se dépêtrer de cette surcharge de travail qui ne lui rapportait rien que des désagréments. Ces retours tardifs l'irritaient, en ce qu'ils dérangeaient ses habitudes. Mais il y avait une autre raison à son agacement, plus importante celle-là : tous les vendredis soir, après dîner, il allait chez Emma Harte vérifier sa comptabilité. Ce soir, il ne pourrait pas y aller avant dix heures ce qui, pour un garçon comme lui, élevé dans les principes les plus rigides de la morale bourgeoise, confinait au scandale. Quoi de plus incorrect, en effet, que d'aller sonner à la porte d'une jeune femme seule à une heure aussi indue ? Il lui avait pourtant promis d'aller la voir et l'honneur lui imposait de tenir sa parole.

Joe Lowther avait appris la comptabilité à Emma. Elle s'était montrée si bonne élève qu'elle le dépassait presque et qu'il devenait inutile, à son avis, de continuer à superviser ses livres. A sa stupeur — mais il avait désormais l'habitude d'aller de surprise en surprise avec sa singulière locataire — Joe avait même découvert qu'elle prenait un réel plaisir à jongler avec d'interminables colonnes de chiffres qui, lui, le rebutaient. A la vérité, Joe Lowther était un comptable qui n'aimait pas la comptabilité et n'aurait jamais choisi cette profession s'il avait eu son mot à dire. Mais on l'avait mis en apprentissage dans les bureaux de la fonderie quand il avait quinze ans et, depuis neuf ans qu'il alignait des chiffres et calculait des soldes, cette habitude exécrée était devenue pour lui une seconde nature. De même qu'il n'aurait pas songé à changer de métier, Joe n'aurait pas non plus osé prendre l'initiative de se chercher un employeur plus conforme à ses goûts. Brave garçon à l'esprit étroit et dénué d'imagination, respectueux de l'ordre établi, il était déjà, malgré sa jeunesse, trop sclérosé dans des habitudes de vieux garçon pour que l'idée lui vînt d'en prendre d'autres. C'est pourquoi, incapable de s'arracher à son ornière, il restait enchaîné aux comptes sans joie de M. Ramsbotham.

Il ne serait jamais non plus venu à l'esprit du prosaïque Joe Lowther qu'il n'avait nul besoin de gagner sa vie et qu'il aurait fort bien pu, s'il l'avait voulu, vivre sans rien faire. S'il s'accrochait à son labeur obscur, c'était en partie parce que l'oisiveté était à ses yeux la mère de tous les vices. C'était surtout parce qu'il avait une terreur panique de l'ennui. Son fastidieux travail à la fonderie occupait ses journées et l'aidait, en quelque sorte, à supporter la pesante solitude de ses soirées dont la théorie implacable s'alignait pour former des mois et des années placés sous le signe du néant.

De fait, il aurait pu arrêter de travailler quatre ans auparavant, à la mort de sa mère. Quand Frederick Ainsley, le notaire de la famille, lui avait fait lecture du testament, Joe avait découvert avec stupeur qu'il était riche.

« Vous héritez un Véritable Patrimoine, mon garçon, avait déclaré l'homme de loi en mettant dans son discours les majuscules qu'exigeaient les circonstances et l'importance de la succession. Cette Fortune témoigne des admirables efforts de votre pauvre mère, aujourd'hui disparue, et de votre grand-mère, une sainte personne qui nous a laissé un exemple édifiant. »

Ayant ainsi rendu hommage aux fondateurs de l'Empire Lowther — dont le père de Joe était notablement absent — le digne notaire entreprit d'énumérer la longue liste des biens échéant à l'Héritier — manifestement indigne — par la grâce de l'économie industrieuse dont s'étaient enorgueillies ses ancêtres maternelles. Le Patrimoine, que Joe ne pouvait plus évoquer sans les emphatiques majuscules de maître Ainsley, comprenait des biens immeubles parmi lesquels huit boutiques dans Town Street même, une rue entière de pavillons également à Armley, plusieurs maisons de rapport à Wortley, banlieue toute proche, et même, à l'effarement de Joe, deux vastes terrains à bâtir dans le centre de Leeds.

« Conservez-les précieusement, lui avait dit sévèrement le notaire. Ils seront amenés à prendre une valeur considérable. »

Paralysé par le choc de cette découverte, Joe avait ensuite appris qu'il se retrouvait à la tête de biens meubles et de valeurs mobilières, dont la plus stupéfiante était une somme de cinquante-cinq mille livres sterling déposées à la *Midland Bank.*

Il avait salué le notaire sans pouvoir proférer un mot et était sorti de son étude en titubant. Un peu plus tard, dans le tramway qui le ramenait à Armley, il avait été saisi d'un accès de rage froide. Depuis son enfance, sa mère l'avait fait vivre dans une sorte de misère sordide, justifiée par l'imminence de la ruine et le spectre du dépôt de mendicité dont elle brandissait à tout propos l'épouvantail. Quant à son pauvre père, homme doux et bon terrorisé par sa redoutable épouse à qui il n'osait pas répondre, il avait été littéralement poussé dans la tombe par un régime impitoyable fait de surmenage, de malnutrition et de manque de soins médicaux « trop coûteux ». Et pendant tout ce temps, les Lowther reposaient sur une véritable fortune! Pourquoi, se demandait Joe, pourquoi ma mère a-t-elle été si cruelle, si avare? Depuis cette prise de conscience, Joe avait gardé une rancune tenace à la mémoire de sa mère et soupçonnait volontiers les femmes d'être coupables des plus noires turpitudes. En outre, elles l'intimidaient.

Pendant ces quatre ans, Joe n'avait pas touché à ce capital, qui éveillait en lui des sentiments de crainte et de méfiance. Il s'était contenté, le plus simplement du monde, de l'arrondir en versant les revenus de ses biens immeubles à son compte en banque. L'exemple de sa mère avait donné à Joe l'horreur de l'avarice et il ignorait la cupidité. Mais il avait des goûts simples et l'habitude d'être économe. Tant qu'il avait de quoi satisfaire ses besoins quotidiens, il n'en demandait pas davantage. Malgré son métier, il ne pensait pas même à l'argent et s'apercevait parfois, à sa confusion, qu'il avait les poches vides en allant faire ses courses.

Ce soir-là, pourtant, il y réfléchissait tandis qu'il se hâtait dans les rues glaciales. Quinze jours auparavant, Emma lui avait dit vouloir investir dans la nouvelle usine que montait David Kallinski, pour qui elle dessinait toujours les collections de confection féminine. Malgré l'enthousiasme communicatif avec lequel elle en parlait, Joe avait été étonné quand elle lui avait proposé de mettre lui aussi de l'argent dans l'entreprise.

« Voyons, Joe, l'argent doit travailler! » lui avait-elle déclaré comme si cela allait de soi.

Elle avait ensuite entrepris de lui démontrer qu'elle comptait bien, de son côté, doubler rapidement sa mise initiale.

De nature prudente, Joe était surtout timide et manquait d'imagination. Son manque d'intérêt pour les problèmes d'argent et la gestion de son patrimoine avait fait que, de guerre lasse, il avait finalement donné son accord d'un haussement d'épaules négligent. Si vraiment David Kallinski voulait bien de lui comme bailleur de fonds...

« Je m'occuperai de tout, avait dit Emma d'un ton péremptoire. A mon avis, deux mille livres suffiraient largement, à ce stade. »

Alors, voyant l'air ahuri de son propriétaire, Emma l'avait tancé :

« Enfin, Joe, vous êtes un homme d'affaires ! Vous devriez savoir, sans que j'aie besoin de vous le dire, que l'argent est un outil, qu'il faut s'en servir pour qu'il en rapporte davantage ! A quoi cela sert-il de le laisser dormir à la banque ? »

Le pauvre garçon se trouvait devant un dilemme. D'un côté, il n'avait aucun besoin de gagner de l'argent en faisant travailler son capital, puisqu'il en possédait déjà plus qu'il ne pourrait en dépenser sa vie durant. De l'autre, la perspective de perdre deux mille livres ne lui souriait guère. Il avait finalement surmonté ses hésitations. Car il avait acquis une confiance quasi aveugle dans l'habileté d'Emma — dont il avait été la première victime ! — et avait dû s'incliner devant son sens des affaires, qu'il n'arrivait pas encore à s'expliquer chez une jeune femme de vingt ans ne possédant aucun des traits d'avarice du caractère de sa mère. En faisant confiance à son jugement, il prenait aussi l'occasion — une fois n'est pas coutume ! — de s'amuser sans grand risque en participant à une entreprise aussi inattendue pour lui qu'une maison de couture. Lui qui n'avait jamais eu d'amis avait appris à aimer David et Emma et à envier leur vie aventureuse, si dissemblable de sa terne routine. La perspective de s'y trouver plus intimement mêlé n'était pas faite pour lui déplaire.

Aussi distrait par ses pensées, Joe Lowther oublia le froid et se retrouva bientôt chez lui. Dès la porte, d'appétissantes odeurs de cuisine et une chaleur bienfaisante le remirent de bonne humeur. Mme Hewitt, sa femme de ménage, l'accueillit avec son affection bourrue. Trois fois par semaine, cette bonne personne donnait à Joe l'illusion d'avoir enfin une mère et dissipait la solitude et la tristesse de la maison.

Ce soir-là, pour régaler Joe, elle lui avait acheté chez Emma Harte une tourte aux rognons et un flan à la vanille qu'aucun cordon-bleu, selon elle, n'était capable d'égaler.

« Pas étonnant qu'elle fasse des affaires d'or ! s'écria Mme Hewitt. Une qualité comme cela, on n'en trouve nulle part. Et avez-vous vu comment elle a transformé ces deux petites souillons de Mme Long pour en faire des vendeuses ? Cette Emma Harte, elle fait des miracles ! Jamais vous n'avez eu meilleure locataire. »

Joe s'installa en souriant devant la cheminée et prit le journal et la bière fraîche que lui tendait sa servante.

« C'est vrai, répondit-il. Je n'aurais jamais cru qu'elle réussirait aussi bien et je suis loin d'être le seul en ville à m'être trompé sur son compte, au début.

— C'est bien simple, elle transforme en or tout ce qu'elle touche ! Tenez, pas plus tard qu'hier, je parlais à Laura Spencer, vous la connaissez, c'est elle qui dirige la boutique de mode. Nous parlions de la robe de mariée que fait faire ma cousine pour sa fille. Eh bien, Laura m'a dit que c'est Mme Harte elle-même qui l'a dessinée et qu'elle crée des robes depuis bientôt trois ans pour une des grosses maisons de Leeds ! Vous vous rendez compte ?

— Oui je le savais, en effet...

— Et vous ne m'avez jamais rien dit ?

— Je ne savais pas que cela vous intéressait, madame Hewitt.

— Tout ce qui concerne Emma Harte intéresse tout le monde, monsieur Joe ! On ne parle que d'elle, de sa gentillesse, de sa dignité. Sans elle, Town Street ne serait pas ce qu'elle est et Armley serait bien triste ! Mais je bavarde, je bavarde alors qu'il faut que je m'en aille. J'ai laissé votre dîner au chaud. Et séchez-vous les pieds, voyons ! Vous ne savez donc pas qu'on attrape

146

mal aux dents à rester assis comme cela avec des chaussures mouillées ? »

Joe sourit à l'énoncé de cette superstition mais obéit à l'injonction de Mme Hewitt. Il prit le temps de parcourir son journal et de boire sa bière et s'attabla pour manger de bon appétit les plats laissés dans le four par la femme de ménage.

Il avait à peine fini de dîner que des coups violents à la porte de la rue le firent sursauter. Avant qu'il ait ouvert, il vit apparaître une sorte de furie qui entra suivie d'un tourbillon de flocons de neige et claqua bruyamment la porte. Stupéfait de cette intrusion, Joe reconnut alors une de ses locataires, Mme Minton, dont le teint congestionné n'était manifestement pas dû au froid.

« C'est un crime ! hurla-t-elle sans que Joe puisse placer un mot. Un crime, vous m'entendez ! Je le sentais venir depuis que cette femme est venue s'installer à côté de chez moi. Elle voulait déjà ma boutique, dès le début. Quand vous lui avez loué la deuxième, celle du coin, j'ai dit à mon mari qu'elle ferait des pieds et des mains pour me chasser de mon magasin...

— Voyons, madame Minton...

— Taisez-vous, vous êtes encore plus coupable qu'elle ! Que voulez-vous que je devienne, toute seule comme une malheureuse, coincée entre son espèce d'épicerie et sa friperie ! Elle veut me jeter à la rue, à la rue... »

Joe profita de ce que la virago reprenait haleine :

« Calmez-vous, madame Minton ! Je ne sais même pas de quoi vous parlez.

— D'Emma Harte, voilà de quoi je parle ! Il ne faut pas être bien malin pour le comprendre ! Cela fait dix ans que je vous paie un loyer, dix ans, et vous êtes d'accord avec elle pour me voler ma boutique ! C'est une honte ! Cette petite prétentieuse, elle se met tout le monde à dos, jusqu'aux voyageurs de commerce. Elle ne veut même plus s'abaisser à leur acheter de la marchandise, Madame va directement s'adresser aux fabricants et aux grossistes ! Comme cela, elle peut casser ses prix et nous réduire tous à la faillite, cette sale petite garce sournoise !

— En voilà assez, madame Minton ! gronda Joe. Mme Harte ne veut mettre personne en faillite ni vous chasser de chez vous. Elle mène ses affaires avec compétence, ce qui n'est pas le cas de beaucoup d'autres. »

Joe fit une grimace de dégoût à la vue de cette grosse femme vulgaire et négligée, les cheveux en désordre sous le fichu graisseux.

« Je m'attendais à ce que vous voliez à son secours ! répliqua-t-elle en ricanant. Comme je le disais à mon mari, vous ne jurez plus que par cette petite grue ! Parce que vous n'allez pas imaginer qu'on ne sait pas ce que vous fricotez avec elle, tout le monde est au courant, allez ! Vous n'avez même pas honte de vous afficher avec elle, une femme mariée, soi-disant ! Une petite grue, oui, voilà ce que c'est, Emma Harte ! Encore heureux que vous ne lui ayez pas fait un bâtard à la belle *Madame* Harte, avec ses grands airs de sainte nitouche ! »

En entendant les venimeuses calomnies que sa locataire lui jetait au visage, Joe avait tour à tour rougi et pâli. Il fit un pas vers elle, les poings serrés :

« Taisez-vous, horrible vieille sorcière ! cria-t-il. Je vous interdis de proférer vos mensonges devant moi. Et si vous allez les colporter ailleurs, je porterai plainte et je vous poursuivrai en justice, m'entendez-vous ? Je ne tolérerai pas vos ignominies ! »

Interloquée devant cette fermeté inattendue et la colère du paisible Joe, Mme Minton recula, apeurée, et leva instinctivement la liasse du bail qu'elle tenait à la main, comme si elle voulait en porter un coup à son propriétaire. Joe s'était ressaisi :

« Sortez ! dit-il avec froideur. Sortez avant que je ne me mette en colère pour de bon. Je vous ai assez vue. »

L'autre haussa les épaules et se dirigea vers la porte. La main sur la poignée, elle se retourna :

« En tout cas, je ne vous donnerai pas à tous les deux le plaisir de me chasser de chez moi ! Je vous donne mon congé, Lowther. Et votre bail, le voilà ! Vous pourrez vous le... »

Elle ne termina pas son insulte et battit précipitamment en retraite devant les poings levés de Joe et sa colère. Avant de claquer la porte, elle jeta violemment le bail au hasard. La liasse de papiers vola à travers la pièce et atterrit dans le flan à la vanille, que Joe était en train de terminer.

Pétrifié, Joe resta un moment immobile, le regard sur la porte par où Mme Minton avait disparu. Les horreurs qu'elle lui avait débitées le laissaient sans voix. Ces odieuses calomnies sur son compte et celui d'Emma n'étaient-elles que l'expression de sa rage et de sa jalousie ? Ou tout le monde en ville en faisait-il vraiment des gorges chaudes et croyait-on à une liaison coupable entre Emma et lui ? Oser traiter Emma de « petite grue » ! Son succès et sa prospérité éveillaient la malveillance d'une Mme Minton et de ses semblables, ce qui était prévisible. Mais l'accuser, lui Joe Lowther, d'en avoir fait sa maîtresse alors qu'il n'avait jamais osé lever un doigt sur elle !

Le pauvre Joe se sentit rougir de honte et de colère. Il alla machinalement repêcher le bail qui flottait à la surface du flan et le nettoya de son mieux. Cette vieille horreur lui avait « donné congé » alors qu'elle lui devait un mois de loyer ! Il haussa les épaules, écœuré. Ce mois de loyer, il en faisait déjà son deuil. Cela n'avait d'ailleurs aucune importance.

Mais avoir osé dire que... Il eut un nouveau sursaut de colère. Toutes ces nuits qu'il avait passées seul dans son lit, ces nuits interminables où le sommeil le fuyait tant il était étreint, torturé par l'image d'Emma et le désir fou qu'elle lui inspirait. Toutes ces nuits où il s'imaginait en train de la serrer contre lui, de la caresser, de sentir ses mains épouser les courbes de son corps, frémir au contact de sa peau. Toutes ces nuits où il sentait les lèvres d'Emma s'écraser contre les siennes, où il voyait les seins d'Emma...

Avec un frisson, Joe essaya de chasser de son esprit ces images érotiques qui réveillaient des fantasmes auxquels il avait de plus en plus de mal à résister. Oui, il désirait Emma. Avec passion, une passion de plus en plus exigeante et dont l'intensité l'effrayait, lui pourtant si chaste. Au prix d'un grand effort, il parvint enfin à prendre sur lui.

Certes, il avait pour Emma une attirance puissante, née lors de leur première rencontre en ce chaud dimanche de juillet où elle l'avait ensorcelé. Mais entre le rêve et la réalité, il y avait un monde et les propos injurieux de Mme Minton réveillèrent la colère de Joe. La vieille harpie! Bien sûr, Emma était indirectement responsable de ses malheurs. Mais était-ce sa faute si ses boutiques étaient mieux tenues que les autres, si ses marchandises étaient belles et bien présentées, si ses prix étaient plus justes? La réputation de sa boutique d'alimentation était déjà répandue dans toute la région et les élégantes d'Armley ne s'habillaient plus que chez elle. Sa hardiesse jointe à son sens des affaires avait vite fait de ses boutiques les mieux achalandées de Town Street. En à peine trois mois, elle avait amorti son investissement initial et dégageait des bénéfices considérables, comme il s'en était rendu compte à l'occasion de son examen hebdomadaire de la comptabilité. Ils étaient si considérables, en fait, qu'Emma était capable de mettre deux mille livres, comme lui, dans la nouvelle affaire de David Kallinski et de les perdre en cas de malheur sans que cela compromette sa fortune. Dans une bourgade provinciale comme Armley, il était fatal qu'un succès aussi rapide et aussi éclatant provoque des jalousies et alimente la calomnie.

En voilà assez! se dit Joe en se relevant. Je fais trop d'honneur à cette horrible Minton de rester si longtemps à réfléchir à ses mensonges. Ce soir, il devait aller voir Emma et il n'y avait pas de raison de se retarder davantage. Il allait lui apprendre que Mme Minton débarrassait enfin le plancher et que la troisième boutique était à elle. Emma n'avait pourtant jamais abordé le sujet avec Joe. Mais il savait qu'elle guignait depuis longtemps cette possibilité de s'étendre et, surtout, de faire communiquer ses boutiques. Maintenant que ce dernier obstacle avait disparu, Emma disposerait des trois boutiques contiguës et pourrait en faire le grand magasin dont elle rêvait depuis longtemps. Ce soir, Joe allait lui faire une bonne, une excellente surprise.

Il leva les yeux vers l'horloge : il était presque neuf heures et demie. Au diable les voisins, au diable les racontars ! se dit-il avec un haussement d'épaules. Si j'ai envie d'aller voir Emma, personne ne m'en empêchera.

Il monta dans sa chambre, mit une chemise propre et s'attarda à sa coiffure. Ce soir, il voulait être à son avantage.

Debout au milieu du magasin d'alimentation, Emma contempla son œuvre avec satisfaction. Cela valait la peine de s'être levée à quatre heures et demie du matin pour préparer ses étalages de Noël, car l'effet en était superbe et dépassait même ses espérances. Elle fit lentement le tour des comptoirs, épousseta çà et là un grain de poussière invisible, inspecta une dernière fois les vitrines où se reflétait la lumière des appliques au gaz. Tout était parfait, impeccable. Les produits exposés étaient assez appétissants pour induire en tentation le plus intraitable puritain. Elle avait artistement su mettre en valeur les *plum-puddings,* enveloppés de mousseline blanche nouée d'un ruban rouge, les cakes, les tourtes. Les jours précédents, elle avait passé des heures à préparer ces chefs-d'œuvre avec l'aide des sœurs Long, et Emma savait que ses efforts allaient être amplement récompensés. Prévoyante, elle avait constitué d'importantes réserves. Mais elle savait que tout serait vendu, jusqu'à la dernière miette.

Devant les vitrines murales, elle avait disposé une grande table où, sur une nappe blanche, elle avait empilé les friandises étrangères et exotiques qu'elle était la seule d'Armley à avoir osé importer. Il y avait de tout : gingembre confit dans des bols de porcelaine chinoise, fruits confits de France, loukoums turcs, dattes égyptiennes, figues de Grèce, mille autres friandises de tous les pays du monde dont elle vérifia la présentation. Elle avait fait un investissement considérable pour dénicher et faire venir en grandes quantités des produits souvent rares, même dans le Royaume-Uni où le goût de l'exotisme était pourtant répandu depuis longtemps. Mais Emma n'avait pas d'inquiétude : elle vendrait tout dans les jours à venir. C'était sa troisième saison de Noël depuis l'ouverture de sa boutique et sa réputation n'était plus à faire dans la région. Elle allait sans doute recevoir plus de clients qu'elle n'en pourrait satisfaire.

Mais les sucreries n'étaient pas seules à justifier la satisfaction d'Emma. Les étagères qui grimpaient à l'assaut des murs jusqu'au plafond regorgeaient de terrines, de pâtés, de jambons, de boîtes de thé multicolores, de bocaux de conserves, de pots de confitures. A côté du comptoir central, trois tonneaux débordaient de fruits secs. L'arôme des herbes et des épices luttait contre les odeurs des fromages. Ailleurs encore, les biscuits et les petits fours, les viandes froides, les volailles rôties. En contemplant ses trésors, Emma ne put retenir un sourire radieux. Ici, elle était chez elle, dans son domaine, à l'abri des Fairley et de tout ce que le monde comptait d'hostile et de menaçant. Ici, elle décidait, organisait à sa guise et recueillait le fruit de ses efforts. Elle n'avait pas encore gagné la fortune dont elle rêvait. Mais elle s'en rapprochait chaque jour. Cette année encore, ses ventes surpasseraient les précédentes, ses bénéfices croîtraient et elle ferait un pas de plus vers la sécurité.

Il était bientôt huit heures. Emma alla relever les stores de la porte et de la devanture, tira les verrous et se prépara pour la première vague de clients, généralement les cuisinières et intendantes des maisons bourgeoises et propriétés des environs. En les attendant, Emma alla s'asseoir sur un tabouret près du poêle et sortit d'un tiroir le livre de compte du magasin de mode, où elle voulait vérifier un détail.

Elle avait loué cette seconde boutique à Joe Lowther depuis un peu plus d'un an et les résultats dépassaient ses plus folles espérances. Laura, qu'elle avait réussi à convaincre d'en prendre la direction, y faisait preuve de capacités au-dessus du commun. Pendant les six premiers mois d'exploitation, les ventes avaient doublé. Depuis, l'expansion se maintenait à un taux tellement au-dessus de la moyenne qu'Emma eut son deuxième sourire de la matinée. L'avenir d'Edwina et le sien étaient assurés.

Le timbre de la porte lui fit lever la tête et elle reconnut l'intendante de l'une des plus belles maisons du quartier résidentiel des Towers. Emma l'accueillit avec un sourire. Elle fit asseoir sa visiteuse, échangea avec elle les propos d'usage sur le temps froid et lui proposa une tasse de thé, que l'autre accepta avec gratitude. Car, seule de tous les commerçants de Town Street, Emma chauffait son magasin et conservait en permanence sur le poêle une théière dont elle usait avec libéralité pour ses pratiques. Ces marques d'hospitalité ne coûtaient guère mais avaient puissamment contribué à établir sa flatteuse réputation.

« Servez-vous de sucre et de lait, madame Jackson, dit Emma en lui tendant sa tasse. Et comment va votre petit Freddy ? Il se remet de sa rougeole, j'espère. »

Là encore, Emma s'était fait une exclusivité de se tenir au courant des malheurs domestiques de sa clientèle, à qui elle offrait toujours une oreille compatissante. Rayonnante de se voir si bien traitée, Mme Jackson affecta néanmoins de pousser le soupir déchirant des mères accablées de soucis.

« Oh ! j'ai eu bien peur ! déclara-t-elle. Mais il s'en remet, grâce à Dieu. Il devrait pouvoir se lever pour Noël. »

Elle fouilla dans son sac, se moucha bruyamment et tendit enfin une feuille de papier à Emma.

« Voici ma liste, madame Harte. Je crois n'avoir rien oublié mais je vais quand même jeter un coup d'œil pour en être sûre. »

Emma commençait à consulter la commande de l'intendante quand le timbre de la porte résonna. En voyant Blackie, elle lui adressa un sourire épanoui :

« Blackie ! Je ne t'attendais pas avant ce soir ! Viens te servir et attends-moi pendant que je termine avec Madame. »

Blackie embrassa Emma, salua la cliente et passa derrière le comptoir pour aller s'asseoir dans un coin écarté. Pendant ce temps, Emma avait repris sa lecture de la liste.

« Tout me paraît très clair, madame Jackson. Cependant... »

Elle fit une moue pensive et feignit de se replonger dans la consultation de la commande.

« Si je puis me permettre, reprit Emma, je me demande si vous n'avez pas prévu un peu juste pour les tourtes et les bûches de Noël. Vous savez que les enfants en redemandent toujours et les vacances vont être longues, cette année. J'ai déjà tellement de commandes sur ces articles que j'aurais peur de manquer à la fin de la semaine, si vous en vouliez davantage.

— C'est vrai, je n'avais pas pensé à cela ! Vous avez raison, madame Harte, ma maîtresse ne serait pas contente. Ajoutez-en trois de chaque et mettez aussi un pudding, pendant que vous y êtes. Je serai plus tranquille. »

Tout en parlant, Mme Jackson faisait des yeux le tour de la boutique. Son regard se posa sur l'étalage des friandises d'importation et elle se leva, sa tasse de thé à la main, pour aller les regarder de plus près.

« C'est bien joli, tout ça ! » s'écria-t-elle en se penchant vers les boîtes de loukoums.

Elle en prit une avec réticence et examina l'étiquette :

« Exclusivité Emma Harte, quantité limitée », lut-elle d'un ton de surprise.

Emma feignait toujours de vérifier la commande mais, du coin de l'œil, ne perdait pas un geste de sa cliente. Elle ne s'était pas trompée en faisant imprimer ses étiquettes, dont la rédaction était conçue pour attiser la convoitise et le snobisme de la clientèle.

L'intendante avait reposé les loukoums et continuait à admirer les produits exotiques dont elle s'arracha finalement avec un soupir de regret.

« Je ne sais pas trop si je devrais... J'ai bien peur que ce soit trop extravagant... »

Emma se tourna vers elle comme si elle n'avait rien remarqué :

« Vraiment, madame Jackson ? C'est curieux, ma meilleure clientèle est d'habitude très friande de ce genre de choses. En fait, de vous à moi, j'ai bien peur de n'avoir pas vu assez large cette année et de n'en avoir pas assez commandé. Tenez, pas plus tard qu'hier, une de vos voisines des Towers m'a demandé de lui en mettre de côté deux de chaque. Je reconnais toutefois que c'est peut-être un peu cher... »

Vexée, l'intendante se redressa et fusilla Emma du regard :

« Ce n'est pas le prix qui nous arrête, madame Harte ! déclara-t-elle dignement. Et puisque on vous en a retenu deux de chaque, vous m'en mettrez trois de côté. » Emma s'abstint de sourire au succès de sa ruse élémentaire.

« Très bien, madame Jackson, je vais tout de suite vous les réserver. »

Sa vanité piquée au vif, l'intendante passa en revue les rayons et désigna quelques autres articles en commentant :

« Vous savez, nous attendons de la visite, pendant la période des fêtes. Des gens très bien. Il faut être prêt à les recevoir dignement.

— Vous avez parfaitement raison, madame Jackson. S'il vous manquait quelque chose à la dernière minute, n'hésitez pas à envoyer le jardinier. Pour vous, madame Jackson, je m'arrangerais toujours, même s'il fallait mécontenter une autre cliente.

— Vous êtes trop aimable, madame Harte ! répondit l'intendante en minaudant. Avec vous, c'est un plaisir de faire ses achats. Avez-vous bien vérifié ma liste ? Je connais trop votre expérience pour ne pas me fier à vos conseils et je voudrais que ma maîtresse soit satisfaite de mes menus... »

Avec une bonne foi désarmante, Emma entreprit

alors de doubler, ou presque, les quantités commandées par la crédule Mme Jackson et lui recommanda en outre plusieurs produits auxquels elle n'avait jamais pensé.

Au bout d'une dizaine de minutes et de trois tasses de thé, la digne intendante gratifia Emma d'un sourire soulagé et plein de gratitude :

« Merci, madame Harte, merci mille fois ! dit-elle avec effusion. Je suis vraiment confuse que vous vous donniez tout ce mal pour réparer mes étourderies ! Ah ! depuis que vous êtes ici, je peux dire que vous m'avez simplifié la vie, vous savez ! Allons, l'heure tourne, il faut que je m'en aille. Merci encore et joyeux Noël. »

Emma la raccompagna jusqu'à la porte :

« Joyeux Noël, madame Jackson. Et ne vous inquiétez de rien vous pouvez vous fier entièrement à moi.

— La pauvre femme, elle ne sait pas ce qui l'attend ! » commenta Blackie en éclatant de rire.

Pendant qu'Emma refermait la porte, il contourna le comptoir et vint s'asseoir à la place qu'occupait la cliente.

« Tu serais capable de vendre un sac de charbon à un mineur du Pays de Galles ! reprit-il. Je n'avais jamais vu ça ! Ma parole, tu as presque doublé la commande !

— Non, je l'ai triplée, dit Emma avec un sourire ironique.

— Enfin... Réjouis-toi pendant qu'il est temps parce que je suis venu te voir ce matin pour te présenter mes condoléances », dit Blackie avec un air de circonstance.

Le sourire d'Emma s'effaça subitement :

« Quelles condoléances ?

— J'ai appris que ton pauvre mari, tu sais, le marin, est mort de la typhoïde dans l'océan Indien il y a près d'un mois. Le malheureux, c'est affreux... »

Incapable de retenir son sérieux, Blackie éclata d'un rire tonitruant. Soulagée, Emma l'imita et ils furent un moment dans l'impossibilité de se parler.

« Tu fais vraiment preuve d'une imagination débordante, dit Blackie en reprenant son sérieux. Dans la famille, c'est toi, pas Frank, qui aurais dû faire une carrière d'écrivain. Où diable as-tu été pêcher cela ? La fièvre typhoïde, et dans l'océan Indien, par-dessus le marché...

— Il fallait bien le faire mourir d'une façon ou d'une autre, il devenait trop encombrant ! Tu sais, c'est dur d'avoir un mari, même invisible et volage. C'est pourquoi j'ai pensé que ce qu'il pourrait lui arriver de mieux était précisément de se faire jeter par-dessus bord avec les honneurs militaires. Au moins, il a disparu pour de bon ! »

Blackie pouffa de rire :

« Très juste ! Mais, dis-moi, poursuivit-il en fixant la robe rouge d'Emma, tu ne portes pas le deuil, à ce que je vois ?

— Vais-je me mettre en noir pour un vaurien qui m'a abandonnée depuis des années ? dit Emma en feignant l'indignation. Comment as-tu appris la nouvelle ? C'est Laura qui t'a mis au courant ?

— C'est elle, en effet. Il paraît même que tu as reçu une lettre officielle de l'Amirauté ! Tu n'y as vraiment pas été de mainmorte, avec cette pauvre Laura !

— Il fallait bien que mon histoire soit plausible, Blackie. Maintenant, au moins, c'en est fini des mensonges. Je vais pouvoir recommencer à dire la vérité.

— Ah ! oui, vraiment ? dit Blackie d'un ton sarcastique.

— Parfaitement ! protesta Emma. Sauf en ce qui concerne Edwina, bien entendu. Elle, il faut la protéger jusqu'au bout. Personne ne doit jamais savoir qu'elle est illégitime.

— Ce n'est pas moi qui te trahirai, Emma, tu le sais bien. Au fait, j'ai rencontré David Kallinski, hier. J'avais été voir la nouvelle usine pour préparer les plans des agrandissements. Je lui ai appris ton « veuvage », j'espère que tu n'y vois pas d'inconvénient.

— Ah ! oui ? dit Emma avec circonspection. Et qu'a-t-il dit à cela ?

— Qu'il était désolé. Il avait plutôt l'air du monsieur à qui on apprend qu'il vient d'hériter un million de livres... Dis-moi, Emma, qu'y a-t-il entre David et toi ?

— Mais, rien! répondit Emma avec innocence. Je suis son associée, un point, c'est tout...

— Je veux bien... En attendant, il ne me donne pas l'impression de voir les choses tout à fait comme tu le dis.

— C'est idiot, Blackie! De nous tous, c'est toi qui as l'imagination la plus débordante! »

Blackie haussa les épaules et préféra ne pas répondre. Il plongea la main dans la poche de son pardessus et en sortit une liasse de papiers qu'il tendit à Emma :

« Je t'ai apporté les plans de rénovation de la boutique du milieu et des aménagements pour réunir les trois magasins, comme tu me l'avais demandé. Tu verras que j'ai prévu de percer les murs pour faire communiquer...

— Je te fais entièrement confiance dans ce domaine, tu le sais bien. J'examinerai les plans ce soir. Quand crois-tu pouvoir commencer les travaux?

— Attends au moins que les fêtes soient finies! dit-il en riant. Je te promets que nous travaillerons vite, Emma. Tu auras ton grand magasin avant la fin janvier. Cela te convient? »

Emma répondit par un sourire.

30

Depuis bientôt une heure, assis dans le salon arrière-boutique d'Emma, David Kallinski souriait de plaisir. Il examinait les dessins de la nouvelle collection d'hiver qu'elle avait préparée et, à la vue de chaque modèle, sentait son enthousiasme renaître. Les mêmes mots lui revenaient : Emma a du génie, ses dessins sont des chefs-d'œuvre.

Il reprit un croquis, puis un autre, un autre encore. Il cligna des yeux en les tenant à bout de bras, les rapprocha. Il leur découvrait chaque fois une nouvelle qualité, un nouveau détail retenait son attention. Les lignes simples et nettes, sans fioritures inutiles, avaient été pensées en fonction des impératifs de la production de série. Mais Emma avait imposé le sceau de son originalité dans la richesse des tissus et la hardiesse des mariages de couleurs. Aux yeux de David, Emma avait du génie, et pas seulement comme styliste. Comment faisait-elle pour prévoir les goûts du public ? Ses dons divinatoires ne s'arrêtaient d'ailleurs pas là et les Kallinski père et fils avaient été vivement impressionnés par la sûreté de son jugement financier, son habileté à interpréter un bilan ou un compte d'exploitation. Rien, se disait David, ne pourra l'entraver dans son ascension et il avait le vertige en imaginant les sommets qu'elle pourrait atteindre. Elle nous dépasse tous déjà, se disait-il avec admiration.

Il n'avait pourtant pas lui-même lieu d'être mécontent. Ses projets se réalisaient comme prévu, selon les délais qu'il s'était imparti. Après son petit atelier, encore artisanal, il avait monté sa manufacture quatre mois auparavant, avec la participation financière d'Emma et de Joe Lowther, et en avait confié la direction à son frère Victor pour se consacrer à la vente où il excellait. Dans un mois, David allait avoir vingt-cinq ans. Il n'avait déjà plus d'inquiétude quant à l'avenir et au développement de son entreprise de confection, pas plus que de sa propre destinée. Bientôt, on parlerait de lui à Leeds et dans toute la région. Il s'était promis de devenir riche et respecté à trente ans et il avait fermement l'intention de tenir cette promesse.

Les précédentes collections conçues par Emma avaient été de brillants succès commerciaux. Celle-ci, se dit-il en feuilletant les croquis, allait être un triomphe ! Il en vendrait à Sheffield, à Manchester et, pourquoi pas, à Londres ! Aucun concurrent ne pourrait rivaliser avec lui. Les commandes allaient pleuvoir, les bénéfices gonfler. Bientôt, l'usine serait trop petite...

Le retour d'Emma interrompit ses rêves. Elle était allée à la cave chercher, dans ses réserves, de quoi confectionner un dîner fin et revenait, les bras chargés de choses appétissantes. Elle s'était aussi changée et

David, en la voyant, en resta béat d'admiration. Elle avait mis en son honneur un des modèles de la collection et il était difficile de savoir si c'était la beauté d'Emma qui mettait la toilette en valeur ou le contraire. C'était une robe à la ligne un peu austère, traitée dans un fin lainage vert bouteille qui faisait ressortir son teint clair et l'éclat de ses yeux. La fine étoffe soulignait les courbes et les contours du corps d'Emma qui, ce soir-là, avait laissé flotter sur ses épaules ses longs cheveux châtains aux reflets roux, retenus par un simple ruban de velours. David, hypnotisé, la dévorait des yeux sans se rendre compte de la fixité de son regard.

Emma, pour sa part, en fut immédiatement consciente et s'immobilisa, sourcils froncés :

« Qu'y a-t-il, David ? Ce modèle a un défaut ? »

Il sursauta, rougit, bafouilla :

« Mais pas du tout, pas du tout... Ce modèle est splendide, comme les autres d'ailleurs. Tes dessins sont des chefs-d'œuvre, Emma, et ta collection fera date, crois-moi. »

Elle sourit à son embarras et alla mettre le dîner à chauffer. Quelques instants plus tard, détendus, ils examinèrent une dernière fois l'ensemble de la collection, commentèrent les particularités de chaque modèle, calculèrent les métrages de tissus, les temps d'exécution et autres postes du prix de revient.

« Il nous reste à prendre une décision importante, dit enfin David. Nous ne pouvons pas garder ma marque, c'est un handicap pour la commercialisation. Des robes pareilles avec « Vêtements Kallinski » sur les étiquettes, cela manque de charme et rebute les acheteurs. Qu'en penses-tu, Emma ?

— Je ne sais pas, répondit-elle en faisant la moue. Demande plutôt à Victor, il a toujours de bonnes idées.

— C'est précisément ce que j'ai fait et il a trouvé une marque. J'avoue qu'elle me plaît : c'est le nom de ta célèbre homonyme, la première Emma Hart qui se soit rendue célèbre.

— Je ne savais même pas que j'avais une homonyme célèbre !

— Moi non plus, j'ai honte de le dire... Celle dont m'a parlé Victor est une Emma Hart, sans e.

— Et qu'a-t-elle donc fait, cette Emma-là ?

— Elle a épousé un certain Sir William Hamilton, qui a donc fait d'elle Lady Hamilton. Cela ne te dit toujours rien ? Lady Hamilton a été la maîtresse de l'amiral Nelson et la grande passion de sa vie, celle qu'il a « léguée à la Nation » dans son testament. Tout cela, c'est Victor qui me l'a dit. Tu n'as donc jamais appris l'histoire, ignorante !

— Non, jamais ! répondit Emma en riant. Mais cela me rappelle en effet quelque chose. Lady Hamilton... Mmm, ce n'est pas mal du tout. Cela donnera de la classe à nos robes. On pourrait faire faire des étiquettes avec une couronne ou des armoiries fantaisistes... « Les robes de Lady Hamilton », pourquoi pas ? Cela devrait impressionner les acheteurs. Excellente idée, David. Félicite Victor.

— Je suis ravi que cela te plaise. Crois-tu qu'il faudrait demander à Joe ce qu'il en pense ? »

Emma rit de plus belle :

« Tu sais bien que c'est inutile, Joe souscrit toujours d'avance à tout ce que nous lui disons. Parle-lui-en si tu veux mais je suis sûre qu'il sera d'accord.

— Eh bien, voilà qui est décidé ! Buvons un bon sherry à la mémoire de cette chère Lady et au succès de la collection qui portera son nom et la rendra doublement célèbre ! »

David se leva et tendit les mains à Emma pour l'aider. Ils se retrouvèrent ainsi face à face, les mains jointes, les yeux dans les yeux, incapables de s'arracher à leur mutuelle contemplation et au désir qui les attirait l'un vers l'autre. Emma frémit, comme elle faisait désormais chaque fois que David la touchait ou se trouvait près d'elle. Son visage se colora, son cœur battit plus vite et son sourire se fit presque une invite.

Rendu lucide par l'amour, David avait depuis longtemps perçu le trouble et les hésitations d'Emma. Son respect pour elle, l'intensité même du sentiment qu'il lui portait lui avaient interdit de la brusquer et de profiter des circonstances. Depuis peu, n'y tenant plus, ils avaient échangé quelques baisers avec une passion qui les laissait insatisfaits et avides d'un assouvissement auquel Emma se dérobait cependant. Cette fois, David ne chercha pas à résister à ses impulsions. L'attirant contre lui, il la serra de toutes ses forces, comme pour se fondre en elle. Ses mains descendirent des épaules, s'attardèrent sur le dos, les reins, remontèrent en une caresse sur sa nuque, ses cheveux.

Vibrante, Emma s'abandonna. Sa sensualité, trop longtemps réprimée par la peur des conséquences, se réveilla avec une ardeur avivée par le contact de l'homme qu'elle aimait. Elle ferma les yeux, sentit David la prendre dans ses bras, la porter sur le grand canapé. A demi consciente, elle l'attira contre elle, gémit de plaisir sous son poids qui l'écrasait. Avec David, elle savait pouvoir se laisser aller sans craindre d'en souffrir. Ils s'aimaient. Il n'était pas l'être faible et pusillanime qu'était Edwin Fairley. Il saurait la protéger, l'entraîner à sa suite dans un monde où elle se sentirait à l'aise et en sécurité. Elle n'avait qu'un mot à dire, un geste à faire...

« Non, David, non, murmura-t-elle. Nous ne pouvons pas. Nous n'avons pas le droit. »

Elle le repoussa fermement et se redressa, meurtrie de cet arrachement alors même qu'elle était prête à céder et le désirait de tout son cœur. Ils restèrent assis longtemps sans mot dire, côte à côte sans oser se regarder pour ne pas réveiller leur désir. David leva enfin la main, prit une mèche des cheveux d'Emma qu'il porta à ses lèvres et laissa retomber d'un geste las.

« Je t'aime, Emma, murmura-t-il. Plus que tout au monde. Tu sais que je ne te ferai jamais souffrir. Pourquoi me repousses-tu encore ?

— Ce n'est pas de toi dont j'ai peur, David, mais de moi. J'ai peur de ce qui arriverait si...

— Chut ! dit-il en posant un doigt sur les lèvres d'Emma. Tu as raison, nous ne pouvons pas continuer ainsi. Mais je ne peux pas, je ne veux plus me séparer de toi. Marions-nous, Emma. Marions-nous le plus tôt possible.

— Nous marier ? s'écria-t-elle.

— Pourquoi cet air étonné ? Tu sais que je t'aime depuis longtemps, que je ne me suis retenu de te le dire que parce que tu n'étais pas libre. Tu sais aussi que je n'ai jamais eu envers toi d'intention malhonnête. Je ne veux pas de toi pour maîtresse, Emma. Je veux que tu sois ma femme... Mais qu'as-tu ? Pourquoi pâlis-tu ainsi ?

— C'est impossible, David. Nous ne pouvons pas nous marier, répondit-elle d'une voix étranglée.

— Pourquoi cela ? s'écria-t-il avec incrédulité. Nous nous aimons, tu es libre désormais. Pourquoi continuer à nous torturer ? Le mariage est la solution toute naturelle. Les gens qui s'aiment se marient, d'habitude ! »

Emma se leva et traversa la pièce d'un pas mal assuré. Elle releva machinalement le rideau et regarda par la fenêtre, dans la nuit, les yeux brouillés de larmes. Elle se sentait incapable de lui répondre, elle n'en avait pas le courage.

David observa un instant sa silhouette raidie, ses épaules qu'agitaient des soubresauts. La réaction d'Emma le plongeait dans l'étonnement.

« Mais enfin, parle ! s'écria-t-il. Pour l'amour du Ciel, explique-moi ce que tu as voulu dire !

— Je ne peux pas t'épouser, David, répondit-elle sans se retourner. Ne m'en demande pas plus, je t'en supplie.

— Et moi, je veux en savoir davantage ! Pourquoi cet entêtement ridicule ? Ton mari est mort, plus rien ne nous sépare. Nous nous aimons, nous avons tout pour être heureux, tu le sais comme moi. Alors, serait-ce... Edwina ? poursuivit-il en hésitant. Tu sais que j'en prendrais avec joie la responsabilité et que je l'adopterais si...

— Non, David, Edwina n'y est pour rien. Il s'agit de tout autre chose. »

Emma se retourna, sans cependant oser se rapprocher :

« C'est à cause de ta mère, David. Jamais elle ne consentira à ton mariage avec une femme d'une autre religion.

— Au diable la religion! Ce n'est pas avec ma mère que je veux passer ma vie mais avec toi!

— Non, David. J'aime trop ta mère pour vouloir lui infliger une telle blessure. Elle est comme une seconde mère pour moi et je ne ferai rien pour trahir sa confiance. Tu es son fils aîné, tu as des devoirs envers elle. Elle est trop croyante, trop orthodoxe dans sa foi pour ne pas haïr une belle-fille qui la dépouillerait des espoirs qu'elle a mis en toi. Je ne veux pas qu'elle me haïsse. Tout ce que je dis est vrai, David, tu dois en convenir. »

Assis sur le canapé, David accueillit cette déclaration en silence. Accoudé sur ses genoux, les mains serrées, la tête basse, il parla enfin d'une voix sourde :

« Regarde-moi, Emma, regarde-moi bien en face et dis-moi que tu ne m'aimes pas. Alors, je comprendrai. »

Il avait relevé les yeux et la dévisageait. Emma lui rendit son regard :

« Non, David, je ne peux pas te dire cela... »

Elle traversa lentement la pièce et vint s'agenouiller devant lui. En hésitant, elle leva la main, lui caressa le visage du bout des doigts :

« Parce que je t'aime, David. Autant que tu m'aimes. »

David sourit, lui prit la main pour l'attirer contre lui, la serra contre sa poitrine.

« Tu m'aimes, Emma. Rien d'autre ne compte.

— Non, David, ce n'est pas vrai. »

Elle se dégagea doucement et s'assit près de lui.

« Dans la vie, il y a bien d'autres choses qui comptent aussi, reprit-elle. Je ne veux pas être la cause de malheurs et diviser ta famille. Je me mépriserais... Regarde-moi! poursuivit-elle en voyant son expression de nouveau butée. Nous n'avons pas le droit d'édifier notre bonheur sur le malheur d'autrui. Le regret se glisserait entre nous et finirait par détruire ce que nous aurions voulu bâtir. Nous aurions tort de nous aveugler, de nous obstiner. »

Il lui prit la main qu'il serra convulsivement avant de la porter à ses lèvres. Tant d'inflexibilité sous tant de fragilité apparente, se dit-il en la contemplant. Il se mordit les lèvres, faillit pleurer :

« Je n'en crois pas mes oreilles, Emma... Tu serais donc prête à sacrifier notre bonheur pour quelques croyances religieuses ridicules et plus qu'à demi mortes ? Non, c'est impossible ! Toi, Emma, prête à te battre contre le monde entier pour lui arracher ce dont tu as envie, tu reculerais devant un Dieu auquel tu prétends ne plus croire, devant des rites qui ne sont même pas les tiens ? C'est pire qu'absurde, c'est criminel !

— Peut-être, David. Mais ce n'est pas aussi simple que tu le dis. Essaie au moins de me comprendre... »

Elle s'interrompit, accablée. Elle avait profondément blessé David et sa douleur, qui l'atteignait, aggravait son propre désarroi.

Ils restèrent ainsi un long moment, immobiles, silencieux, l'un près de l'autre mais séparés par un mur. David se passa la main sur le visage, comme pour en effacer les traces d'un cauchemar. Il se sentait oppressé, vidé de ses forces, dépouillé de tous ses rêves et de tout espoir. Les paroles d'Emma, il ne le savait que trop bien, étaient vraies. Il savait aussi que rien ne la ferait changer d'avis, non plus que sa mère. Elles étaient de la même trempe.

Il se leva, arpenta nerveusement la pièce quelques instants, trop désemparé pour prendre une décision. A la fin, il s'arrêta devant Emma, la regarda d'un air implorant :

« Est-ce ton dernier mot ? demanda-t-il.

— Oui, David. J'en souffre autant que toi, sinon davantage. Mais je ne peux pas rendre ta mère malheureuse.

— Je te comprends... Pardonne-moi si je préfère m'en aller tout de suite. Désolé pour ton bon dîner, mais je n'ai plus guère d'appétit... »

Il tourna brusquement les talons et s'éloigna avant qu'elle puisse voir ses yeux se remplir de larmes.

« David ! s'écria Emma en se levant. Attends ! Ne... »

Le claquement de la porte lui coupa la parole. Restée seule, pétrifiée, Emma fixa longuement l'endroit où David se tenait un instant plus tôt. Elle bougea enfin, ramassa machinalement les dessins de la collection qu'elle rangea dans un tiroir et se laissa tomber sur le canapé. Une odeur de brûlé parvint jusqu'à elle, mais elle était incapable de s'en occuper. Elle pensait, en fait, plus à David qu'à elle-même et se rendait compte qu'elle avait toujours eu le pressentiment de ce qui venait de se produire. Ils resteraient amis, certainement, et rien ne briserait leur association d'affaires. Mais il ne pouvait y avoir entre eux d'amour durable. Emma connaissait trop bien Janessa Kallinski pour ne pas savoir que la mère de David resterait intraitable. Le temps atténuerait leur peine, cicatriserait leurs blessures. Mais le souvenir du bonheur perdu ne les quitterait pas plus qu'Emma ne pourrait sans doute oublier l'expression foudroyée qu'elle avait vue, ce soir, sur le visage de David Kallinski.

Une heure plus tard, Emma était toujours au même endroit quand des coups frappés à la porte la tirèrent de sa prostration. Elle se leva d'un bond : David était revenu ! Courant presque, sourire aux lèvres et le cœur palpitant d'impatience, Emma ouvrit et se figea, frappée de stupeur. Ce n'était pas David qui se tenait devant elle. C'était Gerald Fairley.

Passé le premier moment de panique et d'incrédulité, elle voulut claquer la porte au nez de l'intrus. Il était trop tard, Gerald la coinçait du pied.

« Que voulez-vous ? parvint-elle enfin à articuler.

— Eh bien, Emma, ça ne te fait pas plaisir de me revoir ? dit-il d'un air goguenard.

— Non, pas le moins du monde. Partez. »

Gerald était encore plus gras, plus répugnant que dans son souvenir, avec sa taille épaisse et ses doigts boudinés. Ses bajoues tremblotaient comme de la gélatine. Mais sa masse lui donnait une puissance contre laquelle Emma ne pouvait pas lutter. Il repoussa la porte d'un coup d'épaule et la referma derrière lui avant de s'y adosser.

« Je n'ai pas l'intention de partir avant de *vous* avoir dit deux mots, *madame* Harte ! répondit-il en ricanant.

— Je n'ai rien à vous dire. Partez immédiatement ! »

Gerald lui décocha un regard malveillant :

« Où est l'enfant ? »

Emma crut que ses jambes allaient se dérober mais réussit à conserver son air froid.

« Quel enfant ?

— Tu me prends pour un imbécile ? L'enfant que t'a fait Edwin ! Ne me raconte pas d'histoires, il m'a tout avoué la semaine dernière. Quand je lui ai dit que j'avais retrouvé ta trace par hasard, cet imbécile voulait venir te voir, réparer ses torts envers toi et son enfant chéri ! J'ai eu toutes les peines du monde à l'en empêcher. »

Gerald se pencha vers Emma, son visage bouffi déformé par un rictus haineux. Livide, Emma recula malgré elle.

« Tu vois, Emma, le monde est petit. Nous avons racheté la filature Thompson la semaine dernière. Imagine ma surprise en trouvant ton nom sur les vieux registres du personnel. Tu n'étais encore qu'une ouvrière, à l'époque, tu n'étais pas devenue commerçante, ajouta-t-il avec un ricanement. Maintenant, assez perdu de temps. Où est l'enfant ?

— Je n'en ai pas, dit Emma en serrant les poings.

— Assez de mensonges ! gronda Gerald. Il suffit que j'aille à l'hôpital, pauvre idiote ! A moi, ils n'oseront pas refuser de consulter les registres. Allez, parle ! Edwin n'aurait pas avoué t'avoir engrossée si ce n'était pas vrai, surtout à la veille de se marier avec la fille de Lord Stansby. Tu le savais, n'est-ce pas ? »

Il fit un pas, lui agrippa le bras :

« Avoue ! reprit-il d'un ton menaçant. Tu caches cet enfant pour faire chanter Edwin plus tard, quand il sera marié ! C'est tout ce dont les petites grues dans ton genre sont capables... Mais je ne te laisserai pas faire un scandale! Qu'en as-tu fait, de ton bâtard, hein? Et d'abord, c'est un garçon ou une fille? »

Emma se débattit vainement pour lui échapper et lui jeta un regard chargé de haine et de dégoût.

« Lâchez-moi! Si vous osez lever encore la main sur moi, je vous tuerai, Fairley! »

Gerald éclata de rire. En regardant autour de lui, il remarqua la lueur d'une lampe filtrer dans l'escalier qui menait à la chambre. Il repoussa brutalement Emma pour s'y précipiter, sourd aux menaces qu'elle lui lançait en courant derrière lui. Quand il arriva en haut des marches, Gerald ouvrait déjà les tiroirs et les armoires dont il jetait rageusement le contenu à terre.

« Que faites-vous, misérable? cria Emma.

— Je cherche les preuves de l'existence de cet enfant que tu prétends ne jamais avoir eu. Quand j'aurai trouvé, je saurai te faire passer l'envie du chantage! »

Emma tremblait de fureur mais elle n'avait pas peur. Elle savait que Gerald ne trouverait rien, ici, susceptible de le mener à Edwina, même s'il était capable de conduire sa fouille avec méthode.

Il eut bientôt tout mis sens dessus dessous et ses recherches avaient été infructueuses. Incapable de se maîtriser, il saisit Emma aux épaules et se mit à la secouer avec violence en hurlant :

« Vas-tu enfin parler, petite grue, petite putain! Avoue, parle! Où est-il, cet enfant de malheur?

— Il n'y a pas d'enfant et je vous ordonne de me lâcher! »

Enragé, Gerald la secoua de plus belle, ses doigts s'incrustant dans les épaules d'Emma. Elle eut un cri de douleur et lorsqu'il la lâcha brusquement elle tomba de tout son long sur le lit.

Le visage congestionné, Gerald regarda la forme étendue devant lui. Il vit les cheveux défaits, le visage aux traits animés par la peur et la haine, la robe à demi relevée qui dévoilait les jambes, le corps voluptueux que l'on devinait sous le tissu fin. Son expression changea, une lueur s'alluma dans ses yeux.

« Tu me dois bien une compensation, putain! dit-il en

ricanant. Tu ne me refuseras pas ce que tu accordais si généreusement à mon petit frère ! Je ne suis pas jaloux et ça restera dans la famille. »

Suffoquée devant cette attaque imprévue, paralysée par la terreur que lui inspirait la physionomie bestiale de Gerald, Emma ne put réagir. Déjà, il s'approchait en dégrafant son pantalon et elle parvint à se reculer au fond du lit, contre le mur qui lui interdisait la fuite. Elle se détourna, se débattit, chercha à échapper à l'immonde contact de ses lèvres. Mais Gerald l'écrasait de sa masse, faisait des efforts malhabiles pour lui arracher ses vêtements et s'agitait en ahanant. Le cœur soulevé de dégoût, Emma sentit soudain qu'il s'affaissait sur elle et restait immobile, avachi, un sourire béat aux lèvres. Elle parvint à le repousser et se leva d'un bond en trébuchant sur les piles de linge répandues sur le parquet. C'est alors, en baissant les yeux, qu'elle vit le devant de sa robe taché d'une souillure gluante.

Un accès de folie meurtrière la saisit. Elle empoigna des ciseaux posés sur sa table à ouvrage et les brandit au-dessus de Gerald :

« Levez-vous et partez, avant que je vous tue ! »

Il se retourna d'un bloc, pâlit devant l'expression d'Emma et se releva lourdement en se rajustant de son mieux. A la porte, se sentant à l'abri d'un danger immédiat, il s'efforça de crâner :

« Tu n'oserais jamais...

— Ne me provoquez pas. Dehors ! »

Il s'engagea dans l'escalier, suivi d'Emma qui le menaçait toujours de ces ciseaux. Elle le vit s'arrêter à mi-chemin et se tourner vers elle avec un sourire de défi :

« Ce n'est que partie remise, ma belle ! La prochaine fois, c'est toi qui en redemanderas, tu verras ! »

Cette bravade redonna à Emma son sang-froid. Gerald était un lâche, il venait d'en donner la preuve. Elle le dominait, elle était redevenue maîtresse de la situation. Elle brandit les ciseaux : Gerald dévala le reste de l'escalier. Alors, avec un éclat de rire sarcastique, Emma descendit derrière lui et le rejoignit à la porte. Elle laissa tomber son arme, leva les mains et, d'un geste délibéré où le mépris se mêlait à la haine, elle lui griffa les joues en y laissant des sillons sanglants.

Gerald rugit de douleur :

« Garce ! Attends que je te retrouve !

— Quand vous me retrouverez, vous le regretterez. Car ce sera le jour de votre ruine. Je vous ruinerai, je vous détruirai, vous et les vôtres. Sortez !

— Nous ruiner, toi la bonniche devenue épicière ! Pauvre imbécile ! C'est moi qui t'écraserai, comme une vermine. Et je reviendrai, compte sur moi. A bientôt ! »

Dès que Gerald eut claqué la porte derrière lui, Emma tourna la clef à double tour et poussa les verrous. La nausée au bord des lèvres, elle courut à l'évier nettoyer l'immonde tache de sa robe, faillit vomir en la touchant par inadvertance, regarda autour d'elle, désemparée. Elle vit alors la cheminée, arracha sa robe et la jeta au feu. Maintenant que sa haine ne la soutenait plus, elle se laissa tomber sur une chaise et se mit à trembler.

Pour la première fois depuis son départ de Fairley, Emma avait peur. Gerald ne retrouverait jamais Edwina à Ripon. Mais il était assez stupide et assez vicieux pour revenir la harceler, comme il l'en avait menacée. Emma ne se sentait plus à l'abri des Fairley. Elle n'avait pas encore assez d'argent pour édifier autour d'Edwina et d'elle-même ce mur protecteur dont elle avait désormais le plus pressant besoin. Que faire ? se dit-elle avec désespoir. Que vais-je devenir, seule ?

Si seulement elle avait un mari... Un mari fort et riche, capable de se dresser entre elle et Fairley. Mais David lui était interdit. Quant à Blackie, son ami, son frère, il ne pouvait en être question. Emma pensa alors fugitivement à Joe Lowther. Joe était riche, il était amoureux d'elle et serait trop heureux de l'épouser. Mais Emma n'aimait pas Joe. Elle avait pour lui l'estime et l'affection que commandaient ses qualités, car Joe était bon, honnête et l'on pouvait toujours lui faire confiance. En l'épousant, Emma commettrait une mau-

170

vaise action et le priverait de l'amour d'une femme, dont il était digne. Elle se soumettrait surtout à la pénible épreuve de devoir partager son lit et porter ses enfants. A cette idée, elle eut un mouvement de recul. Non, décidément, Joe était à écarter. Comment, d'ailleurs, Emma pourrait-elle envisager de sang-froid de se donner à un autre homme alors que David seul occupait son cœur et ses pensées ?

Pourtant, il n'y avait pas d'autre issue. Elle n'avait pas le choix.

Alors, Emma se mit à pleurer et ses sanglots retentirent tard dans la nuit au milieu du petit salon silencieux. Ce fut le froid, longtemps plus tard, qui lui fit reprendre conscience. Elle se leva, croisa frileusement les bras et adressa à David une prière muette pour qu'il lui pardonne.

Elle avait pris sa décision.

1914-1917

Il est toujours plus difficile de vivre au sommet.
Le froid y est plus vif, les responsabilités plus lourdes.

NIETZSCHE

31

« Voici la dernière épreuve de la une, monsieur. Sauf contrordre, on roule dans cinq minutes.

Adam Fairley hocha la tête. Sous ses yeux, la première page de la *Yorkshire Morning Gazette* était barrée par une manchette :

LA GRANDE-BRETAGNE DECLARE LA GUERRE A L'ALLEMAGNE !

Mêlés à des têtes d'articles ou des clichés photographiques, d'autres titres ressortaient sur la page :

LA BELGIQUE ENVAHIE... UN POSEUR DE MINES BRITANNIQUE COULE EN MER DU NORD... LE GOUVERNEMENT REQUISITIONNE LES CHEMINS DE FER... LA ROYAL NAVY VEILLE.

Depuis le début de la soirée, Adam Fairley avait supervisé dans la fièvre la mise au point de ce numéro historique de son journal. Lord Jocelyn Sydney, son ami d'enfance, était venu le rejoindre et les deux hommes n'avaient échangé que quelques mots au fil des heures. Maintenant, l'irrémédiable était confirmé : la guerre que, depuis quatre jours, l'on espérait éviter en dépit de tout, avait enfin éclaté. Adam avait suivi heure par heure les dépêches de l'agence Reuter et les bulletins de ses correspondants à Londres. A l'optimisme têtu de son ami, il avait toujours opposé un réalisme sombre. Les événements lui donnaient, hélas, raison.

« Croyez-vous sérieusement à ce que vous disiez tout

à l'heure, Adam ? demanda Jocelyn en s'asseyant devant lui.

— Oui, mon ami, j'ai bien peur que nous ne nous engagions dans une guerre très longue et qui dépasse en horreur tout ce que le monde a connu. Je crains surtout que nous ne soyons pas aussi bien préparés que le gouvernement veut nous le faire croire.

— Asquith est pourtant un homme sensé...

— Asquith a les mains liées. Dieu merci, Churchill a eu l'Amirauté depuis trois ans et la marine est prête. Mais c'est bien notre seule force armée qui le soit. Nous n'avons eu que trop peu d'hommes clairvoyants, comme lui, pour prévoir l'inévitable. Moi-même, je l'attendais et je le redoutais depuis bientôt quatre ans.

— Vous exagérez, Adam ! Personne ne pouvait raisonnablement s'attendre à ce qu'une chose pareille se produisît ! L'Europe entière va être à feu et à sang, avec le jeu des alliances.

— C'est exactement ce que Bruce McGill me disait déjà il y a près de dix ans. En 1904, si je ne me trompe.

— Bruce ? Je ne le savais pas devin !

— C'est un homme très riche et qui a des intérêts partout. Il a des amitiés dans le monde entier et bénéficie de renseignements de première main. L'année dernière, quand je l'ai vu à Londres avec son fils Paul, il m'a prédit tout ce qui se passe actuellement et je ne l'ai pas cru... Je ne suis décidément pas plus sensé que les autres, mon cher Jocelyn. A nous cacher ainsi la tête dans le sable, nous nous exposons à de cruels retours à la réalité.

— Kitchener va-t-il être nommé à la Guerre, à votre avis ?

— Espérons-le. Son prestige donnera peut-être du courage à nos troupes, faute de mieux. Car il va falloir lever d'urgence une armée. On parle déjà d'une campagne de recrutement pour enrôler les célibataires.

— Grand Dieu ! Pourquoi donc ?

— Nous n'avons pas de conscription, Jocelyn, et jamais nous ne trouverons assez de volontaires. »

Lord Sydney pâlit :

« Si c'est vrai, Adam... Jamais je ne pourrai empêcher mes garçons de s'enrôler. Vous avez de la chance avec les vôtres. Gerald sera sûrement réformé et Edwin est marié. Il a surtout le sens de ses responsabilités envers Jane et vous.

— Je n'en suis pas si sûr, Jocelyn. Edwin a un caractère très impulsif et je ne pense pas que le fait d'être marié le refroidira. Il est homme à faire passer ses responsabilités envers le roi et la patrie avant sa famille. Comment le lui reprocher, d'ailleurs ? Il a le sens de l'honneur. J'étais comme lui, à son âge...

— Mon Dieu, quelle catastrophe, Adam, quelle catastrophe ! Quand je pense... »

Lord Sydney ne termina pas sa phrase et préféra ruminer en silence ses pensées. De son côté, Adam Fairley était d'humeur trop sombre pour relancer la conversation.

Il releva la tête un instant plus tard :

« Je suppose que vous décommandez vos chasses ? dit-il en se levant.

— Bien entendu, mon cher Adam. Par les temps qui courent, ce n'est pas sur des faisans que l'on aurait envie de tirer des coups de fusil... Vous avez raison, partons. Cette pièce a pris pour moi une allure funèbre. »

Une heure plus tard, la nouvelle Daimler d'Adam Fairley s'arrêtait devant le perron de Fairley Hall. Plus lugubre que jamais, Murgatroyd accueillit son maître dans le hall et commenta les nouvelles du jour d'un ton de circonstance. Adam l'interrompit d'un geste impatient : il avait vu de la lumière filtrer sous la porte de la bibliothèque.

« Madame n'est pas montée se coucher ? demanda-t-il.

— Non, elle attend Monsieur. Je lui ai porté une tasse de chocolat il y a une demi-heure et... »

Adam ne l'écoutait pas. Il traversa le hall à grands pas et ouvrit la porte. Olivia, qui avait entendu sa voix, venait déjà à sa rencontre et tomba dans ses bras, le visage défait :

« Oh ! Adam, quelles horribles nouvelles, murmura-t-elle.

— Soyons courageux, ma chérie... »

Il la tint embrassée un long moment, lui caressa les cheveux, la couvrit de baisers.

« Tu n'aurais pas dû m'attendre, reprit-il. Il est tard.

— Je ne pouvais pas dormir sans t'avoir revu, Adam. Tu dois être mort de fatigue. Depuis quatre jours, tu n'as pour ainsi dire pas quitté le journal.

— C'est vrai, admit-il. Je boirais bien quelque chose pour me donner un coup de fouet. »

Pendant qu'il s'asseyait dans un fauteuil devant la cheminée, Olivia alla lui préparer un whisky. Il la suivit des yeux et, comme chaque fois qu'il était avec elle, en oublia sa lassitude et son anxiété. A cinquante-quatre ans, Olivia était aussi belle et d'allure aussi jeune qu'à trente ans. De fait, disait souvent Adam, elle semblait embellir avec l'âge. Son visage était à peine griffé de quelques rides qui rendaient sa beauté plus touchante. Dans ses cheveux noirs, une mèche presque blanche faisait un effet saisissant. Depuis leur mariage, en 1908, ils vivaient un bonheur si complet, leur compagnie les satisfaisait si pleinement qu'ils en oubliaient parfois l'existence de leur entourage.

Olivia revint bientôt et tendit son verre à Adam.

« Edwin a téléphoné, cet après-midi, dit-elle dans la conversation. Je l'ai mis au courant des événements, il ne les connaissait pas encore.

— Comment a-t-il réagi ? demanda Adam avec inquiétude.

— D'une manière étonnamment calme. Jane et lui vont d'ailleurs arriver demain pour passer une semaine ici, comme prévu. Nous pourrons donc en parler à loisir.

— J'en suis ravi et soulagé. Connaissant le caractère d'Edwin, je le voyais déjà se précipiter en ville et faire Dieu sait quel coup de tête... Ils te tiendront au moins compagnie pendant la journée, quand je ne suis pas là.

« — Adam, dit Olivia en hésitant, crois-tu qu'ils soient heureux ? »

Adam fronça les sourcils. Il croyait être le seul à avoir remarqué le manque de chaleur entre son fils et sa belle-fille.

« Je n'en ai pas la moindre idée, répondit-il évasivement. Pourquoi me le demandes-tu ?

— Je ne saurais le dire exactement. Ils me paraissent, comment dirais-je ? presque distants. Edwin est toujours charmant et plein de prévenances envers Jane mais on sent que le cœur n'y est pas. Il m'est aussi arrivé de surprendre, dans le regard d'Edwin, une expression de vide ou de détresse. Tu ne t'en étais pas rendu compte ? »

Adam hésita à s'engager dans une conversation qu'il redoutait. Mais, voyant Olivia surprise de son silence, il finit par répondre :

« Puisque tu m'en parles, j'admets m'en être une ou deux fois fait la remarque. A mon avis, s'il y a mésentente dans le ménage, ce ne peut être que la faute d'Edwin. Depuis quelques années, il n'est plus le même. Il consacre ses jours et ses nuits à sa profession, perd intérêt pour tout le reste et semble n'avoir pour seule ambition que de devenir le plus célèbre avocat d'Angleterre avant d'avoir trente ans. J'ai bien peur, en effet, que cela ne l'aveugle et qu'il ne néglige honteusement cette pauvre Jane.

— C'est aussi mon impression.

— Ils ont pourtant tout pour être heureux. Jane est ravissante, charmante, affectueuse... Dommage qu'ils n'aient pas d'enfants, cela les rapprocherait. J'avoue aussi que j'aurais été heureux d'être grand-père... Mais ils ne sont mariés que depuis trois ans, après tout, et je suis sans doute trop impatient. »

Olivia fixait pensivement le feu et ne répondit d'abord pas. Elle releva enfin les yeux et se tourna vers Adam :

« As-tu cru à cette sordide histoire que Gerald t'a racontée il y a quelques années ? Tu sais, cette liaison entre Edwin et Emma Harte ? »

Pour la première fois, Adam mentit délibérément à Olivia. Il ne voulait pas la troubler davantage en exhumant inutilement un souvenir douloureux et qu'il valait mieux oublier.

« Je n'en ai pas cru le premier mot ! s'écria-t-il en feignant la conviction. Gerald ment comme il respire et il a inventé n'importe quoi pour nuire à Edwin, dont tu sais qu'il a toujours été maladivement jaloux. »

Olivia fit une moue dubitative :

« Je me rappelle que tu avais quand même fait procéder à une enquête discrète, à l'époque. Es-tu sûr des renseignements que tu avais obtenus ? Est-ce vrai qu'Emma n'avait pas eu d'enfant d'Edwin ?

— Absolument ! déclara Adam. Mais pourquoi me parles-tu aujourd'hui de cette vieille histoire ? Personne n'y pense plus et mieux vaut la laisser retomber dans l'oubli.

— Je ne sais pas, mon chéri. Elle m'est sans doute revenue en mémoire en parlant du mariage d'Edwin et de son bonheur ou, plutôt, de ses problèmes conjugaux. Si tu m'affirmes qu'il ne s'est rien passé de ce que prétendait Gerald, Edwin n'a donc rien à se reprocher. Et pourtant, je ne puis m'empêcher de croire que sa conscience le tourmente. Sans doute s'agit-il de ces étranges expressions que je lui vois par moments.

— Tu as trop d'imagination, ma chérie. Gerald a menti, un point c'est tout. Quant aux états d'âme que tu crois deviner dans les yeux d'Edwin, ils proviennent tout simplement de ce que son mariage le déçoit, pour des raisons que nous ignorons et qui ne nous regardent pas. Nous sommes, toi et moi, bien placés pour savoir qu'il y a peu de mariages heureux. Le nôtre constitue une rare exception, et à quel prix !

— Tu as sans doute raison, Adam. Pauvre Edwin... Il n'y a rien de pire que de se marier sans amour. Jane doit en souffrir, elle aussi. »

Adam se leva pour couper court à une conversation qui le mettait mal à l'aise.

« Il est très tard, Olivia. Allons nous coucher. »

Elle le suivit docilement. Mais, tandis qu'il regagnait

leur chambre, Adam Fairley ne pouvait chasser de son esprit les inquiétants pressentiments réveillés par les questions d'Olivia. A vrai dire, il ne s'intéressait guère au ménage d'Edwin. Ce qui le souciait, c'était la crainte de voir son fils s'engager dans l'armée et voler au-devant du danger. Car le jeune homme semblait avoir perdu le goût de la vie, voire l'instinct de conservation le plus élémentaire. La mort de John Harte, Adam s'en était aperçu, avait brisé en Edwin quelque chose d'essentiel. Son mépris de la vie et son patriotisme le pousseraient à prendre des risques extravagants, et Adam Fairley pouvait à bon droit redouter de perdre le seul fils qu'il aimait.

« Non, Frank ! s'écria Emma en serrant plus fort le combiné téléphonique. Je te le défends ! Tu n'as pas de raisons de t'exposer inutilement...

— J'ai des tas de raisons, au contraire ! l'interrompit Frank. Ecoute, Emma, l'armée me refuse car je n'ai pas la taille et le poids réglementaires, paraît-il. Mais je suis journaliste et il faut bien qu'il y ait quelqu'un, là-bas, pour rendre compte des événements.

— Pas toi, Frank ! Tu es trop jeune.

— J'aurai vingt-trois ans le mois prochain. Et tu ne peux rien me défendre, ma chère sœur ! répliqua Frank avec impatience. Mon rédacteur en chef m'y envoie comme correspondant de guerre, c'est un honneur que je ne veux pas refuser.

— Un honneur, tu appelles cela un honneur ! Mais tu vas traîner dans les tranchées, au milieu des batailles ! Si l'armée ne veut pas de toi, c'est que tu n'es pas capable de supporter des choses pareilles, voyons ! Je t'en supplie, Frank, réfléchis encore avant de décider.

— Ma décision est déjà prise, Emma. Je ne t'ai appelée que pour te prévenir de mon départ. Je m'en vais demain, à cinq heures du matin.

— Oh ! Frank ! Pourquoi ne m'as-tu rien dit avant ?

— Ne t'inquiète donc pas tant, tu ne fais que me rendre mon départ plus difficile, protesta Frank avec gentillesse. Allons, il faut que je te quitte. Embrasse tout le monde de ma part et je te donnerai de mes nouvelles. Si tu veux être au courant de mes faits et gestes, lis mes articles dans le *Chronicle* ! Au revoir Emma.

— Oh ! Frank, Frank... »

Emma ravala ses larmes avec effort.

« N'oublie pas de prendre des vêtements chauds. Et sois prudent, je t'en supplie.

— Mais oui ! »

Quelques instants plus tard, Emma tenait encore le combiné silencieux; elle ne raccrocha qu'en entendant les injonctions de l'opératrice. Frank, son petit frère bien-aimé, allait partir pour le front, dans la boue des Flandres où se déroulaient des combats meurtriers. Cela ne suffisait pas que Winston soit quelque part en mer, sans donner de nouvelles. C'était maintenant au tour de Frank... Quel besoin, aussi, avait-il de se jeter ainsi dans une mêlée où il n'avait rien à faire ?

Un mouvement de colère succéda à l'angoisse d'Emma. Sans la réputation que Frank s'était faite, il ne serait pas parti. Car elle l'avait d'abord vu avec fierté parvenir au premier rang de sa profession : Frank était le type même du jeune reporter que les rédacteurs en chef sont fiers d'attirer dans leurs équipes. Il écrivait avec virtuosité, était passé maître dans l'art du raccourci qui porte, dans le rendu d'une atmosphère; il savait décrire l'essentiel d'un événement, en dégager les lignes de force, en démonter les causes. Passionné de son métier, Frank n'avait bien entendu pas hésité à accepter le poste de correspondant de guerre qu'on lui offrait, honneur convoité par les journalistes les plus chevronnés. Si seulement il avait échoué, se dit Emma avec colère. Si seulement il était resté obscur. Au moins, il ne serait pas en danger.

Car elle se rendait responsable des périls courus par son jeune frère et ne se pardonnerait jamais s'il lui arrivait malheur. Elle aurait pu le laisser stagner dans ce petit hebdomadaire de Shipley où Frank avait fait ses débuts. Mais l'ambition qu'elle avait pour lui l'avait poussée à intervenir... Elle s'en voulut de cette réflexion injuste : sans son aide, Frank aurait aussi bien percé.

Cela aurait pris un peu plus longtemps, voilà tout, mais rien n'aurait pu étouffer son talent, ni le faire douter de lui. En fait, Emma n'avait rien fait que de lui ménager un entretien avec le rédacteur en chef du *Mercure* de Leeds, dont elle avait fait la connaissance. Une fois engagé au quotidien, Frank avait pu faire ses preuves et sa carrière avait suivi son cours.

Il y avait eu aussi la publication de son livre, qui avait contribué à asseoir son succès et à étendre sa réputation. Là encore, Emma avait pris les choses en main. Un soir, Frank lui avait donné le manuscrit d'un roman sur lequel il travaillait depuis deux ans et dont, disait-il, il n'était pas très content.

« Il y a des choses à reprendre, avait-il dit à Emma, mais j'aimerais que tu me dises ce que tu en penses. »

Elle avait passé sa nuit à le lire et, le lendemain matin, s'était précipitée pour voir Frank au journal :

« Que veux-tu dire par des « choses à reprendre » ? s'était-elle exclamée. C'est un chef-d'œuvre et il faut le faire éditer. Laisse-moi faire, je m'en occupe! »

Le jour même, elle invitait le rédacteur en chef à un déjeuner fastueux dans le meilleur restaurant de Leeds, ne lui laissant ensuite ni un jour ni une heure de répit jusqu'à ce que l'infortuné, de guerre lasse, eût envoyé le manuscrit à un de ses amis, éditeur à Londres, avec une chaleureuse recommandation. Bien entendu, le manuscrit fut accepté. Emma avait négocié elle-même le contrat. A la sortie du roman, la critique lui fit un accueil favorable et, plus important encore aux yeux d'Emma, le livre eut un beau succès de librairie. Du jour au lendemain, Frank était devenu connu, sinon célèbre, et il s'était vu offrir peu après un poste à la rédaction du *Daily Chronicle* de Londres. Parti pour Fleet Street sous les bénédictions d'Emma, il y avait fait une brillante carrière et on le donnait désormais pour l'un des jeunes journalistes les plus prometteurs de Grande-Bretagne. Son avenir était assuré... Ou, du moins, l'était-il jusqu'à ce soir.

« Maudite guerre! » s'écria Emma.

Le conflit mettait ses deux frères en danger. Mais il

avait aussi pour conséquence de bouleverser ses projets les plus soigneusement échafaudés. A vingt-cinq ans, alors qu'elle se voyait à la veille de la réussite, tout était brutalement remis en question. Elle eut honte de son mouvement d'humeur : avait-elle le droit de se plaindre d'un ralentissement de ses affaires quand tant de jeunes gens, tant d'innocents perdaient leur vie ? Et puis, se dit-elle avec son pragmatisme coutumier, à quoi bon spéculer sur un avenir incertain, redouter des périls encore hypothétiques ? Elle ne pouvait rien y changer. Elle avait au moins la faculté d'intervenir sur le cours des événements qui la touchaient de près. Mieux valait concentrer exclusivement son attention sur l'immédiat.

Elle se leva après un dernier coup d'œil au téléphone et traversa le hall en faisant claquer ses mules sur le sol de marbre. La grande horloge sonna deux heures comme elle posait le pied sur la première marche de l'escalier. Tout dormait dans la maison. Malgré elle, Emma frissonna et serra contre elle sa légère robe de chambre.

Quelques instants plus tard, elle pénétrait silencieusement dans la chambre à coucher et se glissait dans le grand lit à colonnes. Joe remua faiblement :

« Emma ?

— Pardonne-moi, Joe. Je t'ai réveillé ?

— Non, pas toi, la sonnerie du téléphone. Qui était-ce ?

— Frank. Il est nommé correspondant de guerre et part pour le front tout à l'heure. Je n'ai rien pu faire pour l'en empêcher.

— Pourquoi part-il si vite ? dit Joe d'une voix ensommeillée. Il aurait pu attendre de voir comment les choses tournaient.

— Il n'a rien voulu savoir. Je suis morte d'inquiétude, Joe. Mes deux frères sont à la guerre, maintenant... »

Il s'aperçut du tremblement dans la voix d'Emma et se redressa sur un coude :

« Ne t'inquiète donc pas tant, Emma. Cette fichue

guerre sera terminée dans deux, trois mois au plus. »

Emma répondit par un grognement de mauvaise humeur. Joe n'avait décidément aucun sens des réalités ! Quand elle avait essayé de le mettre en garde contre les risques de guerre, il n'avait pas même écouté. Maintenant, il faisait preuve d'un aveuglement exaspérant et croyait les rumeurs les plus fantaisistes, au point qu'Emma ne perdait plus son temps à en discuter avec lui.

Maintenant bien réveillé, Joe contempla la silhouette d'Emma près de lui et sentit son désir renaître. Avec elle, il ne pouvait rien faire pour se contenir et déplorait la froideur qu'elle lui témoignait, toujours assortie de quelque excuse : migraine, fatigue, malaise disparaissant mystérieusement au lever du jour... Il posa timidement une main sur l'épaule de sa femme et l'embrassa sur la joue.

L'haleine de Joe sentait l'oignon, la bière et le tabac froid. Emma se raidit, détourna la tête :

« Je t'en prie, Joe, pas ce soir ! dit-elle d'un ton excédé. J'ai eu une longue journée, je suis inquiète du sort de mon frère... Comment peux-tu te montrer aussi égoïste ? Tu sais que je ne veux pas me retrouver encore enceinte, surtout en ce moment !

— Je serai prudent, je te le promets. Cela fait des semaines que tu me repousses, Emma. Sois gentille ! »

Elle ne répondit pas et Joe prit son silence pour un consentement. Il s'enhardit, entreprit des manœuvres d'approche dont la balourdise ne fit qu'aggraver l'irritation et le dégoût d'Emma. Mais elle ne pouvait ni ne voulait provoquer encore une scène déplaisante en refusant à Joe ses droits conjugaux. En l'épousant, Emma s'était promis d'être pour lui une bonne épouse et elle s'était toujours fait un point d'honneur d'honorer ses promesses. Mais elle n'avait pas compté avec la métamorphose de Joe. Au contact d'Emma, lui, le timide, avait si bien surmonté ses inhibitions que ses appétits tournaient à l'obsession. Combien de temps Emma pourrait-elle encore supporter les « agressions » qu'il lui faisait constamment subir ? Car rien ne rebutait Joe

185

qui, aveuglé par sa passion, ne semblait pas même s'apercevoir de la froideur d'Emma.

Résignée, elle se laissa faire passivement sous les frénétiques coups de boutoir de celui dont elle avait fait son mari et pensa à autre chose. Plus tard, au bout de ce qui lui sembla une éternité, Joe se calma enfin et Emma s'écarta avec soulagement pour l'entendre, presque tout de suite, se mettre à ronfler.

« Il aurait au moins pu me dire bonsoir », grommela-t-elle à mi-voix.

Pour sa part, elle avait définitivement perdu le sommeil. Elle se glissa hors du lit, se rendit silencieusement jusqu'à la salle de bain et fit couler dans la baignoire de l'eau brûlante dont elle s'aspergea avant de se plonger dedans, avec l'espoir de calmer ses nerfs à vif. Un long moment plus tard, enfin détendue, elle se frictionna, se sécha, s'attarda sur son reflet dans le miroir. A vingt-cinq ans, et après deux grossesses, elle n'avait pas pris une once de graisse ni perdu sa silhouette juvénile, malgré les fatigues et les soucis. Sur son visage à l'ovale toujours parfait, nulle trace de l'anxiété qui la tiraillait. Blackie lui disait souvent qu'elle était impénétrable comme le Sphinx et cela n'était pas fait pour lui déplaire, car cette impassibilité était l'un de ses meilleurs atouts. Satisfaite de son examen, elle mit une chemise de nuit propre et un léger déshabillé de mousseline et descendit au rez-de-chaussée, dans son cabinet de travail. Pour Emma, le travail avait toujours été un dérivatif, presque un repos. Cette nuit, il lui servirait à oublier les pensées déprimantes ou déplaisantes dont son esprit était rempli.

Mais le clair de lune qui passait par les portes-fenêtres entrebâillées lui fut une distraction si forte qu'elle finit par se lever pour aller s'accouder à la balustrade de la terrasse et contempler le jardin. Il faisait une belle nuit de fin août, chaude et odorante. Dans la légère brise qui la caressait, Emma se sentit soudain délivrée et aspira à pleins poumons l'air chargé du parfum des fleurs. Au-dessus d'elle, dans le ciel pur, la pleine lune répandait une lumière assez vive pour atténuer le scintillement des étoiles. Sous cet éclat, les massifs, les buissons taillés, les arbustes et les pelouses prenaient un aspect quasi irréel. Emma eut soudain l'envie de parcourir les allées, de toucher, de humer chaque fleur, de se plonger dans les plages d'ombre noire que découpaient les buis ou qui prolongeaient les murs couverts de lierre et de vigne vierge. A la vue de ce paisible jardin, il était impossible d'imaginer une guerre sauvage qui, depuis près d'un mois, sévissait de l'autre côté de la Manche; il était révoltant d'accepter comme une fatalité que tant de jeunes hommes sacrifient leur vie à cette absurdité.

A pas lents, Emma descendit dans le fond du jardin, vers un recoin abrité et secret où elle aimait particulièrement se retirer. C'était un bosquet enchâssé dans d'immenses rhododendrons rehaussés de pivoines, dont les roses, les mauves et les blancs alternaient en formant une harmonie pleine de grâce apaisante. Joe avait voulu, à cet endroit, planter une roseraie et Emma s'y était opposée avec une véhémence qui l'avait laissé pantois. Nulle part, en effet, dans ce grand jardin, Emma n'avait consenti à laisser pousser le moindre rosier. Elle s'était bornée à déclarer qu'elle ne pouvait pas souffrir ces fleurs, sans cependant avouer que leur parfum lui donnait de violentes nausées et que leur vue réveillait en elle des souvenirs insupportables.

Sous les basses branches d'un grand hêtre, Emma avait disposé un vieux banc et les enfants avaient baptisé ce bosquet « le coin de maman ». Car c'était toujours là qu'Emma venait chercher le repos quand les responsabilités se faisaient trop pressantes, ou quand elle cherchait un moment de paix pour réfléchir à l'aise. Nul n'osait venir l'y troubler. Aussi, cette nuit-là, vint-elle d'instinct y trouver refuge. Le souvenir de Joe et de ses frénésies amoureuses lui causa un nouvel accès d'irritation. Mais elle le domina bientôt et ressentit envers lui une commisération un peu condescendante. Pauvre Joe, se dit-elle, ce n'est pas sa faute si je l'excite à ce point...

Sa colère ainsi dissipée, Emma réfléchit posément. Tout à l'heure, pendant que Joe haletait sur elle, elle avait sérieusement envisagé de le quitter. Maintenant qu'elle y pensait de sang-froid, elle était incapable de s'y résoudre. D'abord à cause des enfants : ils adoraient Joe qui leur était également attaché et ne consentirait jamais à s'en séparer. Emma avait elle-même encore besoin de lui, pour plus d'une raison. Mais surtout, Joe ne voudrait jamais rendre à Emma sa liberté, tant son amour pour elle tournait à la manie. Il arrivait parfois à Emma de souhaiter qu'il fût volage et qu'il prenne prétexte des humiliantes rebuffades qu'elle lui faisait subir pour aller chercher des consolations dans des bras plus accueillants. Elle avait dû se rendre à l'évidence : Joe n'avait de goût que pour elle et pour elle seule. Aucune autre femme n'existait à ses yeux, Emma était l'unique objet de son désir. Il l'emprisonnait dans la cage de son amour exclusif.

Si elle examinait sa vie conjugale avec objectivité, Emma devait aussi convenir qu'elle aurait tort de vouloir la changer. Elle n'en avait d'ailleurs nullement l'intention. Joe Lowther remplissait à merveille le rôle qu'elle lui avait assigné de tampon entre le monde extérieur et elle. Par ailleurs, et même si elle ne l'aimait pas, elle avait pour lui de l'affection. En dehors de ses fureurs érotiques, il était excellent mari, plein de prévenances et de discrétion. Il ne se mêlait jamais de la conduite des affaires d'Emma. Certes, il n'était pas sans défauts et pouvait, à l'occasion d'une querelle sur un sujet sans importance, se montrer aveuglément opiniâtre ou tomber dans des accès de rage indignes de son âge. En dépit de ses travers, Joe Lowther était finalement un homme plutôt meilleur et sûrement pas pire que les autres.

Il n'était pas non plus dans le caractère d'Emma de nourrir de mesquines rancunes. Joe Lowther avait donc été pour elle un fort bon mari, sinon au lit, du moins pour tout le reste ou presque. Sa générosité n'était jamais prise en défaut. Ainsi, il avait acheté sans discuter cette maison en décembre 1910, à peine quatre mois après leur mariage. Au mois de juin précédent, peu avant la cérémonie, il avait fait un nouvel héritage bien plus considérable que celui de sa mère. Une grand-tante, du côté maternel bien entendu, était morte à quatre-vingt-onze ans sans héritiers directs et ce fut donc à Joe qu'échut une succession considérable — maître Ainsley n'avait su trouver mieux, cette fois — comprenant plus de cent cinquante mille livres en liquide, une propriété de campagne à Old Farnley et un impressionnant ensemble industriel et commercial à Leeds, dont les revenus annuels plongèrent le pauvre Joe dans une stupeur teintée de crainte. Aussi, après avoir estimé à sa juste valeur la véritable fortune dont il se trouvait désormais bénéficiaire, il céda aux instances d'Emma, abandonna son obscur travail de comptable et fit l'acquisition d'une des plus belles maisons des Towers convenant mieux à son standing.

Cette maison, presque un petit château, était située dans un parc aménagé au sommet de ce quartier résidentiel. Enclos de grilles, le parc abritait huit grandes maisons, elles-mêmes entourées de jardins clos de murs. Dès qu'elle y eut jeté les yeux, Emma en tomba amoureuse. L'architecture en était sobre et belle, le jardin agréable, la vue que l'on en découvrait ravissante. Les vastes pièces de réception, hautes de plafond, se prêtaient aux plus luxueux aménagements et l'étage principal ne comportait pas moins de huit chambres et trois salles de bain, espace amplement suffisant pour accueillir la famille, qui allait d'ailleurs s'agrandir, car Emma était enceinte.

La taille imposante de la demeure et les occupations d'Emma, qui voulait moins que jamais interrompre ses activités firent que Joe se retrouva à la tête d'un important personnel domestique, y compris la nièce de sa fidèle Mme Hewitt, Clara, engagée comme nurse pour s'occuper des enfants : Edwina, d'abord, puis Christopher, qui naquit en juin 1911.

Le jour où elle emménagea dans ce petit palais, Emma se sentit enfin en sécurité. Ici, Gerald Fairley n'oserait jamais venir la relancer. Depuis quatre ans, Emma ne pouvait penser sans un frisson à l'odieuse agression qu'il lui avait fait subir en cette nuit d'avril et son appréhension de le voir revenir à la charge avait mis longtemps à s'effacer.

David Kallinski ne s'était pas résigné aussi facilement qu'elle l'avait cru, et il avait fallu plusieurs semaines à Emma pour le convaincre que sa décision était irrévocable. Il s'était finalement incliné, plein de tristesse. C'était lui qui, depuis, limitait sagement leurs rapports aux seules réunions de travail. Malgré sa propre peine et son désir de renouer avec lui les longues conversations amicales où elle puisait tant de réconfort, Emma n'avait pas insisté pour ne pas aggraver la peine qu'ils ressentaient tous deux.

Rassurée quant à l'évolution de ses relations avec David, Emma avait alors lancé sa campagne matrimoniale, pour prendre Joe Lowther dans ses filets. Elle n'eut pas grand mal à remporter la victoire. Follement amoureux d'elle, paralysé en sa présence et rendu sot par sa beauté, émerveillé par son intelligence, Joe fut pour elle une proie facile et consentante. Emma se contenta d'accroître la fréquence de leurs rencontres « d'amitié » et de ne pas décourager ses avances. D'abord furtives, elles perdirent peu à peu de leur timidité puis, voyant qu'on ne le repoussait pas, Joe s'enhardit enfin au point de demander la main d'Emma en bafouillant. En l'entendant dire oui, l'innocent Joe fut plongé dans de telles extases qu'il ne se rendit jamais compte qu'il avait été manœuvré.

Le lendemain, Emma lui avoua la naissance illégitime d'Edwina. Elle le fit avec une sincérité si désarmante que Joe ne songea pas à mettre en doute sa version des faits, la même dont elle s'était servie des années auparavant auprès de Blackie. Il admira sa franchise, s'émut devant le courage dont elle avait fait preuve en supportant seule un si lourd fardeau. Il lui déclara noblement que le passé n'existait pas à ses yeux, ce qui était d'ailleurs vrai. Emma l'avait si bien ensorcelé qu'il ne voyait rien d'autre que l'infini bonheur d'avoir été admis à devenir son mari. Il ne tiqua même pas quand Emma lui fit des « révélations » sur son « mariage ». Car il fallait, pour éviter le désastre, qu'elle prépare ses proches à la réapparition d'un marin du nom de Winston Harte qui serait son frère, et non son imaginaire mari. David et Laura, à qui elle dit la même fable, l'acceptèrent en toute bonne foi et n'y virent pas malice.

Le moment le plus pénible fut, pour Emma, la présentation à Winston et à Frank d'une fillette de trois ans, qui ne pouvait manifestement pas avoir été engendrée par Joe Lowther. Encore sous le charme de sa grande sœur, Frank n'osa rien dire; s'il avait des doutes ou des critiques, il s'abstint de les formuler. Winston réagit tout différemment. Il avait toujours placé Emma sur un piédestal et sa faute lui fit l'effet d'une trahison. Il fit à sa sœur une scène violente où il l'accabla de reproches. Plus tard, il se convainquit lui-même qu'elle avait été la victime d'un individu sans scrupules et fut ainsi capable, pour sa propre tranquillité, de l'absoudre, de la plaindre et de lui redonner son lustre. Mais Joe ne pouvait évoquer sans une crainte rétrospective, et Emma avec une forte envie de rire, les chapelets de jurons et les épithètes de corps de garde dont Winston avait usé pour maudire le voyou qui avait osé violer sa sœur. Ainsi, sans incidents graves, Emma avait été capable de faire table rase de ses dissimulations passées et d'entrer dans sa nouvelle vie avec une conscience nette.

Et Joe, dès le début, avait été à la hauteur, Emma ne pouvait pas le nier. Il avait adopté Edwina, lui avait donné son nom. Il avait surtout manifesté d'emblée un amour sincère pour cette enfant. Emma se demandait parfois s'il n'avait pas pour elle plus d'affection que pour Christopher, son propre fils.

Assise sur son banc, entourée des rhododendrons qui luisaient doucement sous la lune, Emma en arriva à vivement regretter son accès de mauvaise humeur contre Joe. En toutes circonstances, il s'était conduit avec noblesse et dignité, il avait toujours fait preuve de générosité. Comment, pourquoi lui en voulait-elle alors qu'il lui donnait des preuves d'amour dont n'importe quelle femme serait comblée ? Le don qu'elle lui faisait de son corps était un prix minime pour tout ce qu'il lui avait offert sans compter...

Emma se leva en soupirant et regagna la maison à pas lents. Ce ne serait pas toujours facile, mais elle saurait désormais faire taire ses dégoûts. Avec la même détermination qu'elle mettrait à décider d'un achat de stock ou négocier un marché de fournitures, Emma résolut de devenir une épouse attentive et aimante.

32

Le lendemain matin, plus tôt encore que d'habitude, Emma était à son bureau dans la toilette élégante mais sévère que Joe appelait son « uniforme », simple robe de soie noire ornée d'un rang de perles. Absorbée dans l'étude de deux gros registres comptables, elle n'entendait pas les bruits du magasin qui ouvrait, ni de la circulation sous ses fenêtres. Elle examinait, en effet, les derniers résultats du grand magasin qu'elle avait acheté vers la fin de 1912 et inauguré en janvier 1913, après l'avoir fait transformer de fond en comble par l'entreprise de Blackie O'Neill.

Le succès en avait été immédiat. Intrigué par la campagne de publicité qu'avait lancée Emma, le public était venu en foule louer, dénigrer ou simplement contempler les surprenantes innovations de cette ambitieuse jeune femme, que l'on ne se gênait pas pour traiter de parvenue. Elle avait racheté le plus ancien, mais aussi le plus démodé, des grands magasins de Leeds pour y déployer avec ostentation un luxe et une originalité propres à ébahir les badauds. Bientôt, cependant, les détracteurs se turent, conquis à leur tour par l'atmosphère douillette, le confort et le prestige de ce temple du commerce. La décoration raffinée, les tapis moelleux, les lustres et les miroirs, sans oublier les parfums discrètement vaporisés par des orifices invisibles, tout cela eut sur les premiers visiteurs un effet magique.

Venus en curieux, les promeneurs restèrent en clients pour palper, admirer, comparer des marchandises qu'ils finissaient par acheter. Car ils étaient, à leur insu, soumis à une véritable mise en condition dont Emma, longtemps avant l'apparition des techniques modernes du « merchandising », avait intuitivement jeté les bases et codifié les principes.

Tout y concourait : l'ambiance, la sélection des marchandises, l'éventail des prix ainsi qu'une rigoureuse formation des vendeuses à la technique de la « vente persuasive » qu'Emma était seule à mettre en œuvre, tant cette mentalité était contraire aux habitudes de l'époque. Elle n'en eut que plus de succès et l'on venait de Leeds et de toutes les villes des environs faire ses achats chez Emma Harte et y dépenser sans vraiment s'en rendre compte.

Emma n'avait rien négligé pour assurer à son magasin une popularité durable. Parmi ses innovations les plus spectaculaires figurait un salon de thé, installé au troisième étage et décoré dans le style d'une *garden-party*, à grand renfort de papiers peints de scènes champêtres, de tonnelles et de meubles de jardin en rotin. Le charme de ce lieu, où les robes des serveuses ajoutaient des tons pastel, fit sensation tant il tranchait sur la lourdeur et la pompe victoriennes encore si fort en vogue. En quelques jours, il devint le rendez-vous obligé des élégantes de la ville. On s'y retrouvait pour un petit déjeuner tardif, un lunch léger ou le thé de l'après-midi. Rares étaient les visiteuses qui, au passage, ne se laissaient pas tenter à quelque rayon et repartaient du magasin les mains vides. Les concurrents d'Emma furent forcés de suivre son exemple, sans cependant la détrôner.

Elle avait aussi lancé d'autres nouveautés qui révolutionnèrent les habitudes commerciales de la région, car Emma ne négligeait aucun détail pour s'attacher la fidélité de sa clientèle. Parmi ces innovations qui firent fureur, la pratique de l'emballage cadeau dont l'idée, peu coûteuse au demeurant, lui était venue au souvenir de la joie ressentie devant le présent offert par Blackie pour ses quinze ans. Très vite, son papier argenté au semis de violettes devint le symbole du cadeau de prestige que l'on aime offrir autant, sinon plus, que recevoir. Son portier en uniforme bleu galonné d'or portait les paquets des clientes, ouvrait les portières des voitures et rendait mille menus services fort appréciés. Enfin, le magasin se chargeait de livraisons et des commandes à domicile. Ce service eut un tel succès qu'Emma dut, en six mois, doubler sa flotte de fourgons et ses équipes de livreurs.

C'est pourquoi, vingt mois à peine après son ouverture, le magasin dégageait-il déjà des bénéfices croissants. En examinant les chiffres, Emma se rendit compte ce matin-là que sa trésorerie lui permettait de fonctionner plusieurs années si nécessaire. Ce n'était toutefois qu'avec la plus vive répugnance qu'elle allait se résoudre à retirer cinquante mille livres de son compte en banque. La guerre était à peine commencée mais Emma, avertie par son intuition, craignait qu'elle ne soit longue. Si les restrictions devenaient sévères ou si, plus simplement, le public se laissait gagner par un esprit d'austérité et n'achetait plus que l'indispensable, elle risquait d'en souffrir gravement. En une telle conjoncture, il lui fallait agir avec la plus extrême prudence et résister à la tentation de gonfler exagérément ses stocks ou de s'agrandir à l'excès.

Après avoir passé en revue les comptes d'exploitation du grand magasin, Emma tourna son attention vers les livres des Magasins Gregson, entreprise de fournitures en gros dont elle avait acquis le contrôle. Les réserves liquides en étaient largement supérieures à celles du magasin proprement dit, car Emma, sous ce couvert, fournissait d'importantes quantités de marchandises diverses à la plupart des grands magasins du Royaume-Uni, avec des marges bénéficiaires confortables et des frais généraux extrêmement réduits. Gregson, par ailleurs, possédait des stocks assez importants pour que les besoins de réapprovisionnement ne se fassent pas sentir avant plusieurs mois. Il n'y avait donc pas de dépenses à prévoir de ce côté-là. En examinant ensuite les chiffres des facturations à recouvrer, dont le total atteignait environ cent quatre-vingt mille livres, elle constata que si, pour la plupart, ses débiteurs jouissaient d'un excellent crédit et régleraient à l'échéance, un certain nombre de clients, petits et moyens commerces, étaient notablement en retard. Elle prit note des noms et des raisons sociales des créanciers douteux dont elle allait exiger le paiement de leurs dettes. Dans l'ensemble d'ailleurs, elle était décidée à supprimer dorénavant tout crédit et ne consentirait exceptionnellement trente jours qu'aux clients les plus fidèles. Autant Emma compatissait aux problèmes personnels, autant elle se montrait insensible et même impitoyable dès qu'ils s'agissait d'affaires et son cœur n'intervenait jamais dans ses décisions. A Joe qui, un jour, lui reprochait d'avoir dans les veines de l'eau glacée à la place du sang, elle avait répondu froidement : « Ni plus ni moins qu'un banquier. Ne t'en étais-tu pas encore aperçu ? »

Pensive, elle referma les livres et reprit un numéro du *Financial Times* du début de la semaine. Au 31 juillet, la Banque d'Angleterre avait décidé de faire passer le taux de l'escompte de 4 à 8 p. 100, mesure qui avait provoqué de vifs remous, encore aggravés par la fermeture de la Bourse de Londres. L'annonce de la guerre avait engendré une panique boursière qu'il fallait enrayer et la suspension des séances du *Stock Exchange* avait déjà permis une substantielle remise en ordre. Le spectaculaire doublement du taux de l'escompte avait pour objectif, de son côté, de prévenir la fuite de l'or à l'étranger. Dès ce jour-là, il ne faisait déjà plus de doute que la guerre allait éclater, malgré les démentis officiels.

Ces inquiétants événements auraient dû décourager Emma de se lancer dans une nouvelle entreprise. Après mûre réflexion, elle avait au contraire décidé d'en hâter l'exécution. Le relèvement du loyer de l'argent l'avait fait renoncer aux crédits bancaires dont elle usait d'habitude. Elle allait donc financer son projet à l'aide de ses fonds propres. Et c'est pourquoi elle examinait ses comptes avec une attention particulière ce matin-là.

Cet examen l'avait entièrement rassurée. Les cinquante mille livres dont elle avait besoin se trouvaient, et au-delà, dans les disponibilités de sa filiale Gregson qui bénéficiait par ailleurs de valeurs exigibles à court terme plusieurs fois supérieures. Ce fut donc sans la moindre hésitation qu'elle prit dans un tiroir le carnet de chèques au nom de cette entreprise, y inscrivit la somme requise et glissa le chèque dans une enveloppe à l'adresse de maître Frederick Ainsley. Elle décrocha ensuite son téléphone pour appeler Vince Hartley, directeur de Gregson. Elle lui donna d'abord ses instructions pour faire immédiatement rentrer les créances en retard et ne plus désormais consentir le moindre crédit sans son autorisation. En outre, il fallait appliquer le taux d'intérêt légal de 8 p. 100 à tous les débiteurs négligents, ce qui attira un cri de protestation de la part de Hartley :

« C'est un peu dur, madame ! Ils ne vont plus nous passer de commandes...

— Aucune importance, interrompit sèchement Emma. Je serais au contraire ravie qu'ils ne nous commandent plus rien.

— Mais les entrepôts sont pleins à craquer ! Tout cela nous restera sur les bras, si nous ne...

— Réfléchissez un peu avant de parler, Hartley ! La guerre a éclaté et qui dit guerre dit restrictions. Tout va devenir rare et beaucoup d'industries, pour ne pas dire toutes, vont tourner presque exclusivement pour la défense nationale. Les stocks que nous avons et qui vous font si peur vaudront bientôt leur poids d'or. Conservons-les, est-ce clair ?

— Oui, madame, vous avez raison. Autre chose, nos deux représentants sur l'Ecosse ont donné leur démission. Ils s'engagent dans l'armée. Nous allons être à court de personnel. Combien puis-je en engager ?

— Aucun. Nous partagerons le territoire entre les autres, ce n'est pas le moment de pousser les ventes, comme je viens de vous le dire. Occupez-vous d'urgence de faire rentrer les créances, je compte sur vous. A lundi. »

Après avoir raccroché, Emma réfléchit. Il vaudrait sans doute mieux congédier tous les représentants, ne plus vendre qu'au compte-gouttes quand on ne pourrait pas faire autrement et réserver les marchandises entreposées chez Gregson pour le grand magasin... Sa secrétaire l'interrompit en annonçant maître Ainsley.

Emma se leva, rectifia d'un geste machinal les plis de sa coiffure et l'apparence de sa robe. Sourire aux lèvres, elle se leva et contourna son bureau pour accueillir son visiteur. Aussi fut-elle surprise et contrariée de voir apparaître sur le seuil non pas le notaire lui-même mais son fils Arthur.

Arthur Ainsley était un grand jeune homme blond, à l'élégance affectée du dandy trop sûr de son charme. Il n'avait rien de la tournure d'esprit cérémonieuse de son père et, loin de s'exprimer en majuscules, préférait l'aparté et le ton de la confidence propres selon lui, à favoriser les propos amoureux. Emma réprima une grimace en le voyant entrer, ignora son allure conquérante et se força à être aimable.

Cela lui fut difficile. Le beau jeune homme lui saisit la main, la porta à ses lèvres avec les apparences de la ferveur, débita incontinent de plates fadaises sur la beauté rayonnante d'Emma et tenta de l'éblouir de son sourire dévoilant ses dents blanches. Emma coupa court à ses marivaudages :

« Monsieur votre père va bientôt nous rejoindre, je pense », déclara-t-elle avec froideur.

Car Arthur avait beau être principal clerc dans l'étude de son père, à qui il était appelé à succéder, Emma n'avait jamais pu le considérer autrement que comme un saute-ruisseau.

L'Adonis fit son plus suave sourire :

« Hélas ! non, chère madame ! Mon pauvre père est cloué au lit depuis hier soir par une mauvaise grippe. Je suis donc venu vous voir en ses lieu et place.

— J'en suis navrée, répondit Emma sans préciser si son regret s'appliquait à la maladie du père ou à la présence du fils.

— Cependant, se hâta de préciser Arthur, mon père

m'a instruit de votre affaire. Il m'a recommandé de vous dire que vous n'hésitiez pas à lui téléphoner si vous me jugiez mal qualifié pour résoudre votre problème. »

Il avait prononcé ces derniers mots avec la fatuité de celui qui se sait amplement qualifié et attend qu'on le lui dise. Emma le détrompa sèchement :

« Je n'ai aucun « problème ». Il s'agit simplement de conclure une transaction dont j'ai abondamment discuté avec monsieur votre père. Le travail étant déjà fait, j'espère en effet que vous serez capable de vous en charger. »

Arthur Ainsley ne put réprimer une grimace. Depuis un an, il se dépensait pour se faire bien voir d'Emma Harte et ses efforts étaient de plus en plus mal récompensés. Chipie, se dit-il en faisant son plus beau sourire.

« Je ferai de mon mieux, chère madame, dit-il en s'inclinant. Vous savez que mon plus cher désir est toujours de vous satisfaire...

— Venons-en aux choses sérieuses, interrompit Emma avec un geste de la main. Je m'étonne que monsieur votre père vous ait mis au courant de mon affaire, comme vous dites, car je ne lui ai pas dit pourquoi je souhaitais le voir aujourd'hui. »

Le bel Arthur se troubla, rougit et se décroisa nerveusement les jambes. Emma le fusilla d'un regard froid et poursuivit :

« Permettez-moi donc de vous expliquer rapidement ce dont il s'agit. J'ai engagé, depuis quelques semaines, des pourparlers avec M. William Layton, des filatures Layton à Armley. Il se fait vieux, son affaire périclite et il désire vendre pour échapper à la faillite. Nous nous étions mis d'accord sur la somme de cinquante mille livres, ce qui est raisonnable compte tenu de la valeur des installations. Il n'y a en effet presque aucun autre actif. La clientèle a virtuellement disparu et les stocks consistent en tissus de mauvaise qualité, pratiquement invendables...

— Ça ne me paraît pas une bien bonne affaire, chère madame, intervint Arthur en faisant l'important.

— Laissez-moi finir, je vous prie, dit Emma d'un ton

glacial. Les bâtiments et les machines sont en bon état, disais-je, et ne nécessitent que de menus travaux de modernisation. La filature possède surtout des stocks très importants de laine brute qui m'intéressent au premier chef. Venons-en maintenant à l'objet de notre entretien. Dans le compromis de vente que nous avons signé, M. Layton était d'accord sur mes conditions de règlement, qui étaient de quinze mille livres à la signature de l'acte et le solde au bout de six mois, délai suffisant pour remettre l'entreprise sur pied. Nous étions sur le point de conclure quand, il y a quelques jours, M. Layton m'a fait savoir qu'il changeait d'avis et ne désirait plus vendre. J'ai eu du mal à le croire mais je n'ai pu que m'incliner.

— Vous auriez été en droit de le forcer à respecter sa promesse de vente, dit Arthur en se rengorgeant. Mon père n'a pas oublié de vous le dire, j'espère ?

— Je lui en avais parlé, en effet, et il me l'a confirmé, répondit Emma en contenant mal son exaspération. Mais j'ai préféré ne rien faire sur le moment. M. Layton est un homme âgé, je ne voulais pas le mettre dans une situation délicate. J'ai donc informé monsieur votre père que je chercherais une autre filature. Or j'ai appris récemment de source sûre que la volte-face de M. Layton était due au fait qu'il avait reçu une autre proposition, à des conditions plus favorables que les miennes, bien que la somme totale soit identique. Le manque de correction de M. Layton à mon égard m'a d'abord irritée, car il aurait au moins pu m'informer de cette proposition pour me permettre soit de l'égaler soit de lui en faire une supérieure. J'ai cependant réfléchi et j'ai décidé de lui verser la totalité du prix qu'il demande en un seul règlement, payable dès lundi. »

Arthur Ainsley se redressa, se frotta le menton de l'air pensif du tabellion qui soupère les intérêts de son client et mesure l'étendue de ses responsabilités, et parla enfin en s'efforçant d'imiter son digne père :

« Je vois... En d'autres termes, vous ne lui soumettez pas de proposition plus favorable, vous modifiez simplement l'échelonnement des paiements pour en faire un règlement au comptant. Cela me paraît risqué, chère madame. Votre concurrent pourra se contenter d'en faire autant et vous vous retrouverez dans une impasse si Layton décide en fin de compte de ne pas vous vendre sa filature. Savez-vous où en sont ses pourparlers avec l'autre partie ?

— Ils n'ont encore rien conclu. Je sais par ailleurs que mon concurrent est incapable en ce moment de payer cette somme comptant, car il vient d'effectuer d'importants achats de machines pour ses propres filatures. Il hésitera sans doute à faire appel à une banque, du fait des taux d'intérêt actuels et il aura probablement du mal à obtenir du crédit, car il est fortement endetté. Tout ceci m'a donc amenée à penser que je puis m'en débarrasser sans mal en agissant vite auprès de Layton.

— C'est bien possible », admit Arthur qui ne pouvait rien dire de mieux.

Emma préféra ne pas relever l'ineptie de cette interruption et conclut son exposé :

« Je sais enfin que M. Layton est pressé de signer. Ses créanciers le harcèlent et il a besoin d'argent très rapidement. Vis-à-vis de lui, je suis donc dans une position de force. »

Arthur hocha la tête, visiblement impressionné par la logique imperturbable d'Emma. Sa dignité ne lui permettait cependant pas de la laisser triompher sans qu'il soulève des objections. Chargé de veiller aux intérêts de ses clients, un notaire a le devoir de les sauver de leur propre folie.

« Avez-vous bien réfléchi, chère madame ? demanda-t-il avec une gravité comique. Engloutir une pareille somme en temps de guerre dans une affaire chancelante représente un risque considérable.

— Je ne prends aucun risque, répondit Emma en haussant les épaules. Je compte précisément obtenir des marchés de l'Etat pour la fourniture d'uniformes. L'affaire est donc aussi peu chancelante que possible. »

Arthur Ainsley ne s'avoua pas battu :

« Vous pensez à tout, chère madame ! s'exclama-t-il

avec admiration. Vous me permettrez cependant de vous faire observer que vous serez bien loin d'être la seule à solliciter de tels marchés. Les filateurs de la région sont établis depuis longtemps, possèdent des contacts au ministère...

— Moi aussi, cher monsieur, dit Emma avec un sourire froid. Je n'ai aucune inquiétude à ce sujet.

— Dans ce cas... Dans quel sens désirez-vous que nous intervenions auprès de M. Layton ?

— Appelez-le par téléphone lundi matin à la première heure et faites-lui part de ma proposition. Prenez rendez-vous avec lui pour lundi après-midi à votre étude. J'y viendrai et nous signerons l'acte sur-le-champ. Assurez-vous aussi qu'il viendra avec son notaire et que l'acte sera prêt pour la signature, je ne veux aucune perte de temps. Est-ce clair ? »

Chipie, se répéta Arthur Ainsley. Elle s'y entend à donner des ordres... Il lui fit son sourire le plus soumis :

« C'est parfaitement clair, chère madame. Il en sera fait selon vos désirs. Cependant... »

Emma ne lui laissa pas le temps de finir :

« Voici un chèque de cinquante mille livres à l'ordre de votre père, dit Emma en lui tendant l'enveloppe. Vous pourrez ainsi dire à M. Layton, quand vous l'appellerez, que vous avez véritablement la somme entre les mains. »

Emma ne put s'empêcher de sourire en voyant la mine ébahie du jeune homme.

« Rassurez-vous, cher monsieur, reprit-elle. Vous n'aurez aucun mal à régler ce petit problème. Je vous répète que M. Layton est aux abois et que mon concurrent ne dispose pas des fonds nécessaires. Nous jouons sur le velours. »

Le ton subitement charmeur d'Emma, le « nous » qu'elle venait d'employer pour le hisser, croyait-il, à son niveau et, surtout, la brillante démonstration qu'elle venait de faire de ses qualités de femme d'affaires, tout cela balaya le dépit d'Arthur Ainsley qui se reprit à espérer :

« Avec vous, chère madame, aller au bout du monde serait facile ! Oserais-je vous prier à déjeuner lundi ? Je pourrais ainsi vous informer du résultat de ma conversation avec M. Layton et nous pourrions mettre au point...

— Je suis navrée ! l'interrompit Emma. J'ai justement un déjeuner lundi, que je ne puis décommander. Mais j'arriverai à l'étude à quatorze heures, si vous voulez. Nous pourrons ainsi jeter un dernier coup d'œil sur l'acte et vérifier que vous n'avez rien oublié. »

Arthur ravala son dépit de se voir une fois de plus dédaigné et, pis encore, rabroué sans subtilité. Il gaspillait décidément les trésors de sa séduction avec Emma Harte et ferait mieux de les répandre ailleurs...

« Soit. Je n'oublierai rien, n'ayez crainte, dit-il d'un ton vexé.

— Allons, tant mieux ! dit Emma en se levant. Au revoir, cher monsieur. Et n'oubliez pas de transmettre à votre père tous mes vœux de rétablissement. »

Arthur espérait s'incruster. Pris au dépourvu, il se leva précipitamment, son porte-document d'une main et son chapeau de l'autre, trébucha sur le tapis, salua gauchement de la tête puisque ses mains étaient prises et se retrouva à la porte sans avoir pu prononcer un seul de ses inoubliables compliments. Il se recoiffa rageusement sous l'œil narquois de la secrétaire et s'en fut à grands pas, rouge de confusion.

Emma referma la porte avec un sourire ironique. Ce pauvre Arthur se croit toujours aussi irrésistible, se dit-elle. Il va falloir lui faire perdre ses illusions une bonne fois... Quelques instants plus tard, elle avait oublié jusqu'à son existence.

Elle s'était à peine replongée dans son travail quand elle entendit la porte s'ouvrir et leva les yeux, excédée par cette intrusion. En reconnaissant Joe, elle se souvint de sa résolution de la veille au soir et l'accueillit avec tous les égards affectueux d'une épouse aimante et attentionnée. Mais Joe paraissait de mauvaise humeur et, avant qu'Emma ne lui en demande la cause, il laissa éclater sa colère :

« Que diable fabriquait encore ici Arthur Ainsley ? »
Emma le dévisagea, stupéfaite :

« Mais, Joe... C'est notre notaire ! Ne me dis pas que
tu l'as oublié.

— C'est son père qui est le notaire, grommela Joe.

— Frederick Ainsley est au lit avec la grippe. J'avais
une affaire urgente à régler avec lui et il a envoyé
Arthur à sa place. C'est pourtant simple !

— Je ne peux pas supporter cet individu ! »

De plus en plus ébahie devant l'attitude de son mari,
Emma hésita à répondre :

« Qu'as-tu, Joe ? Arthur Ainsley est un jeune homme
de bonne compagnie, même s'il est un peu fat. Et je le
crois capable.

— Capable ! Capable de te faire la cour, oui ! Cette
espèce de don Juan de pacotille se croit obligé de
séduire tous les jupons qu'il rencontre ! »

Emma ne put retenir son rire.

« Tu es trop drôle, Joe ! Arthur peut faire ce qu'il
veut, sa vie privée le regarde, voyons...

— C'est possible, mais je n'aime pas le voir te tourner autour comme il le fait. Et cela me regarde, Emma !
Ma parole, on ne voit que lui ! Pour qui se prend-il, je te
le demande ! Casanova ? »

Emma se força à reprendre son sérieux. Pour la première fois depuis leur mariage, Joe laissait paraître sa
jalousie, ce qui était amusant et flatteur. Elle ne lui
avait pourtant jamais donné prétexte à l'être. En fait,
Emma avait autre chose en tête que la galanterie.

« Tu t'énerves pour rien, Joe, lui dit-elle calmement.
Je n'encourage pas les assiduités d'Arthur Ainsley,
crois-moi, et je n'y fais aucune attention. Ce n'est pas
ma faute si son père l'envoie quand il est indisposé.
Allons, mon chéri, ne fais pas de caprice enfantin, c'est
indigne de toi. »

Joe convint de bonne grâce s'être montré ridicule et
présenta ses excuses. Quelques instants plus tard, il
demanda :

« Qu'avais-tu donc de si urgent à régler pour le faire
venir un samedi matin ?

Emma lui expliqua alors pourquoi elle voulait hâter l'acquisition de la filature Layton. Joe l'écouta en silence.

« Tu me fais peur, Emma, dit-il enfin d'un air pensif. Tu ne connais donc pas le proverbe : « Qui trop embrasse mal étreint »? Entre le magasin, Gregson et Lady Hamilton, il y a déjà de quoi occuper six personnes vingt-quatre heures par jour. Quel besoin as-tu de te mettre cette filature sur le dos?

— Rassure-toi, ce n'est pas moi qui m'en occuperai! répondit-elle en riant.

— Te connaissant comme je te connais, tu voudras y fourrer ton nez! L'usine a grand besoin d'être réorganisée, d'après ce que j'ai entendu dire.

— Certainement. C'est bien pour cela que j'ai pris mes précautions en engageant un directeur à la hauteur. Ben Andrews est d'accord pour...

— Ben Andrews? Tu plaisantes! Cela fait des années qu'il est chez Thompson, il ne voudra jamais le quitter.

— C'est ce qui te trompe, Joe. Depuis que Thompson a été racheté, il y a quatre ans, Ben Andrews ne s'entend pas avec les nouveaux propriétaires et désire changer de situation. De plus, il n'a pas pu refuser les conditions que je lui ai proposées...

— Tu choisis décidément tes collaborateurs aussi bien que tes marchandises, Emma! dit Joe en riant. Entre nous, cela a dû te faire plaisir d'avoir Andrews comme employé alors que tu as travaillé sous ses ordres.

— Peut-être. Mais il n'y a pas que cela. »

Non contente de rafler à Thompson son directeur, Emma avait en effet débauché les trois meilleurs contremaîtres et une vingtaine d'ouvriers triés sur le volet. Ainsi privée de l'élite de son personnel, la filature serait paralysée longtemps et n'arriverait probablement pas à s'en remettre. Emma s'abstint cependant de préciser à son mari qu'elle éprouvait une véritable jouissance chaque fois qu'elle y pensait. Car elle portait ainsi ses premiers coups aux Fairley, qui avaient racheté la filature au moment où Gerald lui avait fait subir sa répugnante agression.

Joe l'avait écoutée en silence et se rembrunissait à mesure que progressait le récit des prouesses d'Emma.

« Félicitations, dit-il enfin. Une fois de plus, tu obtiens ce que tu veux. Il n'y a jamais moyen de t'arrêter, n'est-ce pas ? Tu choisis ton objectif, tu fonces et tu bouscules les obstacles au passage, sans te soucier des souffrances que tu peux causer... »

Emma releva vivement les yeux, alertée par le ton amer et ironique qu'avait pris Joe.

« Tu fais de moi un bien vilain portrait, celui d'un monstre froid et sans scrupules. Tu sais pourtant que ce n'est pas vrai ! Je suis une femme d'affaires, j'en conviens. Mais personne ne m'a jamais rien donné pour rien. Tout ce que j'ai, je l'ai gagné par le travail...

— Je ne le sais que trop, Emma ! Ton travail, ton travail, il n'y a que cela qui compte, pour toi ! Es-tu donc incapable de penser à autre chose ? »

Devant le regard désabusé et accusateur de son mari, Emma se détourna et fouilla dans ses dossiers avec impatience. Elle n'était pas d'humeur à se justifier d'un trait de caractère dont on devrait la louer, encore moins à se lancer dans une discussion qu'elle jugeait inutile. Pour ne pas froisser la susceptibilité de Joe qui, ce matin avait l'air à cran, elle releva les yeux et demanda avec douceur :

« Comment se fait-il que tu sois en ville d'aussi bonne heure ?

— Je voulais passer quelques heures au bureau. Depuis quelque temps, je néglige mes affaires, moi... Au fait, je déjeune au Métropole avec Blackie, tout à l'heure. Tu sais que je voulais lui confier la surélévation et le renforcement de la tannerie. Mais il a tellement de travail qu'il prend du retard. Je voudrais un peu le houspiller.

— Donne-lui mes affections et dis-lui que j'irai voir Laura sans faute dimanche prochain. Tu sais, poursuivit-elle avec une moue soucieuse, je suis inquiète pour elle. Elle n'a pas l'air de se remettre de sa dernière fausse couche et je ne sais vraiment pas ce que je pourrais faire...

— Tu n'y peux rien! s'écria Joe. C'est à Blackie de se dominer, bon sang! Il se conduit comme un... »

Il se mordit les lèvres pour retenir l'inconvenance qui allait lui échapper. Emma lui décocha un regard sarcastique :

« Tu es mal placé pour lui donner des leçons. »

Joe rougit et se renfrogna :

« Ce que je voulais dire, c'est que tu en fais déjà trop pour Laura. A te voir avec elle, on dirait qu'elle est ta sœur.

— Elle l'est! répliqua Emma. Je ferais n'importe quoi pour Laura, tu m'entends? N'importe quoi!

— Oui, je ne le sais que trop bien... Allons, il vaut mieux que je m'en aille. A ce soir, Emma. »

Il se leva avec un soupir de lassitude. Emma le suivit des yeux et fixa longtemps la porte qu'il avait bruyamment claquée derrière lui. Quelle mouche a bien pu le piquer, ce matin? se dit-elle. Mais sa perplexité ne dura guère. Elle avait mieux à faire qu'à se soucier des caprices enfantins dont Joe était coutumier. Elle rangea ses livres de comptes dans le coffre et regagna son bureau d'un pas léger, la tête haute. Elle était sur le point de devenir industrielle, propriétaire d'une filature. Bientôt, elle allait lancer son premier coup d'aiguillon dans la graisse de Gerald Fairley. Cette pensée lui donna un petit frisson de plaisir. En faisant elle-même une bonne affaire, elle causait du tort aux Fairley! La situation était savoureuse, il fallait en convenir.

Sur son bureau, dans un cadre d'argent, la photographie d'Edwina lui souriait. Emma fixa le portrait de sa fille, la mine soudain sérieuse :

« C'est ce qu'on appelle la justice immanente, ma chérie, murmura-t-elle. Nous serons vengées, toi et moi. Et ce n'est encore que le début... »

Mais ses réflexions l'entraînaient déjà vers des idées plus constructives et Emma se détendit dans son fauteuil pour mieux méditer. Avant la visite du sémillant Arthur Ainsley, elle avait fugitivement pensé à quelque chose qui méritait d'être approfondi : cesser de vendre ses stocks de Gregson et se les réserver pour son propre magasin. Réduire, sinon suspendre, l'activité des représentants. Décourager les acheteurs en leur imposant des conditions draconiennes.

Elle se redressa, sonna sa secrétaire pour se faire apporter les états d'inventaire et sélectionner soigneusement les marchandises à conserver. Décidément, Gregson avait été l'un de ses plus beaux coups et, jusqu'à présent, son meilleur investissement. Une vraie mine d'or...

En 1910, peu après son mariage, Emma avait appris que les Magasins Gregson, entreprise de vente en gros, battaient de l'aile et pouvaient être rachetés pour une bouchée de pain. Elle en eut tout de suite envie, car elle avait vite compris l'énorme potentiel que cela lui offrirait en prolongeant ses activités. Elle disposerait ainsi d'une arme à double tranchant : d'une part, le moyen de s'assurer une croissance rapide de son chiffre d'affaires pour un investissement minime et, d'autre part, la possibilité d'acheter en grandes quantités des marchandises de bonne qualité à des prix réduits. Elle négocia et acheta Gregson pour la somme de deux mille livres, vite récupérée quand elle solda les stocks démodés ou médiocres qui encombraient les entrepôts.

En fait, cette vente lui laissa un bénéfice confortable qui lui permit de passer des commandes, pour lesquelles elle obtint en outre des conditions de paiement extrêmement avantageuses. Elle conclut également des marchés avec plusieurs petits confectionneurs, dont elle s'assurait l'exclusivité de la production. Ainsi assurée de ses approvisionnements, et capable de lancer sur le marché des produits supérieurs à des prix raisonnables, elle engagea quatre voyageurs de commerce chevronnés et se mit à prospecter les détaillants de Londres, d'Ecosse et du nord de l'Angleterre. Elle s'était offert du même coup la possibilité d'approvisionner ses propres magasins à des prix de revient imbattables.

Gregson devint rentable dès 1911 et fonctionna sans problèmes. Emma demanda alors à Joe de lui vendre les trois boutiques qu'elle lui louait encore et de lui céder les cinq autres dont il était toujours propriétaire. Joe refusa, malgré les cinq mille livres que lui proposait Emma :

« Je ne veux pas faire un bénéfice sur ton dos! » avait-il prétexté.

Ils discutèrent, ergotèrent, se fâchèrent, tant et si bien qu'ils firent appel à Frederick Ainsley pour arbitrer leur différend. A la surprise d'Emma, le notaire prit immédiatement son parti et entreprit de démontrer à Joe l'inanité de sa position :

« Par ses Admirables Efforts, Emma a fait de ces boutiques ce qu'elles sont. Elles étaient le plus souvent vides et ne vous rapportaient presque rien. Ne mérite-t-elle donc pas de posséder ce qu'elle a si bien su revaloriser? Cela lui constituera un Patrimoine pour l'avenir et vous n'avez rien à y perdre, mon cher Joseph, bien au contraire. Les cinq mille livres qu'elle vous offre généreusement pourront plus utilement être investies dans de Meilleurs Placements. C'est la sagesse même et votre Pauvre Mère n'aurait pas hésité un instant, j'en suis convaincu. »

Sans remarquer la grimace de Joe devant cette référence importune, le notaire l'avait ensuite attiré dans un coin :

« Entre nous, Joseph, lui dit-il d'un ton sévère, je m'étonne que vous n'ayez pas pensé à lui offrir les titres de propriété de ces malheureuses boutiques à titre de cadeau de mariage... »

Joe en était resté bouche bée. Emma, quand elle fut mise au courant de l'initiative de l'homme de loi, explosa :

« Non, je ne veux pas de cadeau! Je veux les lui acheter, pour qu'elles soient vraiment à moi sans qu'on puisse jamais le contester! »

Convaincu, maître Ainsley poursuivit ses bons offices. Il fit miroiter à Joe, qui n'en avait cure, des placements mirifiques pour le réemploi de ses cinq mille livres, si bien que le dépositaire du Patrimoine Lowther finit, de guerre lasse, par signer l'acte de vente. Sans qu'il sache pourquoi, cette opération lui laissait un vague malaise. »

Pour le payer, Emma avait pris une hypothèque sur Gregson. Six mois après, elle remboursa son emprunt. Un an plus tard, elle était prête à passer au deuxième stade de son plan de campagne, dont l'achat des boutiques de Joe ne constituait qu'un épisode préparatoire : elle fit l'acquisition de son grand magasin de Leeds.

Pour financer ce projet grandiose, elle commença par revendre ses huit boutiques d'Armley pour la somme de vingt mille livres. Joe en fut horrifié. Il reprocha à son entreprenante épouse d'avoir usé de manœuvres douteuses pour gonfler la valeur de ses locaux au-delà des limites permises et de détruire sa réputation. Emma balaya dédaigneusement ses objections : il lui avait vendu les murs, elle revendait des fonds de commerce, avec les stocks, la clientèle et les aménagements.

« Si j'avais pris le temps, j'en aurais même tiré bien davantage ! » avait-elle conclu.

Joe avait haussé les épaules et dissimulé sa réprobation derrière une façade d'indifférence. Il faisait la découverte d'une Emma inconnue et qui lui faisait peur, ce qu'il n'osait pas avouer.

Son mari s'était désintéressé de l'affaire. Emma ne lui en demandait pas davantage, car elle s'était déjà lancée dans une voltige financière qui aurait terrorisé le timoré Joe Lowther. Pour compléter ses vingt mille livres, elle avait repris une hypothèque sur Gregson et contracté des emprunts bancaires en donnant son grand magasin en garantie. Maître Ainsley lui-même, pourtant admirateur inconditionnel d'Emma, avait froncé les sourcils et prédit le pire. En à peine plus d'un an, Emma avait déjà tout remboursé. Elle était désormais seule propriétaire d'un ensemble qui faisait d'elle l'une des personnes les plus riches de Leeds.

Avec un sourire satisfait, Emma reposa l'inventaire de Gregson. Il y avait dans les entrepôts de quoi fournir son grand magasin jusqu'à la fin de la guerre, même si celle-ci devait durer deux ou trois ans comme le prévoyaient les plus pessimistes.

Mais c'était moins cela qui causait sa bonne humeur que la perspective de sa prochaine acquisition. La filature était un placement en or, certes. Mais aucun bénéfice ne vaudrait jamais la joie d'imaginer la tête de Gerald Fairley quand il verrait son directeur et la crème de son personnel le quitter. Pour lui, le châtiment allait bientôt commencer.

33

Debout devant une vitrine qu'il feignait de regarder, bousculé par les passants, Edwin Fairley s'efforçait en vain de trouver le courage de passer la porte. Il en était toujours de même : une fois sur le seuil du magasin, il faisait demi-tour et fuyait. Parfois, il n'osait pas même s'aventurer jusque-là et poursuivait son chemin sans s'arrêter.

Cela faisait bientôt un an que, de passage à Leeds, il avait remarqué une nouvelle enseigne dans l'une des principales rues commerçantes du centre. En lettres d'argent sur fond bleu, il avait vu avec incrédulité se détacher le nom : HARTE. Croyant d'abord à une coïncidence, il ne s'était pas arrêté mais sa curiosité finit par être la plus forte. Un instant plus tard, revenu sur ses pas, il avisa un portier en uniforme et se renseigna sur le propriétaire de l'établissement.

L'homme lui avait appris que le magasin appartenait à Mme Harte dont la description, faite en termes excessivement louangeurs, n'avait néanmoins laissé aucun doute dans l'esprit d'Edwin. Il en fut assommé : ce luxueux magasin était celui d'Emma et Emma était à Leeds, à quelques pas de lui... Un peu plus tard, Gerald le lui confirma volontiers et lui fit une mise en garde obscène soulignée d'un rire gras. Edwin s'était détourné, rougissant de colère et de honte, en se retenant pour ne pas envoyer un coup de poing dans la figure de son frère.

Depuis, chaque fois qu'il revenait à Ledds, Edwin allait rôder autour du magasin qui l'attirait comme un aimant. Il trouvait toujours un prétexte pour laisser Jane faire seule ses courses et allait arpenter les trottoirs, le cœur agité de mille émotions contradictoires. Une fois seulement il avait surmonté ses craintes et osé entrer. L'élégance qui régnait à l'intérieur lui fit une profonde impression et il en conçut une vive admiration pour Emma. A part cette unique incursion, il s'était contenté de tourner autour du bâtiment, espérant et redoutant à la fois d'apercevoir Emma. Il ne l'avait naturellement jamais vue et il se maudissait chaque fois de se laisser ainsi aller à un comportement aussi puéril. Mais il avait beau se jurer qu'il ne reviendrait plus et ne s'infligerait pas davantage des tortures inutiles, il y revenait à la première occasion.

C'est ainsi qu'en ce chaud samedi du mois d'août 1914, alors même qu'il aurait dû être à Fairley Hall avec son épouse et le reste de sa famille, Edwin se retrouvait devant une vitrine du grand magasin HARTE, partagé entre une envie irraisonnée d'y pénétrer dans l'espoir d'y entrevoir Emma, et la peur panique d'être par hasard nez à nez avec elle. Finalement, il se décida. Il rajusta machinalement son nœud de cravate, respira un grand coup et poussa la double porte. Mal à l'aise au milieu de la clientèle féminine, il se fraya un chemin jusqu'au rayon de la chemiserie, sans même prêter attention aux regards admiratifs qu'il récoltait sur son passage.

A vingt-six ans, Edwin Fairley était en effet un fort séduisant jeune homme. Grand, élancé mais solidement bâti, il avait hérité les traits virils et mélancoliques de son père, ainsi que sa distinction innée et son élégance vestimentaire. L'état d'esprit où il se trouvait ce jour-là ajoutait à son regard une touche d'égarement romantique qui ne laissait pas indifférentes les belles qui s'écartaient à regret pour le laisser passer.

Il s'arrêta au premier rayon qu'il trouva à peu près vide, comme pour y chercher refuge. Une vendeuse souriante lui proposa des cravates, qu'il fit semblant d'examiner sans cesser de regarder autour de lui à la dérobée. Finalement, gêné d'importuner davantage par ses caprices la jeune fille que paraissait désespérer ce client difficile, il en acheta deux ou trois au hasard et s'éloigna avec son paquet. Mais ce court répit lui avait permis de se ressaisir et Edwin décida d'acheter deux bouteilles des meilleurs parfums français, pour sa femme, et sa tante Olivia, qu'il ne parvenait pas à appeler sa belle-mère, et demanda, pour gagner du temps, qu'on lui emballe séparément les deux flacons. En attendant, il s'accouda négligemment au comptoir et fit des yeux le tour du rez-de-chaussée. Quand il en arriva au grand escalier, il eut un sursaut.

Emma en descendait lentement les marches. En la voyant, Edwin se sentit pâlir et rougir tour à tour. Jamais elle ne lui avait paru plus belle, plus épanouie, plus pleine d'une aisance souveraine. Sur un palier, où elle s'était arrêtée pour échanger quelques mots avec une cliente, elle s'anima, sourit. Des lueurs s'allumèrent dans ses inégalables yeux verts. Edwin la contemplait, hypnotisé. Il était incapable de détacher son regard de l'ovale parfait du visage d'Emma. Il était incapable de réprimer les mouvements désordonnés de son cœur.

Cela faisait neuf ans qu'il ne l'avait pas revue et il avait l'impression que leur dernière rencontre datait de la veille. Hier encore, il la tenait dans ses bras, au fond de leur caverne secrète au plus haut de la lande. Hier encore, elle l'aimait, il l'aimait... Il faillit presque céder à l'instinct qui le poussait vers elle, à ses pieds; au besoin qu'il éprouvait de lui parler, de la toucher, de demander des nouvelles de leur enfant; à l'envie folle de sentir, pour une fraction de seconde, les yeux verts se poser sur lui, la paume d'Emma lui effleurer la joue. Il n'osa pas et se retint. Car il savait, avec une affreuse certitude, qu'elle le repousserait, le rejetterait, l'annihilerait aussi sûrement et aussi complètement qu'elle l'avait fait, neuf ans auparavant, dans la roseraie. Pour elle, il n'existait plus.

Emma finit de descendre l'escalier et Edwin la vit

212

s'avancer entre les rayons d'un pas sûr, aussi maîtresse d'elle-même qu'elle l'était des lieux. C'est alors qu'il s'aperçut avec effroi que ses pas l'amenaient directement vers lui. Paralysé, le cœur battant la chamade, il fut incapable de faire un geste. Il eut un bref moment de soulagement en la voyant s'arrêter à un comptoir et parler avec une des vendeuses. Mais sa panique revint quand Emma tourna la tête et parut le dévisager. Il n'en était rien, heureusement. La mine absorbée, elle regardait quelque chose au rayon de la bijouterie, non loin derrière Edwin, et reprit sa discussion. Edwin respira. L'avait-elle ou non remarqué ? L'avait-elle, plus simplement, vu sans le reconnaître ? Non, se dit-il, c'était impossible. Il n'avait pas tellement changé et, de plus, sa ressemblance avec son père était trop frappante pour que l'on s'y méprenne. Alors, que faire ? S'éclipser, rester, risquer un face à face, une scène ?

Derrière lui, la voix de la vendeuse le fit sursauter. Avec effort, Edwin prit les paquets, répondit, tira son portefeuille pour payer en s'efforçant de ne pas montrer qu'il tremblait. Du coin de l'œil, il voyait Emma se remettre en marche et s'approcher à nouveau. Affolé, Edwin baissa la tête et attendit.

Elle passa si près qu'il entendit le doux froissement de sa robe et sentit une bouffée de son parfum. Pris d'un vertige, il crut tomber à ses pieds. Puis l'idée folle lui vint de la prendre dans ses bras, de la serrer sauvagement contre lui et de la couvrir de baisers. Il laissa couler un instant, se retourna.

Elle était passée, déjà loin. Immobile, Edwin la suivit des yeux et la vit se fondre dans la foule. Une fois ou deux, il reconnut le sourd éclat de ses cheveux châtain roux qui se détachaient brièvement, quand elle inclinait la tête en un salut. Puis il n'y eut plus rien que le moutonnement de la foule anonyme.

Edwin prit la monnaie qu'on lui rendait, bafouilla quelques mots à la vendeuse étonnée et se hâta vers la sortie. Il se sentait malade, défait, vidé. Debout sur le trottoir, respirant à pleins poumons l'air étouffant et poussiéreux, il retrouvait l'horrible sentiment de déroute et de désarroi qui l'envahissait si souvent depuis neuf ans.

Plus tard, il n'aurait su dire quand, il se mit à marcher, sourd et aveugle à ce qui l'entourait. Il ne voyait qu'Emma, son visage dont les traits étaient gravés en lui comme un poinçon s'imprime dans l'acier encore tendre. Bousculé, coudoyé, il avait la démarche hésitante d'un homme ivre. Peu à peu, cependant, il se ressaisit, son pas s'affermit, son esprit se dégagea du brouillard. La vue d'un bâtiment public le ramena à la réalité avec une brutalité salutaire. Edwin s'arrêta un instant et prit alors une décision sur laquelle il savait que rien ne le ferait revenir.

Peu après, ses démarches effectuées, il retourna près de la gare où attendait la limousine du château et s'affaissa sur les coussins. Pendant tout le trajet, il ne put penser qu'à Emma. Le choc de l'avoir revue avait été si violent qu'il comprenait, maintenant, pourquoi il l'avait si longtemps souhaité autant que redouté. Sa vue avait réveillé en lui des passions oubliées, un amour qu'il avait tout fait pour tuer. Elle lui avait aussi fait mesurer le vide effrayant de sa vie. Elle avait enfin, et surtout, ravivé la brûlure de sa honte, l'amertume de son sentiment de culpabilité, remords qui étaient toujours restés vivaces.

Depuis neuf ans, le souvenir d'Emma torturait Edwin. Il n'avait jamais pu trouver le plaisir dans les bras d'une autre femme, encore moins l'oubli. En avait-il pourtant connu, ces dernières années! Pourquoi fallait-il aussi qu'il se complaise dans la compagnie de celles qui, de près ou de loin, ressemblaient à Emma ou évoquaient quelque vague souvenir d'elle? Pourquoi, après avoir lâchement abandonné Emma, fallait-il continuellement qu'il cherche à lui trouver un simulacre de remplaçante, qui bien entendu le décevait aussitôt qu'approchée? De jour, de nuit, Emma le hantait sans que jamais le spectre de leur amour gâché lui laisse de répit.

Edwin était aussi rongé de l'incessant désir de

connaître leur enfant. Il devait avoir près de huit ans. S'il vivait, à qui ressemblait-il? Etait-ce un garçon, une fille? A chaque fois qu'il y pensait, Edwin ressentait de l'amertume. Emma lui avait donné un enfant illégitime, un enfant auquel il n'avait pas droit alors que Jane, son épouse légitime, n'avait jamais pu ou su lui offrir ce descendant dont il rêvait. Leur union en serait peut-être devenue plus supportable... Emma, Jane. Pourquoi l'avait-il épousée? Il aurait dû, encore une fois, faire preuve de caractère, résister aux pressions que lui avait fait subir sa famille. Maintenant, par faiblesse, il traînait Jane comme un boulet. Cette pauvre fille insipide et stérile était la croix qu'il devrait porter jusqu'à sa mort... Non, se reprit-il, c'est inutilement injuste et méchant. Pour d'autres que lui, Jane avait sans doute du charme et des qualités. Ce n'était pas sa faute s'il n'avait rien à lui offrir, s'il était incapable de lui rendre son amour muet et timide. Ce n'était pas la faute de Jane si Edwin Fairley appartenait à Emma Harte d'un amour sans espoir qui durerait autant que sa vie.

L'humeur d'Edwin dura jusque dans la soirée. Il fit un effort pour paraître au dîner de famille, plus interminable que jamais, et participer du bout des lèvres à la conversation. C'est avec soulagement qu'il entendit son père lui proposer d'aller fumer un cigare dans la bibliothèque. Heureusement, Gerald était absent et Edwin, depuis le début de son séjour au château, attendait l'occasion d'être seul avec son père pour lui parler.

Après qu'ils eurent bavardé quelques instants de choses et d'autres, Edwin prit enfin le courage d'aborder le sujet qui lui tenait au cœur :

« Je voudrais vous parler, père... » commença-t-il.

Adam se tourna vers lui et l'observa avec attention :

« Qu'y a-t-il, Edwin? J'ai remarqué depuis tout à l'heure ton air morose. As-tu des ennuis?

— Non, tout va bien... Je voulais simplement vous annoncer que j'ai pris aujourd'hui une décision que j'avais trop longtemps retardée. Je me suis engagé dans l'armée. »

Adam Fairley pâlit et reposa lentement son verre de cognac sur la table basse.

« N'est-ce pas un peu hâtif, Edwin? Nous n'en sommes qu'aux premières semaines de la guerre. Attends au moins de voir comment les choses vont évoluer. Et puis pourquoi te porter volontaire? L'on n'incorpore encore que les célibataires.

— Je le sais, père. Mais ma décision est prise et je n'y reviendrai pas. Il est inutile, je pense, que je vous lise ceci », dit-il avec un sourire.

Il se pencha et prit le numéro du matin de la *Yorkshire Morning Gazette,* dont la première page repliée laissait apparaître les gros caractères d'un appel aux volontaires.

« Depuis près d'une semaine que vous le publiez tous les jours, je pense que vous le savez par cœur », reprit-il en dépliant le journal.

Il le laissa retomber sur la table basse. Encadré d'un épais filet, l'appel commençait par un titre : LE ROI ET LA PATRIE ONT BESOIN DE VOUS! pour se terminer par cet impératif : ENGAGEZ-VOUS AUJOURD'HUI MEME, C'EST VOTRE DEVOIR!

Adam secoua la tête avec lassitude :

« Je sais, Edwin, je sais. Tu n'as pas besoin de faire appel à mon patriotisme pour te justifier. La patrie est en danger. Mais le gouvernement est assez sage pour ne pas exiger le sacrifice des hommes mariés. Je t'en conjure, Edwin...

— C'est trop tard, père, j'ai signé mon engagement cet après-midi et je dois être incorporé lundi. Je vous demande simplement de me comprendre et de me pardonner la peine que je vous cause, car je ne voudrais pas vous quitter en colère contre moi. »

Adam ne répondit d'abord pas. D'un geste instinctif, il prit son fils par les épaules et le serra contre lui, tellement ému qu'il craignit un moment de pleurer. Quand il fut sûr de parler sans chevroter, il le regarda dans les yeux :

« Je ne serai jamais en colère contre toi en de telles circonstances, mon garçon. Tu partiras avec ma bénédiction. J'aurais souhaité que tu attendes un peu, mais puisque ta décision est prise, nous n'y reviendrons pas.

— Merci, père. »

Les deux hommes se turent un instant. Adam se leva et, pour se donner une contenance, alla remplir les verres. Quand il revint, il resta adossé à la cheminée, dans sa posture favorite, et regarda son fils avec une affection mal déguisée.

« J'aurais sans doute fait de même à ton âge, dit-il, et je suis sûr que mon père aurait réagi comme je le fais aujourd'hui. Mais tu es si jeune, Edwin...

— Pas plus que tous les jeunes gens qui vont partir pour le front, père. »

Adam soupira et but une gorgée d'alcool.

« As-tu prévenu Jane ? demanda-t-il.

— Oui, avant le dîner. Elle m'a compris, je crois. Elle vient d'ailleurs d'une famille d'officiers et elle a le sens du devoir. Son frère compte lui aussi signer son engagement la semaine prochaine.

— Quand nous retournerons à Londres, il vaudrait mieux qu'elle vienne vivre avec nous plutôt que de rester seule dans cette grande maison d'Eaton Square. Je le lui dirai demain.

— Je ne sais pas si elle compte rester à Londres. Elle va sans doute préférer tenir compagnie à son père qui va se retrouver seul. Jane a toujours aimé la campagne, vous le savez.

— Bien sûr. Mais nous serons toujours heureux de l'accueillir. Nous serons bien seuls, nous aussi... »

Adam Fairley se détourna et s'absorba tristement dans la contemplation de la cheminée vide. Au bout d'un moment de silence, Edwin se gratta la gorge pour attirer son attention :

« J'ai ici quelque chose que j'aimerais vous donner avant de partir, père. »

Il sortit de sa poche un objet enveloppé d'un mouchoir de soie et le tendit à Adam qui le prit distraitement.

« Je l'ai trouvé il y a quelques années et cela a sans doute dû vous appartenir, c'est pourquoi il est normal que je vous le rende. Est-ce vous qui l'avez peint ? Ce portrait ressemble étonnamment à tante Olivia. »

Adam défit le mouchoir et contempla avec surprise un galet plat dont l'une des faces était peinte. Il passa machinalement le doigt sur le beau visage, comme pour le caresser.

« Tu l'as verni ? demanda-t-il.

— Oui, pour empêcher les couleurs de passer au jour. » Adam Fairley hocha la tête et baissa les yeux vers ce portrait qui réveillait tant de souvenirs. Il l'avait peint quand il avait dix-sept ans. En le regardant, les années s'effacèrent. Il *la* revit, debout à l'ombre des rochers, au Sommet du Monde. Ses cheveux flottaient dans le vent, ses yeux étaient d'un bleu plus profond que le ciel. Sa voix résonna à nouveau à ses oreilles : « J'attends un enfant, Adam... »

Etonné, inquiet de l'expression de son père, Edwin insista :

« De qui est ce portrait, père ? C'est bien celui de tante Olivia, n'est-ce pas ? »

Adam ne l'entendit pas. Il était si bien emporté par ses souvenirs qu'un sourire apparut sur ses lèvres. Avait-il jamais vraiment oublié ? Avec des gestes presque tendres, il renveloppa le galet et le tendit à Edwin :

« Garde-le, mon petit, dit-il à voix basse. C'est toi qui l'as retrouvé, il t'appartient. Un jour, je t'en raconterai l'histoire. Mais pas maintenant... »

Il s'interrompit pour jeter à Edwin un regard chargé de curiosité :

« Je suppose que tu as trouvé cette pierre dans cette caverne près de Ramsden Crags, n'est-ce pas ?

— C'est exact », répondit Edwin.

Déconcerté par les réactions inattendues de son père, il leva les yeux vers lui et hésita avant de poursuivre :

« Ce n'est pas tout, père. Depuis des années, je recule le moment de vous parler de quelque chose qui... Le courage m'a toujours manqué et pourtant, cela empoisonne ma conscience. Avant de partir, il faut que je me confie à vous. »

Adam hocha la tête et s'assit dans une bergère, en face d'Edwin. Il lui fit un sourire, s'efforça par son comportement de le mettre en confiance et de lui rendre la confession moins pénible.

« Je t'écoute, mon garçon.

— Eh bien... »

Il s'interrompit, se leva nerveusement :

« Il vaut mieux que je me serve d'abord à boire. »

Adam le suivit des yeux pendant qu'il allait remplir son verre. Le cœur serré, il alluma une cigarette, s'appuya la tête au dossier de la bergère et ferma les yeux. Edwin ne sait pas à quel point il me ressemble, se dit-il avec un mélange de tristesse et d'attendrissement. Il n'a pas seulement mes traits, il a aussi mon caractère et mes faiblesses...

Et Adam Fairley s'apprêta à écouter son fils lui faire l'aveu de ses amours passées avec Emma Harte et lui parler de l'enfant qu'ils avaient eu.

34

Le premier appel lancé par Lord Kitchener, le nouveau ministre de la Guerre, avait permis de lever une armée de cent mille volontaires. Winston Churchill, Premier Lord de l'Amirauté, avait déjà mis la Royal Navy sur le pied de guerre. Ainsi, entre le 16 et le 20 août 1914, la marine put-elle assurer le transport des quatre premières divisions du corps expéditionnaire britannique à travers la Manche sans y perdre une barge ni la vie d'un mousse. Au début de septembre, deux autres divisions prirent le même chemin. Le succès complet de ces opérations constitua un triomphe personnel pour Churchill, dont les efforts incessants en faveur de la marine portaient des fruits que l'on appréciait enfin à leur juste valeur.

Les canons de l'été ne cessèrent plus de tonner. Dès le début de 1915, la guerre dépassait en horreur tout ce que le monde avait connu jusqu'alors. Par centaines de milliers, les jeunes hommes tombaient sur les champs de bataille de Belgique et de France, ensevelissant avec eux dans la boue l'espoir des générations futures. Pour les Alliés, l'enjeu était désormais la survie ou l'anéantissement. Il ne s'agissait plus, comme naguère, de se disputer la possession de quelques places fortes ou de provinces. L'on combattait pour défendre le droit des peuples à vivre sous les lois qu'ils s'étaient choisies.

Des événements aussi graves donnaient à réfléchir à tous et Emma pensait souvent elle aussi aux conséquences de la guerre, à l'état du monde et de la société après ces hécatombes et aux bouleversements qui en résulteraient. Mais il n'était pas dans son caractère de spéculer sur un avenir incertain au détriment du présent et des problèmes immédiats. Elle était bien forcée de voir les chances que lui offrait la conjoncture et n'avait jamais éprouvé la moindre répugnance, au contraire, à gagner de l'argent. Quand, par extraordinaire, il lui venait un scrupule à l'impression de profiter de la guerre, elle le chassait par la raison : les uniformes qu'elle fournissait aux forces armées, celles-ci en avaient besoin. Si ce n'était pas elle qui en bénéficiait, quelqu'un d'autre le ferait nécessairement à sa place. De fait, beaucoup d'autres s'étaient précipités sur cette manne et l'on ne voyait plus guère que du kaki ou du bleu marine sortir des ateliers de confection du Yorkshire. Quant aux filatures, elles produisaient du drap au kilomètre pour satisfaire aux besoins du Royaume-Uni et des Alliés.

Il arrivait aussi à Emma d'éprouver un remords en constatant qu'elle se dévouait presque exclusivement à ses affaires et négligeait sa famille. Mais sa honte était vite balayée par les exigences professionnelles et la certitude de ne pouvoir y échapper sans manquer gravement à d'autres devoirs. Jour après jour, elle volait du magasin Harte aux entrepôts Gregson, de la filature Layton aux ateliers Kallinski, soutenait seize heures par jour un train d'enfer, vérifiait tout, tranchait ici pour convaincre là, organisait, redressait, expédiait sans se rendre compte du passage du temps ni de l'épuisement de ceux qui tentaient de la suivre.

Ses efforts incessants étaient récompensés. Le grand magasin ne souffrait pas trop, bien que son chiffre d'affaires eût sensiblement décru. Mais cela permettait de faire durer les stocks entreposés chez Gregson, auxquels Emma avait réussi à adjoindre de nouveaux approvisionnements. Sous la direction éclairée de Ben Andrews, la filature Layton tournait à plein rendement et parvenait même à garantir des délais légèrement meilleurs que ceux de ses concurrents. David et Emma avaient par ailleurs temporairement suspendu la production des robes sous la griffe « Lady Hamilton », et l'usine de York Road se consacrait exclusivement à la confection d'uniformes. Ainsi, Emma n'avait pas lieu de se plaindre. Des quatre entreprise dont elle s'occupait, deux se maintenaient tandis que les deux autres opéraient à pleine capacité et, malgré les bas prix imposés par les marchés de l'Etat, dégageaient des bénéfices considérables.

En ce froid après-midi de décembre 1915, cependant, elle ne pensait pas aux affaires. Elle avait l'esprit occupé des préparatifs des fêtes de Noël auxquelles elle voulait donner, cette année, un éclat particulier. Edwina et Christopher avaient été trop délaissés. Elle attendait surtout avec impatience son frère Frank qui devait séjourner chez elle plusieurs semaines. Il avait été légèrement blessé au mois de novembre et allait passer sa convalescence en Angleterre. Il ne manquait que Winston pour que la fête soit complète, mais son frère aîné était au plus fort des batailles navales de l'Atlantique et de la mer du Nord. Malgré l'inquiétude que lui causait l'absence de nouvelles et la tristesse de ne pas l'avoir revu depuis le début de la guerre, Emma ferait tout pour que les fêtes soient joyeuses. Elle avait déjà prévu le sapin, la dinde et le plum-pudding. Les souliers seraient remplis de cadeaux. Et Frank, ce qui importait davantage, retrouverait la chaleur d'un foyer et le calme nécessaire à sa guérison.

Ce matin-là, David lui avait fait transmettre un message lui demandant de passer d'urgence le voir à l'usine. Emma avait profité de livraisons à effectuer dans le quartier pour sauter dans un de ses fourgons automobiles et, arrivée devant l'usine, dit au chauffeur de l'attendre. En pénétrant dans le bureau de David, elle eut l'agréable surprise d'y voir Abraham Kallinski qui se leva pour l'accueillir avec un sourire joyeux.

« Chère petite ! s'écria le vieux monsieur en la serrant dans ses bras. Je croyais ne jamais vous revoir. Janessa ne cesse de demander de vos nouvelles.

— Je vous ai tous bien négligés, admit Emma avec un sourire contrit. Mais les affaires me prennent tout mon temps...

— Je sais, je sais, notre petite Emma est devenue une grande femme d'affaires, répondit Abraham avec fierté.

— Ne vous l'avais-je pas toujours dit, papa ? » intervint David en riant.

Il était assis à son bureau, derrière une masse de papiers. Avant qu'Emma prenne un siège, il se leva pour aller l'embrasser sur les joues. Ils se serrèrent en une longue étreinte où passa tant de chaleur mal réprimée que ce geste révélateur n'échappa pas à Abraham Kallinski. Mon Dieu, se dit-il, pourvu que Rebecca et Joe ne les voient pas ainsi !

Il se gratta la gorge avec affectation pour les rappeler aux convenances :

« Venez ici, Emma, asseyez-vous à côté de moi. Et toi, paresseux, retourne à ton bureau ! » dit-il à son fils.

Emma et David se séparèrent à regret.

« Pourquoi voulais-tu me voir ? demanda Emma. Il ne s'agit pas d'un problème avec l'usine, j'espère ?

— Non, au contraire. Mais j'ai quelque chose à te proposer et je voulais t'en parler de vive voix. »

David expliqua alors que son père, se sentant vieillir et surmené par la direction de son atelier, était décidé à s'en séparer. Sa mère, inquiète pour la santé d'Abraham dont le cœur avait toujours été délicat, pesait de toute son autorité pour hâter cette retraite et David avait offert à son père de lui racheter son affaire.

« C'est une excellente idée que j'approuve sans

réserve, s'écria Emma. Pourquoi m'as-tu demandé mon avis, David ? Tu es majoritaire dans la société et c'est toi le patron...

— J'ai trop peur de toi pour prendre seul des décisions de cette importance ! répondit David en riant. Je suis ravi que tu sois d'accord, nous pourrons faire faire les papiers par Ainsley dès la semaine prochaine. »

Quelques minutes plus tard, après qu'ils eurent mis au point les détails de la transaction, Emma se leva :

« Excusez-moi de vous quitter si vite, mais j'ai promis aux enfants d'être rentrée de bonne heure pour les aider à décorer l'arbre de Noël.

— Vous avez raison, Emma. Il ne faut jamais décevoir les enfants. Les promesses qu'on leur fait sont sacrées, dit Abraham en tournant vers David un regard chargé de reproches. J'en connais au moins un qui n'en est guère convaincu...

— C'est le travail, papa ! protesta David.

— Le travail a trop bon dos, mon garçon. Dieu sait que je ne suis pas paresseux, mais il y a un temps pour tout. »

Emma ne put s'empêcher de rougir, tant ce reproche la touchait de près. Gêné lui aussi, David lui prit le bras et l'entraîna avec autorité vers la porte.

L'arbre de Noël était parfait. Le matin même, la femme de chambre l'avait planté dans un pot à côté de la cheminée du salon et avait posé devant la boîte pleine de décorations. Emma venait de s'agenouiller pour les déballer quand Joe ouvrit la porte.

« Emma ? s'écria-t-il avec surprise. Tu rentres tôt, aujourd'hui !

— J'avais promis à Edwina de l'aider à décorer l'arbre », répondit-elle en se tournant vers lui.

Tout en défaisant les guirlandes, Emma raconta alors à Joe son entretien avec les Kallinski et la décision qu'ils venaient de prendre d'absorber l'atelier d'Abraham. Joe l'écoutait en fronçant les sourcils.

« Cela ne me paraît pas une aussi bonne idée que tu le dis. Tu vas encore avoir des responsabilités, du travail en plus du tien. Comme si tu n'en avais pas assez...

— Mais non, c'est David qui s'en occupera, voyons !

— Vous avez tous les deux les yeux plus grands que le ventre et tu es presque pire que lui, grommela Joe. Pourquoi le vieux Kallinski n'a-t-il pas tout simplement vendu son affaire à quelqu'un d'autre ?

— Pourquoi ne pas la laisser dans la famille ? rétorqua Emma. De plus, il a toujours été bon pour moi et je suis ravie de lui rendre ce service.

— Passons, passons, dit Joe avec agacement. Je ne te disais cela que pour ton bien, Emma. De toute façon, ce n'est pas moi qui oserais critiquer tes brillantes initiatives. David et toi n'en faites qu'à votre tête.

— Nous t'avons toujours tenu au courant de nos projets !

— Oui, après coup, dit-il avec un ricanement désabusé.

— Oh ! Joe, je t'en prie ! Ne nous disputons pas, c'est bientôt Noël et...

— Qui se dispute ? coupa Joe. C'est vraiment le comble ! Je ne peux plus ouvrir la bouche sans que tu m'accuses de... »

Joe s'interrompit brusquement, son visage s'éclaira et il reprit tendrement :

« Ah ! te voilà, ma chérie ! Entre, voyons, ne reste pas à la porte. »

Surprise, Emma tourna la tête. Debout sur le seuil, Edwina hésitait à s'avancer. A l'invite de Joe, elle se précipita dans les bras qu'il lui tendait et ils s'embrassèrent avec des cris de joie. Sans la lâcher, Joe la fit tournoyer et la petite fille se mit à rire aux éclats, sa robe de velours bleu et ses longs cheveux blonds flottant autour d'elle comme une auréole. Un instant plus tard, il la reposa délicatement à terre et se pencha avec sollicitude :

« Tu n'es pas étourdie au moins, mon ange ?

— Oh ! non, papa ! »

Emma s'était approchée en souriant et s'accroupit pour embrasser sa fille :

« Bonjour, ma chérie. Tu vois, je suis rentrée de bonne heure comme je te l'avais promis. Je t'attendais pour décorer l'arbre de Noël.

— Bonjour, maman », répondit Edwina distraitement.

Elle se dégagea avec impatience pour reprendre la main de Joe, vers qui elle leva un visage radieux :

« Papa, papa, venez m'aider à décorer l'arbre ! Oh si ! si !, insista-t-elle en le voyant hésiter. Je veux que ce soit vous qui m'aidiez ! »

Le sourire d'Emma s'était à peine terni. Edwina grimpa sur une table avec l'aide de Joe.

« Où veux-tu que j'accroche cette cloche ? » demanda Emma en montrant un ornement.

« Où croyez-vous qu'elle fera joli, papa ? lui demanda-t-elle.

— Eh bien, je ne sais pas moi... Tiens, pourquoi pas là ? » dit-il en montrant une branche.

Edwina se tourna alors vers Emma :

« La cloche, s'il vous plaît, maman », dit-elle froidement.

Emma lui tendit l'objet, qu'Edwina donna immédiatement à Joe :

« C'est vous qui l'accrocherez, papa. Où vous voulez. »

Le manège se répéta : chaque fois qu'Emma voulait donner un ornement à Edwina ou suggérait un endroit où l'accrocher, la petite fille faisait mine d'ignorer ce que lui disait sa mère pour ne suivre que les idées de son beau-père. Emma ne put feindre plus longtemps d'ignorer ces rebuffades. Aux yeux de sa fille, c'était elle l'intruse, l'indésirable. Elle recula de quelques pas, les regarda rire ensemble, repoussa l'accès de jalousie qui lui serrait la gorge. Pourquoi se formaliserait-elle de l'adoration que se vouaient sa fille et son mari ?

Ils ne s'aperçurent même pas du départ d'Emma. Elle referma doucement la porte du salon et s'y appuya, soudain épuisée. Les yeux lui piquaient, ses jambes menaçaient de se dérober. Au bout d'un moment, quand elle eut repris sur elle, elle traversa silencieusement le hall, décrocha son manteau et se glissa presque furtivement hors de la maison.

La nuit était froide et sombre et la neige tombait en rafales. L'avenue n'était que chichement éclairée par les réverbères disposés de loin en loin, devant les entrées des propriétés, mais la lumière reflétée par la neige qui s'accumulait suffisait à guider les pas d'Emma. Edwina aurait son Noël tout blanc, comme elle en rêvait, se dit Emma en se mordant les lèvres. Mais Noël avait perdu pour elle toute la joie qu'elle s'en promettait. Depuis bientôt deux ans, la froideur et l'indifférence d'Edwina s'aggravaient et lui causaient des blessures de plus en plus douloureuses. Ce soir, la petite fille lui avait fait un affront délibéré, comme pour lui signifier qu'elle la rejetait définitivement. Peut-être l'avait-elle mérité, après tout ? Il n'était sans doute pas trop tard pour rentrer dans ses bonnes grâces...

Elle était encore plongée dans ses tristes réflexions quand elle atteignit la grille de la dernière maison, où vivaient les O'Neill. Blackie l'avait achetée en 1913, deux ans après son mariage avec Laura. Ce n'était pas le gracieux manoir du xviiie qu'il avait rêvé de se construire mais l'édifice était imposant et de lignes assez sobres pour ne pas être de mauvais goût. Blackie y avait apporté des aménagements qui l'avaient grandement amélioré.

Une jeune servante irlandaise répondit à son coup de sonnette et la débarrassa de son manteau. Emma allait demander si Madame pouvait la recevoir quand Blackie apparut en haut de l'escalier.

A vingt-neuf ans, Blackie O'Neill était plus séduisant que jamais et avait gagné avec le temps la prestance que donne la sûreté de soi. La modeste entreprise artisanale fondée avec son oncle Pat avait prospéré pour devenir l'une des plus importantes de la région. Sans être encore le millionnaire qu'il se vantait de devenir, il avait acquis une fortune assez solide pour se permettre de sacrifier à son goût pour les signes extérieurs de la richesse. Avec doigté, Laura avait peu à peu réussi à le détourner des cravates trop voyantes, des gilets cha-

226

marrés et des bijoux scintillants qu'il affectionnait avec excès. Elle avait fait disparaître le plus choquant de sa vulgarité hâbleuse et de sa jovialité souvent tonitruante, si bien que Blackie faisait en fin de compte une assez belle figure de *gentleman*. Il avait perdu son rocailleux accent irlandais, qui ne reparaissait plus que dans les grandes occasions, beuveries ou accès de désespoir. Il avait en revanche conservé, ce qui faisait partie de son charme, le cabotinage instinctif du comédien dont il usait avec succès dans ses affaires. Le goût qu'il avait toujours eu pour les meubles anciens et les objets d'art s'était affiné et la demeure avait aussi grande allure que son propriétaire.

En voyant Emma, il eut un sourire épanoui et dévala l'escalier pour la rejoindre et la serrer dans ses bras.

« Tu en fais une tête, ma parole! s'exclama-t-il après les premières embrassades. Tu n'es pas malade, au moins?

— Non, Blackie. Un peu fatiguée, c'est tout...

— Fatiguée, toi, l'inusable Emma? Je n'en crois pas mes oreilles! Mais j'en crois mes yeux, poursuivit-il en l'examinant avec un peu d'inquiétude. Es-tu sûre que tout va bien?

— Mais oui, Blackie, tout va bien. Et Laura?

— Elle est au salon. Elle va être ravie de te voir. »

Laura était assise devant la cheminée et tricotait un pull-over kaki. Elle le laissa tomber pour embrasser son amie et Emma se sentit déjà mieux en sa compagnie. Quand tout le monde se fut installé, Laura reprocha à Emma de ne pas être venue depuis plus d'une semaine.

« Je suis débordée, en ce moment, s'excusa-t-elle. J'ai quand même pensé à t'apporter ce que tu m'avais demandé pour la vente de charité. Ta femme de chambre l'a pris quand je suis arrivée. J'y ai ajouté quelques petites choses pour ton œuvre des colis aux combattants. »

Voyant que la conversation s'établissait entre les deux femmes qui l'excluaient de leur intimité, Blackie se retira bruyamment en promettant de revenir. Elles le regardèrent s'éloigner en souriant et Emma s'abandonna à la sensation de paix qu'elle ressentait toujours en compagnie de Laura.

Tandis que celle-ci parlait de sa prochaine vente de charité pour les enfants nécessiteux et des autres œuvres dont elle s'occupait activement, Emma l'observait avec affection. La jeune femme était plus gracieuse et plus jolie encore que lors de leur première rencontre. Malgré sa santé délicate et les deux fausses couches qui l'avaient affaiblie, elle semblait reposée et heureuse. Elle aimait profondément Blackie et le bonheur de son mariage avec lui n'était terni que par sa déception de n'avoir pu encore lui donner d'enfant.

Laura en était à décrire l'arbre de Noël qu'elle comptait préparer le lendemain au patronnage quand elle remarqua que le visage d'Emma s'assombrissait.

« Qu'y a-t-il, Emma ? demanda-t-elle avec sollicitude. Quelque chose te trouble, je le sens. Pourquoi ne te confies-tu pas à moi ? »

Emma hésita avant de répondre :

« C'est vrai, Laura. T'entendre parler de l'arbre de Noël a réveillé une peine que j'aurais préféré garder pour moi. »

Elle raconta alors l'incident qui venait de se produire avec Edwina.

« Il est normal que les filles soient attirées vers leur père, dit Laura. Tu sais bien que cela ne dure pas, il ne faut pas t'en faire une montagne.

— Je sais, Laura. Edwina a toujours mieux aimé Joe que moi et il l'adore. J'en suis sincèrement très heureuse. Aussi, ce n'est pas cela qui me gêne, mais la froideur d'Edwina à mon égard. Je crois pourtant faire tout pour mériter son affection.

— C'est vrai, Emma, mais tu ne peux pas empêcher les enfants d'être ce qu'ils sont. Ils se montrent parfois cruels sans en être conscients. Edwina est sage et douce...

— Trop sage, au point qu'elle m'effraie par moments. Elle vit trop repliée sur elle-même, comme à l'écart du monde.

— Ce n'est que de la réserve, de la timidité. »

Elles parlèrent ainsi longtemps, sans que Laura parvienne à réconforter Emma. Celle-ci accueillait avec une moue sceptique les tentatives de son amie pour lui remonter le moral. Laura, de son côté, n'osait pas dire à Emma qu'Edwina n'avait pas tous les torts.

Le retour de Blackie ramena la bonne humeur. Il servit le sherry, leva son verre en l'honneur de Noël, les força à boire elles aussi en les étourdissant d'anecdotes. Plus tard, avant de raccompagner Emma, il la regarda d'un air ironique :

« Dis-moi, j'ai entendu dire en ville que Thompson bat de l'aile, en ce moment. Il paraît que son drap est de mauvaise qualité et qu'il ne tient pas ses délais. Serait-ce vrai ? »

Emma réprima un sourire :

« C'est ce qu'on raconte », dit-elle d'un ton évasif. Et elle se hâta de détourner la conversation.

Le Nouvel An n'apporta aux Alliés que des nouvelles désastreuses. L'hécatombe se poursuivait dans les tranchées à un rythme effrayant. Les offensives et les contre-offensives se succédaient sans autre résultat que de regagner ou reperdre quelques mètres de boue rendue à jamais stérile par le fer et le feu. Le 4 janvier 1916, le Premier ministre Henry Asquith présenta à la Chambre des Communes un projet de loi tendant à instituer la conscription obligatoire pour tous les célibataires et les hommes mariés sans enfants. Ardemment combattue, cette loi fut finalement votée le lundi 24 janvier par 347 voix contre 36. Elle fut promulguée et mise en application immédiatement le 2 mars 1916.

Emma avait suivi avec alarme les débats parlementaires car, elle n'en doutait pas, la conscription serait inéluctablement étendue aux pères de famille en âge de porter les armes. Quelques semaines plus tard, les événements lui donnèrent raison.

Un matin de mai, la lecture du *Times* lui confirma

ce qu'elle redoutait : le Premier ministre demandait au Parlement que soient incorporés pour le service armé tous les hommes de dix-huit à quarante ans. En face d'elle, à la table du petit déjeuner, Joe lui répondit :

« Ce n'est pas étonnant, Emma. Kitchener réclame des hommes depuis déjà des mois. »

Elle essaya en vain de sourire :

« Tu n'as pas de raison cachée pour être réformé, je suppose ?

— Non, ma chérie, aucune raison. »

L'extension de la conscription fut votée et promulguée le 27 mai. Ce soir-là, assise au salon avec Frank, dont la blessure infectée prolongeait la convalescence, Emma lui demanda ce que signifiait la formule « avec assentiment royal » qui figurait au bas du texte de la loi.

« Cela veut dire que nous en revenons à une coutume datant des Saxons et des Normands. Le roi avait alors le droit d'exiger que soient mis à sa disposition tous les hommes, les navires, les chevaux, les armes, bref, toutes les ressources nécessaires à la défense du pays. A l'époque, ils n'avaient pourtant pas à faire face à des périls aussi terribles que ceux d'aujourd'hui. Pouvons-nous faire moins que nos ancêtres ? »

Emma hocha la tête mais ne répondit pas. Cette explication ne faisait rien pour apaiser ses craintes, au contraire.

Si souvent exaspérée par les lenteurs de la bureaucratie, Emma en maudissait pour une fois la célérité qui lui arrachait les trois hommes qui comptaient le plus dans sa vie. David partit le premier dans un régiment d'infanterie. Joe et Blackie suivirent ensemble peu après. Dès la fin mai, ils s'étaient enrôlés sans attendre qu'on les y force dans le *Seaforth Highlanders*, l'ancien régiment de John Harte, qui avait la faveur des hommes du Yorkshire.

« Sauf que je n'ai rien à y faire ! avait déclaré Blackie en riant. Me voilà, moi, un Irlandais marié à une

Anglaise, embarqué dans un régiment écossais où, pour tout arranger, on me fait porter une jupe! C'est un comble, non? »

Laura et Emma avaient dû rire à sa boutade, mais le cœur n'y était pas.

Joe et Blackie avaient été immédiatement envoyés à Ripon pour faire leurs classes, car cette vieille ville de garnison avait repris de l'activité pour la circonstance. Quinze jours après leur incorporation, ils revinrent à Armley passer quarante-huit heures de permission avant leur embarquement pour la France. Ces deux jours passèrent vite.

Un matin de juin humide et brumeux, Emma fut seule à les accompagner à la gare de Leeds. Laura était de nouveau enceinte et Blackie avait dû l'empêcher de force d'y aller elle aussi. Elle avait su faire appel à tout son courage au moment de la séparation et ils avaient vu sa silhouette se détacher derrière la vitre et leur faire des signes tandis qu'ils descendaient l'allée du jardin avant de disparaître.

Le trajet jusqu'à Leeds s'effectua en silence. Une foule immense se pressait à la gare, où plusieurs régiments s'apprêtaient à embarquer. Les mères, les épouses, les filles et les fiancées étaient venues accompagner ceux qui allaient risquer leur vie. Insensibles à la bousculade, Emma et Joe passèrent les derniers instants sur le quai, la main dans la main.

« Ne t'inquiète pas pour moi, ma chérie, dit Joe. Ne te fatigue pas trop et prends bien soin des enfants. »

Emma avait du mal à retenir ses larmes. Ces derniers temps, Joe s'était montré exceptionnellement aimant et compréhensif, comme s'il se doutait de leur prochaine séparation. Jamais, depuis le jour de leur mariage, ils ne s'étaient sentis aussi proches l'un de l'autre.

Trop émue pour parler, elle l'embrassa avec une tendresse dont elle ne lui avait encore que rarement donné la preuve. Blackie les rejoignit quelques instants plus tard, après avoir mis les paquetages dans le train. Ils s'efforcèrent tous trois de plaisanter, mais Blackie lui-même n'y mettait aucun entrain. Quand le sifflet retentit et qu'ils se virent enveloppés d'un nuage de vapeur, Blackie serra Emma dans ses bras :

« Au revoir, *mavourneen*, et à bientôt. Je compte sur toi pour prendre soin de Laura à ma place.

— Je te le promets, Blackie. »

Ils s'aperçurent sans honte qu'ils avaient tous deux les joues humides et Blackie s'éloigna vivement pour monter dans le wagon. Joe attira alors Emma à lui.

« Tu as été la meilleure femme dont je pouvais rêver, ma chérie, lui dit-il à l'oreille. C'est pour cela que tu peux compter que je reviendrai, ajouta-t-il en se forçant à sourire.

— Je compte sur toi, répondit-elle d'une voix tremblante. Je ne voudrai jamais d'autre mari que toi, Joe. »

Ils restèrent enlacés, sans pouvoir ajouter un mot, jusqu'à ce que le train s'ébranle. Joe sauta sur le marchepied sans lâcher la main d'Emma, qui le suivit en courant le long du quai tandis que la locomotive accélérait en haletant. Alors, jaillie d'on ne sait où, une voix s'éleva, un soldat se mit à chanter une complainte populaire. Un autre se joignit à lui, puis un autre jusqu'à ce que les hautes verrières de la gare retentissent d'un chœur majestueux où disparut le bruit du train. Dominant toutes ces voix de son timbre riche et vibrant, Emma reconnut le baryton de Blackie.

Le train avait pris de la vitesse et Emma était arrivée au bout du quai. La main levée, les oreilles encore pleines de ce chant d'adieu, Emma regarda s'éloigner ces deux hommes auxquels elle tenait tant. Ce ne fut qu'en se retrouvant ballottée au cœur de la foule qu'elle se demanda si elle les reverrait jamais.

« Oh si, maman, encore une histoire ! »

Assise au pied du lit de Christopher, Emma referma le livre et se leva en souriant.

« Non, mon chéri, je t'en ai déjà lu deux de plus que d'habitude. Il est tard et il faut te coucher. »

Elle regarda son fils avec attendrissement. A cinq ans, avec ses yeux noisette et son visage tout rond criblé de taches de rousseur, Kit était étonnamment sérieux pour son âge. Mais il avait hérité de son père le caractère facile et un peu timoré, porté parfois aux caprices coléreux des timides. Emma se pencha pour l'embrasser et lui ébouriffa affectueusement les cheveux.

« Bonne nuit, mon chéri. Dors bien.

— Bonne nuit, maman. Mmm, comme vous sentez bon ! On dirait un bouquet de fleurs. »

Emma sourit à ce naïf compliment et lui rendit ses baisers. Elle se releva enfin, éteignit la lampe et sortit de la chambre. Dans le couloir, elle hésita devant la porte d'Edwina et se décida finalement à entrer. La fillette était assise dans son lit, en train de lire. Au bruit de la porte, elle leva vers Emma ses yeux gris et froids où s'exprimait l'irritation de cette intrusion. Emma réprima une grimace.

« Je suis venue te dire bonsoir, dit-elle. Ne te couche pas trop tard, n'est-ce pas ?

— Non, maman. »

Edwina posa son livre à l'envers sur sa couverture et dévisagea Emma avec la mine patiente du martyr attendant la fin de ses tourments. Emma s'approcha du lit à pas lents.

« Notre petit dîner impromptu t'a plu ? demanda-t-elle avec une gaieté forcée.

— Oui, maman. »

Déconcertée, Emma resta là sans savoir quoi dire pour enchaîner. Ce fut Edwina qui rompit le silence :

« Quand donc oncle Winston va-t-il arriver ?

— Bientôt, j'espère. Dans sa dernière lettre, il n'était pas encore sûr de la date de sa prochaine permission.

— J'aime beaucoup oncle Winston, déclara Edwina. Je suis contente qu'il vienne. »

Surprise de cette démonstration d'affection inattendue, Emma s'enhardit jusqu'à s'asseoir au pied du lit. Le léger mouvement de recul d'Edwina ne lui échappa pas : depuis longtemps, la fillette marquait un singulier dégoût pour tout contact physique avec qui que ce soit.

« Ce que tu dis me rend très heureuse, Edwina. Ton oncle Winston t'aime beaucoup, lui aussi.

— Oncle Frank compte venir en même temps ?

— Je l'espère bien. Nous passerons de bonnes soirées, tous ensemble, tu verras. On s'amusera bien.

— Oh ! oui. »

Edwina gratifia sa mère d'un sourire dont Emma avait perdu l'habitude et qui amena un soupçon de chaleur dans son regard distant.

« Demain, dit Emma en souriant, nous ferons des projets pour préparer le retour de ton oncle, n'est-ce pas ?

— Oui, maman. »

Edwina avait repris son expression indifférente. Le cœur serré, Emma se leva et lui effleura la joue d'un baiser. Elle n'osait pas en faire plus de peur de se voir encore repoussée.

« Bonsoir, ma chérie. Dors bien, dit-elle en s'éloignant.

— Bonsoir, maman. »

Elle était déjà replongée dans sa lecture sans accorder un regard à sa mère. Pour cette fillette de dix ans, cette jeune femme belle, célèbre et dont tout le monde chantait à l'envie les louanges avait cessé d'exister. Edwina passait le plus clair de son temps dans la solitude d'un monde clos où nul n'avait le droit d'entrer à sa suite. Elle n'avait aucune des spontanéités, des joies ou des colères d'un enfant, et les seuls sentiments sincères qu'elle éprouvât étaient son amour pour Joe et sa cousine Freda qui, à Ripon, avait été sa mère nourricière.

Depuis qu'elle l'avait reprise avec elle, Emma était déroutée par sa fille. De plus en plus inquiète, aussi. Car, tandis qu'elle descendait l'escalier, le bref sourire dont elle venait d'être témoin éveillait en elle trop de souvenirs. N'était-ce qu'une simple ressemblance physique, où était-ce une résurgence d'un courant plus profond ?

Les dossiers qu'Emma s'était promis d'étudier ce soir-là restèrent intouchés sur son bureau. Détendue dans son fauteuil, les yeux clos, elle était incapable de se concentrer. Etait-ce la fatigue, la tension nerveuse, une autre inquiétude? Depuis ce matin, elle renâclait devant le travail. Distraite, énervée, elle avait quitté le magasin plus tôt que d'habitude. Pour la première fois, elle avait un besoin physique de s'arracher aux contraintes des affaires et de se retrouver chez elle, seule avec ses enfants. C'était le jour de sortie de la cuisinière et Emma avait préparé elle-même le dîner, qu'elle avait ensuite monté dans la *nursery* pour le partager avec Edwina et Kit. Ce moment paisible et joyeux lui avait procuré un tel sentiment de paix et de sérénité qu'il en avait effacé ses préoccupations comme par magie.

Le souvenir de cet intermède ranima son plaisir et Emma se promit de ne plus priver ses enfants de sa présence, comme elle l'avait trop fait depuis trop longtemps. Les conseils de sagesse ou les mouvements d'humeur de Joe et d'Abraham Kallinski étaient parfaitement justifiés : Emma accordait à ses affaires une importance indue. A ce stade de leur croissance, ses enfants avaient particulièrement besoin d'elle. Edwina elle-même, ce soir pendant le dîner, avait fait preuve d'une sorte de bonne humeur inhabituelle et d'autant plus précieuse, et, tout à l'heure encore, sa démonstration d'affection pour son oncle Winston avait causé à Emma une surprise où elle trouvait une raison d'espérer. Reprise en main et replongée dans une atmosphère d'affection et d'intimité familiale dont elle avait été sevrée trop tôt, Edwina s'amenderait sûrement. Cette « renaissance » de son âme enfantine dépendait du bon vouloir d'Emma, elle ne devrait plus l'oublier sans gravement manquer à ses responsabilités.

Et pourtant... se dit Emma en repensant à sa fille. Edwina est bien une Fairley, l'on ne peut s'y tromper. Par moments, la fillette devenait le portrait vivant de sa grand-mère Adèle et son sourire absent, son regard vide et froid ne pouvaient pas ne pas réveiller une angoisse au cœur d'Emma. Winston et Frank l'ont-ils déjà remarqué? se demanda-t-elle avec inquiétude. Ils n'avaient, en tout cas, rien dit qui puisse embarrasser leur sœur. Quant à Blackie, Emma le soupçonnait d'avoir depuis longtemps deviné la vérité. Il avait cependant toujours fait preuve d'une discrétion exemplaire et n'avait rien laissé paraître de ses sentiments.

D'Adèle, Emma en vint tout naturellement à évoquer le souvenir d'Edwin. Si elle lui vouait toujours la même haine, celle-ci avait changé de nature. Ce n'était plus la passion irraisonnée qui lui avait rongé le cœur, c'était désormais un sentiment froid, calculé et, en conséquence, infiniment plus redoutable car il s'appuyait sur une certaine objectivité. Même si Emma avait voulu enterrer ses vieilles rancœurs et oublier l'existence des Fairley, la simple lecture de la *Yorshire Morning Gazette* l'en aurait empêchée. Le nom d'Adam Fairley figurait toujours ostensiblement à la tête de la rédaction du journal et celui-ci se faisait trop souvent l'écho des faits et gestes de la famille. Soit, avant la guerre, dans la rubrique mondaine ou les nouvelles financières soit, depuis le début des hostilités, dans les informations générales et locales. C'est ainsi qu'Emma avait appris qu'Edwin, engagé volontaire dès le mois d'août 1914, avait gagné ses galons de capitaine dans un régiment d'infanterie et qu'il avait mérité plusieurs citations, lui valant dernièrement la *Victoria Cross,* la plus haute distinction britannique, pour des faits d'armes héroïques. Lui, un héros ! avait dit Emma avec un ricanement de mépris. Les Allemands doivent être de bien piètres soldats... Elle avait aussi lu le faire-part de la naissance de son fils, baptisé Roderick-Adam en l'honneur de ses deux grands-pères. La mère, Lady Jane Fairley, née Stansby et fille du comte de Carlesmoor, ainsi que l'enfant se portaient bien, selon la formule rituelle.

Mais ces menus potins n'intéressaient désormais pas plus Emma qu'Edwin lui-même, pour le moment du moins. Ses objections, son gibier, c'étaient Adam et Gerald, car c'étaient eux et eux seuls qui détenaient la fortune de la famille. Dès le début, Emma avait compris que sa vengeance passait par leur ruine. Elle leur avait porté les premiers coups en s'attaquant à la filature

Thompson dont elle avait désorganisé la production en débauchant un personnel que Gerald n'avait jamais pu remplacer. Depuis, à force de ruse et de patience, Emma avait accumulé une somme considérable de renseignements très précis sur les intérêts des Fairley, au point d'en savoir presque plus qu'eux-mêmes. Grâce à ces informations confidentielles, elle avait défini un plan de campagne et elle savait où, dorénavant, elle porterait ses coups.

Car les Fairley étaient vulnérables, Emma en avait acquis la preuve. Déjà négligent dans la conduite de ses affaires, Adam s'en désintéressait presque totalement depuis peu. Olivia avait contracté récemment une étrange maladie de langueur et son mari ne la quittait plus. Cela faisait plusieurs mois qu'on ne l'avait presque pas revu dans le Yorkshire et Gerald avait pris les rênes à sa place. Or, Emma était particulièrement bien placée pour le savoir, Gerald était un incapable. Le maillon rouillé de la chaîne qu'elle voulait briser, c'était lui. L'objet de son dégoût, de sa haine, la victime de sa vendetta, c'était avant tout Gerald. Aucune femme ne peut jamais oublier l'effroi et l'horreur d'un viol, ni chasser de sa mémoire l'exécration qu'elle ressent pour celui qui l'a soumise à cette ultime humiliation. Emma ne faisait donc pas exception à cette règle. Gerald tomberait et les autres avec lui. Il suffisait de le faire trébucher, de le pousser à peine. Emma n'avait plus aucun doute sur l'issue, elle entrevoyait déjà le moyen. Il ne lui restait qu'à savoir le moment. Elle l'attendrait. Au besoin, elle le hâterait.

Le bruit de la sonnette la fit soudain sursauter. Etonnée, elle se leva et traversa rapidement le hall en se demandant qui pouvait bien venir à une heure aussi tardive. Un télégraphiste se tenait sur le seuil et lui tendit un pli. Emma en oublia sa brève inquiétude : c'était sûrement de Winston qui lui annonçait la date exacte de son arrivée.

Avec un sourire, Emma s'arrêta sous le lustre pour décacheter l'enveloppe. Le télégramme émanait d'un service du ministère de la Guerre. En hâte, elle en parcourut le texte, incrédule. Elle ne comprit pas pourquoi sa vue se brouillait et lui interdisait de déchiffrer plus de quelques mots :

... Le ministre... pénible devoir de vous informer... soldat 1re classe Joseph Daniel Lowther, 3e bataillon, régiment Seaforth Highlanders... tombé à l'ennemi 16 juillet... La Marne... condoléances attristées...

Emma n'eut pas conscience de faire deux pas et se laissa lourdement tomber sur une banquette. Assommée, elle fixait le mur sans le voir, la tête vide. Le contact d'un papier froissé dans son poing serré la surprit. Elle le déplia, le lut en fronçant les sourcils, sans comprendre.

Non, ce devait être une erreur. Ils se sont trompés de nom, de matricule. Pas Joe, non pas Joe, cet homme doux qui n'avait jamais fait, jamais voulu de mal à personne. Joe ne pouvait pas être mort. Elle avait mal lu...

Elle voulut remettre le télégramme sous ses yeux, y renonça et le laissa glisser à terre. Immobile, insensible, elle ne pouvait plus faire un geste. Joe était mort.

Elle resta ainsi longtemps, une seconde peut-être ou une éternité. Elle eut l'impression de se lever, de marcher en vacillant. Elle monta l'escalier en se cramponnant à la rampe, se retrouva dans sa chambre sans savoir comment elle y était parvenue et se laissa tomber sur son lit. Elle ne pleurait pas, ne gémissait pas. Elle était foudroyée.

Joe était mort. Joe était mort. Au bout de quelques semaines à peine. C'était absurde, injuste. Pourquoi Joe, pourquoi justement lui ? Il ne reviendrait plus jamais. Les enfants ne le reverraient plus. Les enfants, paisiblement endormis alors que leur père gisait, mort, dans la boue d'un champ de bataille. Comment leur annoncer ?

Dans ses yeux secs et brûlants, des larmes revinrent sans adoucir la sensation de feu. Comment avait-il été tué ? Etait-il déjà enterré ? Où ? Soudain, Emma fut saisie de l'envie absurde de reprendre le corps de Joe, de lui donner les derniers honneurs auxquels il avait droit.

Une atroce image de Joe sanglant, désarticulé dans un trou d'obus, comme sur une photographie vue récemment dans un journal, la fit soudain trembler. Il lui fallait Joe. Elle l'avait négligé dans la vie, elle voulait au moins le soigner dans la mort.

Les heures passèrent. Emma était étendue dans sa chambre obscure, cette chambre où Joe ne reviendrait plus. Dans la penderie, ses costumes étaient encore alignés. Dans la salle de bain, il y avait encore des affaires, un flacon de lotion, une brosse à cheveux. Il avait de petits travers, certes. Mais il l'avait rendue heureuse. Emma oublia ses dégoûts, ses agacements injustes pour ne plus se rappeler que les bons moments qu'ils avaient passés ensemble. Et maintenant, Joe était mort. Joe était mort...

Les larmes vinrent enfin, consolantes et libératrices. Et Emma resta jusqu'à l'aube à pleurer la mort inutile d'un homme que, elle le comprenait pleinement trop tard, elle avait aimé.

C'était un dimanche de la fin octobre, une de ces radieuses journées où l'automne sur sa fin prodigue ses trésors. Sous le ciel bleu, le jardin baignait dans une lumière dorée où les arbres et les haies resplendissaient d'ocres et d'orangés comme la nature seule ose en offrir. Il faisait doux. Des oiseaux chantaient.

Assise sur une chaise longue, à l'ombre du parasol, Laura O'Neill voyait à peine ces splendeurs. Elle n'avait reçu aucune nouvelle de Blackie depuis plusieurs semaines mais, grâce à Dieu, le télégramme tant redouté n'était pas venu lui non plus. Inquiète de ce manque de nouvelles, Laura gardait quand même l'intime conviction que Blackie serait protégé du danger et qu'il reviendrait sain et sauf à la fin de la guerre. Laura avait fondé sa vie sur le roc de sa foi en Dieu et la protection du Tout-Puissant s'étendait à son mari. Depuis le départ de Blackie, elle allait tous les matins à la messe, malgré les protestations d'Emma qui voulait la forcer à prendre du repos et rester au lit. Elle prolongeait volontiers ses dévotions par une prière, allumait des cierges, implorait la bénédiction divine pour ceux qui lui étaient chers et tous les combattants. Son cœur prompt à la compassion s'émouvait à chaque deuil. Elle avait éprouvé une profonde douleur au veuvage d'Emma, survenu depuis quatre mois déjà.

A l'autre bout du jardin, Emma cueillait des chrysanthèmes. En la regardant, Laura se sentit une fois de plus émue. Elle est trop maigre, se dit-elle, au point d'être émaciée. Elle se surmène, elle supporte des responsabilités qui écraseraient toute autre qu'elle. Mais la mort de Joe paraissait l'avoir dotée d'une résistance surnaturelle. Outre la conduite de ses propres affaires, elle assurait dorénavant la gestion des propriétés de son défunt mari et participait activement à l'administration des entreprises de David Kallinski, toujours au front. Malgré cela, elle consacrait plus de temps que jamais à ses enfants, qu'elle entourait de soins et d'un amour maternel par lequel elle tentait de leur faire oublier la disparition de leur père. Il semblait impossible de ne pas succomber sous un tel fardeau. Et pourtant, Emma le supportait. Sans doute était-ce là, se dit Laura, le seul moyen qu'elle connaissait pour surmonter sa peine et proclamer que la vie continuait.

Pour Laura aussi, la vie affirmait ses droits. L'enfant qu'elle portait à terme pour la première fois la remplissait de bonheur et de fierté. Elle allait enfin, avec la bénédiction de Dieu, donner à Blackie l'enfant dont elle s'était désespérée de le priver. Le Seigneur avait exaucé ses prières.

Sa cueillette terminée, Emma revenait vers elle. Elle posa son panier à terre, enleva ses gants de jardinage et s'assit sur un banc, à côté de Laura.

« Il va falloir rentrer, j'ai peur que tu aies froid, lui dit-elle avec sollicitude. Tu n'en as plus que pour deux mois, ce serait trop bête d'attraper mal.

— Mais non, Emma, restons encore un peu. Il fait si bon. »

Elles parlèrent quelques instants à bâtons rompus. La conversation en arriva aux enfants.

« Comment va Edwina ? demanda Laura. Je ne voulais pas t'en parler, ces derniers temps, pour ne pas te faire de la peine.

— Un peu mieux... Si seulement elle pleurait, si elle se laissait aller à piquer des crises, n'importe quoi. Non, elle se contracte, elle garde tout pour elle-même. Ce n'est pas sain. Elle me fait peur, par moments.

— Pauvre Edwina. Elle avait une véritable adoration pour Joe.

— J'ai passé des heures à lui parler, reprit Emma. J'ai tout essayé, en vain. Elle veut garder son chagrin pour elle seule et je ne sais plus quoi faire. »

Emma garda le silence, l'air pensif.

« Pauvre Joe, dit-elle enfin à mi-voix. De son vivant, j'ai souvent été injuste et méchante avec lui. Maintenant, j'ai parfois peur de mal traiter les enfants...

— Que veux-tu dire ?

— Tu connais les termes du testament de Joe, n'est-ce pas ? Je m'attendais à ce qu'il fasse de Kit son légataire universel. C'est son fils unique, après tout. Or, il m'a tout laissé et a constitué une rente pour Edwina.

— C'est normal, Emma. Joe connaissait trop bien ton sens des affaires. Il savait que sa fortune, entre tes mains, prospérerait bien mieux que confiée à quelque tuteur jusqu'à la majorité de Kit.

— Il n'empêche que j'ai parfois l'impression de les avoir en quelque sorte spoliés... Leur père, leur fortune. Pauvres enfants ! Si tu savais les remords que j'ai de ne pas avoir mieux aimé Joe.

— Tu dis des bêtises, Emma ! répondit Laura avec fermeté. Tu as été une bonne épouse et une bonne mère. Les rapports entre les êtres évoluent, la vie bouleverse parfois tout. A ta manière, tu as rendu Joe heureux, je le sais. Et les enfants sont les tiens. Comment peux-tu penser à des idées pareilles ? Les spolier ! Tu travailles pour eux, au contraire, pour leur avenir ! »

Emma ne répondit pas. Pour la première fois depuis qu'elle la connaissait, Laura la vit courbée, comme accablée sous un poids écrasant. Elle lui prit la main, la serra :

« Reprends-toi, Emma. Moi aussi j'ai besoin de toi.

Tu es ma seule amie. Aide-moi à me lever, veux-tu, et rentrons. »

« Ah ! vous êtes ici, madame Lowther ! dit le docteur Stalkey. Mme O'Neill vous demandait, justement. »

Emma se leva et lança au médecin un regard inquiet.

« Comment va-t-elle, docteur ? Que s'est-il passé ? »

Le docteur Stalkey affecta l'optimisme et donna une tape protectrice sur l'épaule d'Emma :

« Rien de bien sérieux, chère madame. Il a simplement fallu faire subir à Mme O'Neill une césarienne.

— Répondez-moi, docteur ! Comment va Laura ?

— Bien, bien, répondit-il en détournant les yeux. Un peu affaiblie, c'est normal...

— Et l'enfant ?

— C'est un superbe gros garçon. »

Emma dévisageait le médecin qui se troubla :

« Vous me cachez quelque chose, docteur. Laura est-elle en danger ?

— Je vous l'ai dit, chère madame. Elle est fatiguée, c'est normal après une telle opération. Mais ne restons donc pas à bavarder ainsi dans le couloir. Elle a hâte de vous voir. Par ici, je vous prie. »

Emma s'engagea à sa suite dans un dédale de couloirs, s'efforçant en vain de deviner la vérité et la gravité de la situation. Elle avait tout de suite senti que le médecin se dérobait, et les implications de cette attitude lui faisaient peur.

Le docteur Stalkey s'arrêta enfin devant la porte. En posant la main sur la poignée, il dit sans se retourner :

« Au fait, nous avons prévenu un prêtre.

— Un prêtre ? s'écria Emma. Mais pourquoi ?

— C'est Mme O'Neill elle-même qui l'a demandé, répondit-il avec un haussement d'épaules. Elle est encore très faible, ne la fatiguez pas, je vous en prie. »

Emma eut un haut-le-corps :

« Elle n'est pas... ?

— Non, chère madame. Mais il lui faut du calme, je vous le répète. »

Emma entra dans la chambre le cœur battant et courut

vers le lit où Laura reposait. Son aspect lui donna un choc. Elle avait les traits tirés, le teint plombé. Des cernes violets lui entouraient les yeux et toute son attitude trahissait une extrême faiblesse. Bouleversée, Emma parvint à ne pas perdre son sourire joyeux et se pencha pour embrasser son amie qui, à sa vue, s'anima légèrement.

« Tu sais ? C'est un garçon ! » annonça Laura d'une voix faible.

Emma s'assit au chevet du lit, avala avec effort :

« Blackie sera si heureux... Comment vas-tu l'appeler ?

— Bryan, c'est un nom que Blackie et moi aimons beaucoup. » Elle s'interrompit et fit signe à Emma de se pencher vers elle.

« Approche-toi, je te vois mal. Le jour baisse, n'est-ce pas ?

Emma se mordit les lèvres. On était au début de l'après-midi et il faisait une lumière vive et froide qui inondait la pièce. Elle se borna à hocher la tête.

« Je voudrais que Bryan soit élevé chrétiennement, reprit Laura. Tu connais Blackie, ce n'est pas un modèle de dévotion. Me promets-tu d'y veiller pour moi, Emma ?

— Que veux-tu dire ? demanda Emma en dissimulant son désarroi. C'est toi qui va élever ton fils, voyons.

— Non, Emma. Je vais mourir...

— Je t'interdis de...

— Laisse-moi parler, Emma. Ecoute-moi, je t'en prie. Je sais que je n'en ai plus pour longtemps. Jure-moi que tu demanderas à oncle Pat de faire baptiser Bryan à l'église catholique et de lui faire donner une éducation religieuse tant que son père ne sera pas revenu. Jure-moi aussi que tu veilleras sur Blackie à ma place. »

Emma ne répondit pas. L'émotion, la douleur, la révolte la rendaient muette.

« Je te le jure », murmura-t-elle enfin.

Elle leva la main, caressa avec douceur le visage émacié de son amie. Elle avait de plus en plus de mal à retenir ses larmes.

« A ton tour de m'écouter, Laura, reprit-elle d'une

voix mal assurée. Il faut vivre. Il faut te battre, il faut vouloir, tu m'entends ? Si ce n'est pas pour toi ni pour Blackie, tu as le devoir de vivre pour Bryan. Laura, je t'en supplie... »

Incapable de se dominer plus longtemps, Emma se jeta sur le corps frêle de Laura et le serra contre elle, pour lui insuffler la vie, l'énergie dont elle débordait. Comme elle l'avait déjà fait en vain bien des années auparavant, avec sa mère qui se mourait...

« C'est trop tard, Emma », chuchota Laura.

Le bruit de la porte tira Emma de sa protration. Elle vit entrer un prêtre en surplis et s'en écarta avec horreur. Debout à la fenêtre, le dos tourné, elle entendait le murmure de Laura qui se confessait, celui du prêtre qui l'absolvait de ses péchés. De ses péchés ! se dit Emma avec rage. Quels péchés Laura a-t-elle jamais commis ? Quelle miséricorde implorer d'un Dieu injuste et cruel qui permet chaque jour la mort d'innocents ?

Frémissante de douleur et de rage, aveuglée par ses larmes, Emma attendit que se terminent les rites de l'extrême-onction. Elle ne cessait de maudire ce Dieu en lequel elle ne voulait plus croire, sans se demander pourquoi Laura, qu'elle aimait, avait en Lui une foi si profonde, ni pourquoi les prières qu'elle murmurait lui offraient un tel réconfort.

La voix du prêtre à son oreille la fit sursauter :

« Mme O'Neill veut vous voir, madame. »

Elle le bouscula en se précipitant près du lit et s'agenouilla pour approcher son visage de celui de Laura.

« Que veux-tu, ma chérie ? demanda-t-elle à mi-voix.

— Un dernier service, Emma. Annonce ma mort à oncle Pat avec beaucoup de ménagements et sois brave pour deux. Il est si vieux, le pauvre...

— Tu ne mourras pas, Laura. »

Un sourire paisible se dessina sur ses lèvres et elle tourna vers Emma un regard où brillait une lueur inconnue :

« Tu as raison, Emma, la mort n'existe pas. Tant que tu vivras, tant que Blackie vivra, je ne serai pas morte sur terre car je vivrai dans vos mémoires. Plus tard, quand vous mourrez à votre tour, nous nous rejoindrons tous, dans l'au-delà... Dis à Blackie que je l'aime.

— Laura, Laura... Qu'allons-nous devenir sans toi ?

— Tu es brave, tu es bonne. Souviens-toi que Dieu ne donne jamais à ses enfants un fardeau qu'ils ne peuvent porter. Tu seras heureuse, je le sais. »

Emma pencha la tête et se mit à sangloter. Laura lui posa une main sur la tête.

« Ne pleure pas, Emma. N'oublie pas de prendre dans ma chambre les cadeaux de Noël pour les enfants. Tu trouveras aussi quelque chose pour toi. Prie pour moi, Emma... »

La main de Laura glissa et retomba sur le drap, inerte.

Un instant plus tard, elle n'aurait pas su dire quand, Emma sentit qu'on défaisait de force ses doigts crispés sur les mains de Laura, qu'on la soulevait, qu'on la portait presque jusque dans le couloir. Plus tard encore, comme dans un cauchemar, le docteur Stalkey lui disait que l'enfant pourrait quitter la pouponnière dans quelques jours et qu'il serait confié à sa garde, conformément aux dernières volontés de Mme O'Neill.

« ... Rentrez chez vous... ambulance... air malade... » entendit-elle la voix du docteur lui dire de très loin.

Elle se détourna et quitta la salle d'attente sans même le saluer. Elle n'était pas pleinement consciente de ce qu'elle faisait.

Elle se retrouva dans la cour de l'hôpital, poussa le portillon de la grille et s'avança dans l'avenue comme une somnambule, les joues couvertes de larmes.

Emma enfouit sa douleur au plus profond d'elle-même. Derrière sa façade d'impassibilité, elle connut des moments de doute, des reculs, des révoltes. Au fil des semaines, puis des mois, elle apprit cependant à s'accommoder de son chagrin et à supporter sa solitude.

Blackie avait obtenu une permission exceptionnelle qui lui permit de venir brièvement pour l'enterrement de Laura. Il avait confié son fils à Emma plutôt que de le laisser chez son oncle Pat vieillissant à la garde d'une nurse. Il était reparti pour le front dans un état à faire pitié, laissant Emma angoissée sur son sort.

Les premiers temps, Emma avait été tentée de rendre Bryan responsable de la mort de Laura. Elle avait fini par se rendre compte de l'injustice de son attitude. En n'aimant pas le bébé, elle trahissait la confiance que son amie lui avait faite sur son lit de mort. Elle reniait surtout l'amour que Laura lui avait inspiré. Car cet enfant était le fils dont elle avait si longtemps rêvé et pour qui elle avait donné sa vie. Depuis cette prise de conscience, Emma aima l'enfant autant, sinon davantage, que les siens. Le petit Bryan était d'ailleurs un bébé que l'on ne pouvait s'empêcher d'aimer. Doux comme sa mère, dont il avait les yeux noisette, il avait hérité les cheveux noirs et le caractère rieur de Blackie. Emma le serrait désormais sur sa poitrine avec des sentiments véritablement maternels et savait qu'elle lui vouerait toujours l'amour dont la mort de Laura l'avait à jamais privé.

Longtemps après cette tragédie, il arrivait encore souvent à Emma d'oublier que Laura n'était plus. Parfois, pensant à une confidence à faire, une joie à partager, sa main se tendait machinalement vers le téléphone ou, rentrant le soir chez elle, elle faisait le léger détour l'amenant à la porte de la grande maison vide. Elle sombrait alors dans un de ses rares accès de tristesse. Assise dans le noir, jusque tard dans la nuit, les yeux humides et les traits contractés, elle revoyait dans sa mémoire les jours heureux ou difficiles que Laura, Joe, son père même avaient vécus et partagés avec elle. Mais elle ne permettait jamais à son abattement d'empiéter sur ses journées. Plus que jamais, les enfants avaient besoin d'elle et elle leur prodiguait ses soins avec une joie qui dissipait ses peines. De temps en temps, Winston venait pour une brève permission, Frank faisait des apparitions irrégulières, toujours débordant de nouvelles. Ainsi, jusqu'à la fin de la guerre et durant ce qui était l'une des périodes les plus noires de sa vie, Emma trouva le réconfort et l'énergie de vivre au sein de sa famille.

1918-1950

*Celui qui conquiert les montagnes trouve souvent
les cimes cachées dans les nuages ou sous la neige.
Celui qui l'emporte sur les hommes et les domine
doit dédaigner la haine de ceux qui s'agitent sous lui.*

Lord BYRON, *Childe Harold's Pilgrimage*

35

« Pour l'amour du Ciel, Frank, arrête de te fâcher ! »

Emma regarda son frère avec agacement. Ils étaient en train de dîner dans la grande salle à manger du Ritz, à Londres. Depuis le début du repas, qu'elle aurait voulu joyeux et détendu, Emma se trouvait en butte aux reproches du jeune journaliste de passage dans la capitale.

Frank prit un air contrit et tendit le bras pour serrer la main de sa sœur à travers la table :

« Je ne me fâche pas, Emma. Je m'inquiète...

— Et surtout, tu m'énerves ! répondit Emma. Je suis parfaitement guérie de ma pneumonie et je ne me suis jamais sentie aussi bien. Combien de fois faut-il te le répéter ?

— Ta santé est peut-être rétablie, je l'admets. C'est pour ta vie en général que je me fais du souci.

— Ma vie ? Qu'a-t-elle donc qui ne va pas ?

— Trop de choses, répondit Frank avec un hochement de tête attristé. Voyons, Emma, regarde-toi ! Tu mènes une vie de forçat. Je me dis parfois que tu es plus esclave maintenant que quand tu étais à Fairley Hall...

— C'est absurde ! interrompit Emma avec sévérité.

— Tu ne frottes plus les parquets, soit. Mais tu mènes une vie d'esclave, d'esclave de luxe à la rigueur, mais d'esclave quand même. N'arriveras-tu donc jamais à secouer tes chaînes ? Libère-toi, que diable ! »

Interloquée, Emma éclata bientôt d'un rire de bonne humeur.

« Je n'ai pas la moindre envie de me « libérer », comme tu dis! Ne t'est-il jamais venu à l'esprit que je pouvais prendre plaisir à mon travail?

— Ton travail! s'exclama Frank avec véhémence. Voilà précisément où je voulais en venir. Tu ne vis que pour ton travail, Emma. C'est malsain! Il est grand temps que tu te distraies un peu, pendant que tu es encore jeune pour le faire. Et puis, ajouta-t-il d'un ton prudent, tu vas bientôt avoir vingt-neuf ans. Il ne serait pas mauvais que tu songes à te remarier. »

Emma pouffa de rire :

« Tu en as de bonnes! Me remarier, avec qui? La guerre n'est pas finie, si tu ne le savais pas. Où as-tu vu des hommes ailleurs qu'au front?

— La guerre sera finie d'ici la fin de l'année, répondit Frank en fronçant les sourcils, et tu cherches de mauvaises excuses. Depuis l'arrivée des Américains, la situation évolue très vite. L'Allemagne demandera l'armistice d'ici l'automne.

— Comme nous ne sommes qu'en janvier, cela me laisse le temps de la réflexion. D'ici là, je ne vois guère de prétendants!

— Et pourquoi pas Blackie O'Neill? Il a toujours été en adoration devant toi, vous êtes libres tous les deux. En plus, c'est toi qui élèves son fils.

— Ne dis pas de bêtises, Frank, dit Emma avec un geste de la main. Blackie est un frère pour moi, j'aurais l'impression de commettre un inceste. En tout cas, je ne sais pas si j'ai tant que cela envie de me remarier. Je m'aperçois que j'aime mon indépendance et je n'ai nulle envie de voir un homme fourrer son nez dans mes affaires.

— Tes maudites affaires, nous y voilà encore ramenés! s'écria Frank, excédé. Non, vraiment, je ne te comprends plus. Enfin, Emma, sois honnête! Tu ne peux plus prétexter l'insécurité. Tu as déjà une fortune plus que confortable et Joe t'a légué la sienne. Combien d'argent te faut-il encore amasser? Quand seras-tu enfin rassasiée?

— Ce n'est pas vraiment l'argent qui me fait envie, si tu veux la vérité. En réalité, Frank, j'aime faire des affaires, je n'ai pas honte de l'avouer. Il se trouve aussi qu'en me faisant plaisir j'assure l'avenir des enfants. Et je suis plus à mon aise seule qu'avec quelqu'un qui me gênerait ou me mettrait des entraves, même s'il croyait bien faire. Me comprends-tu?

— La question n'est pas là, Emma. Je t'ai simplement dit de te ménager davantage, de profiter de la vie. Ce n'est pas un crime...

— Non, mais cela tourne chez toi à l'idée fixe et je commence à en avoir assez! s'écria Emma avec colère. Si tu continues, je reprends le train pour Leeds et je... »

Elle s'interrompit brusquement et détourna les yeux en rougissant. Intrigué, Frank se pencha vers elle :

« Que se passe-t-il?

— Rien. Ou plutôt, si. Ces deux hommes, là, à la table en face de moi. Ils n'ont pas arrêté de nous regarder comme des bêtes curieuses.

— Je vois qui tu veux dire. Je les ai remarqués en arrivant, le maître d'hôtel leur faisait des tas de courbettes. Je ne crois pas les connaître. Tout ce que je peux te dire, c'est que le plus jeune, le beau garçon en uniforme avec des galons de commandant, doit être australien si j'en crois ses écussons.

— Australien? ça ne m'étonne pas! s'écria Emma d'un ton rageur.

— Qu'est-ce qui ne t'étonne pas?

— Qu'il se conduise comme un mufle. Chaque fois que je lève les yeux, il me regarde comme s'il voulait me déshabiller. C'est insupportable, à la fin!

— Allons, Emma, ne joue pas l'innocente! Ne te rends-tu vraiment pas compte de l'effet que tu fais? Tu es sensationnelle et il n'y a pas un homme normalement constitué qui pourrait s'empêcher de te dévorer des yeux. »

Avec la moue d'un connaisseur, Frank jaugea la robe de velours vert au profond décolleté, les perles qui reposaient sur la peau crémeuse, les cheveux châtain-roux roulés en torsade.

« Comme tu es ce soir, reprit-il, tu parais à peine dix-huit ans. D'autant plus que tu as le bon goût de ne pas t'enlaidir avec les saletés que les femmes se croient obligées de se mettre sur la figure. »

Emma rosit de plaisir. Elle allait parler quand un serveur s'approcha de Frank pour lui dire qu'on le demandait au téléphone.

« J'en ai pour une minute. En attendant, choisis les desserts, je te fais confiance. »

Avec un sourire, Emma le suivit des yeux. La mince silhouette de son frère s'était étoffée et, dans son smoking impeccablement coupé, il avait une élégance dont elle était fière. Elle l'était encore plus de ses succès professionnels et du renom que ses reportages lui avaient acquis. Mais qu'il était agaçant de vouloir ainsi lui faire la morale ! Et encore, il ne savait pas tout... Si Emma lui avait parlé de sa dernière création, *M.R.M. Ltd.*, il lui aurait sans doute fait un nouveau sermon sur les dangers du surmenage. Emma savait pourtant qu'elle tenait, avec cette société holding, la clef de la fortune, la vraie. Elle l'avait fondée onze mois auparavant en vendant deux des propriétés industrielles que Joe possédait à Leeds, une tannerie et une usine de chaussures. Baptisée d'un jeu de mots phonétique, par la conjonction d'*émer*aude et d'*Em*ma, la société avait été ostensiblement dotée d'un conseil d'administration et de porteurs de part alors qu'Emma en était seule actionnaire. Ses hommes de paille faisaient ce qu'elle voulait et, à l'abri de cette fiction, Emma préparait la stratégie de ses acquisitions futures. Elle comptait transformer un jour *M.R.M.* en *Harte Enterprises*. Pour le moment, elle préférait rester dans l'ombre.

Perdue dans ses projets et ses calculs, elle releva distraitement les yeux pour se heurter au regard insistant de l'officier australien et fut la première surprise de ne pouvoir détourner le sien. D'un coup d'œil, elle vit les cheveux très noirs rejetés en arrière, la moustache, le visage hâlé aux traits irréguliers mais expressifs. Elle vit le sourire provocant, trop sûr de soi, exaspérant. Mais elle était fascinée par les yeux du jeune homme, des yeux d'un bleu si intense qu'ils en prenaient des reflets violets et se posaient sur elle avec une autorité possessive qui finit par la faire rougir.

Furieuse, gênée, Emma voulut prendre son verre de vin pour se donner une contenance et le renversa d'un geste maladroit. Un serveur empressé vint réparer le dommage. Mais quand il se fut éloigné, Emma se retrouva à découvert, sous le feu des yeux bleus du major. Elle lui jeta un bref coup d'œil, vit son sourire ironique, le défi muet qu'il lui jetait et chercha précipitamment un refuge derrière le menu déployé. Enragée, le cœur battant, Emma feignit de s'y absorber tout en maudissant l'effronterie scandaleuse de ce rustre de colonial des antipodes et en voulut à Frank qui, par son interminable coup de téléphone, la livrait sans défense à l'indécence du premier venu.

Bruce McGill s'amusait ferme au manège de son fils. Un éclair malicieux dans le regard, il le héla à travers la table :

« Paul ! Si tu consentais un instant à t'arracher à la contemplation de cette troublante créature, nous pourrions peut-être parler intelligemment. »

Paul sursauta légèrement et se tourna vers son père avec un sourire d'excuse.

« Vous avez raison, père. Je me conduis comme un goujat, ce soir. Mais vous avouerez qu'il y a de quoi être distrait.

— C'est vrai et je t'ai malheureusement légué mon goût pour les jolies femmes... Pour une fois, fais l'effort de refréner tes instincts, veux-tu ? Nous n'avons pas si souvent l'occasion de nous voir, ces temps-ci.

— Vous en aurez bientôt assez de ma compagnie. Cette fichue blessure met un temps invraisemblable à se cicatriser.

— Tu ne souffres pas trop, au moins ? demanda Bruce avec sollicitude.

— Non, tout irait bien sans cet abominable climat de l'Angleterre... Je ne devrais pas me plaindre, je sais ! J'ai déjà eu une chance insensée de revenir des Dardanelles sans une égratignure. Mais pourquoi a-t-il fallu que je me fasse moucher en France ? C'est trop bête.

— Cela ne te servira pas de leçon, par hasard ? J'espérais que tu reviendrais avec moi à Coonamble...

— La guerre n'est pas encore finie, père. Mais n'en parlons pas ce soir, voulez-vous ? Je compte bien profiter de ma convalescence pour m'amuser.

— Je suis heureux de te l'entendre dire. Mais ne te déchaîne quand même pas trop ! dit Bruce en riant. Cette fois, pas de scandale, hein ? Cette chère Dolly ne perd pas une occasion de me parler de tes exploits avec son amie...

— Je vous en prie, ne remuez pas le couteau dans la plaie ! A chaque fois que j'y pense, je me jure de ne plus toucher aux femmes. Au fait, à quelle heure devons-nous aller chez Dolly, ce soir ?

— N'importe quelle heure après le dîner. Tu connais Dolly et ses réceptions « intimes » ! Elles ne se terminent jamais avant l'aube. De toute façon, je crois que je te laisserai y aller seul, pour une fois. Je voudrais bien passer par Audley Street dire bonsoir à mon vieil ami Adam Fairley.

— Comment va-t-il, ces temps-ci ? demanda Paul avec un regain d'intérêt.

— Pas très fort, le pauvre, répondit Bruce en soupirant. C'est vraiment trop triste de le voir ainsi... La mort d'Olivia lui a porté un coup dont il ne s'est pas remis. Et maintenant, son attaque. Le pauvre Adam, cloué dans une chaise roulante, lui toujours si actif...

— De quoi est-elle donc morte ?

— Leucémie, je crois. Une femme si jolie, si vive... Je me souviens encore de la première fois où je l'ai vue, c'était il y a quatorze ans, déjà. Elle m'avait tapé dans l'œil, je peux bien te le dire. Ravissante. Elle avait une robe et des saphirs de la couleur de ses yeux... »

Paul ne l'écoutait plus. Emma et Frank étaient en train de quitter la salle et il avait les yeux rivés sur Emma, ne perdant pas un de ses gestes. D'un signe, il appela le maître d'hôtel :

« Dites-moi, Charles, qui est donc le monsieur qui

254

vient de sortir en compagnie de la jeune femme en robe verte ?

— Comment, Monsieur ne le connaît pas ? C'est Frank Harte, oui, le Frank Harte du *Chronicle*. On dit que M. Lloyd George veut le faire entrer dans son cabinet.

— Et la jeune femme ?

— Je suis désolé de ne pouvoir renseigner Monsieur, je ne l'ai encore jamais vue. »

Quand le maître d'hôtel se fut éloigné après une série de respectueuses courbettes, Bruce McGill se pencha vers son fils, l'air soucieux :

« Ecoute-moi bien, Paul. Je suis trop mêlé aux milieux politiques pour te laisser faire n'importe quoi. Si ce garçon est bien en cour avec Lloyd George, tu devrais réfléchir avant de te jeter à la tête de sa petite amie. C'est peut-être même sa femme. Ne joue pas à des jeux dangereux, comprends-tu ?

— Ne vous inquiétez pas, père, répondit Paul en riant. Je serai prudent et je ne vous causerai pas d'ennuis cette fois-ci. Mais j'ai quand même envie de savoir qui est cette mystérieuse et « troublante créature », comme vous l'appeliez. Il n'y a rien de répréhensible là-dedans. »

Paul McGill alluma une cigarette et suivit pensivement des yeux la fumée qu'il exhalait. La fortune et les relations de son père lui ouvraient toutes les portes. Il ne s'agissait donc que de savoir à laquelle frapper pour organiser une rencontre avec ce Frank Harte dont le maître d'hôtel parlait avec tant de respect.

Quand Frank et Emma entrèrent dans le salon de Dolly Mosten, ils n'y trouvèrent qu'une douzaine de personnes. Il était encore tôt et la foule arriverait probablement vers minuit, à la sortie des théâtres. A peine avait-elle fait trois pas qu'Emma s'arrêta net et agrippa le bras de son frère en se penchant à son oreille :

« Allons-nous-en immédiatement, Frank ! souffla-t-elle.

— Qu'est-ce qui te prend ? Nous arrivons... »

Emma l'interrompit en lui enfonçant ses ongles dans la peau :

« Je t'en prie, Frank, ne discute pas. Partons !

— Ne sois pas ridicule, Emma. Ce serait surtout impoli vis-à-vis de Dolly, ce qui serait pire que tout. Tu ne la connais pas, elle se prend pour une comédienne de génie et elle a une langue de vipère. Elle m'a quand même beaucoup aidé et je ne veux pas lui faire un affront pareil, elle ne me le pardonnerait jamais. Qu'as-tu, quelle mouche t'a piquée ? Tout à l'heure, c'est toi qui voulais m'accompagner.

— Je ne me sens pas bien, mentit Emma. Veux-tu que je m'évanouisse sur le tapis ?

— Retiens-toi, ma vieille, c'est trop tard, murmura Frank. Dolly nous a repérés. »

De l'autre bout de la pièce, en effet, un tourbillon de crêpe jaune et de diamants fondait sur eux, surmonté d'une crinière rousse indisciplinée comme les flammes d'un bûcher. Dans le sillage de ce cataclysme naturel se profilait une silhouette que Frank reconnut instantanément : c'était le major australien du Ritz... Il se tourna vers Emma avec un sourire ironique :

« C'est donc cela, ta maladie ? Rassure-toi, il ne te mordra pas... »

Emma haussa les épaules mais n'eut pas le temps de répondre. Frank et elle étaient déjà enveloppés, embrassés, bousculés dans un déluge de parfum et de paroles de bienvenue déclamées comme sur la scène d'un théâtre de plein air. Rebutée par ce déploiement d'amitié artificielle, Emma répondit du bout des lèvres. Elle était surtout consciente du regard qui ne la lâchait pas et dont elle pouvait presque sentir la caresse sur ses épaules.

Elle allait se détourner d'une manière discrète quand elle sentit sa main saisie par une main puissante. Elle baissa les yeux, vit des phalanges couvertes de poils noirs qui emprisonnaient les siennes et n'osa pas relever la tête.

« Enchanté de faire votre connaissance, dit près de son oreille une voix grave teintée d'accent australien. Je ne m'attendais pas si vite à ce plaisir. J'avoue toutefois que j'étais prêt à tout faire pour le provoquer. »

Emma sentit renaître la colère et la gêne éprouvées pendant son dîner au Ritz. Elle réprima une forte envie de gifler cet odieux personnage et se décida à relever les yeux. Elle eut alors l'impression de se heurter à l'intensité du regard dont le jeune officier la couvrait. A la vue du sourire ironique avec lequel il semblait l'inviter à répondre, elle ouvrit la bouche, ne put proférer un mot. La main de Frank, sur son épaule, la poussait discrètement à réagir. Alors, elle s'entendit déclarer sans pouvoir se retenir :

« Je ne sais si vos déplorables manières viennent de votre éducation, major, ou si tous vos compatriotes se conduisent ainsi avec les femmes. Sachez que je ne les apprécie pas. Nous sommes à Londres, pas dans la brousse. »

Le cri de surprise horrifié que poussèrent Dolly et Frank fut noyé sous l'éclat de rire de Paul McGill. Emma s'efforça en vain de dégager sa main, qu'il serrait toujours, et se tourna vers son hôtesse :

« Pardonnez mon incorrection, Dolly, mais il vaut mieux que je me retire. J'ai eu au dîner quelque chose qui ne passe vraiment pas. »

Paul rit de plus belle et resserra son étreinte :

« Bravo, chère madame! Vous avez cent fois raison, je me suis conduit comme le dernier des mufles et je mériterais des claques. Voulez-vous en profiter ? » dit-il en se penchant pour offrir sa joue à Emma.

Il lui avait aussi lâché la main et Emma, rouge de confusion devant la tournure inattendue des événements, fit vivement un pas en arrière. Paul McGill la rattrapa et la tira fermement vers lui :

« Allons boire un verre de champagne, déclara-t-il. J'en profiterai pour tenter de démontrer à Mme Lowther que les gens de la brousse savent parfois être civilisés. Veuillez nous excuser », dit-il en souriant à Frank et à la maîtresse de maison.

Emma eut beau résister, il lui avait pris le bras et l'entraînait à sa suite d'un pas vif, sans cesser de sourire et de saluer à la ronde les gens de connaissance qui commençaient à affluer.

Les joues écarlates, Emma était forcée de le suivre. Elle se rendait aussi compte, malgré ses efforts, qu'elle était sensible à la personnalité et à la présence de son ravisseur. Paul McGill était plus grand et plus imposant qu'elle ne l'avait d'abord cru en le voyant assis. Il émanait de lui une puissance dominatrice qui lui donnait une sorte de vertige et elle frémissait au contact de son bras sur ses épaules nues. Son cœur battait trop vite, elle sentait ses nerfs tendus et essayait de se convaincre que ce n'était que sous l'effet de la colère.

La marche forcée où l'entraînait Paul McGill lui parut soudain interminable, comme si le salon de Dolly Mosten avait décuplé de longueur. Etourdie, Emma tenta de s'arrêter :

« Il faut que je m'asseye...
— Plus loin !
— Mais où donc m'emmenez-vous ? »

Paul s'arrêta net et, sans lâcher Emma, la dévisagea longuement d'un air soudain sérieux qu'il s'efforça de démentir par l'ironie de son ton :

« Où voudriez-vous aller ? Il y a des tas d'endroits auxquels je pense... Rassurez-vous, poursuivit-il en riant de la mine alarmée d'Emma, je n'ai pas l'intention de vous séquestrer. Je veux simplement vous emmener à l'écart de votre frère et de tous ces importuns. Tenez, là-bas, cela me paraît très confortable. »

Il désigna du menton un canapé dans un renfoncement et manœuvra habilement pour vaincre la résistance d'Emma et la faire asseoir. Soulagée d'être enfin débarrassée de sa poigne, elle accepta d'assez bonne grâce la coupe de champagne qu'il lui tendit après l'avoir prise sur le plateau que lui passait un serveur. Emma se dit qu'il valait mieux faire contre mauvaise fortune bon cœur. Elle devait à Frank de ne pas l'embarrasser davantage par un nouvel éclat et resterait donc le temps que la stricte politesse imposait. Mais elle était résolue à ne rien céder à cet arrogant Australien ni à épargner sa susceptibilité.

Elle but une gorgée de champagne et dit ironiquement :

« C'est sans doute ainsi que vous vous y prenez pour isoler un mouton que vous voulez tondre, major. J'ai bien peur que cette brillante technique ait moins de succès avec les femmes.

— Détrompez-vous, elle marche fort bien. J'y ai trouvé bien des satisfactions.

— Pas avec moi, en tout cas ! Je ne suis pas comme les autres qui...

— Je m'en étais déjà rendu compte, l'interrompit Paul. C'est même cela qui m'a tout de suite intéressé en vous, sans parler bien entendu de votre éblouissante beauté, ajouta-t-il avec un sourire sarcastique. Vous m'avez paru, comment dirais-je ? Comme une banquise en flammes. Cette image vous convient-elle ?

— Je ne suis rien d'autre qu'une banquise.

— La glace peut fondre...

— C'est alors qu'elle devient dangereuse, vous ne le saviez pas ?

— J'aime le danger. Il excite mon imagination et me pousse à me surpasser. J'adore relever les défis. Pas vous ? »

Furieuse de se sentir de nouveau rougir, Emma se détourna et fit mine de chercher Frank des yeux. En dépit d'elle-même, elle éprouvait un étrange intérêt pour cet homme. Son arrogante assurance, sa présence dominatrice, son apparence physique, tout le différenciait des autres et, quoi qu'elle en eût, cela attisait sa curiosité. Elle détestait le major pour sa suffisance, qui lui faisait croire que toute femme était prête à se rouler à ses pieds, mais elle avait reconnu en lui un caractère inflexible, voire impitoyable, qui provoquait en même temps son estime.

Appuyé au dossier, les jambes négligemment croisées, Paul McGill étudiait le profil d'Emma en se félicitant de l'incroyable coup de chance qu'il avait eu de la retrouver le soir même. Plus il la voyait, plus il la découvrait, plus son désir croissait. Il était stupéfait de l'intensité des sentiments qu'elle éveillait en lui et qu'il n'avait encore jamais éprouvés pour aucune femme. A trente-six ans, pourtant, Paul McGill avait déjà derrière lui une carrière de séducteur jalonnée d'innombrables victimes. Ses conquêtes trop faciles lui avaient laissé le détachement blasé d'un don Juan au cœur endurci mais toujours en quête de l'impossible absolu.

C'est alors qu'il devina cet absolu chez Emma. Foncièrement différente de toutes les femmes qu'il avait connues, elle était la première à ne pas céder à son charme. S'il la voulait, il lui faudrait la conquérir à force de patience, de compréhension, de lucidité, voire de ruse. À la traiter comme il le faisait, il ne réussirait qu'à la braquer contre lui. A situation nouvelle, décidat-il, moyens nouveaux. Il se pencha, lui fit un sourire plein de sincérité :

« Cessons ces escarmouches et pardonnez-moi, dit-il. Nous sommes en train de tout gâcher.

— Gâcher quoi ? demanda Emma froidement.

— Notre rencontre. Notre première soirée ensemble.

— Notre dernière soirée, voulez-vous dire ? »

Paul McGill se contint :

« J'aime les femmes difficiles. M. Lowther a les mêmes goûts que moi, j'imagine ? » dit-il sans pouvoir retenir un ricanement.

Emma le dévisagea, sidérée. C'est non seulement un goujat mais un imbécile, se dit-elle. Elle lui lança un regard glacial :

« Je suis veuve, major. Mon mari est mort il y a dix-huit mois. Il a été tué sur la Marne. »

Paul McGill rougit, furieux de la gaffe impardonnable qu'il venait de commettre étourdiment.

« Je vous prie d'accepter toutes mes excuses, dit-il à mi-voix. Je suis un imbécile et vous aurez raison de m'en vouloir... Je vous demande sincèrement pardon. »

Voyant Emma rester silencieuse et figée dans son attitude réprobatrice, il reprit :

« Je voudrais aussi vous présenter mes plus plates excuses pour la manière inqualifiable dont je me suis conduit tout à l'heure au Ritz. Me ferez-vous la grâce de les accepter ? »

Emma n'avait pas pu ne pas remarquer le changement de ton et la contrition sincère qui, chez son voisin, avaient remplacé la moquerie et la fatuité. Surprise, touchée, elle hocha la tête.

Il y eut entre eux un silence gêné que brisa l'apparition de Frank. Il portait une canne qu'il tendit à Paul :

« Dolly m'a chargé de vous donner ceci. Comment te sens-tu, Emma ? dit-il en se tournant vers sa sœur. Ton « malaise » est passé ?

— Oui, merci... Pardonne-moi, Frank. Cela m'a échappé, tout à l'heure.

— Tout était de ma faute, intervint Paul. C'est à moi de vous présenter mes excuses, Frank. Sans rancune ?

— Naturellement, Paul ! répondit Frank en lui tendant la main. Je vous quitte, je n'ai pas fini mes mondanités... »

Avec un sourire, il s'éloigna pour aller rejoindre un Secrétaire d'Etat ministrable qui tenait sa cour dans un coin du salon.

Voyant Emma regarder sa canne avec curiosité, Paul lui dit en souriant :

« Oui, une petite blessure. Vous n'aviez pas remarqué que je boitais, n'est-ce pas ? Je fais de mon mieux pour ne pas avoir l'air d'un infirme...

— Vous y réussissez à merveille. »

Cette marque d'amour-propre faisait voir Paul McGill sous un jour différent et Emma ne put retenir un sourire indulgent.

« J'espère que votre blessure ne vous fait pas trop souffrir, reprit-elle.

— Presque plus. Je compte d'ailleurs bientôt retourner en France. Ma permission de convalescence doit encore durer une quinzaine de jours, tout au plus... »

Conscient d'avoir un peu remonté dans l'estime d'Emma, il hésita cependant avant de poursuivre :

« Pourrions-nous nous revoir ? J'ai tout fait pour que vous me jugiez sévèrement mais je ne suis pas aussi mauvais que je m'en donne l'air, vous savez... Si nous déjeunions ensemble demain, pour que je vous présente encore mes excuses ?

— Je suis déjà prise. En fait, je dois déjeuner avec Frank. Nous nous voyons si rarement qu'il serait très déçu que je me décommande.

— Alors, sans vouloir m'imposer, puis-je me joindre à vous ? Laissez-moi vous inviter tous les deux. Vous ne risquerez rien, votre frère vous servira de chaperon ! »

Amusée, Emma sourit :

« Je le lui demanderai... »

Remplissant ses devoirs de maîtresse de maison, Dolly s'approcha alors, sans remarquer la grimace irritée que son arrivée arrachait à Paul.

« Alors, vous voilà réconciliés, tous les deux ? s'écriat-elle de sa voix la plus perçante. J'en suis ravie. Il faut bien soigner nos héros blessés, n'est-ce pas Emma ? Allons, je vois que vous êtes en bonnes mains, mon cher Paul, je vous laisse. A demain, nous déjeunons chez votre père, n'est-ce pas ?

— Désolé de vous manquer, mais je n'y serai pas.

— Mon dieu, comment cela ?

— Un rendez-vous fixé depuis très longtemps dont il n'est pas question que je me dégage.

— Quel dommage ! »

Quand Dolly se fut éloignée dans un grand envol de voiles et d'exclamations, Emma se tourna vers Paul avec un sourire ironique :

« Un engagement de longue date ? Je croyais que vous deviez déjeuner avec Frank et moi... »

Devant la mine soudain sérieuse de Paul, elle n'insista pas.

« Mais enfin, Emma, quelle mouche t'a encore piquée ? s'écria Frank.

— De quoi parles-tu ?

— Tu le sais parfaitement. Pourquoi quittes-tu Londres, comme cela, sans prévenir ?

— Quand je suis venue, je ne comptais rester que deux ou trois jours et cela en fait bientôt quinze ! Je ne peux pas me permettre de pareilles fantaisies, Frank, il faut que je rentre m'occuper...

— De tes affaires, je le sais ! Il n'empêche que c'est la première fois de ma vie que je vois ma sœur prendre la fuite.

— Quelle idée ! Je ne prends pas la fuite.

— Si. C'est Paul McGill, n'est-ce pas ? »

Emma ouvrit la bouche pour protester, se ravisa et poussa un soupir.

« Oui, admit-elle avec dépit.

— Je m'en étais douté. Mais je ne comprends quand même pas pourquoi tu files de cette manière.

— Parce qu'il devient littéralement insupportable et que je n'ai jamais fait grand cas des individus de son espèce.

— Emma, pour qui me prends-tu ? s'écria Frank en riant. Si tu ne peux vraiment pas le souffrir, dis-moi alors pourquoi tu as passé ton temps avec lui ! En fait, si je ne me trompe, vous avez passé toutes vos soirées ensemble, et je ne parle même pas des déjeuners, spectacles et autres cocktails et expositions. Je n'ai jamais pu te voir seule et j'avais l'impression que tu étais littéralement hypnotisée par ce garçon...

— Ce n'est pas vrai, Frank ! »

Frank haussa les épaules et se détourna pour regarder, par la vitre d'un taxi, l'animation de la rue.

« Lui, en tout cas, il ne cherche pas à le cacher. Tu l'as ensorcelé...

— Arrête de dire des insanités, Frank !

— Allons, Emma, je ne suis pas aveugle ! Tous ceux qui vous voient ensemble s'en rendent compte, tant cela crève les yeux. Paul est littéralement béat d'admiration devant toi. Et ne me dis pas qu'il te déplaît, tu mentirais.

— C'en est assez, Frank.

— Soit, je me tairai. Donne-moi au moins une bonne raison pour expliquer ton départ. Pourquoi ne veux-tu plus le voir ?

— Parce que... Parce qu'il est trop beau garçon. Parce qu'il a trop de charme. Parce que je ne me sens pas de taille à lutter avec lui. Et puis parce que je préfère couper court avant que les choses dégénèrent...

— Tu veux dire avant de tomber vraiment amoureuse de lui ? »

Emma hocha la tête sans répondre. Frank hésita à triompher devant cette preuve de sa perspicacité, referma la bouche et prit la main d'Emma :

« L'as-tu au moins prévenu de ton départ ?

— Non. J'ai laissé un mot à la réception du Ritz. Il le trouvera quand il viendra me chercher ce soir...

— Le procédé manque d'élégance !

— C'était la seule chose à faire... Mais qu'a donc ce taxi, il se traîne ! Frank, dis-lui de se dépêcher, sinon je vais manquer mon train ! »

Frank regarda sa sœur avec un sourire mi-ironique, mi-attendri, se pencha vers la vitre de séparation et dit au chauffeur d'accélérer.

36

Froide et calculatrice en affaires, Emma pouvait être impulsive et passionnée dans ses sentiments. C'était bien poussée par la panique, comme Frank l'avait deviné, qu'elle avait quitté Londres pour fuir Paul McGill et se soustraire à l'attirance qu'il exerçait sur elle.

Depuis longtemps, Emma était persuadée qu'elle jouait de malchance avec les hommes. Les uns l'avaient fait souffrir, elle en avait blessé d'autres sans avoir jamais eu avec aucun des rapports harmonieux et équilibrés. Fort de son assurance, invulnérable à la douleur, un Paul McGill constituait donc pour Emma une véritable menace. A s'abandonner, elle risquait de détruire le précaire équilibre auquel elle avait eu tant de mal à parvenir ; elle ne voulait pas non plus s'exposer à un bouleversement de sa vie affective. Joueuse, elle ne l'était qu'en affaires.

Elle était pourtant intriguée : rentrée à Leeds depuis deux jours, elle n'avait eu aucune nouvelle de Paul.

Etonnée, secrètement déçue, il lui arrivait de jeter des regards impatients vers son téléphone. Le soulagement qu'elle affectait n'était pas exempt d'amertume. Ce Paul dont elle se faisait une montagne l'avait bel et bien rayée de sa mémoire !

Durant les quinze jours de son séjour à Londres, Paul avait pourtant été le plus attentif des chevaliers servants. Débordant de charme et de galanterie, spirituel, en tout point le parfait *gentleman*, il n'avait cessé de l'entourer de prévenances. Au bout de quelques jours, certes, il avait pris Emma dans ses bras et les longs baisers qu'ils avaient échangés leur avaient permis de mesurer l'étendue et l'intensité de leur désir. Mais Paul avait su se dominer. Il n'avait fait aucune proposition équivoque, n'avait rien tenté pour la séduire par la force ou la ruse. Le soulagement d'Emma n'avait eu d'égal que son étonnement devant ce déploiement d'esprit chevaleresque assez inattendu chez un personnage tel que lui.

Cette évocation lui donna un frisson de plaisir et de regret, qu'elle maîtrisa avec une sorte de rage. Pourquoi se souviendrait-elle de lui alors qu'il l'avait oubliée dès l'instant où elle avait tourné les talons ? Peut-être aussi s'agissait-il, plus simplement, d'une réaction d'orgueil blessé, chez un homme à qui nulle femme n'avait encore résisté. Car Emma était convaincue d'avoir été la première à se soustraire à l'irrésistible Paul McGill. Mieux valait donc faire une croix définitive sur le trop séduisant major australien, dont le souvenir la troublait indûment.

Gênée de ses inconséquences, Emma se replongea dans les dossiers étalés devant elle. Elle avait à peine réussi à leur accorder une attention encore chancelante qu'on frappa à la porte. Sa secrétaire, Gladys, passa la tête et entra en hésitant, les joues rouges et la mine effarouchée :

« Il y a quelqu'un qui veut vous voir, madame.

— Je n'ai pourtant pas de rendez-vous, ce matin. Mais qu'avez-vous, Gladys ? Je ne vous ai jamais vue énervée comme cela... »

Emma s'interrompit et réprima un sourire. Elle venait de comprendre qui était ce visiteur inattendu : seul un Paul McGill pouvait faire un tel effet sur une femme qui le voyait pour la première fois. Gladys le confirma d'ailleurs sans attendre :

« C'est un certain major McGill, madame. Il m'a dit qu'il n'avait pas prévenu mais que vous le recevriez. »

Emma hocha la tête, le visage de nouveau impassible :

« Faites entrer, Gladys. »

La secrétaire avait à peine disparu que Paul entra, referma la porte et s'y adossa. Il était en uniforme, la casquette inclinée avec désinvolture, et portait un gros panier de pique-nique. Emma remarqua machinalement qu'il n'avait plus sa canne.

Il dévisagea longuement Emma en silence, le regard dur. Elle sentit son cœur battre à tout rompre et n'osait pas se lever de peur que ses jambes tremblantes ne la portent pas.

« Froussarde ! lâcha-t-il enfin.

— Que faites-vous donc à Leeds ? demanda Emma d'une voix mal assurée.

— Je suis venu déjeuner avec vous. Je sais ! dit-il en levant la main pour prévenir l'objection. Vous allez me dire que vous déjeunez toujours au bureau. C'est bien pourquoi j'ai apporté ce pique-nique, ainsi vous n'aurez aucune excuse pour vous dérober et me flanquer à la porte. Si ce n'est pas bon, prenez-vous-en au Métropole. Ils ont heureusement du dom pérignon, cela fera passer le reste.

— Vous ne doutez vraiment de rien ! dit Emma qui retrouvait son assurance.

— Je n'ai jamais su ce que ce mot voulait dire. »

Avec un éclat de rire, il jeta sa casquette à la volée sur une chaise, posa son panier et traversa la pièce en boitant, sans jamais quitter des yeux Emma, encore pâle d'émotion.

« Vous avez fui lâchement, déclara-t-il en se plantant devant son bureau. Vous aviez peur. »

Emma se sentit rougir et ne répondit pas.

« De qui aviez-vous peur ? reprit-il. De moi ? N'est-ce pas plutôt de vous-même ?

Il avait parlé d'une voix rude, accusatrice. Emma baissa les yeux :

— Je ne sais pas... De vous, sans doute.

— Idiote ! Vous n'aviez donc pas compris que je vous aime ? »

Avant qu'elle ait pu faire un geste, il contourna le bureau, la prit par les bras et la souleva pour la serrer contre lui. Au contact de ses lèvres sur les siennes, Emma ne résista plus. Elle l'étreignit de toutes ses forces, s'abandonna à ses baisers qui éveillaient en elle une passion trop longtemps contenue, les lui rendit avec une fougue débridée. Brûlante, étourdie, elle se laissa emporter sans plus réfléchir aux conséquences.

D'un geste qu'elle connaissait déjà bien, Paul l'écarta soudain en la tenant à bout de bras, lui prit le menton pour lui relever le visage et la regarda dans les yeux, soudain grave.

« Vous avez cru me décourager en mettant entre nous quelques malheureuses centaines de kilomètres ? Vous oubliez que je suis Australien ! ajouta-t-il en riant. Pour nous autres sauvages, les distances ne comptent pas. Et vous me connaissez encore bien mal, Emma. Je suis tenace, vous savez. On ne m'a encore jamais fait lâcher prise... »

Il la serra de nouveau contre lui à l'étouffer, lui donna un long baiser, l'écarta encore pour mieux la dévisager. Dans son regard, il y avait de l'attendrissement amusé.

« Que vais-je faire de vous, insupportable Emma, adorable Emma ? Il faudrait vous dresser. Mais j'ai peur que vous ne soyez trop rétive pour supporter la bride. »

Emma restait accrochée à ses épaules et serrait convulsivement le drap de l'uniforme. Muette, l'esprit en tempête, elle ne pouvait penser qu'à une chose. Tout à l'heure, il avait dit qu'il l'aimait. Qu'il l'aimait... Elle préférait ne rien dire car, si elle ouvrait la bouche, elle lui avouerait son amour et se rendrait sans condition. Un dernier réflexe de prudence la retenait.

Paul ne semblait pas se soucier du silence prolongé d'Emma. Sans la lâcher, il reprit la parole avec bonne humeur :

« Nous allons d'abord déjeuner, car je meurs de faim. Ensuite, vous allez me faire visiter votre magasin, votre filature, vos entrepôts. Après cela, vous allez me présenter vos enfants et j'espère que vous aurez suffisamment le sens des convenances pour me rendre mon invitation et me demander de rester dîner ! Vous n'oseriez pas abandonner un pauvre soldat à son triste sort dans ce trou sinistre, où il n'y a même pas d'endroit convenable pour passer la soirée ! »

Emma hocha la tête.

« Dois-je comprendre que vous êtes d'accord ?

— Oui, Paul », répondit Emma d'une voix à peine audible.

Paul McGill resta trois jours. A la faveur de ce séjour, Emma découvrit tout un côté de sa personnalité dont elle n'avait pas eu le soupçon. A Londres, déjà, elle avait cru deviner en lui une certaine profondeur qui, pensait-elle, ne devait cependant pas résister à son manque de sérieux. Secrètement ravie, elle vit un Paul McGill radicalement différent se révéler à elle. Doué d'une intelligence vive, il se montrait réfléchi, plein de bon sens et d'intuition. Attentionné envers elle, il captiva les enfants. Il sut écouter attentivement les bavardages d'Edwina, qui n'avait jamais tant parlé depuis le départ de Joe, répondit à ses innombrables questions sur l'Australie ou la guerre. Il traita Kit comme un homme et le petit garçon en conçut une véritable adoration pour Paul, qui lui faisait faire de la luge dans les allées du jardin couvertes d'une mince couche de neige, ou jouait avec lui dans la salle de jeux. Mieux encore que Joe, Paul sut éveiller chez les enfants ce qu'ils avaient de meilleur. Sous son influence, Edwina sortit de sa coquille et retrouva la vivacité de son âge.

Dans sa joie, Emma restait assez lucide pour étudier le caractère de Paul. C'est ainsi qu'elle remarqua à plusieurs reprises les regards pensifs et chargés d'un étrange regret qu'il lui arrivait de poser sur les enfants quand il ne se croyait pas observé. Elle chercha en vain à en deviner la cause et sa curiosité ne fit que l'attacher davantage à cet homme, dont la personnalité déroutante et pleine de contradictions la fascinait.

Le jour de son départ arriva trop vite.

« Il ne me reste plus beaucoup de temps à passer en Angleterre, dit-il à Emma. Viendrez-vous me voir à Londres ?

— Oui, répondit-elle sans hésiter. J'ai des rendez-vous demain matin, je pourrai donc venir après-demain, vendredi. »

Il sourit, lui caressa la joue :

« Faites un effort, Emma. Pourquoi pas demain après-midi ?

— Si vous voulez, Paul », dit-elle en lui rendant son sourire.

Il lui prit le menton, lui releva le visage et la regarda dans les yeux, l'air soudain grave :

« Ce n'est pas si je veux, Emma. Le voulez-vous, vous ?

— Oui, Paul ».

En le disant, Emma savait qu'elle prenait un engagement solennel.

Le lendemain soir, par un temps froid et pluvieux de février, Emma descendit du train à la gare de King's Cross. Elle le vit tout de suite, debout à l'extrémité du quai, engoncé dans un trench-coat au col relevé, sa casquette galonnée inclinée sur l'oreille. Le cœur battant, Emma se mit à courir sans même voir les regards surpris ou choqués des voyageurs. Elle ne s'arrêta que quand elle fut dans ses bras, hors d'haleine et riant de bonheur.

Paul retrouva bientôt son aisance et son autorité habituelles. Il fit signe au porteur chargé des bagages d'Emma, lui fit traverser la gare et la poussa dans la limousine Daimler de son père, dont le chauffeur démarra immédiatement. Tandis que la voiture avançait lentement dans la circulation dense, Emma se rendit compte d'une altération dans le comportement de Paul. Assis côte à côte, ils se tenaient la main et bavardaient d'un ton léger. Emma discerna pourtant comme une inquiétude ou une tension, qu'il s'efforçait de contrôler sans y parvenir tout à fait.

Paul fit arrêter la voiture à quelque distance du Ritz, où Emma avait retenu un appartement.

« Je descends ici, lui dit-il. Je finirai le chemin à pied.

— Pourquoi donc ? demanda Emma, étonnée.

— Je connais trop bien votre souci des convenances, ma chère, répondit-il en souriant. Je ne veux pas vous compromettre aussitôt arrivée. De toute façon, vous avez sûrement envie d'un peu de tranquillité pour prendre un bain et vous changer. Je viendrai vous rejoindre dans une heure pour les cocktails, d'accord ? »

Cette nouvelle preuve de galanterie la toucha. Mais à peine Paul eut-il claqué la portière qu'Emma, en le voyant disparaître dans la foule, se sentit oppressée par un douloureux sentiment de solitude. Il lui fallut faire un effort et se dire que leur séparation n'allait durer qu'une heure pour retenir les larmes qui, déjà, lui venaient aux yeux. Elle s'en voulut de cette réaction puérile.

Dans le salon, où flambait un bon feu, elle fut accueillie par d'innombrables bouquets et gerbes de fleurs rares qui, comme elle le constata à la lecture des bristols, avaient tous été envoyés par Paul. Déjà rassérénée, Emma défit rapidement ses valises et se plongea avec délices dans l'eau brûlante du bain. Réchauffée, détendue, déjà impatiente de le revoir, elle mit son peignoir de soie blanche et s'assit à la coiffeuse. Elle n'avait jamais éprouvé une telle sensation de bonheur.

Quelques minutes plus tard, alors qu'elle posait la dernière épingle dans ses cheveux savamment torsadés, Emma eut l'impression qu'elle n'était pas seule. Elle tourna lentement la tête et sursauta en poussant un cri. Nonchalamment appuyé contre le montant de la porte, un verre à la main, Paul la regardait en souriant.

« Je suis navré de vous avoir fait peur, j'aurais dû

frapper avant d'entrer, dit-il. Mais je ne regrette pas d'avoir surpris un si ravissant tableau, ma chère.

— Comment êtes-vous entré? dit Emma d'un ton indigné.

— Par la porte, bien entendu! Tenez, essayez cela. »

Il traversa la chambre et posa sur la coiffeuse un petit écrin qu'Emma ouvrit après une légère hésitation. Deux superbes émeraudes, montées en boucles d'oreilles, scintillaient sur le velours noir. Emma ne put retenir un cri :

« Oh! Paul, quelle splendeur! Mais je ne peux pas accepter un pareil cadeau...

— Mettez-les! » ordonna-t-il.

D'une main tremblante, Emma obéit et vissa les boucles. Elle s'admira un instant dans le miroir et releva les yeux pour jeter à Paul un regard de gratitude.

« Ce sont les plus belles émeraudes que j'aie jamais vues, Paul. Comment avez-vous deviné que c'étaient mes pierres préférées?

— Ce n'est pas bien difficile, répondit-il en souriant. Il suffit de voir vos yeux pour comprendre que vous ne pouvez porter que des émeraudes... »

Il se pencha, lui releva le menton d'une main et posa un baiser sur son front :

« Si vous les refusez, reprit-il, je considérerai cela comme une grave injure et je ne vous reparlerai jamais.

— Dans ce cas, je n'ai pas le choix. Mais je suis confuse, Paul. C'est trop beau. Merci... »

Il l'interrompit d'un geste.

« Allons, venez au salon boire quelque chose.

— J'enfile une robe et j'arrive.

— Pas la peine, vous êtes très bien ainsi. Je voudrais vous parler. »

Emma se leva en rajustant son peignoir et le suivit. La gravité avec laquelle il avait dit ces derniers mots lui donna une soudaine bouffée d'inquiétude. Devait-il partir pour la France plus tôt qu'il ne l'avait prévu? Etait-ce là la raison du malaise qu'elle avait observé dans la voiture, en revenant de la gare? Quand elle arriva dans le salon de son appartement, elle comprit d'un coup d'œil pourquoi Paul était entré aussi silencieusement et l'avait surprise à sa toilette. Au bout de la pièce, la porte de communication avec l'appartement contigu était ouverte et révélait un salon identique. Elle s'arrêta sur le seuil, stupéfaite de l'audace dont il avait fait preuve et troublée de ce qu'impliquait cette intimité inattendue.

« Ainsi, dit-elle avec une colère contenue, c'est par là que vous êtes passé ?

Il fit mine de n'avoir pas entendu.

« J'ai fait monter du scotch mais je crois que vous préférez le champagne, dit-il calmement. En voulez-vous un verre ? Je vais le chercher. »

Sans attendre de réponse, il passa dans son propre appartement. Emma le suivit des yeux, effarée de son assurance et enragée de sa prétention. Pour qui la prenait-il ? Avait-il cru qu'il suffisait d'ouvrir une porte pour...

Emma se mordit les lèvres, consciente de l'inconséquence dont, une fois de plus, elle faisait preuve. Quand elle était montée dans le train, tout à l'heure, elle savait fort bien qu'elle franchissait un pas sur lequel on ne revient pas. Le spectacle de cette porte ouverte n'avait rien qui puisse la choquer à moins de se rendre coupable d'hypocrisie. Quand Paul lui avait demandé de venir le rejoindre à Londres, quand elle avait accepté, la situation présente était implicitement décidée entre eux. Avait-elle rien fait pour l'en détromper ?

Paul revint, lui tendit sa flûte et s'assit devant elle. Il la regarda comme s'il devinait ses pensées :

« Je ne vous reproche pas d'être furieuse contre moi, Emma. Je vous ai mise dans une situation gênante sans même vous demander votre avis. »

Pour cacher sa nervosité, Emma baissa les yeux et but une gorgée de champagne.

« Je vous demande humblement pardon de me montrer si présomptueux. Que voulez-vous, cela fait des semaines que je rêve de vous voir enfin succomber à mon charme, dit-il avec un sourire d'excuse. Mais je manque vraiment par trop de subtilité. Aussi, pour vous montrer ma bonne foi et ma contrition, je vous propose ceci. Je vais finir de boire ce verre, je vais repasser cette porte et vous la fermerez à clef derrière moi. Quand vous serez habillée, je reviendrai par le couloir et nous sortirons dîner. Je ne vous impose aucune condition, ni maintenant ni plus tard. D'accord ? »

Emma le regarda dans les yeux :

« Bien sûr, Paul. Mais... pourquoi avez-vous changé d'avis ?

— Etonnant, n'est-ce pas ? dit-il avec un rire ironique. A vrai dire, je suis le premier surpris de me voir dans le rôle du pécheur repentant...

— De quoi vous repentez-vous, Paul ? »

Il haussa les épaules.

« De rien, Emma. Mais je vous aime trop pour persister à vouloir vous imposer mon seul bon plaisir sans vous laisser la chance d'exprimer vos propres sentiments.

— Je ne vous suis pas.

— C'est simple, Emma. Il faut que vous m'aimiez et me désiriez autant que je vous aime et je vous désire. Sans cela, il n'y a aucune raison de continuer... »

Il finit son verre d'un trait et se leva brusquement :

« Allons, dépêchez-vous et allez vous habiller. Quand vous serez prête, téléphonez-moi et nous descendrons dîner. »

Arrivé à la porte de communication, il se retourna :

« La clef est sur la serrure. A tout à l'heure. »

Emma se leva. Elle hésita brièvement et donna un tour de clef, la mine aussi grave que celle de Paul. Elle retourna ensuite à pas lents s'asseoir sur le divan. Elle se sentait désemparée et ne savait plus que faire. Paul l'aimait. Elle aimait Paul. Elle était venue à Londres pleinement consciente qu'ils avaient tacitement pris un engagement mutuel, et maintenant c'était elle qui revenait sur la parole donnée et se conduisait en hypocrite. Si elle se jugeait avec objectivité, sa conduite était absurde et illogique, jusqu'à un certain point méprisable. De quel droit jouait-elle la vertu effarouchée ?

Elle ferma les yeux, imagina Paul derrière cette porte

fermée, en train de l'attendre pour aller dîner. En train surtout d'attendre sa décision, une décision lourde de conséquences et dont dépendrait l'avenir de leurs rapports. S'en était-il déchargé sur elle pour éviter de porter le poids de cette responsabilité? Non, Paul n'était pas homme à fuir devant ses actes et, s'il rusait parfois, ne pouvait être taxé de duplicité. Alors, se dit Emma, de quoi ai-je peur? Pourquoi ce recul devant un pas déjà plus qu'à moitié franchi? Pourquoi?

La réponse lui apparut soudain dans toute sa clarté. Ce devant quoi elle reculait, c'était l'amour, l'amour physique dont elle avait été dégoûtée par les dramatiques conséquences de son aventure avec Edwin, par les balourdises maladroites de Joe. Ce dont elle avait peur, c'était de se montrer insuffisante, de blesser Paul par un mouvement de recul instinctif, de souffrir elle-même de ce qu'elle considérait encore comme une agression. Peut-être, si elle le lui expliquait, Paul comprendrait-il...

Elle se leva d'un bond, ouvrit la porte et s'immobilisa sur le seuil. Paul était debout devant la cheminée et lui tournait le dos, la tête baissée, comme accablé.

« Paul! »

Il se redressa et se retourna lentement, la regarda avec incrédulité.

« Il faut que je vous parle », dit-elle.

Elle s'approcha pas à pas. Paul hésitait à parler, le regard assombri.

« Je vous ai laissée seule porter le poids de cette décision, Emma. Ne vous méprenez pas : je ne l'ai fait que pour être sûr de vous, pour que vous soyez surtout sûre de vous-même et...

— Je sais, Paul. »

Elle le rejoignit, posa la main sur sa poitrine en caressant machinalement la soie du revers du smoking. D'un seul coup, elle avait perdu tout courage et n'arrivait pas à dire les mots que, tout à l'heure, elle croyait devoir prononcer pour expliquer ses hésitations. Paul lui prit la main, la porta à ses lèvres. Quand il la serra dans ses bras, elle se laissa faire, soulagée d'un poids qui l'étouffait.

L'expression de son visage en dit plus à Paul qu'il ne rêvait d'en entendre. Désormais sûr de lui comme il était sûr d'elle, il la souleva de terre, l'emporta dans la chambre, l'étendit sur le lit et s'agenouilla :

« J'ai vu tes yeux, mon amour, dit-il d'une voix enrouée par l'émotion. Mais je veux te l'entendre dire.

— Je t'aime, Paul. Je t'aime et... j'ai envie de toi.

— Je le savais, Emma. Je savais que nous étions destinés l'un à l'autre. Mais il fallait que tu l'admettes de ton plein gré. Je ne t'aurais jamais forcée à me le dire. Je voulais simplement que tu viennes à moi sans contrainte, comme je me suis livré à toi. »

Il se pencha vers elle. Leurs lèvres se joignirent.

Longtemps après, ils reposaient l'un près de l'autre, nus, comblés d'une révélation mutuelle dépassant l'idée même qu'ils se faisaient du bonheur et qui les laissait cependant inassouvis et impatients. Pour la première fois, Emma était en paix, une paix profonde, émerveillée, faite de son amour pour Paul et du sentiment de sa propre métamorphose. Paul aussi savait qu'il n'était plus le même, que rien ne serait jamais semblable dans sa vie. La touchante inexpérience dont Emma avait fait preuve l'avait bouleversé. En la révélant à elle-même, il s'était révélé. Sa longue, sa déprimante recherche était finie, il avait touché au but. Aucune femme n'existerait plus pour lui qu'Emma. Ils s'étaient trouvés ou, plutôt, retrouvés. Ils étaient, l'un pour l'autre, leur destin.

En baissant les yeux, il vit la main d'Emma posée sur sa poitrine et la prit avec douceur. Son regard se voila d'une recrudescence de l'angoisse qui, depuis plusieurs jours, le tenaillait. Il hésita, détourna les yeux :

« Emma, mon amour...

— Oui, Paul ?

— Je... je suis marié. »

La main d'Emma ne bougea pas. Elle resta elle-même parfaitement immobile dans les bras de Paul. Mais elle avait l'impression d'avoir reçu un coup violent dans la poitrine.

« Tu as choisi un bien mauvais moment pour me l'annoncer », dit-elle enfin à mi-voix.

Paul la serra plus fort contre lui, rapprocha sa tête.

« Je l'attendais au contraire pour te l'apprendre.

— Pourquoi ?

— Parce que je voulais que tu sois dans mes bras. Parce que je voulais que tu saches l'importance que tu as pour moi avant de t'expliquer que mon mariage n'en est pas un. Parce que je voulais pouvoir t'aimer encore et te prouver, autrement que par des mots, que toi seule comptes dans ma vie. »

Il s'interrompit, scruta anxieusement le visage d'Emma et le vit impénétrable.

« Je n'essayais pas de te mentir, reprit-il. Tu l'aurais appris tôt ou tard au hasard d'une conversation et je préférais que tu l'entendes de ma bouche. Si j'ai attendu, c'est uniquement parce que je craignais de te perdre avant de t'avoir trouvée. C'est parce que j'avais peur que tu disparaisses ou ne me chasses avant que nous n'ayons fait...

— C'est ignoble ! »

Elle se débattit, voulut sauter du lit. Paul la reprit fermement et l'immobilisa sous lui, ses yeux plongeant dans les siens.

« Non, Emma, ce n'est pas de la ruse ni de la déloyauté de ma part, je te supplie de me croire. Si j'ai choisi d'attendre ce moment, ce n'était pas pour ajouter une conquête de plus à mon tableau de chasse. C'était pour être sûr que notre amour nous liait irrévocablement l'un à l'autre. Car plus rien, désormais, ne pourra nous séparer. Je t'aime , Emma. Tu es tout ce que j'ai de plus cher au monde.

— Et ta femme ? »

Elle avait essayé, sans succès, de prendre un ton amer ou ironique.

« Nous n'avons plus aucun rapport depuis sept ans. Nous vivons séparés depuis six.

— Depuis combien de temps êtes-vous mariés ?

— Neuf ans, Emma. Un mariage de convenance, s'il a même le droit de s'appeler un mariage. Je suis encore lié à elle pour... des raisons disons juridiques et financières. J'avais de toute façon l'intention de régulariser cette situation absurde après la guerre. Car c'est avec toi, avec toi seule que je veux passer le reste de ma vie, Emma. Si tu veux encore de moi... Tu es ma vie. Il faut que tu me croies, je t'en supplie. Me crois-tu ? »

Les pensées contradictoires qui se bousculaient dans sa tête avec violence s'apaisèrent peu à peu et Emma retrouva assez de lucidité pour observer Paul. Elle pouvait sentir, presque toucher, l'anxiété qui l'étreignait. Son visage était à nu, livré sans défense à l'examen auquel elle le soumettait, et n'exprimait qu'une sincérité bouleversante. Il était vulnérable, offert à sa clémence ou à sa condamnation. Emma comprit que Paul avait véritablement mis son sort entre ses mains.

Elle leva lentement la main, dessina d'un doigt hésitant le contour des lèvres de Paul, regarda une dernière fois son visage pâle, crispé, rempli d'espérance et de crainte.

« Je te crois, Paul, murmura-t-elle. Oui, je crois. »

Les jours qui suivirent se fondirent en un enchantement ininterrompu, les jours et les nuits baignés de la lumière du rêve. Dans un paroxysme de bonheur qui ne faisait que croître, Emma et Paul se lièrent indissolublement. Leur désir renaissait aussitôt assouvi, leur amour se fortifiait de lui-même.

Le monde n'existait plus. Ils étaient dans une planète isolée de tout, ne vivaient que l'un pour l'autre, l'un par l'autre, n'avaient chacun besoin que de l'autre. Enfermés dans leurs appartements contigus du Ritz, ils n'en sortaient que pour de rares promenades ou un dîner en tête-à-tête dans quelque restaurant intime, à l'écart des foules mondaines. Ils étaient si passionnément, si exclusivement amoureux l'un de l'autre qu'ils refusaient de distraire une seule minute pour tout autre qu'eux-mêmes. Barricadés derrière un mur d'intimité infranchissable, ils annulèrent des réceptions ou des réunions d'affaires prévues de longue date et ne reçurent ni visites ni appels. Paul ne vit même pas son père, Emma son frère Frank. Ils étaient seuls au monde. Quand ils avaient été séparés pour un instant, ils se contemplaient, émerveillés d'être les acteurs d'un tel miracle. Un regard valait un baiser, un simple geste une étreinte. Le moindre mot était chargé d'un sens secret intelligible à eux seuls et lourd de développements infinis. Ils s'aimaient.

Emma s'abandonnait à ce bonheur que, pour une fois, son esprit se refusait à analyser. Ses amertumes passées, ses rancœurs, ses humiliations, ses projets mêmes, tout était oublié, balayé par la tempête qui la soulevait hors d'elle-même et au-delà. Le masque de froideur impassible qui durcissait ses traits avait été arraché. L'armure qu'elle s'était forgée autour du cœur avait fondu dans ce brasier. Au contact de Paul, Emma était née à une vie neuve. L'amour dont il lui donnait cent fois la preuve, la compréhension qu'il manifestait de ses pensées les plus secrètes avaient fait disparaître la méfiance dont sa nature, croyait-elle, lui faisait une protection alors qu'elle la paralysait. Elle était, et elle se découvrait, enfin elle-même, comme jamais encore elle ne l'avait été avec quiconque. Elle s'était donnée à Paul sans la moindre réserve et elle s'émerveillait de se sentir enfin libre et légère.

Sa découverte de Paul ne la ravissait pas moins. Sa façade d'ironie blasée avait depuis longtemps volé en éclats et Emma était la première femme à le voir sous son vrai jour. Sous son intelligence brillante et encore volontiers caustique se cachait un esprit sensible, réfléchi, volontiers introspectif. L'étendue de ses connaissances, l'élévation de son jugement ne cessaient d'étonner Emma. Intelligent, cultivé, doté de qualités de cœur trop longtemps masquées ou réprimées, Paul était un homme exceptionnel. Elle en était littéralement ensorcelée.

Paul n'était pas moins épris d'elle et son amour pour Emma était, comme elle l'avait compris, le premier sentiment sincère et profond qu'il ait éprouvé depuis son enfance. Son expérience lui avait fait deviner, au premier coup d'œil, qu'Emma était un être unique, inégalable par la beauté, la présence et l'intelligence. La richesse de sa personnalité la mettait à part, loin au-dessus des autres femmes et de la plupart des hommes. Dès le début, il avait vu en elle une flamme dont la lueur assourdie franchissait malgré tout les obstacles volontairement dressés par Emma en guise de défenses. Celles-ci abattues, plus rien n'en voilait un éclat dont Paul était constamment ébloui. Son amour pour elle était une véritable adoration et, en homme supérieur, il n'avait aucune honte à se mettre aux pieds de son idole.

Ainsi passèrent les jours, à la lumière d'un coup de foudre sans cesse renouvelé, sans cesse plus puissant. Chaque instant leur faisait découvrir en l'autre un recoin encore inexploré et qui le rendait plus cher. Etroitement unis de corps et de cœurs, ils l'étaient dorénavant par l'âme. Ils étaient déjà fondus en un seul être et pensaient à l'unisson.

Un après-midi, repus mais non assouvis, ils se reposaient un instant dans les bras l'un de l'autre quand Paul se tourna vers Emma avec un sourire contrit :

« Me pardonneras-tu si je te laisse seule ? J'ai deux ou trois choses à régler, que j'ai trop négligées ces derniers temps.

— Je te pardonne si tu me promets de revenir vite.

— Tu sais que rien ne peut me séparer de toi long-temps ! Je serai de retour dans une heure, à quatre heures au plus tard. »

Après son départ, Emma passa plusieurs coups de téléphone chez elle pour s'assurer que les enfants allaient bien, au magasin pour donner ses instructions. Rassurée, elle fit ensuite demander Frank à son bureau du *Chronicle*.

Frank s'exclama sur le miracle d'entendre enfin la voix de sa sœur. Emma et lui se lancèrent dans une conversation à bâtons rompus, tout au plaisir d'échanger des nouvelles et des boutades. Frank rapporta qu'on ne parlait, dans les salons, que de la disparition du séduisant major australien, dont l'absence faisait pousser bien des soupirs. D'autant, dit Frank non sans malice, que l'immense fortune McGill excitait bien des convoitises chez les jeunes filles à marier.

En raccrochant, Emma était pensive. Cette allusion à la famille de Paul l'avait, malgré elle, ramenée à la personne de la mystérieuse Mme Paul McGill, cette épouse dont Paul ne lui avait plus jamais soufflé mot et dont Emma n'avait pas voulu évoquer le spectre. Une vive curiosité la saisit soudain et les questions se pressèrent dans son esprit. Comment était-elle, quel âge avait-elle, pourquoi leur mariage avait-il échoué, avaient-ils eu des enfants ? Pourquoi, surtout, Paul n'avait-il jamais divorcé s'ils étaient depuis si longtemps séparés ? Il avait mentionné, sans plus de précision, des raisons « juridiques et financières ». Y avait-il quelque secret, quelque lien puissant qui le retenait encore à cette femme ? S'en dégagerait-il jamais, comme il avait affirmé en avoir l'intention ?

Emma préféra chasser de son esprit ces interrogations qui la mettaient mal à l'aise. Elle connaissait maintenant assez bien Paul, dont elle avait su apprécier la droiture, pour savoir qu'il lui en parlerait de lui-même le moment venu. En attendant, il ne servait à rien de ternir, ne serait-ce qu'imperceptiblement, les quelques heures si précieuses qu'ils avaient à se consacrer. Elle ferma les yeux pour ne plus y penser.

Quand elle les rouvrit, elle s'aperçut qu'elle s'était assoupie et consulta la pendule posée sur la cheminée. Surprise et inquiète, elle se rendit compte alors que Paul était parti depuis plus de deux heures. Que lui était-il arrivé ? Elle eut un instant de panique, les nerfs soudain tendus. Un pressentiment lui vint, qui ne fit qu'aggraver son malaise : Paul allait partir. Il s'était soigneusement abstenu d'y faire la moindre allusion mais Emma, malgré l'enchantement où elle avait vécu, n'avait pas perdu toute notion du temps et s'était rendu compte que le moment de son retour au front se rapprochait inexorablement. En la quittant à Leeds, il lui avait dit : « Il ne me reste plus beaucoup de temps... » Ce temps était-il maintenant irrévocablement écoulé ?

Pour se distraire et s'occuper, elle décida de faire une

longue toilette, se plongea dans un bain chaud qui ne la calma guère. Elle se brossa longuement les cheveux, se maquilla, se parfuma, mit une robe d'intérieur que Paul aimait particulièrement. Après une hésitation, elle sortit les boucles d'oreilles de leur écrin et les fixa à ses lobes. A sept heures, Paul n'était toujours pas rentré et Emma se sentit céder à l'affolement. Après avoir écarté les idées d'accident, de fuite et quelques autres notions plus folles les unes que les autres, la réalité s'imposa peu à peu, plus pénible encore à envisager. Paul avait dû aller au ministère y prendre ses ordres. Il allait repartir. La guerre, qu'elle avait oubliée, lui reprenait l'homme qu'elle aimait. Il risquait sa vie, elle ne le reverrait peut-être jamais plus...

La figure dans les mains, les épaules déjà secouées de sanglots, elle entendit soudain un bruit de porte, bondit et se précipita dans les bras que Paul lui tendait.

« Je croyais qu'il t'était arrivé quelque chose ! dit-elle en se serrant contre lui.

— Il ne peut rien m'arriver, mon amour. J'ai encore devant moi des années et des années de bonheur avec toi, l'aurais-tu déjà oublié ? répondit-il en souriant. Mais il faut que j'aille me changer, je suis trempé. Attends-moi dix minutes, nous prendrons le champagne chez moi. J'ai commandé le dîner pour neuf heures. »

Quand il revint, il s'était habillé en civil et Emma ne pouvait détacher ses yeux de son élégante silhouette. Chaque fois qu'elle se séparait de lui, même brièvement, elle éprouvait le même choc émerveillé en le revoyant. Paul finit de déboucher le champagne, fit à Emma une moue amusée en surprenant son regard et vint vers elle pour lui donner sa flûte.

« Rassure-toi, je ne t'ai pas fait d'infidélités », dit-il en souriant.

Emma essaya vainement de se mettre au diapason, mais son inquiétude fut la plus forte :

« Tu es parti bien longtemps.

— Il fallait que j'aille voir mon père, nous avions des affaires à régler. Je l'ai bien négligé ces derniers temps, le pauvre...

– C'est ma faute. Je t'ai empêché de le voir, de retrouver tes amis...

– Pas du tout. C'est moi qui ai choisi de nous isoler. Je ne voulais pas d'intrusions dans notre bonheur, pas d'étrangers dans notre planète de rêve.

– J'espère ne pas retomber sur terre et m'apercevoir que nous n'avons vécu qu'un rêve, Paul, dit Emma avec un frisson.

– Ce n'était qu'une façon de parler ! Tu sais bien que tu es ma seule réalité, que notre amour n'est pas un rêve... Mais qu'as-tu ? Je te vois toute triste.

– Oui, Paul, je le suis. Tu étais au ministère de la Guerre, n'est-ce pas ? Et tu as été voir ton père pour lui faire tes adieux. Tu dois t'en aller bientôt, n'est-ce pas, Paul ? » dit-elle d'une voix mal assurée.

Il redevint grave, baissa les yeux :

« Oui, Emma.

– Quand cela ?

– Demain. »

Elle voulut parler. Il se pencha en hâte pour prendre le verre de champagne de sa main tremblante et s'assit contre elle en la serrant dans ses bras.

« Quand je faisais mes études à Oxford, il y a bien longtemps, j'y ai lu quelque chose dont je n'ai jamais oublié le sens, bien que je ne puisse plus le citer textuellement. Ce passage, le voici : « Ceux qui s'aiment ne « sont jamais séparés, car ils restent unis par la pensée « qui est le plus puissant des liens. Hier encore, je te « parlais raison. Aujourd'hui, je te demande d'avoir la « foi. »

Il se pencha pour sécher d'un baiser les yeux d'Emma qui commençaient à se mouiller de larmes.

« Ne pleure pas, mon amour. Il faut être brave. N'oublie pas les mots que je viens de te dire. Il faut croire en notre amour, Emma, et nous ne serons jamais séparés. Je t'aimerai toujours, aussi longtemps que je vivrai. »

Elle s'enfouit la tête dans son épaule, incapable de dissimuler plus longtemps son chagrin.

« Je t'aime tant, Paul... Comment vivre sans toi, loin de toi ? »

Il lui prit le menton et la força à le regarder :

« Cessons de nous tourmenter, Emma. Oublions ce qui n'est pas le présent. Car il y a encore le présent, ajouta-t-il avec un sourire, de longues heures de plaisir et de bonheur. Toute une nuit, en fait ! Viens... »

Elle se força à sourire à travers les larmes. Un instant plus tard, leurs lèvres jointes, leurs corps prêts à s'assouvir, Emma ferma les yeux, éblouie.

37

Emma pâlit. Une affreuse angoisse l'empêcha un moment de parler.

« L'amputer ! s'écria-t-elle enfin d'une voix altérée. C'est impossible ! Il allait si bien, ces derniers temps...

— Détrompez-vous, madame. Votre frère vous cachait la vérité sur son état. Malgré nos instances, il refuse l'opération et ne veut pas entendre raison. Il n'est pourtant plus temps de tergiverser. La gangrène risque de le tuer, à très brève échéance. »

Emma chancela et se laissa tomber sur une chaise.

« Il n'y a pas d'autre choix, docteur ?

— Hélas ! non, répondit le chirurgien. Dans son cas, c'est vraiment devenu une question de vie ou de mort... Je suis sincèrement navré d'être aussi brutal, mais les circonstances exigent de regarder la vérité en face. Il n'y a plus une heure à perdre.

— Expliquez-moi ce qui s'est passé. Je croyais que vous aviez pu extraire les éclats de son mollet et de sa cheville.

— C'est exact. Mais la plaie était déjà infectée et la gangrène s'est manifestée sans que nous puissions l'enrayer. Elle a gagné rapidement du terrain et se trouve maintenant jusque au-dessus du genou. J'estime qu'il est de votre devoir de signer à sa place l'autorisation d'opérer. Sinon...

— Non, docteur ! C'est à Winston seul de prendre cette décision.

— Ne comprenez-vous pas la situation, madame ? Votre frère n'est pas en état de décider, il n'a pas toute sa lucidité. Vous êtes sa plus proche parente, c'est à vous qu'incombe cette responsabilité. Il faut faire vite, dans l'heure. Ce soir ou demain, il risque d'être trop tard. »

Emma baissa la tête, se mordit les lèvres pour ne pas pleurer.

« C'est bien docteur. Donnez-moi ce papier. »

Le chirurgien poussa vers elle, à travers son bureau, un formulaire et une plume. Emma le parcourut rapidement.

« C'est la seule chose à faire, madame, reprit le praticien. Plus tard, votre frère vous saura gré de lui avoir sauvé la vie. »

Emma ne répondit pas. Le visage sombre, les lèvres serrées, elle signa le document et le rendit au chirurgien.

« Puis-je voir mon frère, maintenant ?

— Bien entendu. Je vais vous accompagner. »

Winston avait été installé dans une petite salle, avec une douzaine de marins blessés. Les lits étaient séparés par des paravents formant des sortes de cellules. Quand Emma pénétra dans celle où se trouvait Winston, elle vit tout de suite sa pâleur, son regard vitreux, la sueur qui lui perlait au front. Elle se pencha pour l'embrasser, recula en l'entendant pousser un cri de douleur.

« Tu as secoué le lit ! dit-il d'une voix étouffée. Je ne peux pas supporter le moindre choc. Fais attention, je t'en supplie ! »

Emma s'assit avec précaution sur un tabouret placé au chevet du lit et regarda son frère avec tristesse.

« Pourquoi m'as-tu caché que tu avais la gangrène ? »

Winston retrouva un instant le regard de défi bravache des querelles de leur enfance :

« On ne me coupera pas la jambe, Emma ! Je refuse de finir mes jours impotent, comme un infirme !

— Préfères-tu mourir ?

— Oui, qu'on me laisse crever ! Plutôt mourir que n'avoir qu'une seule jambe. Je suis encore jeune,

Emma, et ma vie est déjà finie. Finie! A quoi bon vivre diminué? »

Il avait les yeux brillants d'un éclat fiévreux, les traits tordus par une douleur mal contenue. Emma frissonna devant ces indices trop éloquents.

« Tu ne sais pas ce que tu dis! dit-elle avec fermeté. Mieux vaut être handicapé un certain temps et vivre. As-tu peur de souffrir? Es-tu devenu une chiffe?

— Je ne veux pas qu'on me coupe la jambe...

— Il le faut, Winston! Fais-le pour Frank, pour les enfants. Pour moi. Nous t'aimons, nous avons besoin de toi. Il faut vivre, Winston! Ecoute... »

Elle dut s'interrompre. Sa voix se brisait.

« J'ai subi trop de pertes, reprit-elle. J'ai vu mourir trop de ceux que j'aimais. Maman, papa, Joe, Laura... Et tante Lily, pas plus tard que la semaine dernière. C'en est assez, Winston, assez! Tu n'as pas le droit d'allonger cette liste de deuils à cause de ton entêtement et de ta vanité. En te laissant mourir, tu me tueras, tu tueras ceux qui t'aiment. Tu n'en as pas le droit... »

Emma ne put davantage se retenir de pleurer. Désemparé devant cette douleur, stupéfait de voir Emma, toujours si solide, vaciller devant lui, Winston ne sut que répondre. Le visage couvert de sueur, les traits tirés par la souffrance, il fit enfin un effort pour parler :

« Ne pleure pas, Emma. Fais comme tu veux, dis-leur de me charcuter. A vrai dire, je ne suis plus capable de supporter la douleur beaucoup plus longtemps. Alors, dans ces conditions, mourir ou perdre la jambe... Signe l'autorisation.

— C'est déjà fait », dit Emma en se mouchant.

Un sourire fugitif apparut sur les lèvres de son frère :

« J'aurais dû m'en douter... Tu restes pour attendre la fin de l'opération?

— Bien sûr. Croyais-tu que j'allais t'abandonner dans de pareilles circonstances? »

Elle se leva et, n'osant plus s'approcher du lit, lança un baiser du bout des doigts. Quelques instants plus tard, les infirmiers vinrent chercher Winston sur une civière.

Seule dans une salle d'attente de l'hôpital militaire, Emma regardait distraitement par la fenêtre. La cour était parcourue par un flot incessant d'ambulances, traversée par des groupes de médecins, d'infirmières ou de convalescents appuyés sur des béquilles qui donnaient une animation presque gaie, car ils étaient les symboles de la guérison. Certes, se dit Emma, Winston avait lieu d'être effrayé devant l'affreuse mutilation qu'il allait subir. Mais il devait aussi remercier le Ciel du miracle qui lui avait sauvé la vie. Son navire avait été durement touché au cours de la bataille dans la mer du Nord. La coque déchirée, faisant eau de toutes parts, les machines à demi démantelées, il avait réussi à se traîner dans le port de Hull, son équipage mort ou blessé aux deux tiers. On avait pu transférer en hâte les plus grièvement atteints à l'hôpital militaire de Leeds. Une journée de plus en mer et c'en était fait de Winston, comme de la plupart de ses camarades.

Le front appuyé à la vitre, Emma pliait sous le poids de la lassitude. A vingt-neuf ans, elle se sentait comme une vieille femme, usée par les chagrins et les responsabilités qui l'accablaient de plus en plus lourdement. Une infirmière compatissante vint lui donner une tasse de thé et la faire asseoir. Emma se laissa faire et poursuivit son attente. Ces derniers temps, il lui semblait qu'elle ne faisait rien d'autre qu'attendre. Le plus souvent, elle attendait les lettres de Paul, déchirée par l'angoisse quand il y avait du retard, transportée de joie en reconnaissant son écriture.

Elle ouvrit son sac, en sortit la dernière missive, aux plis prêts à se déchirer d'avoir été trop défaits, aux mots à demi effacés par ses larmes. Il avait regagné le front au milieu de février. On était au début d'avril et ses nouvelles étaient réconfortantes. Mais Emma, sans lui, était inerte, dépouillée de la moitié de son âme.

Les minutes s'écoulaient, interminables. Winston était depuis deux heures en salle d'opération et Emma ne pouvait rien faire pour dominer son anxiété. Enfin, au moment où elle allait céder à l'affolement, la porte s'ouvrit et le chirurgien entra. Il s'approcha d'elle avec un sourire :

« C'est fini, il va bien », dit-il en posant la main sur l'épaule d'Emma.

Elle poussa un profond soupir et ferma les yeux.

« En êtes-vous sûr, docteur ?

— Absolument certain. Il est jeune, il a une robuste constitution et il se remettra très vite, vous verrez. Une chose, cependant... »

Emma sentit son cœur s'arrêter et regarda le médecin avec un sursaut d'angoisse.

« Nous avons dû amputer assez haut, reprit-il. Il se peut que... qu'il soit difficile de lui adapter un membre artificiel.

— Mon frère ne passera pas sa vie avec des béquilles ou dans un fauteuil roulant, docteur ! cria Emma, hors d'elle. Il portera une jambe artificielle, même s'il faut que vous en conceviez une spécialement adaptée, m'entendez-vous ? Je veux qu'il marche et il marchera ! »

Le chirurgien hocha la tête, sans pouvoir dissimuler une moue dubitative.

Et pourtant, Winston fut capable de marcher. Mais sa rééducation fut une période presque insoutenable, pour Emma plus même que pour lui. Tout ce que son caractère avait d'excessif et d'incontrôlé dans sa jeunesse refit surface en s'exacerbant. Il allait de l'abattement quasi suicidaire à la fureur, accablant ceux qui l'approchaient de reproches et d'injures, puis passait sans transition à un optimisme injustifié dont l'euphorie était plus dangereuse encore que ses accès de mélancolie. Mieux placée que quiconque pour comprendre son frère et combattre ses sautes d'humeur propres à décourager les meilleures volontés, Emma mit tout en œuvre, de la cajolerie aux menaces, des pleurs aux promesses, usant de tous les subterfuges pour faire sortir Winston d'un état d'esprit où il se détruisait. Avec une infinie patience, elle parvint peu à peu à lui insuffler sa propre volonté et à briser l'égarement malsain où il semblait se complaire.

Le service des prothèses de l'hôpital de Leeds était

déjà renommé dans tout le Royaume-Uni pour les miracles accomplis depuis le début de la guerre. Winston bénéficia des soins de spécialistes chevronnés, résolus à redonner une vie normale aux jeunes gens mutilés par les combats. Deux mois après son opération, il pouvait déjà se déplacer sur des béquilles. Quand son moignon fut préparé à recevoir sa jambe artificielle, il alla passer sa convalescence chez Emma, faisant des visites périodiques au centre de rééducation pour l'adaptation de sa prothèse et l'apprentissage indispensable. Lorsqu'il fut capable de se tenir debout et de supporter l'effort de porter sa jambe une heure d'affilée, on lui fit alors entreprendre le long processus de la rééducation proprement dite.

Un jour d'octobre, huit mois après avoir été amputé, Winston entra dans le bureau d'Emma. Il marchait d'une allure dégagée, sourire aux lèvres, la démarche parfaitement normale à l'exception d'une boiterie presque imperceptible. En le voyant, Emma sentit une bouffée de joie l'envahir. Ses épuisants efforts n'avaient pas été vains.

« Tu vois, dit Winston triomphalement, je peux tout faire, sauf danser... Et encore, je crois que je vais m'y mettre. Tiens, regarde... »

Il posa sa canne sur une chaise et fit quelques évolutions pour prouver son agilité.

« Je peux marcher au pas de course, monter et descendre les escaliers. Je peux même nager ! L'hôpital m'a définitivement donné décharge aujourd'hui. Il ne me reste donc qu'un problème à résoudre : trouver du travail.

— Je t'ai dit, il y a des mois, que tu n'avais pas de souci à te faire. Ta place est ici, voyons !

— Qu'est-ce que je ferais au magasin ? dit Winston avec un haussement d'épaules.

— Il est évident que je ne vais pas te nommer chef de rayon. Mais tu étais doué pour les chiffres, si je ne me trompe. Au début, tu pourrais passer quelques mois à la comptabilité, ce qui t'apprendrait le fonctionnement de l'affaire. Ensuite, je te prendrai comme adjoint. J'ai besoin précisément de quelqu'un en qui je puisse avoir toute confiance, car j'ai d'autres affaires que le magasin, tu le sais. Ainsi, dit Emma avec un sourire, il y a *M.R.M. Ltd.* »

Winston jeta à sa sœur un coup d'œil intrigué :

« Qu'est-ce encore que *M.R.M.* ? Tu ne m'en avais jamais parlé.

— C'est une société holding que j'ai fondée en 1917 et dont je suis seule actionnaire. A part son directeur et les administrateurs, personne ne sait que je suis derrière cette raison sociale. Maintenant, tu es toi aussi au courant et j'espère que tu sauras être discret. Je ne veux même pas que tu en parles à Frank.

— Tes affaires ne me regardent pas, Emma, et je suis le dernier à bavarder inutilement. Mais pourquoi tout ce secret ? »

— En grande partie parce que les hommes n'aiment pas faire des affaires avec une femme. En partie pour des raisons personnelles qui sont sans intérêt pour le moment.

Winston éclata de rire :

« Ma petite sœur transformée en redoutable capitaine d'industrie et qui part à l'assaut de la finance avec un manteau couleur de muraille ! On aura tout vu... Ce que tu me dis me plaît, Emma. En fin de compte, je crois que je vais accepter ta proposition.

— Tu me fais grand plaisir et bien de l'honneur, répondit Emma avec un sourire ironique. Tu es donc embauché à partir de lundi, si cela te convient. Mais il faut tout d'abord que je te mette au courant de certains traits de mon caractère que tu ne connais pas mieux que mes affaires, si tu veux que nous nous entendions. En premier lieu, j'ai horreur des surprises, surtout si elles sont mauvaises. Je te demanderai donc de ne rien me cacher. Si tu commets des erreurs, ce qui est normal, ne cherche pas à les dissimuler. On peut toujours les rattraper si on en est informé. Deuxièmement, et ceci est essentiel, je ne traite jamais en position de faiblesse. Si, par hasard, je m'engage dans une négociation où je ne suis pas la plus forte, je fais toujours en sorte qu'on croie le contraire. Il faut donc que tu apprennes à te comporter ainsi si, par la suite, tu me représentes ou agis en mon nom. Te crois-tu capable de le faire ?

— Oui.

— Bon. Je crois, enfin, et j'ai payé cher pour l'apprendre, que le succès ne s'obtient qu'au prix de la discipline, de la concentration et de la persévérance. Aussi je ne puis me permettre de tolérer les caprices et les sautes d'humeur. Je ne veux pas dire que tu en es coutumier, ajouta-t-elle en levant la main pour stopper l'interruption de Winston, mais je veux simplement te prévenir. Fais ce que tu voudras mais, en affaires, sache toujours garder la tête froide et dominer tes sentiments. As-tu des questions à poser, mon cher frère ? conclut-elle avec un sourire.

— Oui, énormément ! dit Winston en riant. Mais elles peuvent attendre à lundi. Pour le moment, je dois me rendre à un rendez-vous qui ne souffre aucun retard.

— Tiens, avec qui ? demanda-t-elle avec curiosité.

— Une des infirmières qui m'a soigné. Tu la connais, c'est la jolie brune qui s'appelle Charlotte. Nous devons aller prendre le thé. Après, ma foi... »

Emma pouffa de rire :

« Je vois avec plaisir que tu es vraiment redevenu toi-même ! »

En exposant à son frère les grandes lignes de ses principes, Emma ne lui avait pas tout dit. Au fil des années et des luttes, elle s'était forgé une armure dont l'essentiel pouvait se résumer à trois points : ne jamais dévoiler sa faiblesse, ne jamais perdre la face, ne jamais se confier à quiconque. Paradoxalement, son intransigeance, tout entière appliquée aux fins, l'avait amenée à se doter d'une très grande souplesse en ce qui concernait les moyens. Elle était passée maître dans l'art du compromis et manœuvrait habilement face à des adversaires paralysés par leur rigidité ou aveuglés par le sentiment fallacieux de leur supériorité sur elle. Son aversion pour les conflits et les épreuves de force lui faisait toujours préférer de contourner l'obstacle, plutôt que de l'attaquer de front. Le maniement de la surprise, du calcul ou de la ruse entrait pour beaucoup dans le succès de sa stratégie.

Après le départ de Winston, cet après-midi là, Emma entreprit les manœuvres d'approches finales d'une offensive lancée longtemps auparavant contre les Fairley, à qui elle s'apprêtait à porter un rude coup. Sa tactique avait été bien simple. Emma avait manipulé un homme faible qui, par son manque de jugement, lui avait livré Gerald Fairley comme elle rêvait de le voir, pieds et poings liés.

L'une des premières acquisitions réalisées par *M.R.M. Ltd* en 1917 avait été celle de *Proctor & Proctor,* une maison de tissus en gros de Bradford. Emma l'avait fait parce que l'opération constituait un bon investissement. Mais elle avait surtout appris qu'Alan Proctor, le propriétaire de l'entreprise, était un camarade de Gerald Fairley. Par lui, avait-elle pensé, elle pourrait acquérir des renseignements sur son ennemi et, le cas échéant, lui porter des coups.

Malgré sa déplorable gestion et le montant de ses dettes, provoquées pour la plupart par sa passion du jeu, Alan Proctor avait résisté aux offres alléchantes que lui faisait *M.R.M.* Habilement provoqués, ses créanciers se firent si pressants que le grossiste finit par céder. Les conditions offertes par les hommes de paille d'Emma étaient d'ailleurs telles qu'il n'aurait pu les repousser sans mauvaise foi. On lui versait un prix d'achat qui, sans être excessif, était fort honorable. On lui laissait la direction de son entreprise, en lui payant un salaire supérieur à ce qu'il gagnait en restant à son compte. On ne lui imposait qu'une seule clause, un peu étrange à première vue, celle de ne révéler sous aucun prétexte que son entreprise avait changé de mains.

Voyant ainsi ses problèmes s'évanouir comme par miracle, Alan Proctor n'avait pas discuté. Le secret dont s'entourait la transaction le servait, au contraire, en lui permettant de payer ses dettes tout en restant ostensiblement à la tête de son entreprise et de sauver la face. En signant le contrat et sa clause secrète, sanctionnée par la résiliation immédiate en cas d'infraction, Alan Proctor ne s'était cependant pas rendu compte qu'il s'était littéralement vendu à Emma Harte dont il devenait le jouet. Dès le lendemain, d'ailleurs, Emma avait donné des instructions très nettes au directeur de *M.R.M.* :

« Faites le nécessaire pour empêcher Proctor de continuer ses bêtises et de mettre la maison en faillite. Assignez un employé chargé de représenter nos intérêts et dites-lui bien qu'il doit tout faire pour se mettre en excellents termes avec Alan Proctor et, si possible, devenir son confident. »

C'est, point par point, ce qui arriva. L'employé de *M.R.M,* devenu directeur général adjoint de l'affaire, sut si bien s'insinuer dans les bonnes grâces d'Alan Proctor, à qui il offrait généreusement des déjeuners copieusement arrosés et des parties fines, qu'il fut très vite en mesure de communiquer une mine de renseignements échappés à son commensal écervelé. C'est ainsi que, vers le début de 1918, Emma apprit que Gerald Fairley subissait de graves déboires avec la filature Thompson et était prêt à vendre.

Emma, alias *M.R.M. Ltd,* se porta acquéreur par l'intermédiaire de *Proctor & Proctor.* Croyant céder son affaire à son vieux camarade et compagnon de beuveries, Gerald Fairley fut trop heureux de se débarrasser d'une usine qui lui coûtait cher et la vendit au quart de sa valeur. Emma en éprouva une assez vive satisfaction.

Peu avant la visite de Winston, Emma avait reçu une autre information qui, celle-là, lui avait fait un plaisir infiniment plus vif. La semaine précédente, Gerald Fairley avait subi des pertes considérables au jeu. Pensant Proctor renfloué et prospère, il s'était précipité vers lui pour solliciter un prêt de deux cent mille livres. Devant l'importance de la somme, Proctor avait confié son embarras à son fidèle adjoint en lui demandant si la société ne pouvait pas consentir ce prêt à Gerald Fairley, qu'il était personnellement hors d'état de tirer de ce mauvais pas.

Emma avait réfléchi et sa décision avait été vite prise. Elle décrocha le téléphone et appela le directeur de *M.R.M.*, dont les bureaux avaient été transférés à Londres plusieurs mois auparavant pour détourner l'attention.

« Vous pouvez consentir le prêt en question à M. Fairley.

— A quelles conditions, madame ?

— Par billet à ordre irrévocable à cent quatre-vingts jours. Comme il n'aura pas d'aval, nous exigerons une garantie.

— Certainement. De quel ordre ?

— Contentons-nous des titres de propriété des filatures Fairley d'Armley et de Stanningley. »

Elle entendit son interlocuteur pousser un cri de stupeur.

« C'est dur ! s'écria-t-il.

— C'est à prendre ou à laisser, dit Emma froidement. Je sais que Gerald Fairley ne trouvera pas un sou ailleurs. Il est en retard sur le remboursement de ses crédits bancaires, il est personnellement endetté jusqu'au cou. Il a même été jusqu'à emprunter de l'argent à des amis de son père. S'il refuse, il saute ou il est forcé de vendre bien plus que ce que nous lui demandons.

— J'ignorais ces détails, madame. C'est incroyable ! Il faut du génie pour perdre de l'argent dans une conjoncture comme celle-ci où ses confrères et concurrents s'enrichissent.

— J'ai toujours su que Gerald Fairley avait en effet une sorte de génie de la bêtise et de l'incapacité », commenta Emma.

Quand elle eut raccroché, elle médita quelques instants, un inquiétant sourire aux lèvres. La fin approchait plus tôt et plus vite qu'Emma ne l'espérait. Elle n'avait en fin de compte pas même besoin de ruiner les Fairley, Gerald s'en chargeait à sa place ! Depuis la congestion cérébrale qui avait frappé Adam, Gerald avait pris la direction de toutes les affaires de la famille. Le résultat ne se faisait pas attendre.

Quant au billet à ordre que son « ami » Alan Proctor allait lui faire accepter, Gerald serait naturellement incapable de l'honorer à l'échéance. Emma s'offrirait alors le luxe de se montrer généreuse. Elle le ferait renouveler pour de nouvelles périodes de quatre-vingt-dix jours, donnant ainsi à Gerald un sentiment de sécurité trompeuse. Pour prolonger le répit, il serait prêt à offrir d'autres garanties. Le moment venu, il suffirait d'exiger... Et l'imbécile ne se doutait de rien ! Emma eut un petit rire sans gaieté.

Elle eut une légère surprise quand le billet à ordre fut présenté à la signature de Gerald Fairley. Comme elle s'y attendait, il s'indigna, refusa. Mais sa résistance fut plus longue que prévu. Pendant quatre jours, il courut désespérément de Leeds à Bradford, de banque en banque, d'ami en relation. Enfin convaincu qu'il n'obtiendrait pas un sou, terrifié devant les exigences de ses créanciers, il signa en offrant la garantie exigée. Il ne l'avait fait, toutefois, que convaincu qu'il traitait avec un ami, dur en affaires sans doute, mais de qui il n'avait à redouter aucun coup déloyal pouvant le mettre sérieusement en danger.

Une semaine plus tard, Emma enfermait précieusement dans son coffre le billet à ordre et les titres de propriété des filatures. Son sourire, cette fois, n'était altéré par aucune arrière-pensée.

38

David Kallinski arrêta sa voiture devant la grille d'Emma et se tourna vers elle :

« Te voilà chez toi. Merci d'être venue travailler un dimanche matin. J'ai des scrupules de t'avoir arrachée à tes enfants...

— Mais non, David. J'ai été contente, au contraire, de

faire ces retouches à la collection d'été avant que les modèles soient lancés en fabrication. Veux-tu entrer une minute ? dit-elle en ouvrant la portière.

— Non, merci, il faut que je passe voir mon père comme je le lui ai promis. Emma ! dit-il en la retenant par le bras. Reste un instant, veux-tu ? Je voudrais te parler.

— Qu'y a-t-il, David ? Rien de grave, j'espère ?

— Non... Je crois que je vais divorcer. »

Emma le regarda avec ahurissement.

« Grand dieu ! s'écria-t-elle. Je ne me doutais pas... Les choses ne vont donc pas entre Rebecca et toi ?

— Pas mieux qu'avant la guerre, dit-il avec un geste désabusé. Depuis que je suis revenu, je ne peux même plus la supporter. Mais ce n'est pas tout, Emma... Je t'aime toujours comme au premier jour. Quand je serai libre... »

Il hésita, rougit, s'éclaircit la voix :

« J'espérais que nous pourrions peut-être nous marier. »

Stupéfaite, Emma réfléchit avant de répondre. Elle posa doucement la main sur celle de David, qui étreignait le volant.

« Tu sais que c'est impossible, dit-elle à voix basse. Rien n'a changé entre nous, au contraire. Tu as deux enfants, moi aussi. Les choses sont plus compliquées et nous rendrions malheureux plus de gens encore qui...

— Ne parlons pas des autres, Emma ! Je te parle de nous deux, toi et moi ! »

Elle se tourna vers lui, l'air grave :

« Ai-je rien fait pour t'encourager, David ?

— Hélas ! non... Mais écoute-moi encore un peu, Emma. Si je t'en parle aujourd'hui, ce n'est pas faute de m'être posé mille questions. J'étais toujours convaincu que tu m'aimais encore, même quand tu étais mariée à Joe. C'est cette pensée qui m'a soutenu au front et qui m'a sans doute sauvé la vie. Mes sentiments pour toi n'ont pas changé. Ai-je eu tort de supposer qu'il en était de même pour toi ? M'aimes-tu encore ?

— Oui, David. Comme un frère. Je t'aimais encore

quand j'ai épousé Joe. Maintenant, mon amour pour toi a évolué, comme tout dans la vie...

— Tu en aimes un autre, n'est-ce pas ? »

Emma ne répondit pas et baissa la tête.

« Je ne t'en veux pas, reprit-il. Neuf ans, c'est trop long pour espérer l'impossible... Comptes-tu l'épouser ?

— Non, David. Il est parti, il vit à l'autre bout du monde. Je ne le reverrai sans doute jamais. »

La peine qu'il distingua dans la voix d'Emma toucha David. Il lui prit la main et la serra.

« Pauvre Emma... murmura-t-il.

— Ne me plains pas ! dit-elle en redressant la tête. Ma blessure est déjà presque guérie. Cela passera, comme le reste... j'espère.

— Mais tu l'aimeras encore assez pour que je n'aie plus aucune chance, n'est-ce pas ?

— Je ne t'ai jamais menti, David, et ce n'est pas sur un sujet si sérieux que je commencerai. Pardonne-moi si je te fais mal.

— Tu n'as pas à demander pardon, Emma. Je ne peux pas t'en vouloir de ne plus m'aimer... Je te souhaite maintenant de trouver le bonheur et la paix de l'âme. Du fond du cœur.

— Merci, David. Non, ne descends pas », dit-elle en retenant son geste.

Elle se pencha, lui donna un baiser sur la joue.

« Réfléchis soigneusement à ce que tu vas faire avec Rebecca, reprit-elle. Elle t'aime et tu la feras souffrir. Quant à toi, tu sais que tu pourras toujours compter sur mon amitié, David. Toujours. »

Elle remonta l'allée du jardin sans se retourner. La tête penchée, elle pensa à David, à la peine qu'il allait éprouver. Elle pensait surtout à Paul et dut s'arrêter un instant avant d'ouvrir la porte de la maison. Les souvenirs étaient trop lourds à porter...

C'était la semaine de Noël 1919. Douze mois plus tôt, presque jour pour jour, Paul McGill était là, dans cette maison où Emma était entourée de l'homme qu'elle aimait, de ses enfants et de ses frères. La guerre était enfin finie, depuis à peine plus d'un mois, et Paul était venu passer quelques jours à Armley avant de retourner en Australie où il devait être démobilisé. Ce Noël 1918 avait été le plus joyeux de tous. Emma était étourdie de bonheur, plus amoureuse de Paul que jamais. Tout ce dont elle avait rêvé, elle l'obtenait enfin et elle le garderait toujours. Toujours...

Aujourd'hui, un an plus tard, elle n'avait déjà plus rien qu'un cœur en miettes et la solitude. Comment avait-elle été assez sotte, assez folle pour croire qu'il en serait jamais autrement? Elle était condamnée à ne jamais connaître le bonheur, dans sa vie privée tout au moins. Il fallait pourtant, cette année, faire un effort, sourire aux enfants.

Elle avait monté l'escalier. Devant la porte de la salle de jeux, elle hésita, poursuivit son chemin. Non, elle n'était pas capable d'affronter Kit, son sourire, ses innocentes questions sur « oncle Paul » et son absence. Elle n'avait pas le courage de subir les regards froids, les mines fermées d'Edwina. Il fallait qu'elle soit seule pour se ressaisir.

Elle entra dans sa chambre et remarqua à peine les rayons de soleil qui l'inondaient et donnaient au décor subtil une atmosphère chaleureuse et reposante. Debout devant la cheminée, elle se frottait les mains en s'efforçant en vain de faire disparaître le froid qui la faisait frissonner jusqu'aux os. Une migraine était en train de serrer son crâne dans un étau. Elle avait le cœur lourd.

La déclaration d'amour de David n'avait fait que souligner la douleur qu'elle ressentait à l'inexplicable abandon de Paul McGill. Elle hésita, se dirigea vers une commode, ouvrit un tiroir. Sous une pile de linge, elle prit un cadre qu'elle avait mis là quelques semaines auparavant, quand elle n'avait plus été capable de supporter la vue de la photographie. Ce portrait de Paul ne l'avait pas quittée, allant de sa coiffeuse à sa table de chevet. Elle contempla longuement le visage qu'elle aimait et dont elle connaissait chaque trait et les moindres expressions. Soudain, une vague de fureur la submergea et elle jeta l'objet de toutes ses forces à travers la pièce.

À peine l'avait-elle lâché qu'elle regretta son geste puéril. Elle courut le ramasser : le cadre d'argent était tordu, le verre brisé. Mais la photographie n'avait pas été endommagée. Emma s'agenouilla pour ramasser les éclats de verre puis, serrant le cadre contre sa poitrine, alla s'asseoir sur une chaise basse devant la cheminée. Ce portrait avait été fait en janvier dernier, juste avant le départ de Paul pour l'Australie, pendant leur dernier séjour au Ritz. Emma n'eut pas besoin de fermer les yeux pour le revoir, debout sur le quai de la gare où elle l'avait accompagné. Du geste familier qu'elle aimait tant, il lui avait pris le menton pour relever son visage vers lui, et l'avait regardée dans les yeux :

« Je reviendrai, lui avait-il dit. Je reviendrai avant que tu ne te sois aperçue de mon départ, je te le jure. »

Aveuglément, bêtement, Emma l'avait cru.

« Pourquoi n'es-tu pas revenu, Paul ? murmura-t-elle. Pourquoi ? Tu m'avais promis... »

La question resta sans réponse et ne fit qu'élargir le gouffre de désespoir où elle se sentait plonger. Après son départ, Paul lui avait écrit deux fois et elle lui avait répondu par retour. À sa surprise, il n'y avait pas eu de réponse à sa seconde lettre et, pensant qu'elle s'était peut-être égarée, Emma avait écrit de nouveau, sans plus de succès. Surmontant son amour-propre, elle avait envoyé une nouvelle missive et avait attendu. Les semaines avaient passé sans qu'il y ait un mot de Paul. Stupéfaite d'abord, puis accablée, Emma n'avait rien fait de plus. Elle en était arrivée à se résigner au fait qu'elle s'était méprise sur son compte et que Paul avait rompu de cette manière inélégante parce qu'il n'osait pas le lui annoncer franchement. Leur aventure était finie, et bien finie. Paul n'avait plus rien à faire d'elle, et c'était bien normal : il était déjà marié !

Glacée en dépit des flammes tout près d'elle, le visage figé, le corps raidi, Emma pensait. Elle ne pouvait plus pleurer. Ses larmes, elle les avait épuisées au cours de ses innombrables nuits d'insomnie. Elle ne pouvait plus rien faire, plus rien dire. Elle avait perdu Paul. A jamais...

« Maman, je peux entrer ? »

Emma sursauta et glissa la photographie sous sa chaise. Edwina était entrée sans frapper et hésitait sur le seuil.

« Bien sûr, ma chérie. Viens, approche-toi. »

Edwina vint s'asseoir en face de sa mère, la mine sérieuse comme à l'accoutumée.

« Tu ne m'as pas encore dit ce que tu voulais pour Noël, reprit Emma en se forçant à sourire. Veux-tu venir avec moi au magasin la semaine prochaine, ma chérie ? Tu pourras choisir ce qui te fera plaisir.

— Je ne sais pas encore, répondit Edwina. Mais ce n'est pas pour cela que j'étais venue. Je voudrais avoir mon acte de naissance. »

Emma sursauta. Au prix d'un effort, elle parvint à garder un visage inexpressif :

« Pourquoi veux-tu donc ton acte de naissance ?

— Pour faire une demande de passeport. Notre professeur veut emmener la classe en Suisse, au printemps prochain. »

Emma fronça les sourcils, partagée entre l'effroi causé par la demande d'Edwina et la colère devant l'insolence dont elle faisait preuve.

« Tu comptes aller en Suisse ? dit-elle sèchement. Je ne me souviens pas que tu m'aies demandé la permission.

— Je vous la demande maintenant.

— Je te la refuse. Tu n'as que treize ans et tu es beaucoup trop jeune pour entreprendre un tel voyage sans moi.

— Presque toutes les filles de la classe vont y aller ! Et nous serons accompagnées par notre professeur. Pourquoi pas moi ?

— Je viens de te le dire, Edwina, parce que j'estime que tu es trop jeune. Je suis également surprise d'apprendre que « presque toutes » tes camarades de classe y vont. Combien seront-elles, dans ce groupe ?

— Huit, répondit Edwina en hésitant.

— C'est bien ce que je pensais! Huit sur une classe de vingt-quatre élèves. Tu as parfois tendance à exagérer, Edwina, et je n'aime pas cela.

— Cela veut dire que je ne peux pas y aller?

— Pas cette année, en tout cas. Dans deux ans, peut-être. Tu es déçue, je le vois bien. Mais tu as eu tort de ne pas m'en parler plus tôt. Tu sais aussi que je ne reviens jamais sur mes décisions. »

Comprenant que toute discussion était inutile, Edwina poussa un soupir mélodramatique et se leva, le visage plus fermé que jamais. Elle haïssait cette femme de tout son cœur! Si son père avait été là, il lui aurait donné la permission, lui!

Elle affecta un sourire et se tourna vers sa mère :

« Aucune importance, laissa-t-elle tomber avec une froideur dédaigneuse. Cela ne m'amusait pas tellement, après tout. »

Pour se donner une contenance et éviter de paraître battre en retraite, elle s'approcha de la coiffeuse et se mit à brosser ses cheveux blonds, dont elle était très fière. Agacée, Emma ne put s'empêcher d'observer :

« Je n'ai jamais vu personne passer autant de temps devant un miroir, Edwina! Tu es d'une vanité inconcevable. »

Elle regretta aussitôt la dureté de son ton et se hâta de poursuivre :

« Ton oncle Winston vient prendre le thé, cet après-midi. Cela te fera plaisir de le voir.

— Mmm, oui, répondit Edwina du bout des lèvres. Il n'est plus le même depuis que cette femme lui a mis le grappin dessus. »

Amusée malgré elle par cette nouvelle impertinence de sa fille, Emma réprima un sourire :

« Ta tante Charlotte ne lui a pas mis le « grappin » dessus, Edwina! Tu emploies de ces expressions! Ne dis pas cela, elle est charmante et elle t'aime beaucoup, elle aussi.

— Il n'empêche qu'oncle Winston n'est plus le même. Excusez-moi, maman, il faut que j'aille finir mes devoirs avant le déjeuner. »

Edwina fit une sortie pleine de dignité compassée. De nouveau seule, Emma remit la photographie de Paul dans le tiroir où elle était cachée. La demande d'Edwina l'avait complètement prise au dépourvu et cette nouvelle préoccupation avait effacé les autres. Elle descendit en hâte dans son cabinet de travail, dont elle ferma soigneusement la porte, et appela Blackie à Harrogate, où il s'était récemment installé.

Quand il eut appris ce dont il s'agissait, Blackie poussa une série d'exclamations qu'Emma interrompit :

« Je t'en prie, Blackie, ce n'est pas le moment d'ajouter à la confusion ! J'ai réussi à le lui refuser cette fois-ci, mais il viendra un moment où je ne pourrai plus reculer. Que faire ? Elle est persuadée que Joe était son père.

— Attends qu'elle soit en âge de supporter le choc de savoir que c'est moi. A moins que tu ne préfères lui dire la vérité, mais je n'en ai pas l'impression... »

Emma hésita :

« Tu as deviné, bien entendu ?

— Edwina ressemble tellement à Adèle Fairley que ce n'était pas bien difficile. C'est Edwin, n'est-ce pas ?

— Oui, Blackie. Mais Edwina ne le saura jamais. Il faut la protéger contre les Fairley. A tout prix.

— Dans ce cas, Emma, tu n'as pas le choix. Dis-lui que je suis son père, je n'y vois aucun inconvénient ! Allons, ne t'énerve pas. Il fallait bien que cela arrive tôt ou tard et je te fais confiance pour que cela soit le plus tard possible. Tu es assez habile pour retarder la minute de vérité jusqu'à ce qu'elle ait dix-sept ou dix-huit ans.

— Je ferai de mon mieux, dit Emma avec un soupir.

— Ne parlons plus du passé, Emma, tu sais mieux que moi que c'est inutile et nuisible. Tu n'as pas oublié ma petite réception la veille du Nouvel An, au moins ? Tu sais que je pends la crémaillère. La maison est une vraie merveille, exactement celle que je te décrivais il y a quinze ans !

— Je n'oublierai certainement pas un événement pareil, Blackie ! Frank compte venir entre Noël et le

Jour de l'An et il m'a promis de m'accompagner. J'ai hâte de voir cette fameuse maison. Tu as fait tant de secrets en la construisant !

— Tu la reconnaîtras pourtant du premier coup d'œil. C'est exactement le manoir XVIIIe dont je t'ai si souvent rebattu les oreilles, jusqu'au dernier bouton de porte !

— Toi, au moins, tu as réalisé un de tes rêves...

— Il faut que je te quitte, interrompit Blackie pour couper court à la mélancolie qu'il sentait revenir. Je vois mon Bryan qui revient avec sa nurse, il est l'heure de m'occuper de mon fils ! Et ne pense plus à cette histoire d'acte de naissance. Il sera toujours temps de s'en soucier quand Edwina t'en reparlera. »

Quand elle eut raccroché, Emma se laissa aller à de sombres réflexions sur sa fille. De jour en jour, à l'exception de trop rares moments de bonne humeur, Edwina se repliait sur elle-même et devenait plus froide, plus distante. Emma ne savait plus comment la prendre. Et maintenant, ceci... Comment aurait-elle jamais le courage d'apprendre la vérité à cette enfant ? Edwina avait déjà bien peu d'affection pour sa mère, si même elle en avait. Ce lui serait prétexte à la haïr et à rompre les derniers liens qui les rattachaient.

Pour la première fois depuis le départ de Paul McGill, Emma faisait face à un problème qui requérait toute son attention et la forçait à oublier sa peine.

Un bras sur l'épaule de Winston, Blackie traversa le hall d'entrée de son château de Harrogate. Il fit entrer son ami dans la bibliothèque et referma soigneusement la porte.

« Que se passe-t-il, Blackie, un enlèvement ? demanda Winston en riant. Je croyais que nous ne venions ici que pour boire un cognac.

— Pour le boire tranquillement et sans craindre d'interruption pendant que nous bavardons.

— Je vois, dit Winston avec un sourire. Tu veux parler de ma chère sœur, n'est-ce pas ?

— Exactement. Assieds-toi, Winston, mets-toi à l'aise. »

Il alla vers une console pour verser l'alcool et, après avoir donné son verre à Winston, se posta devant la cheminée. La mine solennelle, il coupa le bout de son cigare, huma son verre ballon et prit une pose théâtrale.

« Et maintenant, mon cher Winston, quand va-t-elle se décider à cesser ses folies ? commença-t-il.

— Quelles folies ?

— Tu sais de quoi je parle ! Depuis plus de six mois elle jette l'argent par les fenêtres, elle engloutit des sommes fabuleuses à la Bourse...

— Elle y a gagné une fortune ! protesta Winston.

— Qu'elle aurait pu perdre en une heure ! De plus habiles qu'elle y ont laissé leur chemise...

— Elle s'est complètement retirée de la Bourse. Et elle y aurait plutôt pris la chemise des autres.

— Je suis heureux de l'apprendre. Mais ce n'est pas tout. Elle se lance dans une expansion beaucoup trop rapide, si tu veux mon avis. Passe encore pour les magasins qu'elle a achetés à Bradford et Harrogate, elle ne les a pas payés cher. Mais elle me demande d'y faire des travaux qui vont coûter les yeux de la tête ! Voilà maintenant que j'apprends qu'elle compte en acheter un à Londres ! C'est de la folie, Winston. Avec quoi va-t-elle payer toutes ces dépenses ?

— Allons, Blackie, soyons sérieux, répondit Winston. Tu sais très bien qu'Emma n'a jamais fait de dépenses inconsidérées. Si elle les engage, c'est qu'elle a de quoi les payer. Je viens de te dire qu'elle a gagné énormément d'argent à la Bourse en se retirant à temps. Elle a dégagé des capitaux en vendant presque toutes les propriétés foncières héritées de Joe. Le magasin de Leeds rapporte des bénéfices énormes, les filatures n'arrivent pas à fournir aux demandes, Gregson tourne à plein rendement et n'oublie pas qu'elle est de moitié avec David Kallinski. Cela ne te suffit pas ? »

Voyant la mine encore sceptique de Blackie, Winston reprit :

« Emma est très riche, Blackie. Plus que tu ne le crois. Elle vaut largement... »

Il s'interrompit, dépité de s'être laissé aller à trop en dire. Mais il ne pouvait plus reculer :

« Au moins un million de livres, ajouta-t-il. Plutôt que de la dénigrer et de s'inquiéter sur son sort, nous devrions lever nos verres à sa santé et souhaiter qu'elle continue. »

Winston n'avait au moins rien laissé soupçonner de la valeur des participations et acquisitions de *M.R.M. Ltd.*, qui décuplaient cette somme. Blackie n'avait toujours pas l'air impressionné comme il aurait dû l'être.

« Sa fortune, Blackie, Emma la doit à des qualités qui n'ont rien de secret et que tu connais comme moi. Elle est habile, courageuse, ambitieuse...

— Trop habile, trop ambitieuse et travailleuse à l'excès ! intervint Blackie. Elle se tuera au travail.

— Elle en tuera surtout d'autres, répondit Winston avec un sourire ironique. Par moments, elle me fait peur. Elle a des dents de fauve dont elle hésite de moins en moins à se servir...

— Tu exagères, Winston ! interrompit Blackie, l'air sincèrement choqué. Emma n'est pas un de ces requins sans scrupules...

— Non, sans doute. Mais elle en serait capable s'il le fallait. Je ne dis pas cela comme un reproche, remarque bien. Je voulais simplement te faire comprendre qu'elle est la dernière sur qui j'aurais des inquiétudes. Les tiennes sont sans fondement, je te prie de le croire.

— J'aime autant l'avoir appris de ta bouche, Winston. J'étais sincèrement inquiet de ses coups de Bourse, pour te dire la vérité. Et quand j'ai vu le montant des devis de travaux... Pourtant, je devrais être le dernier à m'en plaindre, ajouta-t-il en riant. Allons, maintenant que me voilà tranquillisé, retournons nous joindre aux autres.

— Une seconde, je veux finir mon verre. Ce cognac est délicieux. En parlant de requins, notre don Juan de service est en chasse, ce soir, as-tu remarqué ? Il dévore littéralement Emma des yeux.

— Tu veux parler d'Arthur Ainsley, le héros de la Grande Guerre, à l'entendre ? Il est ridicule. Je croyais qu'Emma ne pouvait pas le souffrir ?

— J'ignore ce qui s'est passé en mon absence, avant et pendant la guerre. Mais si j'en juge d'après ce que je vois ce soir, elle n'a pas l'air de repousser ses avances. »

Blackie fronça les sourcils et reposa son verre avec brusquerie.

« Je n'ai pas remarqué, dit-il sèchement. Allons-y, on va finir par s'apercevoir de notre absence. »

De retour dans le grand salon, Winston alla rejoindre Charlotte et Frank pendant que Blackie s'accoudait au piano à queue. Tout en affectant de jeter sur l'assistance le regard du maître de maison soucieux de s'assurer que ses invités ne manquent de rien, il observait attentivement Emma qui était engagée dans une conversation animée avec Frederick Ainsley et son fils Arthur.

Il la trouva particulièrement belle, ce soir, malgré sa pâleur et ses traits tirés que ne dissimulait aucun maquillage. Sur sa robe de velours blanc, elle avait épinglé la broche ornée d'émeraudes que Blackie lui avait offerte pour son trentième anniversaire. C'était la copie exacte du bijou de pacotille dont il lui avait fait cadeau pour ses quinze ans et qu'il lui avait promis, un jour, de remplacer par de l'or et de vraies pierres. La surprise d'Emma lui avait fait profondément plaisir. Mais il était dépité de voir que son coûteux bijou avait l'allure d'une simple babiole à côté des somptueux pendentifs qui étincelaient aux oreilles d'Emma.

D'un geste machinal, Blackie tâta au fond de sa poche le petit écrin qu'il y avait mis au début de la soirée. Il contenait une bague de diamants, achetée quelques jours auparavant dans l'intention de l'offrir à Emma en lui demandant de l'épouser. Leur récente conversation au sujet de l'acte de naissance d'Edwina et ses propres réflexions l'avaient amené à prendre une décision qui le laissait hésitant depuis plusieurs mois. Blackie n'aimait pas Emma avec la ferveur que lui avait inspirée Laura, mais il l'aimait. Il ressentait pour elle une affection profonde et indissoluble, née en ce petit matin de brouillard où, pour la première fois, il avait aperçu sa silhouette fragile sur la lande. Depuis, leurs liens s'étaient renforcés par la confiance et l'admiration mutuelle qu'ils se vouaient. Blackie ne pouvait pas non plus ignorer que son fils Bryan adorait Emma comme une mère. Et si Blackie l'épousait maintenant, il pourrait amortir le rude coup que porterait à Edwina la nouvelle de sa naissance illégitime. Ses parents, après tout, seraient officiellement mariés quand elle l'apprendrait.

Les révélations que venait de faire Winston changeaient toutefois la situation du tout au tout. Blackie ne pouvait plus regarder Emma du même œil, maintenant qu'on la lui avait dépeinte sous son vrai jour de femme d'affaires impitoyable et immensément riche. Il la savait fortunée, certes, mais manquait de l'objectivité et du recul qu'il fallait pour la juger à sa valeur. Il pouvait lui-même se vanter d'une belle réussite et d'une fortune respectable. Mais Emma le dépassait de si loin et évoluait à un tel niveau que Blackie, qui ne connaissait pourtant qu'une fraction de la vérité, avait compris une chose essentielle : jamais Emma ne pourrait redevenir la simple épouse et mère de famille qu'il croyait encore voir. Rien ni personne ne pourrait l'arracher à ses affaires car, en un sens, elles faisaient partie intégrante de sa personnalité et elle s'identifiait à elles. Aussi, Blackie comprenait avec lucidité qu'il avait bien peu de chances de se faire accepter par Emma comme mari. Il doutait aussi de sa propre capacité à vivre et à s'affirmer face à une telle force de la nature qui, au demeurant, lui était devenue étrangère. A trente-trois ans, riche, beau et sûr de lui, Blackie O'Neill se sentait soudain intimidé comme un enfant devant l'éblouissante Emma Harte et ses millions.

Son regard insistant finit par attirer l'attention d'Emma qui s'excusa auprès des Ainsley et vint le rejoindre. Ils bavardèrent gaiement, avec l'abandon de leur vieille amitié. Les yeux d'Emma avaient retrouvé leur éclat, son sourire tout son charme. Au bout d'un moment, voyant Arthur Ainsley les dévisager, Blackie fronça les sourcils :

« Je croyais que tu ne pouvais pas sentir le fils Ainsley, dit-il en baissant la voix. Ce soir, pourtant, on dirait que c'est toi qui lui fais du plat.

— Allons, il n'est pas si mal que cela ! dit Emma en riant. En fait, je lui découvre même un certain charme.

— S'il suffit de raconter des fadaises...

— J'admets qu'il est parfois pénible, répondit Emma en pouffant de plus belle. Mais, au moins, il est distrayant. Avec lui, on ne s'ennuie pas.

— Tu le vois donc souvent ? dit Blackie en dissimulant la pointe de jalousie qui perçait dans son regard.

— Pas du tout ! Quand j'ai des conseils à lui demander ou quand je vais à l'étude. Pourquoi me demandes-tu cela ?

— Oh ! pour rien... Parlons d'autre chose. As-tu trouvé le terrain que tu cherchais à Londres ?

— Oui, je crois avoir mis la main sur ce qu'il me fallait. C'est en plein Knightsbridge, admirablement situé. Veux-tu venir le voir avec moi, la semaine prochaine ?

— Avec plaisir. Si tu te décides, je pourrai tout de suite commencer les plans. Tu verras, Emma, je te bâtirai le plus beau magasin de Londres ! »

Ils parlèrent quelques minutes du projet de magasin londonien, pour lequel Emma insuffla à Blackie son enthousiasme. De fil en aiguille, Blackie s'assit au piano, se mit à fredonner une gigue, passa à une ballade, allant tour à tour d'un rythme endiablé à des mélodies où il déploya les séductions de sa voix de baryton. Les invités s'agglutinèrent autour de lui. Les applaudissements et les encouragements fusaient. Amusée, Emma se revit au Cygne-Blanc où Blackie, trônant dans l'estaminet, tenait la clientèle sous son charme des heures durant. Ce soir, dans ce luxueux salon, entouré d'hommes et de femmes en tenue de soirée, Blackie avait réussi à recréer la même ambiance.

Le sourire d'Emma se figea soudain. Blackie plaquait les accords qui préludaient à son chef-d'œuvre, la complainte de *Danny Boy*. Quand il entama les premières mesures et détailla les couplets mélancoliques, dont les paroles familières évoquaient si bien la tristesse qui l'étreignait, elle ne put y tenir. Les yeux pleins de larmes, la gorge serrée, elle battit en retraite et quitta précipitamment la pièce.

Frank et Winston, qui se tenaient derrière elle et avaient été témoins de sa fuite, échangèrent un coup d'œil inquiet. Winston fit mine de s'élancer à sa suite.

« Je vais la rejoindre, dit Frank. Reste avec Charlotte. »

Il rattrapa Emma dans le hall, la prit par le bras et la poussa fermement dans la bibliothèque. Quand il l'eut fait asseoir dans un canapé, il s'installa près d'elle et la prit par les épaules.

« Reprends-toi, Emma. Il ne reviendra pas, autant te résigner une fois pour toutes.

— Je le suis déjà, Frank.

— Tu sais que ce n'est pas mon habitude de me mêler des affaires des autres. Mais je ne peux plus supporter de te voir te ronger comme tu le fais. J'ai appris certaines choses, il faut que je te les dise. »

Emma leva sur lui un regard las :

« Quoi donc ?

— Paul McGill est marié.

— Je le savais depuis le début, dit-elle avec un haussement d'épaules. C'est cette peste de Dolly Mosten qui s'est empressée de te le raconter ?

— C'est moi qui l'ai forcée à me dire ce qu'elle savait. Je suppose que Paul t'a aussi promis qu'il divorcerait ?

— Il m'a dit qu'il régulariserait sa situation après la guerre... »

Emma était si étonnée de la fureur mal contenue que trahissait la voix de Frank qu'elle en oubliait sa peine.

« T'a-t-il aussi « avoué » qu'il est marié à la fille de l'ancien Premier ministre australien qui, par sa mère, appartient à l'une des familles les plus riches de Sydney ?

— Non, répondit Emma d'une voix éteinte. Nous n'avons jamais parlé de sa femme...

308

— Je m'en doute un peu ! C'est d'ailleurs pourquoi tu ignores sans doute qu'ils ont un enfant. Un fils, si tu veux savoir. Mais ce n'est pas le genre de renseignement que l'on communique à sa folle maîtresse, n'est-ce pas ? »

Accablée, Emma ne releva pas le propos. Elle aurait pu, à la rigueur, lutter contre une épouse délaissée. Mais pas contre un enfant, un fils. Chez un homme aussi riche que Paul McGill, la dynastie devient une notion sacrée. Jamais sans doute il n'abandonnerait son fils, le dépositaire du patrimoine, pour une femme. Même s'il l'aimait.

Frank se leva, contempla un instant sa sœur :

« J'ai besoin de boire quelque chose, dit-il. Toi aussi, d'ailleurs, si j'en crois la tête que tu fais. »

Il alla au bar, se versa un cognac et remplit une flûte de champagne qu'il donna à Emma. En quelques instants, elle s'était ressaisie et la détresse qui avait ému Frank semblait effacée de son visage.

« Je suis plus désolé que tu ne peux le croire de t'avoir brusquée comme je viens de le faire, dit Frank en se rasseyant. Je crois quand même qu'il fallait te mettre au courant.

— Tu as bien fait, Frank, répondit-elle avec un rire amer. Tu as dû faire subir un interrogatoire en règle à Dolly pour lui arracher toutes ces confidences, j'imagine.

— Sur l'oreiller, on n'a pas besoin de violence...

— Quoi ? Toi et... Dolly Mosten ? Tu te moques de moi !

— Une simple aventure.

— Mais elle a des années de plus que toi !

— Dix, pour être exact. Et une foule de relations. Mais nous ne sommes pas venus ici discuter de mes rapports avec Dolly Mosten.

— C'est exact. Comment en sait-elle autant sur la famille McGill ?

— Elle a été la maîtresse de Bruce, le père de Paul, il y a quelques années.

— Décidément, la séduction est une tradition familiale, chez eux ! Qu'a-t-elle raconté d'autre ? Autant tout me dire.

— Pas grand-chose d'autre. Dolly m'a surtout parlé de leur fortune, de leurs relations. En fait, elle ne savait presque rien sur la femme et le fils de Paul, à part le fait qu'ils existent. J'ai même eu l'impression qu'il règne une sorte de mystère autour de sa femme. Paul, semble-t-il, apparaissait toujours seul en public, même avant la guerre. D'après Dolly, il aurait depuis long-temps la réputation d'être un redoutable coureur de jupons.

— Cela ne constitue pas une surprise boule-versante », dit Emma avec un rire acerbe.

Frank avala son verre d'un trait et se leva pour aller vers la console qui servait de bar.

« J'en suis malade ! lança-t-il par-dessus son épaule. Que tu te sois laissée prendre ainsi... »

Il revenait vers le canapé avec les deux bouteilles et remplit le verre à moitié vide que lui tendait Emma.

« Et pourtant, reprit-il, j'aimais bien Paul. Jamais je n'aurais pensé qu'il était aussi salaud. Ce qui prouve combien on peut se tromper sur les gens... Mais toi, Emma, parle-moi. Je suis ton frère, après tout. Cela t'aidera peut-être de te confier, de te décharger de tout ce que tu as sur le cœur.

— J'en doute, Frankie. Mais je vais quand même te dire ce que je sais. Tu pourras peut-être m'expliquer sa conduite, me dévoiler les secrets de la nature masculine... »

Pendant qu'elle faisait ses confidences, Emma vida la bouteille de champagne tandis que Frank se contentait d'écorner le flacon de cognac. Pour la première fois de sa vie, elle s'enivrait de propos délibéré. Quand Wins-ton, inquiet de ne pas les revoir, apparut sur le seuil une heure plus tard, il poussa une exclamation de sur-prise à l'aspect de sa sœur. Affalée sur le canapé, elle brandissait son verre dont elle renversait le contenu sur elle et hoquetait en dévidant des propos inintelligi-bles d'une voix pâteuse.

« Comment as-tu pu la laisser se mettre dans un tel

état ? s'écria-t-il. Elle va avoir une de ces gueules de bois, demain matin...

— Quelle importance ? dit Frank calmement. Cela lui a fait infiniment plus de bien que tu ne le crois. Pour la première fois de sa vie, Emma avait besoin de se laisser aller. Pouvions-nous lui refuser ce luxe ? »

Winston hocha tristement la tête.

39

La mine sévère, Edwin Fairley écouta son frère sans interrompre ses explications embarrassées.

« Je ne puis absolument rien faire pour toi, Gerald, dit-il quand celui-ci s'arrêta enfin. Tu as tressé toi-même la corde pour te pendre. »

Gerald étouffa une exclamation de colère et d'incrédulité. Dans son visage bouffi, ses petits yeux lui donnaient véritablement le faciès d'un porc.

« Tu prétends que Proctor a légalement le droit de me spolier ?

— Il a le droit de prendre ce qui lui appartient, un point c'est tout. Un billet à ordre irrévocable est précisément cela. Du moment que tu es incapable de le rembourser et que tu as eu la sottise criminelle de lui donner les filatures en garantie, tu ne peux plus reculer. Pourquoi diable as-tu fait une chose pareille ?

— J'avais besoin d'argent, balbutia Gerald en détournant les yeux.

— Pour payer tes dettes de jeu, une fois de plus ! Que t'est-il donc passé par la tête pour engager les filatures sans même demander auparavant conseil à un homme de loi ?

— Je n'avais pas le temps de me retourner et Proctor n'a pas voulu en démordre. Consulter un avocat n'y aurait rien changé... Je croyais au moins qu'Alan serait raisonnable, qu'il me laisserait le temps de le rembourser. Le salaud, l'ignoble salaud ! Il m'a trahi, il me vole les filatures !

— Ne dis donc pas de bêtises, Gérald ! s'écria Edwin, excédé. Alan Proctor ne t'a rien volé, c'est toi qui lui as fait cadeau des usines. Ton aveuglement est inconcevable ! De plus, si j'en crois ce que tu m'as dit, Alan a été plus que raisonnable à ton égard. Il a prorogé trois fois ton billet à ordre, pour une durée totale de dix-huit mois, ce qui aurait dû amplement te suffire pour rassembler les fonds. Compte tenu des circonstances, j'estime qu'il a fait preuve d'une générosité que tu ne méritais pas. Ce prêt ne sortait pas de sa poche mais des caisses de sa société, et il doit rendre des comptes à ses administrateurs ! C'est insensé de te faire encore de telles illusions. »

Gerald baissa la tête, écrasé par l'injustice dont il croyait être l'innocente victime. Il releva les yeux quelques instants plus tard et regarda son frère d'un air implorant :

« Ecoute, Edwin... Il faut que tu me prêtes cet argent.

— Tu plaisantes ! Je ne possède pas une somme pareille.

— Notre père t'a légué un capital. Refuserais-tu d'aider ton propre frère ?

— Parlons-en, de mon « capital » ! s'écria Edwin avec une rage contenue. Notre père, et c'était son droit le plus strict, a toujours vécu largement, surtout depuis son mariage avec tante Olivia. Mais ce qu'il m'a laissé est négligeable, par comparaison avec ce que tu as hérité et que tu es en train de scandaleusement gaspiller ! Les revenus de mon prétendu « capital » sont minimes et j'en ai absolument besoin. Je te rappelle que je suis marié, moi. J'ai une femme et un enfant à faire vivre, un train de maison à soutenir.

— Tu gagnes bien ta vie...

— Peut-être. Mais je n'ai nullement l'envie ni les moyens de t'entretenir et de financer tes frasques. »

Gerald ne s'avoua pas vaincu et jeta à son frère un regard haineux :

« Tu as aussi hérité la majorité des actions du *Yorkshire Morning Gazette*. Il te serait facile d'emprunter...

— Non et non ! Je te répète que je n'ai pas l'intention

de gaspiller un sou pour toi. Par ailleurs, j'ai promis à notre père de conserver ces actions pour prendre plus tard un intérêt actif à la marche du journal. Mais enfin, grand dieu, comment as-tu pu te mettre dans une situation aussi...

— Je t'en prie, pas de sermons ! cria Gerald en se levant d'un bond. J'en ai par-dessus la tête de tes leçons de morale ! »

Gerald se mit à arpenter la bibliothèque, les mains derrière le dos, la taille voûtée. Edwin le suivit des yeux avec dégoût. Un imbécile et un lâche, se dit-il en regardant son frère. Un instant plus tard, il détourna les yeux, écœuré. Au comble de l'énervement, Gérald s'arrêta devant le bahut où étaient disposés les carafons et se versa un gobelet de whisky pur.

« Veux-tu boire quelque chose ? dit-il à Edwin sans se retourner.

— Non, merci. Il faut d'ailleurs que je m'en aille. »

Avant qu'Edwin ait pu se lever, Gerald vint se rasseoir en face de lui. Penché en avant, les coudes sur les genoux, il fixa son frère de ses yeux porcins :

« Tu te prends pour le génie de la famille, dit-il avec un ricanement. Alors, vas-y, petit frère, dis-moi ce qu'il faut faire pour me sortir de ce pétrin.

— Il te restera encore la filature de Fairley et la briqueterie, tu n'es donc pas tellement à plaindre. Serre-toi la ceinture, cesse de jouer, mets tes revenus de côté au lieu de les jeter par la fenêtre. Consacre-toi entièrement à la gestion de ce qui te reste. Jamais le marché du textile n'a été aussi florissant ! Explique-moi pourquoi, dans ces conditions, tu serais incapable de remonter la pente.

— Les choses ne sont plus comme du temps de notre père ! répondit Gerald d'un ton geignard. Tu n'as pas idée des charges que je dois supporter, de la concurrence... Tiens, un exemple. Thompson fabrique les mêmes draps que nous. Eh bien, il s'arrange je ne sais comment pour casser les prix. Ce n'est pas étonnant qu'il me rafle mes clients ! C'est comme ta maudite Emma Harte, qui a racheté Layton si tu ne le savais

pas. Elle aussi, la garce, elle casse le marché à tout va !
C'est même elle, si tu veux la vérité, qui est la cause de
tous mes ennuis. En 1914, elle m'a littéralement volé
Ben Andrews et les meilleurs ouvriers de Thompson, et
l'usine ne s'en est jamais remise... Ah ! tu peux en être
fier de ton espèce de petite putain...

— Assez ! cria Edwin, pâle de colère. Que je ne t'en-
tende plus jamais traiter Emma Harte de la sorte, ignoble porc ! »

Gerald éclata d'un rire vulgaire.

« Tiens, tiens, toujours amoureux de la petite bonne,
à ce que je vois ! C'est cette chère Lady Jane qui sera
contente de savoir que son distingué juriste de mari
rêve encore de se rouler dans la fange prolétaire...

— Assez, ai-je dit ! » hurla Edwin.

Livide, tremblant de rage, il se leva d'un bond. Les
poings serrés, se retenant de toutes ses forces pour ne
pas cogner, il écrasa Gerald d'un regard dégoûté.

« Répugnant personnage ! reprit-il, les dents serrées.
J'étais venu à Fairley plein de bonnes intentions et
décidé à t'aider de mes conseils, à te rendre service
dans toute la mesure de mes moyens. Mais je ne suis
pas venu t'entendre débiter tes obscénités sur Emma
Harte, m'entends-tu ? »

Edwin s'interrompit. Malgré lui, Gerald se tassa sur
son siège, apeuré par la colère qui étincelait dans les
yeux de son frère.

« Emma a au moins réussi sa vie. Elle a bâti une
fortune en partant de zéro, alors que tu n'es bon qu'à
dilapider le patrimoine de ta famille, misérable incapable... Adieu, poursuivit Edwin en se détournant. Je n'ai
pas l'intention de revenir ni de te revoir d'ici très longtemps, je te prie de le croire. »

Voyant son frère s'éloigner, Gerald reprit courage et
lança une dernière provocation.

« Tu ne sais vraiment pas mentir, Edwin ! Autant
avouer franchement que tu l'as dans la peau, ton Emma
Harte. Seigneur, elle doit en avoir des dispositions
cachées pour tenir encore un homme dans ses griffes
quinze ans plus tard ! J'avais d'ailleurs bien cette

impression, quand j'ai tenté ma chance, le jour où j'ai remis la main dessus à Armley.

— Tu as... quoi ? »

Edwin était déjà presque arrivé à la porte. Il pivota sur place et bondit sur Gerald qu'il empoigna par les revers de sa veste et secoua de toutes ses forces :

« Si jamais j'apprends que tu as osé seulement lever les yeux sur elle, Gerald, je te tuerai de mes propres mains, tu m'entends ? De mes propres mains ! Je le jure... »

Edwin s'était penché, le visage proche de celui de Gerald à le toucher. Les traits déformés par la haine et la rage, il fit reculer le gros Gerald, terrifié de l'éclat meurtrier qu'il voyait luire dans les yeux de son frère.

Ils restèrent ainsi face à face, les yeux dans les yeux. Un moment plus tard, Edwin se redressa, lâcha Gerald et s'essuya ostensiblement les mains sur son pantalon.

« Je ne veux plus me salir en te touchant, laissa-t-il tomber avec mépris. Mais n'oublie pas ce que je t'ai dit. Je tiendrai ma promesse. »

Et il quitta la pièce sans se retourner.

40

Emma fit glisser ses chaussures, ôta sa robe d'« uniforme » et ses bijoux et enfila le peignoir que sa femme de chambre avait disposée sur une chaise devant la coiffeuse.

Enfin seule dans sa salle de bain, elle lui accorda le regard satisfait qui lui venait malgré elle à chaque fois. De son nouveau « palais », c'était devenu sa pièce préférée. Comme le reste de la maison, la salle de bain était d'une opulence qui lui avait fait pousser les hauts cris en voyant les plans que Blackie avait dessinés à son intention.

« C'est ridicule ! s'était-elle exclamée. On dirait la galerie des Glaces à Versailles ! »

Elle avait en effet été frappée par la splendeur du palais des rois de France, qu'elle avait visité avec Arthur Ainsley à l'occasion de leur voyage de noces, trois ans auparavant. Mais ce qui était bon pour des rois ne l'était pas pour elle, avait-elle protesté. Blackie s'était entêté et l'avait adjurée de lui faire confiance. A sa surprise, Emma était finalement convenue que la pièce, toute en miroirs encadrés d'or et de marbre rose, avait un charme reposant, en dépit de sa magnificence. Elle était de vastes proportions, meublée d'un lit de repos et de plantes vertes près d'une grande fenêtre ouvrant sur le jardin, et Emma y passait de longs moments au calme.

Elle se dévêtit, se coula voluptueusement dans le bain déjà prêt et réfléchit aux derniers détails du dîner dansant qu'elle allait donner ce soir-là. Depuis son mariage avec Arthur, Emma recevait fréquemment et de manière somptueuse. Mais la réception de ce soir revêtait à ses yeux une importance particulière, car elle était organisée pour les fiançailles de son frère Frank avec Nathalie Stewart, fille de l'un des hommes politiques les plus en vue de Grande-Bretagne. Emma avait d'emblée approuvé cette union et tout fait pour la favoriser. Nathalie était ravissante, amoureuse de Frank dont elle servirait la carrière par ses relations de famille. Les fiançailles venaient à point nommé pour hâter la rupture de Frank avec Dolly Mosten qui, se sentant vieillir, s'accrochait désespérément à lui. Enfin, la beauté blonde et délicate de Nathalie dissimulait une fermeté de caractère qui n'était pas sans rappeler à Emma le souvenir de Laura.

L'on n'avait rien épargné pour donner à la soirée un éclat exceptionnel. Décorations florales dans les pièces de réception, dîner raffiné sorti tout droit des cuisines de *HARTE'S* — dont la réputation de traiteur égalait celle des autres départements du magasin. Les quelque cent invités allaient dîner par petites tables et danseraient dans la grande galerie aux sons d'un des meilleurs orchestres de Londres, engagé tout exprès pour la circonstance et que l'on entendait déjà répéter en sourdine. Tout à l'heure, Arthur avait complimenté Emma en comparant la maîtrise qu'elle avait déployée à celle d'un général en chef responsable d'une armée. Elle n'avait pas su distinguer si l'image était sincère ou ironique...

Pendant qu'Emma se détendait dans son bain, Arthur Ainsley dans l'appartement contigu mettait la dernière main à sa toilette. Ce n'était pas une mince affaire car, pour lui, son apparence comptait autant, sinon davantage, que pour Emma l'organisation de la soirée tout entière.

« A trente-deux ans, Arthur Ainsley avait su conserver un physique juvénile, qu'il prenait plaisir à accentuer par l'élégance affectée de sa mise et l'afféterie quasi efféminée de ses manières. Debout devant son miroir, il rectifia pour la centième fois l'alignement de ses manchettes, le pli de sa coiffure ou l'ajustement de ses boutons de plastron. Absorbé dans la contemplation du ravissant spectacle qu'il s'offrait, il fit un sourire de gratitude à son miroir, qui avait le bon goût de lui renvoyer de lui une image irréprochable.

Son caractère, qui n'était visible qu'à ses proches, suscitait moins d'admiration. Le narcissisme qu'il cultivait depuis son enfance l'avait retenu de chercher à développer les ressources de son esprit. Son adolescence, période formatrice entre toutes, lui avait laissé l'esprit en friche, au mieux recouvert d'une vague teinture de connaissances lui permettant de briller en société. Mannequin séduisant mais creux, il ne s'attachait qu'aux apparences et n'emmagasinait que le superflu. Eduqué dans les meilleurs collèges, doué d'une certaine intelligence naturelle atrophiée par sa faute, Arthur avait si bien laissé le champ libre à son hédonisme indolent qu'il en était devenu moralement handicapé. Epris de la richesse et des plaisirs qu'elle procure, il était incapable de l'acquérir par ses propres moyens, à peine davantage de conserver l'acquis. Sa paresse, au fil des ans, prenait de manière de plus en plus alarmante l'allure d'une véritable aboulie.

A regret, Arthur s'arracha à son miroir et consulta sa

montre. Toujours soucieux de perfection, il s'y était pris beaucoup trop tôt pour s'habiller et il s'en fallait encore d'une grande heure avant que les invités n'arrivent. Avec une légère hésitation, il alla ouvrir un tiroir de sa commode, en sortit une bouteille de whisky et commença à s'en verser un verre. Mais il s'interrompit au milieu de son geste avec une grimace d'ennui en pensant à la scène que lui ferait Emma.

Car Arthur Ainsley cherchait, depuis dix-huit mois, refuge dans la boisson. Il s'était mis à boire en constatant qu'il était devenu impuissant et, par un tortueux processus, croyait moins s'enivrer pour noyer sa honte que pour excuser sa déficience par l'ivresse. Il était en effet infiniment plus facile à sa vanité de trouver à ses troubles physiques une explication extérieure que de s'en blâmer lui-même. La vérité, qu'Arthur s'était toujours refusé à admettre ouvertement, était qu'il en voulait à Emma d'être tout ce qu'il n'était pas. Il se fermait également les yeux sur ses tendances, soigneusement refoulées, à l'homosexualité.

Emma n'avait pourtant rien fait pour l'émasculer ni étouffer sa personnalité. Le simple fait d'être ce qu'elle était avait suffi à traumatiser Arthur. A titre de compensation, il se cherchait des succès faciles auprès de midinettes ou de barmaids, éblouies par son élégance et qui parvenaient à ranimer sa virilité chancelante.

Ses sentiments envers Emma évoluaient dans une constante ambiguïté. Il la désirait encore fréquemment, mais il n'osait plus s'en approcher de peur d'essuyer un nouvel et humiliant échec. Il avait souvent besoin de se réconforter au contact de sa vitalité et de sa sagesse, tout en n'éprouvant pour ces mêmes qualités que rancœur et amertume. Il chantait ouvertement les louanges de sa femme et se récriait devant ses succès, pour mieux les jalouser en secret et en vouloir aigrement à Emma de l'éclipser et de le rejeter dans l'ombre. A sa manière malsaine, Arthur aimait pourtant Emma. Mais son admiration, sincère au début, était désormais viciée par toutes les mesquines rancunes qu'il remâchait contre elle, issues du sentiment de sa profonde incapacité à l'égaler jamais. Ces conflits intérieurs éclataient parfois en crises de rage trop vite réprimées et il arrivait à Arthur d'éprouver pour sa femme une véritable haine.

Il avait été vivement attiré par Emma quand elle était encore mariée avec Joe Lowther et avait préféré ignorer ses constantes rebuffades. Après la guerre, la trouvant veuve, il avait repris espoir et l'avait à nouveau poursuivie de ses assiduités. Un beau soir, à la réception donnée par Blackie O'Neill au Nouvel An 1919, Emma avait paru s'amadouer. Sans chercher à comprendre les causes de ce revirement, Arthur avait poussé son avantage avec une détermination aiguillonnée par ses parents, qui avaient de l'ambition à sa place. Trois mois plus tard, au printemps 1920, il obtenait enfin sa main.

Aveuglé par sa vanité, Arthur était persuadé qu'Emma était aussi éprise de lui qu'il l'était d'elle. En fait, elle n'avait consenti à l'épouser que pour des raisons fort éloignées de l'amour. Elle voulait d'abord trouver une échappatoire à sa solitude et à la douleur que lui causait encore l'abandon de Paul McGill. Réaliste, Emma avait vite compris qu'il ne servait à rien de nourrir plus longtemps ses illusions et que, même si Paul lui revenait, il n'y avait aucun avenir à bâtir sur une situation fausse. Mieux valait donc prétendre que Paul était mort pour elle et s'efforcer de mener, pour ses enfants plus encore que pour elle, une vie normale. Certaine qu'elle ne trouverait jamais plus l'amour fou qu'elle avait connu avec Paul, et qu'il était donc inutile de le chercher, elle préféra refaire sa vie avec un compagnon agréable et facile à vivre, capable de jouer le rôle de père auprès des enfants et de maître de maison vis-à-vis d'elle. Elle voyait autour d'elle bien des ménages heureux sans amour. Pourquoi, se dit-elle, ne pas transiger ?

Agacée puis amusée par les avances inlassables d'Arthur Ainsley, elle en vint à le considérer comme un candidat possible. Il était bien élevé, de bonne famille, apparemment amoureux d'elle, et savait se tenir dans le monde. En outre, il était beau et cela satisfaisait les goûts esthétiques d'Emma, toujours attirée par les belles choses. S'il n'éveillait en elle aucune passion, il ne lui déplaisait pas et serait probablement supportable dans l'intimité physique du mariage. Lucide, Emma savait qu'il était faible et vain. Mais il ne la menaçait en rien. Indolent, Arthur ne se mêlerait jamais des affaires de sa femme. Indulgent envers lui-même, il serait tolérant pour les autres et n'empêcherait pas Emma de mener sa vie comme elle l'entendait. En cas de crise ou de conflit, elle était la plus forte et saurait l'emporter sans mal sur son mari ou l'adversité. Enfin, et ce n'était pas le moins important, Arthur avait su d'emblée conquérir les enfants, qu'il traitait avec un naturel et une maturité qui, par ailleurs, lui faisaient cruellement défaut.

Ayant ainsi franchi, à son insu, les épreuves de cet examen de passage, Arthur Ainsley fut acheté comme une vulgaire usine. Emma mit à appliquer sa décision la même diligence qu'elle mettait dans ses affaires. Cette imprudence sans précédent scandalisa ses frères et Blackie, qui lui firent les plus vifs reproches. Elle les rembarra avec une telle hauteur qu'ils n'insistèrent pas, sachant trop bien que rien ne pouvait faire revenir Emma sur ses décisions.

Il ne lui fallut pas plus de quelques semaines pour le regretter amèrement et se maudire de sa précipitation. Dès son voyage de noces, elle prit conscience du caractère factice des charmes d'Arthur, des raffinements malsains de ses habitudes sexuelles et de la nature essentiellement caustique et destructrice de son humour, qui ne la faisait plus rire. Loin de lui faire oublier Paul, ce mariage le lui faisait regretter plus profondément encore.

Assez honnête pour reconnaître que la faute lui en incombait à elle seule, Emma décida de sauvegarder les apparences. Les premiers temps de son mariage eurent donc l'aspect du bonheur conjugal paisible. Parfaitement ignorant des véritables sentiments de sa femme, Arthur baignait dans l'euphorie de ce mariage inespéré avec une femme jeune et belle, dont la fortune et le prestige rejaillissaient sur lui et lui procuraient mille avantages. Cependant, dès après la naissance des jumeaux, Robin et Elizabeth, en 1921, Arthur commença à changer. Trop sûr de sa situation acquise, convaincu qu'Emma était plus que jamais en adoration devant lui, il se relâcha et la négligea.

Pendant la grossesse d'Emma, en effet, il avait voulu se distraire et l'aiguillon des amours illicites lui était devenu indispensable. Quand il voulut reprendre l'intimité conjugale avec Emma, il s'aperçut alors que celle-ci l'inhibait au point qu'il en perdait tous ses moyens. Au bout de quelques essais infructueux et profondément humiliants, il battit en retraite dans sa propre chambre et n'en sortit plus. Emma ne lui posa jamais de question ni n'insista pour qu'il revienne dans son lit. Soulagé, Arthur préféra croire qu'elle ne s'était refroidie qu'à cause du fardeau de ses affaires, des enfants à élever, de la maison à mener ou même de sa crainte de se retrouver trop tôt enceinte. Il ne lui vint jamais à l'idée qu'Emma ait pu souhaiter l'écarter de son intimité ni qu'elle aime un autre que lui. Ainsi, à mesure que les mois passaient, Arthur s'endurcissait dans sa suffisance et son arrogance. Ses sordides escapades, son impuissance avec Emma ne lui donnaient pas le moindre trouble de conscience, au contraire. Emma était seule responsable de tout, il avait cent fois raison de lui en vouloir. Et de boire trop.

Tandis que son mari hésitait encore à se verser le whisky dont il avait si fort envie, Emma sortit de son bain. Les miroirs qui tapissaient les murs lui renvoyèrent son image qu'elle observa un instant avec détachement. Dans un mois, elle aurait trente-quatre ans. Elle avait cependant gardé sa silhouette de jeune fille, seins hauts et fermes, cuisses rondes et ventre plat. Peut-être le devait-elle au régime spartiate, à la constante activité qu'elle s'imposait par plaisir. Sa nouvelle coiffure, en tout cas, l'enchantait. Cédant à la mode, elle avait fait couper ses longues mèches châtain-roux pour adopter les courtes franges qui faisaient fureur et allaient si bien avec ses robes de chez Vionnet et ses tailleurs Chanel.

Elle venait d'enfiler son peignoir et commençait à se brosser quand un coup frappé à la porte lui fit tourner la tête. A la vue d'Arthur, elle fit une grimace d'impatience.

« Que me veux-tu ? Tu vois bien que je suis en retard... Tu commences un peu tôt, ce soir », ajouta-t-elle en désignant d'un mouvement de menton le verre qu'Arthur tenait à la main.

Arthur haussa les épaules et alla s'écrouler gracieusement sur un canapé.

« Sais-tu que tu deviens ennuyeuse comme la pluie ? dit-il de sa voix la plus flûtée. Une vraie mère rabat-joie !

— Nous avons une longue soirée devant nous, Arthur, et plus de cent personnes à recevoir. Je ne veux pas...

— Que je m'enivre et te fasse honte, n'est-ce pas ? Dieu te préserve d'un pareil scandale ! Alors, que préfères-tu que je fasse, ce soir ? Que je me mette à quatre pattes et te suive en jappant ? Ce serait pourtant pire ! »

Emma préféra ne pas répondre. Quand Arthur commençait à boire, mieux valait ne pas le provoquer et laisser son accès de colère s'apaiser de lui-même, ce qui ne tardait jamais beaucoup. Elle feignit donc de s'absorber dans sa coiffure, prit ensuite un flacon de parfum dont elle se mit quelques gouttes derrière les oreilles. Dans le miroir, elle vit Arthur boire une longue gorgée de whisky. Elle reprit alors la parole pour détourner le cours de cette conversation si mal commencée.

« Il y avait une lettre de Kit, aujourd'hui. Je te la montrerai tout à l'heure. Il est ravi d'être à Rugby et a vraiment l'air dans son élément.

— L'y envoyer était une de mes brillantes idées, ma chère. J'en ai beaucoup, tu sais, bien que tu affectes de ne pas en faire grand cas. C'est sans doute plus amusant de me traiter comme un simple d'esprit. »

Emma ferma les yeux et ne releva pas cette nouvelle

provocation. Si Arthur voulait une scène, elle ne lui donnerait pas cette satisfaction.

Au bout d'un instant, comme le silence s'éternisait, Emma se tourna vers lui :

« Il faut que je finisse de me préparer, dit-elle calmement. Etais-tu venu simplement me rendre visite ou voulais-tu me demander quelque chose de particulier ?

— Ah! oui, c'est vrai! As-tu la liste des invités? Je voulais y jeter un coup d'œil pour me rafraîchir la mémoire et ne pas faire d'impairs.

— Sur mon secrétaire. »

Arthur examina la liste, à la recherche de noms de conquêtes possibles ou de relations à nouer. Apparemment satisfait, il partit aussitôt après un salut plein de cordialité.

Après son départ, Emma se remit à ses préparatifs, la tête pleine de pensées déprimantes. Par quelle fatalité, elle qui pouvait se vanter de ne jamais commettre deux fois la même erreur en affaires, s'obstinait-elle à les répéter dans sa vie privée? Elle avait aimé David Kallinski et avait épousé Joe Lowther. Elle aimait toujours Paul McGill, mais s'était précipitée dans les bras d'Arthur Ainsley. Certes, dans les deux cas, les circonstances différaient et, en quelque sorte, expliquaient sinon justifiaient ses erreurs. Mais pourquoi choisissait-elle toujours les maris qui ne lui convenaient pas? Joe, au moins, était foncièrement bon et honnête tandis qu'Arthur ne valait rien... Les avertissements de ses frères lui revinrent en mémoire. Qu'y faire? Il était trop tard... Sa maudite obstination n'avait pas fini de la faire souffrir. Quel serait le prochain avatar du mari idéal sélectionné par Emma Harte parmi les plus inadaptés? Sa mauvaise boutade ne la fit même pas sourire.

Elle s'ébroua, se leva. Ce soir, elle ne pouvait pas se permettre de s'appesantir sur ses erreurs ni de s'apitoyer sur les malheurs qu'elle avait elle-même provoqués. Demain, peut-être, ou le mois prochain... A quoi bon revenir sur ce qui est fait?

Elle enfila sa robe, un long fourreau de soie turquoise parsemé de paillettes qui scintillaient au moindre de ses mouvements. Avec ses diamants, ses perles, sa silhouette svelte et toujours jeune, Emma était l'image même de l'élégance innée et du bonheur sans nuages. Pour qui ne voyait que les apparences, elle avait tout. La fortune, un mari séduisant, de beaux enfants. On pouvait à bon droit l'envier.

La pendule sur sa cheminée sonna dix coups. Emma se leva, quitta sa chambre. Debout sur la plus haute marche de l'escalier qui descendait, en une courbe gracieuse, jusqu'au hall de marbre où ses invités commençaient à se presser, elle marqua une pause, imprima sur ses lèvres son fameux sourire, prit d'une main sa traîne.

Ceux qui la virent tournèrent vers elle des regards admiratifs. Ils ne pouvaient pas savoir que se cachait en elle un cœur paralysé par le froid et, déjà, à demi mort.

41

Le majordome qui les accueillit à Fairley Hall était un homme entre deux âges qu'ils ne connaissaient pas.

« Bonjour, dit Blackie. Je suis M. O'Neill et j'ai rendez-vous avec M. Gerald Fairley.

— Veuillez entrer, Monsieur vous attend. »

Le domestique s'inclina, ouvrit la porte toute grande et guida les visiteurs vers la bibliothèque où il les introduisit en les priant d'attendre un instant.

Quand il se fut retiré, Blackie se tourna vers Emma.

« Murgatroyd a donc pris sa retraite ?

— Non, il est mort depuis deux ans, répondit-elle.

— Vraiment ? Et la cuisinière, cette bonne Mme Turner ?

— Elle vit toujours, mais elle est trop vieille pour travailler. Elle habite le village, je crois. »

Blackie se releva, arpenta un instant la pièce et alla se poster devant la cheminée, le dos au feu.

« Alors, Emma, quel effet cela te fait-il de revenir ici, au bout de tout ce temps ? »

Emma haussa les épaules avec indifférence.

« Bizarre, sans plus... Sais-tu combien de fois j'ai épousseté ces boiseries, battu ces tapis et ciré ces meubles ? demanda-t-elle avec un rire amer.

— Si souvent que tu en as sans doute perdu le compte.

— Je n'oublie jamais rien et je ne perds aucun compte, Blackie. Tu le sais, pourtant. »

Elle se leva à son tour et parcourut lentement la pièce en regardant attentivement les meubles. Tout cela, jadis, l'avait impressionnée. Maintenant, tout paraissait vieilli, usé, négligé. Le soleil d'avril ne faisait qu'accentuer cette impression. Les tapis persans montraient leur trame entre les dessins aux couleurs passées. Les rideaux de velours étaient élimés et poussiéreux. La tapisserie des fauteuils était éraillée, le cuir des canapés craquelé. Il y avait encore plusieurs beaux meubles anciens de valeur, des reliures de prix sur les rayonnages, des gravures intéressantes aux murs. Mais il se dégageait de l'ensemble une impression d'abandon qui enlevait toute beauté à ce qui en possédait encore.

Devant la fenêtre, Emma s'arrêta pour regarder dehors. A l'horizon, la ligne de crête se découpait en noir sur le ciel bleu. Derrière, il y avait la lande. Emma fut soudain prise d'une folle envie d'y aller, de suivre le sentier si familier qui lui ferait traverser le champ du Baptiste pour l'emmener à Ramsden Crags et au Sommet du Monde, cet endroit que sa mère avait tant aimé, où l'air est plus vif, où les couleurs sont plus belles... Mais c'était impossible. Aujourd'hui du moins. Il y avait trop de souvenirs, dans ces replis de terrain, dans les moindres brins de bruyère. Des souvenirs qui la tiraient en arrière, vers ce passé déjà si lointain mais toujours aussi douloureux. Emma ferma les yeux. Elle entendait encore le chant des alouettes. Elle sentait l'odeur de la bruyère après la pluie. Elle frissonna au contact des ajoncs contre ses mollets, du vent sur son visage...

Toujours debout devant la cheminée, Blackie l'observait, pris lui-même par le flot des souvenirs. Il n'eut pas grand effort à faire pour revoir la mince silhouette de la fillette en tablier, ployant sous les balais et les ustensiles, qu'il avait vue rudoyée par Murgatroyd lors de sa première visite à Fairley Hall. Y avait-il encore un point commun entre cette ombre pitoyable et la jeune femme resplendissante et impérieuse qu'il voyait, découpée à contre-jour devant la fenêtre? Blackie hocha la tête, partagé entre l'incrédulité et l'admiration. A trente-quatre ans, Emma était à l'apogée de sa beauté. Dans sa robe à l'élégance discrète, parée des rares bijoux qu'autorisait le bon goût, elle irradiait puissance et assurance.

Emma sentit le regard de Blackie posé sur elle et se tourna vers lui en souriant :

« Pourquoi me regardes-tu aussi fixement? Ma robe est dégrafée?

— Non, Emma. Je ne faisais que t'admirer en évoquant quelques vieux souvenirs...

— Moi aussi... Il est difficile de se retrouver ici sans remuer le passé. »

Elle fit quelques pas vers le bureau, disposé en angle, et y posa son sac. Blackie alluma une cigarette.

« Cet animal de Fairley prend son temps, dit-il avec agacement. Espère-t-il nous impressionner en nous faisant attendre?

— Qu'il fasse ce qu'il veut, répondit Emma avec un geste désinvolte. Nous ne sommes pas pressés. »

Elle s'assit au bureau qui, naguère, avait été celui d'Adam Fairley, se carra dans le fauteuil. Elle ôta ses gants, examina ses mains avec un sourire. C'étaient de petites mains fortes, aux doigts courts, qui déparaient peut-être sa beauté pleine de finesse. Mais elles étaient blanches et douces, avec des ongles longs et laqués. Elles n'avaient plus rien de commun avec les mains rougies et crevassées de celle qui astiquait, lavait, balayait — y avait-il si longtemps? — cette grande maison lugubre. Cette esclave-là était bien morte...

La porte s'ouvrit soudain et Gerald Fairley parut. Il ne vit d'abord pas Emma, et se dirigea vers Blackie la main tendue et le sourire aux lèvres.

« Content de vous voir, monsieur O'Neill, dit-il en l'observant avec curiosité. Il me semble que votre nom ne m'est pas inconnu et, maintenant que je vous vois, je crois me rappeler que vous avez fait des travaux dans cette maison quand j'étais petit.

— C'est exact », répondit Blackie en lui rendant sa poignée de main.

Il était difficile de croire que Gerald Fairley avait jamais été « petit », tant son obésité était choquante. Blackie, qui ne l'avait pas revu depuis plus de quinze ans, ne put retenir une grimace de dégoût.

« Puis-je vous offrir quelque chose à boire ? dit Gerald.

— Non, merci.

— Si vous n'y voyez pas d'inconvénient, je prendrai un cognac. Je prends toujours un digestif après le déjeuner. »

Gerald alla d'un pas lourd vers le buffet où étaient disposés les carafons et se versa un plein verre d'alcool. C'est en se retournant qu'il vit enfin Emma assise au bureau. Ses petits yeux s'agrandirent de stupeur :

« Qu'est-ce que vous faites ici, vous ? s'écria-t-il.

— Je suis avec M. O'Neill, répondit Emma calmement.

— Je n'ai encore jamais vu un pareil sans-gêne ! Comment osez-vous vous asseoir à mon bureau ? »

Emma ne cilla pas et continua de dévisager Gerald avec calme et froideur.

« A *mon* bureau, vous voulez dire...

— Votre bureau ? Vous êtes folle ! »

Gerald fit quelques pas en direction de Blackie, rouge de fureur.

« Que veut dire cette comédie, O'Neill ? Qu'est-ce que cette femme vient faire ici, quelles sornettes est-elle en train de me débiter ? J'ai vendu Fairley Hall à une société immobilière qui s'appelle *Deerfield Estates*. Au téléphone, vous m'avez dit que vous la représentiez et que vous étiez chargé des travaux de rénovation. De quel droit avez-vous amené cette sorcière ici ! Dehors ! hurla-t-il en se tournant vers Emma. Sortez, vous m'entendez ? Je ne tolérerai pas votre présence durant cette conversation qui ne vous regarde pas ! »

Emma était restée parfaitement impassible pendant

l'explosion de fureur de Gerald Fairley. Elle lui répondit sans même élever la voix :

« Je n'ai nullement l'intention de sortir et j'ai tous les droits d'être ici, *monsieur* Fairley. *Deerfield Estates*, voyez-vous, c'est moi. »

Il fallut un long moment pour que les paroles d'Emma pénètrent dans l'esprit troublé de Gerald. Il la contempla en silence, les yeux exorbités, comme s'il voyait un spectre.

« Vous... vous... êtes *Deerfield*... bafouilla-t-il.

— Oui. »

Elle ouvrit son sac, en sortit une feuille de papier qu'elle parcourut rapidement avant de relever les yeux sur Gerald.

« Comme je le pensais, reprit-elle sèchement, ce bureau figure à l'inventaire. Vous avez déjà encaissé le chèque de *Deerfield Estates* et ce meuble m'appartient donc, comme le reste. »

Gerald se laissa lourdement tomber dans un fauteuil. Il vivait un véritable cauchemar et n'arrivait pas encore à se pénétrer de sa réalité. La petite bonne, la fille de cuisine, chez elle à Fairley Hall ! Assommé, il leva des yeux hagards vers Blackie, toujours debout devant la cheminée, les mains dans les poches, un sourire amusé aux lèvres.

« Est-ce vrai ? balbutia-t-il. Ce qu'elle a dit...

— C'est la stricte vérité », répondit Blackie.

Il avait le plus grand mal à retenir son sérieux. Il n'aurait pas voulu manquer cette scène pour un million de livres.

« Pourquoi ne m'avez-vous pas dit qu'elle viendrait ? » demanda Gerald d'un ton où revenait la colère.

Blackie prit posément une cigarette dans son étui et l'alluma avant de répondre :

« Je n'avais pas d'instructions dans ce sens. »

Gerald baissa les yeux vers son verre de cognac dont, dans son agitation, il avait renversé la moitié sur lui. S'il avait su que cette petite garce était derrière *Deerfield Estates*, jamais il n'aurait vendu le château. Il fallait faire annuler la vente, les chasser...

Les paroles d'Emma lui revinrent en mémoire. Il avait déjà encaissé le chèque, dépensé l'argent pour payer ses dettes les plus criantes. Il était pris au piège. Il ne pouvait plus rien faire, rien. D'une main tremblante, il porta le verre à ses lèvres et le vida d'un trait..

Emma l'avait observé en silence. Elle lança à Blackie un coup d'œil ironique, se leva et vint s'asseoir sur le canapé dans une pose pleine de dignité.

« Selon les conditions de la vente, dit-elle à Gerald, vous auriez déjà dû libérer les lieux. Je veux bien vous accorder une semaine de plus...

— Ce n'est pas assez! protesta Gerald en faisant trembler ses bajoues. Donnez-moi au moins...

— Une semaine, est-ce clair? Par ailleurs, je constate que vous avez toujours des objets personnels dans votre ancien bureau de la filature Fairley. Ils devront en être retirés aujourd'hui même, à dix-sept heures au plus tard. Sinon, ils seront emballés dans des caisses qui seront placées dans la cour de l'usine jusqu'à ce que vous procédiez à leur enlèvement. »

Bouche bée, muet de stupeur, Gerald ne répondit pas.

« Si je ne me trompe pas, reprit Emma froidement, vous avez vendu la filature il y a près de trois semaines à la *General Retail Trading Company*. Vous occupez donc indûment ces locaux. »

Ces mots tirèrent enfin Gerald de son hébétude :

« De quoi encore vous mêlez-vous? La *General* est une filiale de *Proctor & Proctor*, qui appartient à mon ami Alan.

— Je suis parfaitement au courant des liens qui existent entre la *General Retail Trading Company* et *Proctor & Proctor*. Vous commettez cependant une légère erreur en croyant que votre ami Alan Proctor en est toujours propriétaire. Sa société a été acquise, il y a déjà plusieurs années, par une autre société, *M.R.M. Ltd*, dont M. Proctor n'est que l'employé.

— Alan Proctor ne m'en avait jamais parlé... »

Gerald s'interrompit brusquement. Le cauchemar s'épaississait, car il venait d'entrevoir la vérité.

« A qui appartient cette *M.R.M. Ltd*? demanda-t-il d'une voix à peine audible.

— A moi, répondit Emma froidement. C'est donc à moi qu'appartiennent désormais vos usines et votre château.

— Vous... Vous... »

Haletant, congestionné, Gerald tenta de se lever et retomba lourdement dans son fauteuil. Le corps agité d'un violent tremblement, il sentit une intolérable douleur lui lacérer la poitrine comme un coup de poignard et lui couper le souffle. A demi inconscient, les mains sur le cœur, il se força à combattre la crise prête à le terrasser. Ce fut sa rage, qui le sauva. Cette Emma Harte! Elle lui avait tout pris, tout volé, jusqu'à la demeure de ses ancêtres. Il ne lui restait, pour toute pitance, qu'une poignée des actions du journal et de la briqueterie, que l'apparition généralisée du béton et des techniques modernes rendait agonisante. Il était désormais seul, dépouillé de tout, irrémédiablement ruiné. Avec un sanglot, il se cacha la tête dans les mains.

Blackie avait observé la scène en sentant son envie de rire faire place au dégoût. Il était impossible d'éprouver de la compassion pour cet homme brisé dont l'arrogance et les vices s'étalaient sur sa personne comme sur une caricature. En face de lui, assise sur le canapé dans la même pose calme et froide, Emma n'avait pas bougé. En la regardant, Blackie sentit la crainte lui donner la chair de poule. Car il régnait dans cette pièce une atmosphère de mise à mort, de violence débridée. Et cette violence n'émanait que d'Emma et d'elle seule. Elle l'entourait d'ondes presque visibles, tangibles. Blackie détourna les yeux et avala péniblement sa salive. Il venait de comprendre ce qu'était vraiment Emma. Un fauve.

Gerald releva enfin la tête, les yeux injectés de sang, les traits déformés par un rictus.

« Garce! murmura-t-il entre ses dents. Misérable garce! C'est vous qui étiez derrière tout ce qui m'est arrivé. C'est vous qui m'avez volé, ruiné... »

Emma l'interrompit d'un éclat de rire qui arrachait

enfin le voile de sa froideur et de sa dignité pour laisser éclater l'intensité de sa haine envers Gerald Fairley.

« Oui, c'est moi ! Vous ne m'avez pas prise au sérieux, il y a treize ans, quand vous vous êtes introduit chez moi pour me violer ! Je ne fais jamais de menaces en l'air, moi. Votre ignoble agression, je ne l'ai jamais oubliée, de même que je ne vous permettrai jamais de l'oublier, jusqu'à votre dernier souffle ! »

Elle s'interrompit pour se ressaisir. Quand elle reprit la parole, elle avait retrouvé son calme glacé :

« Oui, j'ai entrepris de vous ruiner comme je vous l'ai annoncé. Mais je n'y ai pas eu grand mal. C'est vous qui vous êtes ruiné et je n'ai eu, de temps en temps, qu'à vous pousser un peu. Car vous êtes avant tout un imbécile. »

A cette nouvelle humiliation, Gerald perdit la raison. Il se leva d'un bond, vacilla, tendit les mains vers le cou d'Emma, prêt à serrer. Un voile rouge devant ses yeux l'empêchait de rien voir d'autre que ce cou qu'il fallait serrer pour étrangler, détruire cette femme qui le tuait.

Blackie était encore sous le coup de ce qu'il venait d'entendre. Emma, victime d'une tentative de viol ? D'abord incrédule, il devint enragé en voyant Gerald la menacer. Il bondit sur lui, agrippa un poignet, tira, tordit, poussa. Gêné par sa corpulence, aveuglé par son obsession, l'autre voulut se débattre et échapper aux mains de Blackie. Alors, celui-ci n'hésita plus et assena un formidable coup de poing à la mâchoire de son adversaire, qui s'écroula sur le tapis en entraînant un guéridon dans sa chute.

« Il l'aura voulu ! » s'écria Blackie.

Il contempla avec colère la masse étalée à ses pieds et se tourna vers Emma :

« Pourquoi ne m'as-tu rien dit de cette histoire, sur le moment ? Je lui aurais donné une correction dont il ne se serait jamais remis, je te prie de le croire ! On aurait été débarrassé de ce porc une fois pour toutes.

— C'est bien pour cela que j'ai préféré le garder pour moi. Ma vie était assez difficile, à l'époque, pour que je ne crée pas de complications inutiles. Merci d'être intervenu maintenant, Blackie. J'ai bien l'impression qu'il voulait me frapper. »

Blackie lui décocha un regard stupéfait :

« Tu plaisantes ? Il voulait te tuer, oui ! Tu n'as décidément aucune notion du danger...

— Le problème est réglé, grâce à toi, l'interrompit Emma avec un geste de la main. Qu'allons-nous en faire ? On ne peut pas le laisser comme cela. »

Blackie retrouva son sourire amusé :

« Il y a des tas de choses que j'aimerais lui faire ! Mais il ne mérite pas qu'on se donne du mal... »

Blackie avisa une carafe d'eau au milieu des flacons d'alcool et en répandit le contenu sur Gerald.

« Voilà de quoi le ressusciter », dit-il d'un air satisfait.

Quelques secondes plus tard, en effet, Gerald s'ébroua et se rassit tant bien que mal en s'essuyant avec sa manche. Blackie l'attrapa sous les bras, le releva sans douceur et le traîna jusqu'à son fauteuil où il le jeta comme un paquet.

« Que ceci vous serve de leçon, Fairley. Ne recommencez pas, sinon je ne réponds plus de mes actes. Nous avons assez perdu de temps, nous sommes ici pour visiter les lieux... »

Mais Gerald n'écoutait pas et dardait sur Emma un regard haineux.

« Vous ne vous en tirerez pas comme ça ! dit-il en grondant. Je vous aurai au tournant, petite garce...

— Soyez poli ! » l'interrompit Blackie en lui donnant une bourrade sur l'épaule.

Emma s'était levée et prenait calmement ses gants et son sac à main. Elle jeta à Gerald un regard froid :

« Veuillez nous laisser. Vous avez des choses urgentes à faire, comme d'aller enlever vos affaires du bureau. Je vous conseille également de commencer à préparer vos bagages. Si vous n'avez pas déguerpi d'ici une semaine, je vous ferai expulser. »

Gerald se leva, vacilla et dut s'accrocher au dossier du siège.

« Je vous préviens, je ne vais pas me laisser faire comme cela... » commença-t-il.

Blackie le prit par le bras et le poussa vers la porte :

« Vous entendez ce qu'on vous dit ? Allez faire vos caisses, si vous ne voulez pas les retrouver dans la cour de l'usine. Ce serait gênant vis-à-vis des ouvriers. »

Gerald se dégagea d'un geste furieux et partit en claquant si fort la porte qu'il en fit trembler les appliques. Emma poussa un soupir de soulagement. Si bref qu'il eût été, ce déploiement de violence l'avait mise mal à l'aise.

« Encore un peu et il me faisait presque pitié, dit-elle calmement.

— Viens, Emma, allons faire notre visite domiciliaire. C'est bien pour cela que nous sommes ici, n'est-ce pas ?

— Oui, entre autres choses... »

Blackie la regarda pensivement. Il comprenait, certes, la vengeance d'Emma et les motifs qui l'y avaient poussée. Mais de quel prix payait-elle cette satisfaction illusoire ? Profondément marqué du mysticisme celte, Blackie voyait dans la vengeance une divinité maléfique, prête à détruire le vengeur avec sa victime. N'aurait-il pas mieux valu abandonner le maudit à son destin et laisser Dieu le punir ?

Un éclat de rire d'Emma lui fit comprendre qu'il avait, sans s'en rendre compte, pensé à haute voix.

« Je t'en prie, Blackie, ne viens pas me dire cela à moi ! D'abord, tu sais que je ne crois pas en Dieu. Je n'avais surtout pas le temps d'attendre son bon plaisir.

— Dis plutôt que tu ne voulais pas te priver de voir la tête de Gerald Fairley quand il apprendrait que tu avais été la cause de sa déchéance...

— C'est lui-même qui l'a provoquée, Blackie. Il m'a épargné tout souci de ce côté-là. Et quand bien même ce serait vrai, pourrais-tu me le reprocher ?

— Non, sans doute pas... »

Il s'interrompit et jeta un long regard pensif sur Emma.

« Tu as gagné, Emma. Tu as obtenu ce que tu voulais. Quel effet cela te fait-il ?

— Me croiras-tu ? Je suis heureuse, Blackie. Merveilleusement heureuse. Cela fait près de vingt ans que j'attends ce moment. Vingt ans ! La vengeance est douce, tu sais. »

Blackie ne répondit pas. Il prit Emma aux épaules et la dévisagea longuement. A sa surprise et à son soulagement, il vit alors que le masque de dureté implacable qui, depuis tout à l'heure, défigurait Emma avait disparu. L'éclat métallique de ses yeux avait fait place à un pétillement de gaieté. Cette métamorphose lui parut presque plus inquiétante.

« Et Edwin ? demanda-t-il malgré lui. Lui réserves-tu quelque tour, à lui aussi ?

— Patience, tu verras. D'ailleurs, ajouta-t-elle avec un sourire, Edwin déteste son frère. Mais ne crois pas que ce qui arrive lui fera plaisir, au contraire. D'abord, à cause du scandale. Et puis, la ruine de Gerald affectera sérieusement les ressources d'Edwin, à qui son père avait légué une part d'intérêts dans les filatures. Et je ne parle même pas du château... Tout cela, tu vois, évanoui. En fumée ! conclut-elle avec un geste expressif de la main.

— N'y a-t-il donc rien que tu ignores encore des Fairley ?

— Rien, absolument rien. »

Blackie secoua la tête et soupira.

« Tu es une femme étonnante, Emma...

— Il m'arrive encore de m'étonner moi-même, figure-toi ! dit-elle en riant. Allons ! Comme tu l'as dit, nous sommes ici pour faire le tour du propriétaire. Viens, je te servirai de guide. En avant pour la visite du château ! »

Ils sortirent de la bibliothèque, négligèrent les grands salons et traversèrent le hall d'entrée vers l'escalier. Le palier du premier étage était baigné de la lumière irréelle qui tombait des vitraux. Ils s'engagèrent dans les longs couloirs, où régnait toujours une vague odeur de cire et de poussière. Mais elle était rendue plus âpre par l'humidité qui imprégnait les murs. Les planchers craquaient sous leurs pas, le vent gémissait sous la toiture et à travers les fenêtres vermoulues. Au hasard des portes qu'ils poussaient, on ne voyait que les fantômes des meubles couverts de housses où s'amoncelait la poussière. Emma réprima un frisson, comme si elle sentait la maison rendre autour d'elle son dernier soupir.

Dans le couloir des chambres principales, Emma posa la main sur un bouton de porte en hésitant et se tourna vers Blackie :

« L'appartement d'Adèle Fairley... »

Elle dut se forcer à entrer. Des tourbillons de poussière se soulevèrent à son passage en dansant dans les rayons du soleil et il était manifeste que la pièce n'avait pas servi ni n'avait été entretenue depuis des années. Emma n'avait jamais aimé ce lieu mais, jeune, était éblouie par le luxe apparent des meubles et de certains bibelots. Maintenant qu'elle les revoyait avec l'œil du connaisseur, elle fit la grimace. Et c'était ici, dans ce cadre au luxe dérisoire, qu'avait vécu cette pauvre Adèle, enfermée dans son cauchemar, à l'écart des vivants, n'ayant pour seul secours que le goulot de son flacon en verre de Venise...

Emma avait très vite compris qu'Adèle était devenue alcoolique. Mais avait-elle vraiment été folle ? Cette question, qu'elle se posait souvent avec la même crainte en évoquant les dangers de l'hérédité, elle préféra la chasser de son esprit. Elle traversa le salon et poussa la porte de la chambre pour s'arrêter un instant près du grand lit à colonnes enveloppé de soie verte comme d'un suaire. Blackie était resté à côté et, dans le silence complet qui régnait, Emma eut soudain l'impression d'entendre le froissement du peignoir d'Adèle, sentit une bouffée de son parfum lui monter aux narines. Elle frissonna, s'en voulut et quitta précipitamment la chambre comme si elle prenait la fuite.

Blackie examinait soigneusement les objets et regardait autour de lui.

« Ce sont de belles pièces, bien proportionnées, dit-il. A condition de faire disparaître toutes ces horreurs, on pourrait en faire quelque chose... »

Emma passa ensuite les autres chambres en revue sans s'y attarder. Elle s'arrêta cependant un instant dans celle qu'avait occupée Olivia Wainright et sentit renaître le sentiment d'affection reconnaissante qu'elle avait éprouvé pour cette femme. Malgré sa haine pour les Fairley, Emma ne pouvait y englober Olivia qui avait été si bonne pour elle. La sympathie instinctive qu'elle avait inspirée à Emma venait-elle de sa ressemblance avec Elizabeth Harte? Pensive, Emma quitta la chambre. Il lui était impossible de répondre à cette question.

Son visage se durcit de nouveau en entrant dans l'ancienne chambre d'Adam Fairley. D'un coup, toute sa vie à Fairley Hall lui revint, les humiliations, le travail épuisant, les brimades de Gerald, les mauvais traitements de Murgatroyd... Non, elle ne regrettait rien de ce qu'elle leur avait fait. Sa vengeance valait largement ses soins et sa patience.

Durant toute la visite, Blackie n'avait cessé de parler joyeusement des rénovations qu'il se proposait de faire pour transformer le sinistre Fairley Hall en une élégante demeure digne d'Emma. Elle l'avait écouté sans rien dire, se contentant de hocher parfois la tête. Quand ils furent redescendus pour parcourir les pièces de réception, Emma s'arrêta soudain au milieu du grand salon et regarda autour d'elle.

« Pourquoi cette maison me faisait-elle si peur, Blackie ?

— Ce n'était pas la maison, Emma, c'étaient ceux qui l'habitaient. Maintenant, ce ne sont plus que des fantômes et la maison n'est rien d'autre qu'une maison, qui ne fait de mal à personne.

— Peut-être... Sortons, c'est déprimant, ici, dit-elle en l'entraînant par le bras. Il fait d'ailleurs plus chaud dehors. »

Une fois sur la terrasse, qu'ils longèrent lentement, Emma observa pensivement la façade. Elle éprouvait la même répulsion que vingt ans auparavant. Cet édifice l'oppressait, comme le symbole d'un univers mort, d'une puissance évanouie, d'une classe et d'un système social impitoyables et qui l'avaient fait souffrir.

« Mon père l'appelait la « Folie Fairley », murmura-t-elle.

336

— C'en est bien une, en effet. »

Emma s'arrêta, regarda une dernière fois le château gris et triste qui l'écrasait de sa masse.

« Détruis-le, dit-elle froidement.

— Quoi ? Que veux-tu dire ?

— J'ai dit de le détruire. De le démolir pierre par pierre jusqu'à ce qu'il n'en reste plus une trace. Plus un pan de mur. Plus une dalle de la terrasse. Rien. »

Blackie la dévisagea un instant, effaré :

« Je croyais que tu voulais l'habiter !

— Franchement, je n'en ai jamais eu l'intention. La première fois que tu l'as vu, tu as dit toi-même que c'était une horreur. Il y a trop d'horreurs dans ce monde pour y laisser subsister celle-ci. Supprimons-la.

— Et les meubles ?

— Vends-les, donne-les, fais-en n'importe quoi mais je ne veux rien de ce qu'il y a là-dedans. Garde tout si cela te fait plaisir. Je te signale quand même que le bureau d'Adam Fairley a de la valeur », ajouta-t-elle avec un sourire.

Blackie se frottait le menton avec perplexité.

« As-tu bien réfléchi, Emma ? Tu l'as payée cher, cette bâtisse...

— C'est tout réfléchi, Blackie. »

Emma continua jusqu'au bout de la terrasse, trébucha sur l'une des marches qui descendaient au jardin et se retrouva à l'entrée de la roseraie.

Elle n'eut pas à fermer les yeux pour se revoir, sur le banc là-bas, tremblante de désespoir, quand Edwin l'avait froidement chassée de sa vie le jour où elle lui avait annoncé qu'elle était enceinte. La scène lui revint en mémoire aussi clairement, aussi douloureusement que si elle s'était déroulée la veille. Certaines répliques remontèrent à ses lèvres.

Elle se reprit, consciente du regard de Blackie.

« Tu feras raser cette roseraie, dit-elle avec une rage contenue. Je ne veux plus voir un bourgeon pousser ici. »

La nouvelle qu'Emma Harte, la fille du Grand Jack, était maintenant la propriétaire du château et de la filature provoqua un vif émoi au village. Il parut d'abord inconcevable aux habitants qu'une des leurs ait pu accomplir un tel tour de force. Mais il y eut ensuite une explosion de fierté à la pensée que les règles les mieux établies avaient pu être victorieusement défiées. On avait éprouvé du respect pour Adam Fairley. Mais Gerald était si unanimement détesté et méprisé que sa déconfiture apparut comme un juste châtiment.

Le lendemain de ce coup de tonnerre, les ménagères passèrent des heures à commenter l'événement par-dessus les haies qui séparaient leurs jardinets. Au Cheval-Blanc, l'unique pub local, il se vida d'innombrables chopes de bière au milieu des cris de joie. On se demandait toutefois, et non sans une certaine inquiétude, ce qu'il adviendrait de la filature et de ses travailleurs.

Emma attendit que Gerald eût débarrassé la région de sa présence pour faire son apparition. Deux jours plus tard, sa Rolls-Royce gris argent s'arrêta dans la cour de l'usine. Elle se rendit immédiatement dans le grand atelier où tout le personnel avait été convoqué. Avant de prendre la parole, Emma serra des mains et échangea quelques mots avec ceux qu'elle avait connus dans son enfance. Elle s'adressa ensuite aux visages anxieusement tournés vers elle.

Son allocution fut simple et brève. La déplorable gestion du précédent propriétaire avait entraîné le licenciement d'un certain nombre de travailleurs. Elle verserait désormais une retraite à ceux qui étaient trop âgés pour reprendre un emploi et une allocation aux chômeurs jusqu'à ce qu'ils retrouvent du travail. La réorganisation de la production allait entraîner de nouvelles compressions de personnel : elle accorderait donc une retraite anticipée à ceux qui feraient la demande et qui en avaient l'âge et proposerait aux plus jeunes du travail dans ses autres entreprises, s'ils consentaient à quitter Fairley. Enfin, pour assurer le redémarrage, elle allait étudier de nouvelles gammes de tissus qui, espérait-elle, permettraient de s'attaquer à certains marchés d'exportation.

« Avec un peu de chance et, surtout, avec votre coopération, j'espère être en mesure de surmonter les difficultés et de rendre cette filature à nouveau rentable et prospère, dit-elle en conclusion. Laissez-moi enfin vous redire que je n'ai pas l'intention de fermer l'usine et que vous n'avez donc pas lieu de vous inquiéter pour vos emplois. Je serais la dernière à vouloir que mon village natal soit réduit à la famine! »

Ils lui firent une ovation. Un par un, leur casquette à la main, les ouvriers vinrent la saluer. On entendait de temps à autre fuser une exclamation : « Merci de nous avoir débarrassé le plancher du gros Gerald! » ou encore : « Le Grand Jack peut être fier de sa gamine! »

Enfin à l'issue d'une brève réunion de travail avec le directeur et les chefs d'atelier, Emma remonta dans sa Rolls-Royce et se fit conduire à Fairley Hall. Les équipes de Blackie O'Neill étaient déjà à l'ouvrage. Partout, des compagnons dressaient des échelles, commençaient à dégarnir les toitures, à démonter les fenêtres, à abattre les cheminées. Satisfaite, Emma donna à son chauffeur l'ordre de la ramener à Leeds.

Au début, on crut au village que ces travaux avaient pour but de restaurer le château. La population enthousiaste s'apprêta donc à faire à sa nouvelle châtelaine un accueil triomphal. Quelle ne fut donc pas la stupeur, puis la perplexité, quand on se rendit compte une semaine plus tard qu'il s'agissait bel et bien d'une démolition et que Fairley Hall disparaissait à vue d'œil. Que diable Emma Harte avait-elle donc en tête? se demandait-on par-dessus les haies ou devant le comptoir du Cheval-Blanc.

Emma fit sa deuxième apparition à Fairley Hall vers le milieu de mai. Elle arpenta la terrasse, où subsistaient encore quelques dalles et contempla le vaste rectangle de terre nue qui s'étendait sous ses yeux, là où se dressaient les corps de logis, les écuries et les dépendances. Ses instructions avaient été suivies à la lettre. Il ne restait pas une pierre, pas une brique, pas un pavé. La roseraie n'était plus même un souvenir et Emma eut du mal à en deviner l'ancien emplacement.

A cet instant, elle se sentit soulevée par une vague de joie et de soulagement. Fairley Hall, théâtre des humiliations et des peines de sa jeunesse, n'était plus. C'était comme s'il n'avait jamais existé. Rien, dans ce lieu désert, ne pouvait plus la blesser en éveillant des souvenirs douloureux ou importuns. Elle avait enfin exorcisé ses démons. Elle était délivrée des Fairley.

Blackie vint la rejoindre quelques instants plus tard.

« Tu vois, *mavourneen*, l'horreur a disparu. Mais, pour ne rien te cacher, je suis dévoré de curiosité, comme tous les gens du village. Que comptes-tu faire du terrain ? »

Emma leva les yeux vers lui et dit avec un sourire apaisé :

« Je veux en faire un parc, Blackie. Un parc pour tous les gens du village de Fairley. Et je veux qu'il porte le nom de ma mère. »

42

Une semaine plus tard, environ, par une belle soirée, Emma descendit d'un taxi devant l'hôtel Savoy, à Londres. Elle traversa le hall à pas pressés en direction du bar et parcourut la salle des yeux. Frank l'attendait, assis à une table non loin de l'entrée. Il avait l'air pensif et contemplait son verre sans y toucher.

Emma s'approcha silencieusement de lui :

« Quoi que tu penses, dit-elle joyeusement, ce ne peut pas être aussi sérieux que cela ! »

Frank sursauta et sourit en la reconnaissant :

« Ah ! te voilà. Toujours plus ravissante, ma parole ! »

Il se leva galamment et lui avança une chaise. Emma s'assit, lissa d'imaginaires faux plis à sa robe, enleva ses gants.

« Toujours aussi adorable, mon cher petit frère ! »

Avant de répondre, Frank commanda la consommation d'Emma.

« Navré de t'avoir fait venir aussi loin, dit-il, mais il faut que je retourne bientôt au journal.

— Alors, éclaire au plus vite ce mystère. Qu'as-tu de si urgent à me dire? A vrai dire, j'étais un peu inquiète en t'entendant au téléphone, tout à l'heure.

— Il n'y avait quand même pas de quoi. Non, ce n'est rien de grave mais je voulais te parler...

— Et de quoi? insista Emma, agacée par les réticences de Frank.

— D'Arthur Ainsley.

— Arthur? Seigneur, je ne vois vraiment pas ce qu'on peut dire d'intéressant sur son compte!

— Eh bien... Winston et moi sommes très préoccupés à ton sujet, Emma. Nous savons très bien que ton mariage est un échec, que tu n'es pas heureuse... En fait, nous nous demandons si tu ne devrais pas divorcer. J'ai promis à Winston de t'en parler.

— Divorcer? s'écria Emma en riant. Pour quoi faire? Arthur ne me dérange pas.

— Il ne t'arrange pas non plus, tu le sais bien. D'abord, il boit de plus en plus. Et puis, la manière dont il se conduit avec...

— Les autres femmes, dit Emma en finissant la phrase. Je suis parfaitement au courant, imagine-toi. Tu n'as pas à faire d'efforts pour ménager ma susceptibilité. »

Frank parut choqué :

« Et cela ne te fait rien?

— Arthur m'intéresse si peu que je ne vois pas en quoi ses faits et gestes me feraient quelque chose.

— Dans ce cas, pourquoi ne pas divorcer?

— Pour les enfants, en grande partie...

— C'est absurde! Edwina et Kit sont pensionnaires et...

— Oui, mais les jumeaux vivent toujours à la maison. Ils ont besoin de leur père.

— Quel exemple peut bien leur donner Arthur? Tu appelles cela un père? »

Le serveur qui venait apporter les consommations empêcha Emma de répondre.

Comme son silence se prolongeait, Frank insista :

« Pas de faux-fuyants, Emma ! Parle.

— C'est une présence près d'eux...

— Quand il est sobre, ce qui est de plus en plus rare ! »

Emma soupira et avala une longue gorgée de son gin fizz.

« C'est vrai, admit-elle. Mais je n'ai aucune envie de divorcer, malgré les bonnes raisons que tu me donnes. Quand les enfants auront grandi, nous en reparlerons peut-être. D'ici là... Arthur, au moins, ne se mêle pas de mes affaires.

— Tes affaires, encore elles ! Tu ne couches pas avec tes livres de comptes, que diable ! Ce n'est pas eux qui te réchauffent quand tu as froid, qui te tiennent compagnie quand tu es seule, qui t'aiment quand tu as besoin d'affection ! A ton âge, comment peux-tu supporter cette vie, toujours seule, sans homme, sans personne que tes employés pour...

— Je n'ai pas le temps de me sentir seule, l'interrompit Emma. Tu sais comment se passent mes journées. Allons, Frank, assez perdu de temps avec Arthur et ces histoires de divorce. Donne-moi plutôt des nouvelles de Nathalie et parle-moi de ta nouvelle maison de Hampstead. »

Frank se résigna à abandonner le fil de la conversation et se lança bientôt avec enthousiasme dans la description de la maison qu'il projetait d'acheter, du parfait amour qu'il filait avec Nathalie. Soudain, il vit Emma changer de couleur. Les yeux fixés sur la porte du bar, d'où l'on voyait une partie du hall d'entrée de l'hôtel, elle regardait deux hommes en train de parler près de la réception.

Frank la dévisagea d'un air mi-amusé, mi-inquiet.

« Que se passe-t-il ? » demanda-t-il d'un ton prudent.

Emma se tourna vers lui. Elle était livide.

« C'est Paul McGill, là... Oh ! grand dieu, non. Il vient par ici ! Frank, il faut que je m'en aille immédiatement. Y a-t-il une autre sortie ? Je ne veux pas qu'il me voie. »

Frank la retint par le bras alors qu'elle se levait déjà.

« Calme-toi, Emma, tout va bien. Reste donc. »

Elle darda sur son frère un regard furieux :

« Tu savais qu'il était à Londres ?

— Euh... oui.

— Tu n'aurais quand même pas... Tu as osé lui dire de venir nous rejoindre ? »

Frank baissa piteusement la tête et ne répondit pas.

« Tu... Tu l'as fait ? C'est inqualifiable ! Comment as-tu pu me faire une chose pareille, toi ?

— Allons, Emma, je t'en prie, reste, dit-il en la forçant une nouvelle fois à se rasseoir.

— Tous tes boniments sur Arthur, ce n'était qu'une ruse pour me faire venir et attendre, n'est-ce pas ? »

Devant la fureur de sa sœur, Frank reculait malgré lui.

« Non, Emma, je te jure que Winston et moi en parlons constamment et que nous avions décidé de tenter une intervention pour t'ouvrir les yeux. Quant à cette rencontre avec Paul, j'avoue l'avoir organisée.

— Mais que veux-tu que je fasse ? Que vais-je lui dire ? »

A mesure qu'elle voyait Paul se rapprocher, Emma passait de la colère au désarroi. Agitée, tour à tour pâlissant et rougissant, elle se croisait et se décroisait les jambes. Frank eut pitié d'elle et s'en voulut de ne l'avoir pas mieux préparée à ce choc.

« Ecoute, ressaisis-toi, tu en es parfaitement capable, lui dit-il d'un ton apaisant. Ensuite, vous allez boire un verre et bavarder comme les personnes civilisées que vous êtes, ou comme deux vieux amis qui se retrouvent et qui...

— Non ! J'en suis incapable. Tu ne comprends pas ? Je m'en vais. Il faut que je m'en aille ! »

Mais il était déjà trop tard pour battre en retraite. Paul était en train de gravir les marches du bar et, une seconde plus tard, s'arrêtait devant la table. Emma leva lentement les yeux vers lui et manqua défaillir.

« Bonjour, Emma, dit Paul en lui tendant la main.

— Bonjour, Paul. »

Elle lui avait machinalement serré la main. Mais elle avait la gorge si nouée qu'elle parvint à peine à articuler les mots. Le contact des doigts de Paul sur sa peau lui fit palpiter le cœur. Elle se sentit devenir cramoisie, se dégagea précipitamment et baissa les yeux pour fixer obstinément le napperon de papier placé sous son verre.

Pendant ce temps, Frank et Paul se saluaient comme de vieux amis tout à la joie de se revoir. Paul s'assit avec sa nonchalance coutumière, commanda un whisky-soda, alluma une cigarette et se tourna enfin vers Emma avec l'aisance de retrouvailles mondaines entre relations longuement perdues de vue.

« Cela fait plaisir de vous revoir, Emma. Toujours la même, à ce que je vois, encore plus jolie si c'est possible. Quant à votre magasin de Knightsbridge, permettez-moi de vous en féliciter, c'est une merveille. Vous pouvez en être fière. »

Emma garda les yeux baissés et rougit de plus belle.

« Merci, parvint-elle à balbutier.

— Et toi, mon vieux Frank, il faut que je te félicite de ton nouveau roman. Merci de m'en avoir envoyé un exemplaire, j'ai passé la moitié de la nuit à le lire.

— Je suis ravi qu'il te plaise, répondit Frank avec un sourire heureux. Je dois dire d'ailleurs qu'il a un beau succès de librairie.

— Amplement mérité. C'est un des meilleurs livres de ces dernières années. Ah ! voici mon scotch ! Eh bien, je lève mon verre à vos succès à tous deux et à ton prochain mariage, mon cher Frank. »

Emma était muette de stupeur, et n'en croyait pas ses oreilles. Frank et Paul se conduisaient comme de vieux amis qui se voient fréquemment. Elle n'aurait jamais cru son frère capable de dissimulation et de ruse, mais il fallait bien qu'elle se rende à l'évidence : il avait manifestement machiné ce guet-apens. Frank était d'ailleurs en train de dire en souriant :

« Je suis ravi que tu sois encore à Londres en juillet,

Paul. Tu pourrais venir à notre mariage. Nathalie aurait été navrée que tu ne te joignes pas à nous... »

Il vit du coin de l'œil les regards furieux que lui décochait Emma, affecta de ne rien remarquer et poursuivit, sans plus cacher son amusement :

« Au fait, merci de ton invitation à dîner pour cette semaine. Nathalie m'a chargé de te demander si vendredi te convenait.

— Avec plaisir, répondit Paul à qui le manège n'avait pas échappé. Seriez-vous libre pour vous joindre à nous, Emma ?

— Non, répondit-elle sans lever les yeux.

— Tu ferais mieux de vérifier ton carnet de rendez-vous, suggéra Frank avec un sourire.

— C'est inutile. Je sais parfaitement que j'ai un dîner prévu pour vendredi. »

Elle expédia à Frank un nouveau regard menaçant que celui-ci fit mine d'ignorer. Mais Paul reconnut l'expression butée qu'avait pris le visage d'Emma et comprit qu'il valait mieux ne pas insister. Il se tourna vers Frank et dit la première chose qui lui passa par la tête :

« Avez-vous déjà des projets pour votre voyage de noces ?

— Nous pensons aller dans le midi de la France mais, à vrai dire, nous n'avons encore rien décidé... »

Emma ne les écoutait déjà plus. Complètement désarçonnée par l'apparition inopinée de Paul McGill, elle aurait pu tuer son frère qui l'avait placée, de propos délibéré, dans une situation aussi pénible que ridicule. Elle ne savait que faire ni que dire. Le choc d'avoir revu Paul, d'entendre sa voix, de le sentir près d'elle la laissait pantelante. Elle ne parvenait pas à croire que c'était vraiment lui, là, à quelques centimètres, qui était en train de parler, de boire, de sourire comme s'il n'y avait jamais rien eu entre eux. Elle revivait avec une douloureuse intensité les moindres détails des derniers jours qu'ils avaient passés ensemble au Ritz. Elle se rappelait surtout les moments de désespoir qu'elle avait vécus, seule, ses regrets, ses désirs si souvent revenus la tenailler. Il lui fallait faire un réel effort pour résister à l'envie de tendre la main pour le toucher, s'assurer qu'il était bien là, en personne, et qu'il ne s'agissait pas d'un rêve. Elle se hasarda à couler un regard vers lui, puis un autre. Il était toujours aussi élégant, aussi plein d'aisance. Au début de février, il avait eu quarante ans et il n'avait pourtant pas changé depuis 1919, à l'exception de lignes presque imperceptibles autour des yeux et d'un hâle plus prononcé, dû au climat de l'Australie. Elle reconnut son rire, ce rire grave, profond, capable d'exprimer toutes les nuances de la gaieté, de l'ironie ou du sarcasme.

Une subite vague de colère la submergea. Comment osait-il reparaître ainsi et espérer, non, exiger, qu'elle le traite poliment après qu'il lui eut causé tant de souffrances? Comment osait-il faire preuve d'une telle audace, d'une telle inconscience? Pourquoi était-il imbu d'un sentiment aussi démesuré de sa supériorité, pourquoi ne faisait-il pas le moindre effort pour feindre la contrition? La colère étouffa bientôt ses autres sentiments et Emma se crut prête à résister au charme dont il allait s'efforcer d'user pour l'anesthésier.

Elle entendit Frank dire au revoir, leva les yeux, le vit qui se levait. Il allait partir, la laisser seule avec Paul. Une terreur panique la paralysa un instant.

« Il faut que je parte! » dit-elle en se levant d'un bond.

Elle ramassa maladroitement son sac et ses gants, se maudit de son manque de sang-froid.

« Restez, Emma. Restez un instant, je vous en prie, dit Paul à voix presque basse. Il faut absolument que je vous parle. »

Il hésitait, pris entre son désir impérieux de retenir Emma à tout prix et la crainte de la faire fuir en faisant preuve de trop d'insistance. Frank lui jeta un regard complice.

« Je suis terriblement en retard et je ne pourrais pas te raccompagner, Emma. Excuse-moi. »

Il l'embrassa et partit avec une telle hâte qu'elle n'eut pas même le temps de le suivre. Elle pâlit et se rassit, les genoux tremblants.

Avant de prendre la parole, Paul fit signe au serveur de renouveler leurs consommations. Quand elles furent apportées, il se pencha par-dessus la table et regarda Emma avec gravité.

« Il ne faut pas en vouloir à Frank, Emma. C'est moi qui l'ai poussé à vous attirer ici ce soir.

— Pourquoi, je vous prie ? »

Elle avait suffisamment repris sur elle pour oser enfin le regarder en face et substituer la froideur à la colère et au désarroi. Paul réprima une grimace. Il savait que l'explication serait difficile et qu'il n'aurait pas trop de tout son pouvoir de persuasion pour la convaincre.

« J'avais désespérément besoin de vous voir et de vous parler.

— Désespérément ! s'écria-t-elle avec un ricanement amer. Etrange façon de montrer son désespoir, que de ne pas donner signe de vie pendant des années !

— Je ne comprends que trop bien ce que vous devez ressentir, Emma. C'est pourtant la stricte vérité. J'ai vraiment été désespéré, pendant plus de quatre ans.

— Et c'est votre « désespoir » qui vous empêchait de m'écrire ? »

Elle se mordit les lèvres, furieuse de sentir sa voix se briser malgré elle alors qu'elle voulait rester impassible.

« Je vous ai souvent écrit, Emma. Je vous ai même envoyé trois télégrammes », dit-il d'un ton égal.

Elle le dévisagea avec une incrédulité méprisante :

« Et toutes vos lettres ont été égarées par la poste ? Et tous vos télégrammes se sont évanouis dans les airs ? Allons, Paul, un peu de sérieux. Vous n'espérez quand même pas me faire avaler cela !

— Non, Emma mes lettres et mes télégrammes n'ont pas été égarés. Ils ont été volés. Tout comme les lettres que vous m'aviez écrites. »

Il avait parlé avec tant de sincérité apparente qu'Emma hésita avant de lancer :

« Volés, voyez-vous cela ! Et par qui donc ?

— Par ma secrétaire.

— Vous choisissez bien mal vos collaborateurs! dit Emma avec une ironie qui manquait de conviction. Pourquoi votre secrétaire aurait-elle fait cela? Cela me paraît une bien curieuse histoire!

— C'est une longue et pénible histoire, répondit Paul sérieusement. Et c'est précisément pour vous la raconter que je voulais vous voir. Me ferez-vous au moins la grâce de l'écouter? »

Emma hésita. Sa curiosité la poussait à rester, sa dignité à partir. Que risquait-elle, après tout, à écouter des balivernes auxquelles elle savait d'avance qu'elle ne croirait pas? Elle haussa les épaules.

« A votre aise... »

Paul avala une gorgée de whisky et se carra dans son fauteuil.

« Quand je suis rentré en Australie, en 1919, je voulais voir mon père, régler quelques affaires et revenir le plus vite possible près de vous. En fait, je trouvai en arrivant à Sydney une situation extrêmement embrouillée dont je vous parlerai plus tard si vous le voulez bien. Mais venons-en tout d'abord aux lettres. Il y a quelques années, mon père avait eu... des faiblesses, dirons-nous, pour une jeune employée de nos bureaux de Sydney dont, pendant mon absence, il avait fait sa secrétaire personnelle. Après ma démobilisation, mon père est tombé gravement malade et il a fallu que je prenne immédiatement la direction des affaires. J'ai donc tout naturellement hérité de la secrétaire, qui s'appelle Marion Reese, et je n'ai eu qu'à m'en louer. C'est elle qui m'a mis au courant des affaires, m'a aidé, guidé les premiers temps. J'en étais venu à compter énormément sur elle. Mes responsabilités étaient écrasantes et j'avais trop longtemps perdu le contact pour m'y jeter à l'aveuglette. Franchement, sans elle je ne m'en serais pas sorti. »

Paul s'interrompit pour allumer une cigarette. Emma n'avait pas bougé et conservait sa mine impénétrable.

« Dès avant la guerre, reprit-il, Marion faisait pratiquement partie de la famille. Mon père et elle n'avaient plus guère de rapports coupables, si je puis dire, mais il avait conservé pour elle de l'affection et de l'estime. Pour moi, elle avait été une sorte de sœur aînée, car elle avait quatre ans de plus que moi. C'est ainsi que, un soir où nous étions restés tard pour travailler, je l'ai emmenée dîner et je lui ai fait des confidences. Je lui ai parlé de vous, de mes projets d'avenir, de mon intention de vous épouser dès que j'aurais pu régler mes problèmes conjugaux. »

Paul eut un sourire mélancolique et hocha la tête d'un air désabusé. Emma restait de glace.

« Cela a constitué ma première et ma plus grossière erreur. Car il m'est arrivé plusieurs fois, par la suite, de me confier à Marion, surtout quand j'avais bu un verre de trop et que je me sentais trop triste. Naturellement, je ne pouvais pas encore me rendre compte de l'erreur que je commettais. Marion paraissait pleine de compréhension, elle me promettait de tout faire pour aplanir les difficultés, régler les affaires en cours et me permettre de reprendre le bateau pour Londres le plus tôt possible et d'y rester plusieurs mois d'affilée.

— Alors, en quoi était-ce une erreur? demanda Emma en fronçant les sourcils.

— Tout simplement parce que Marion, comme je l'ignorais encore, était amoureuse de moi depuis longtemps. Il n'y avait pourtant jamais rien eu entre nous, je n'avais jamais rien fait d'équivoque ni qui puisse lui donner quelque espoir... Quoi qu'il en soit, elle ne voulait surtout pas me voir quitter l'Australie, encore moins pour aller rejoindre une autre femme. Pendant ce temps, je travaillais d'arrache-pied pour tout organiser et je vous écrivais régulièrement pour vous tenir au courant de tout cela, sans me douter bien entendu que ma dévouée secrétaire confisquait mes lettres au lieu de les mettre à la poste. Quand j'ai vu que, après votre première réponse, vous ne m'écriviez plus, j'ai d'abord été surpris, puis inquiet, à tel point que je vous ai expédié coup sur coup deux télégrammes vous suppliant de me dire au moins si vous étiez toujours en bonne santé. Ces télégrammes n'ont bien entendu pas été plus envoyés que les lettres qui les avaient précédés. En dépit de cet étrange silence, qui me semblait totalement incompréhensible, j'étais plus que jamais déterminé à vous revoir. Aussi ai-je pris le bateau pour l'Angleterre dès que j'ai pu me libérer quelques semaines. »

Emma ne pouvait plus se méprendre, tant la sincérité de Paul éclatait. L'incroyable histoire qu'il lui racontait ne pouvait être que vraie. Troublée, elle le regarda sans colère :

« Quand avez-vous fait ce voyage ? demanda-t-elle.

— A peu près un an après mon retour, au printemps 1920. Avant de partir, j'avais rédigé un télégramme pour annoncer mon arrivée et je l'avais, comme d'habitude, confié à Marion. Je vous y demandais de venir m'attendre au port, ce que vous n'avez pas fait pour la bonne raison que ce télégramme ne vous est jamais parvenu. A peine débarqué, j'ai téléphoné à Frank. Il m'a appris que vous étiez en voyage de noces... Vous aviez épousé Arthur Ainsley une semaine auparavant.

— Oh ! mon Dieu... »

Emma était complètement désemparée par ce qu'elle venait d'entendre. Le cœur battant, la tête bourdonnante, elle regardait Paul comme si elle le voyait pour la première fois.

« Oui, il ne s'en est fallu que d'une semaine, dit-il avec un sourire triste.

— Mais pourquoi ne pas être revenu plus tôt ? s'écria Emma. Pourquoi avoir attendu un an ?

— Il m'étais impossible de me libérer, Emma. Mon père est tombé malade dès mon retour et il est mort huit mois plus tard. J'étais seul à m'occuper de lui, et il fallait reprendre les affaires en main...

— Je ne savais pas, Paul. Je suis désolée.

— Sa mort m'a fait beaucoup de peine et il n'était pas question de l'abandonner le derniers mois... J'espérais pouvoir retourner en Angleterre aussitôt après son enterrement. C'est alors que Constance, ma femme, précisa-t-il avec une moue, est tombée malade à son tour, ce qui m'a retardé. Elle était à peine remise que Howard a, lui aussi, eu de graves ennuis de santé. Howard est mon fils...

— Je le savais, Paul. Pourquoi ne m'en avoir rien dit ?

— J'aurais dû, Emma, c'est vrai. Mais il m'est difficile de parler de Howard. C'est un enfant qui a, comment dirais-je, des problèmes... »

Paul s'interrompit, soudain rembruni. Il détourna les yeux pour ne pas trahir le voile de tristesse qui y était soudain apparu et affecta de boire une gorgée de whisky.

« Il a donc fallu que je subisse tous ces retards avant de pouvoir enfin partir pour l'Angleterre, reprit-il.

— C'est à ce moment-là que vous avez revu Frank ?

— Ça n'a pas été sans mal. Frank ne voulait pas me voir et m'a fait comprendre qu'il ne me tenait pas en haute estime. Mais il a senti quel coup m'avait porté la nouvelle de votre mariage et il a fini par avoir pitié de moi, surtout quand je lui ai dit au téléphone que je n'avais pas cessé de vous écrire tout au long de cette année-là. C'est quand il m'a appris que vous n'aviez jamais reçu mes lettres et que, de votre côté, vous m'aviez écrit sans avoir de réponse que je me suis douté de quelque chose d'anormal.

— Comment avez-vous deviné que cette correspondance avait été subtilisée ?

— C'était la seule explication logique. Qu'une lettre s'égare, deux à la rigueur, c'est possible. Mais pas deux douzaines. Il fallait donc que quelqu'un les ait supprimées et il ne m'a pas fallu longtemps pour démasquer la coupable. Car Marion était la seule à s'occuper de mon courrier tant à Sydney qu'à l'élevage de Coonamble. »

Emma poussa un soupir.

« Dommage que vous n'ayez pas eu l'idée de les poster vous-même, dit-elle à mi-voix.

— C'est vrai, ma négligence est impardonnable. Mais je n'avais alors aucune raison de me méfier de Marion. Et j'étais écrasé de travail à ce moment-là. Je ne suis sans doute pas aussi doué que vous, Emma, pour organiser mon temps... »

Elle eut un sourire sans gaieté.

« Et comment a réagi votre chère secrétaire ? dit-elle.

— Elle a commencé par tout nier, bien entendu. Mais elle a finalement craqué et m'a avoué qu'elle avait fait cela pour nous forcer à rompre et m'empêcher de partir.

— Elle a assez bien réussi, murmura Emma, un pli amer autour de la bouche à la pensée des années gâchées qu'elle venait de vivre.

— Hélas ! oui. Jusqu'à un certain point... »

Paul sortit de sa poche une enveloppe qu'il tendit à Emma. Elle la prit d'un air interrogateur.

« Voici une lettre de ses avocats, dans laquelle ils reconnaissent sa culpabilité, sous réserve que je n'engagerai pas de poursuites contre elle, comme j'en aurais le droit, pour détournement de correspondance. J'ai fait rédiger ce document dans l'espoir que j'aurais un jour la possibilité de vous le montrer et vous prouver que je ne suis pas aussi abject que vous avez dû le penser... Ils m'ont également rendu mes lettres et les vôtres.

— Elle avait gardé toutes nos lettres ? s'écria Emma. Quelle curieuse idée !

— C'est le moins qu'on puisse dire. Lisez, Emma. Ce que je viens de vous raconter est si invraisemblable que vous seriez en droit de ne pas me croire sur parole. »

Emma ouvrit l'enveloppe en hésitant et jeta brièvement les yeux sur le document avant de le rendre à Paul avec un mince sourire.

« Je vous aurais cru même sans cela, Paul. Personne ne pouvait inventer une pareille histoire. Qu'est-il advenu de cette Marion Reese ?

— Je l'ai congédiée sur-le-champ et j'ignore où elle se trouve. »

Emma baissa les yeux et contempla ses mains comme pour y découvrir une inspiration. Elle releva finalement la tête et regarda Paul fixement :

« Pourquoi ne m'avoir pas attendue il y a quatre ans, pour me dire tout ce que vous venez de me raconter, Paul ?

Il eut un léger mouvement de surprise :

« A votre retour de voyage de noces ? N'était-ce pas

un peu tard, Emma ? Comment aurais-je pu venir briser votre mariage ? Vous ne m'auriez d'ailleurs sans doute pas cru. Je n'avais pas encore les preuves que j'ai acquises à mon retour à Sydney.

— Vous avez sans doute raison... Mais je m'étonne que Frank ne m'en ait jamais rien dit.

— Pour être honnête, il voulait que je reste à ce moment-là pour vous voir. Il a ensuite voulu vous en parler et c'est moi qui lui ai demandé de n'en rien faire. J'avais l'impression que ç'aurait été inutile et que je vous avais définitivement perdue... Sur le moment, la meilleure solution me semblait être de disparaître le plus discrètement et le plus complètement possible.

— Alors, pourquoi venez-vous me dire tout cela maintenant ?

— Dès le début, je voulais vous expliquer, me justifier. Le remords de vous avoir fait souffrir m'obsédait. A chacun de mes voyages à Londres, je voyais Frank qui me tenait au courant de ce que vous deveniez et, malgré mon envie folle de vous revoir, je m'en suis toujours abstenu. La semaine dernière, j'ai déjeuné avec Frank le lendemain de mon arrivée. Il m'a tout de suite appris que votre mariage allait de mal en pis, c'est pourquoi j'ai finalement décidé de vous revoir. C'est moi qui ai insisté auprès de Frank pour qu'il organise ce traquenard... »

Il se pencha en souriant, mais son regard était grave :

« Je me doute du choc que je vous ai causé, Emma, et je sais que je n'aurais jamais dû vous surprendre ainsi. Mais je ne voyais pas comment m'y prendre. Ne m'en veuillez pas trop, Emma. N'en veuillez surtout pas à Frank, il n'y est pour rien.

— Non, Paul, je n'en veux à personne et je suis contente que nous nous soyons revus. »

Elle baissa les yeux, réfléchit profondément pendant quelques instants. Quand elle releva la tête pour regarder Paul en face, il vit qu'elle avait les yeux humides.

« Quand je suis restée sans nouvelles de vous, dit-elle, j'en ai eu le cœur brisé. J'avoue que cela fait du bien d'apprendre la vérité, même si longtemps après...

Nous pouvons dire que nous avons été victimes des circonstances ou, plutôt, de la jalousie d'une femme, ajouta-t-elle avec un sourire amer. Nos vies auraient pu être si différentes, si elle ne s'en était pas mêlée! Pourquoi les gens veulent-ils toujours jouer au Bon Dieu?

— Une sorte de démence, sans doute... Me haïssez-vous encore, Emma? »

Elle le regarda avec surprise :

« Moi, Paul? Je ne vous ai jamais haï... Enfin, cela m'est arrivé de temps en temps, quand je me laissais emporter par mes émotions et qu'il me fallait trouver un bouc émissaire. Vous ne pouvez pas me le reprocher...

— Je ne vous reproche rien, Emma. Au contraire... »

Il hésita, changea nerveusement de position, alluma une cigarette.

« Je me demandais si... Pouvons-nous au moins rester amis? Maintenant qu'il n'y a plus de malentendu entre nous. Est-ce trop demander? »

Emma baissa de nouveau les yeux. Comment pourrait-elle rester avec lui sur le seul plan de l'amitié? Depuis tout à l'heure, elle n'était que trop sensible à son attrait. Allait-elle se jeter encore dans la gueule du loup, risquer d'être de nouveau déçue, de souffrir?

« Oui, Paul, répondit-elle à regret. Si vous voulez.

— Je ne veux rien d'autre! » répondit-il en souriant.

Le menton posé sur ses mains jointes, il dévisagea Emma longuement, avec une sorte de gourmandise. Elle était toujours aussi belle, plus encore peut-être. Depuis plus de quatre ans, le temps n'avait laissé aucune trace de son passage, à l'exception d'une ombre de tristesse qui lui voilait le regard quand elle n'y prenait pas garde. Il lui fallait faire un terrible effort pour ne pas céder à l'envie de la prendre dans ses bras et de l'embrasser avec passion. Mais il fallait, plus que jamais, faire preuve de la plus extrême prudence s'il ne voulait pas l'effaroucher et risquer de la perdre définitivement. Leurs rapports étaient encore fragiles, précaires, à la merci d'un mot de trop, d'un geste maladroit...

En la voyant consulter sa montre, Paul sentit son cœur manquer un temps.

« Emma, venez dîner avec moi ! dit-il très vite.

— Mais non, je ne peux pas...

— Pourquoi ? Vous avez déjà un rendez-vous ?

— Non, mais...

— Alors, dites oui, Emma, je vous en prie ! En souvenir du bon vieux temps, dit-il avec son sourire le plus engageant. Vous n'avez pas peur du passé, au moins ?

— Pourquoi aurais-je peur ? répondit-elle, sur la défensive.

— En effet, il n'y a aucune raison, je vous le garantis. »

Ils sourirent tous deux, la tension se dissipa. Paul reprit son aisance coutumière.

« Alors, c'est entendu. Où voudriez-vous aller ? »

Emma se sentit incapable de réagir et d'opposer un nouveau refus à une invitation qu'elle n'avait pas acceptée et qu'elle redoutait.

« Je ne sais pas...

— Il y a un vieux restaurant, en face de Covent Garden, dont on dit beaucoup de bien. Allons-y, d'accord ? »

Emma hocha la tête. Pendant que Paul réglait l'addition elle sentait son calme lui échapper pour ne plus revenir.

Ils en étaient à la moitié du dîner et bavardaient de choses et d'autres d'un ton insouciant quand Paul posa, sans transition, une question qui fit sursauter Emma :

« Pourquoi votre mariage ne marche-t-il pas ? »

Parce que je n'aime encore que toi, faillit-elle répondre.

« Parce qu'il doit y avoir une incompatibilité entre Arthur et moi, répondit-elle sans élever la voix.

— Comment est-il, cet Arthur ? demanda Paul en cédant plus à la jalousie qu'à la curiosité.

— Il est beau, plein de charme, de bonne famille. Il est malheureusement aussi sans caractère et plutôt fat. Le genre d'homme avec qui vous vous sentiriez peu d'affinités. »

Comme toi, mon amour, dit Paul en son fort intérieur. Il se força à éteindre son regard, où brillait de la colère, avant de poursuivre :

« Allez-vous demander le divorce ?

— Non, pas pour le moment. Et vous ? »

Emma se mordit les lèvres et regretta sa question aussitôt posée. Paul accusa le coup. Le front plissé de rides soucieuses, il se rembrunit, hésita :

« Je ne l'ai sans doute pas volé... Vous avez raison de me le demander, Emma. Cela fait des années que je veux le faire. Mais Constance me pose de graves problèmes... »

Il s'interrompit, le regard vague, se lissa machinalement la moustache, en proie à un trouble dont Emma ne comprenait pas la cause. Il reprit enfin, comme on se jette à l'eau :

« Constance est alcoolique. Elle s'était mise à boire bien avant la guerre et c'est ce qui a provoqué notre séparation. Elle est intoxiquée au point qu'on n'espère plus l'en sortir. Elle s'est enfuie de la clinique, où je l'avais fait entrer, peu après l'enterrement de mon père. Il m'a fallu cinq semaines pour la retrouver, dans un état de délabrement physique et mental effrayant. Voilà la raison de mon retard à retourner en Angleterre. J'ai si souvent essayé de lui redonner un peu de dignité que j'en suis profondément écœuré...

— C'est affreux, Paul... Est-elle toujours dans cette clinique ?

— Oui. Ils ont réussi à l'empêcher de boire mais elle est incapable désormais de vivre seule et je pense qu'elle restera hospitalisée toute sa vie. Comme, en plus, elle est catholique, cela vous explique les difficultés que je rencontre à divorcer. Je ne désespère cependant pas de retrouver un jour ma liberté. »

Paul s'interrompit pour boire une gorgée de vin, le front toujours creusé de plis soucieux.

« Pendant que j'y suis, Emma, autant vous parler aussi de Howard, mon fils. Howard est... retardé. Voilà ce que, tout à l'heure, je décrivais sous l'euphémisme de problèmes. »

Bouleversée par cet aveu, Emma ne put rien dire tant le visage de Paul semblait tout à coup ravagé. Des larmes de compassion lui vinrent aux yeux.

« Paul, Paul, murmura-t-elle, pourquoi ne m'en avoir rien dit ? Pourquoi ne pas partager un tel fardeau avec... »

Elle avait failli dire avec quelqu'un qu'on aime et s'interrompit à temps. Paul était trop abîmé dans ses pensées pour l'avoir remarqué.

« C'est vrai, Emma, j'aurais peut-être dû vous en parler plus tôt. Mais à vrai dire, j'avais honte de vous avouer la vérité, surtout quand j'ai fait la connaissance de vos enfants. Et puis... il m'est difficile de parler de Howard. Je l'aime, bien sûr, j'éprouve pour lui de la pitié, je me sens coupable de ce qu'il est, de ce qu'il souffre peut-être... Mais j'ai encore plus honte d'admettre qu'il m'arrive de le haïr. Je n'y peux rien, Emma, ne me méprisez pas.

— Je ne vous méprise pas, Paul. Il arrive que les parents d'enfants retardés croient ressentir de la haine, alors qu'il s'agit de frustration, de désespoir. C'est un sentiment parfaitement compréhensible. Pauvre Paul... »

Elle tendit la main d'un geste impulsif et la posa sur le bras de Paul. Il releva les yeux, lui fit un sourire de gratitude :

« Le désespoir, oui, il y a de cela. Il a douze ans, il est beau comme un ange. Mais il a l'esprit d'un enfant de quatre ans et il restera ainsi toute sa vie. Il y a de quoi être frustré, en effet... »

Paul se passa la main sur la figure, d'un geste las.

« Je l'ai installé à Coonamble avec un infirmier et des domestiques. Il est heureux, il joue. Je reste avec lui le plus que je peux quand je vais là-bas. Mais je ne crois pas qu'il s'aperçoive de ma présence ni même qu'il sache qui je suis... Pardonnez-moi, Emma, je n'avais pas l'intention de vous assommer avec mes problèmes. Je n'en ai d'ailleurs encore jamais parlé à personne. Merci de m'avoir écouté avec tant de patience.

— Ne me remerciez pas, Paul. Je sais que la vie est

parfois difficile. La mienne n'a pas été toujours plaisante. Mais il faut affronter l'adversité quand elle survient, ne jamais perdre courage ni confiance... Nous deux, nous avons de la chance, par rapport à tant d'autres, vous ne trouvez pas? Nous avons la santé, notre travail. La fortune, ce qui n'est pas à dédaigner, ajouta-t-elle avec un sourire.

— C'est vrai, Emma. Et cela m'a fait du bien de parler de Constance et de Howard.

— A moi aussi », dit-elle avec une moue énigmatique.

Il lui jeta un coup d'œil curieux, sourit et remplit leurs verres avant de lever le sien :

« A notre nouvelle amitié, Emma! Et parlons de choses plus réjouissantes, voulez-vous?

— Bien volontiers! Vous me parliez, tout à l'heure, de ces gisements de pétrole que vous venez d'acheter au Texas. J'ignore tout du pétrole et cela me passionnera de m'instruire... »

Après le dîner, Paul raccompagna Emma en taxi jusqu'à la petite maison qu'elle avait achetée à Wilton Mews derrière Belgrave Square. Ils s'embrassèrent sur les joues, elle le remercia de l'excellente soirée, ils se séparèrent enfin sur de vagues promesses de se revoir bientôt.

Mais quand, plus tard, Emma se retrouva seule dans son lit, elle fut incapable de trouver le sommeil. Le subit retour de Paul McGill dans sa vie était comme un ouragan qui balayait son précaire équilibre et posait infiniment plus de questions qu'il ne résolvait de problèmes. *Si* Paul n'était pas l'homme qu'il était, une Marion Reese ne se serait pas amourachée de lui au point de provoquer sciemment son malheur. *Si* Paul avait eu plus tôt l'idée d'écrire directement à Frank, *si* elle ne s'était pas bêtement précipitée, par un dépit puéril, dans les bras d'Arthur Ainsley... Que de *si*, que de questions inutiles!

La plus inutile de toutes, la plus insidieuse aussi, la plus dangereuse dans ses implications était de se demander si elle aimait toujours Paul et si elle était prête à succomber une fois de plus à sa séduction. Consciemment, Emma s'endormit en s'étant forcée à y répondre par la négative.

Au plus profond d'elle-même, elle n'en était pas si sûre.

43

Winston observa un instant le comportement de Paul et s'approcha de lui avec un sourire amusé :

« Ne vous occupez donc pas de cet imbécile, dit-il en lui donnant une tape amicale sur l'épaule. Il n'en vaut vraiment pas la peine. »

Paul détourna d'Arthur Ainsley son regard encore brillant de colère et de mépris.

« Avez-vous vu la manière dont il se conduit depuis le début de la réception ? Un ivrogne, aussi incapable de boire décemment que de se tenir avec les femmes... On dirait qu'il fait tout pour humilier Emma.

— C'est vrai. Elle a beau faire semblant de ne pas le remarquer, vous savez comme moi que rien ne lui échappe. J'ai hâte de voir Frank et Nathalie mariés la semaine prochaine, nous serons enfin débarrassés de ces réceptions et, du même coup, de l'intolérable Arthur Ainsley.

— Le répugnant personnage ! s'écria Paul. Je sais que les Anglais de son milieu affectionnent les manières efféminées, mais il exagère ! Je jurerais qu'il est homosexuel au dernier degré.

— Je me le demande depuis un bout de temps, dit Winston avec une grimace de dégoût. Depuis quelques mois, il évolue dans ce sens, sans cesser de courir après les femmes. Si seulement Emma n'avait pas fait la bêtise de se marier avec cet individu ! Nous avons tout tenté pour l'en empêcher, mais têtue comme elle est... Vous savez qu'elle ne l'a fait que par dépit. »

Paul baissa les yeux sur le verre qu'il tenait à la main.

« Je ne le sais que trop, Winston. Inutile de retourner le fer dans la plaie. »

Winston l'entraîna à l'écart, dans un coin du grand salon de Lionel Stewart, le père de Nathalie, chez qui avait lieu la réception. Les deux hommes avaient sympathisé dès leur première rencontre. Au cours de leurs longues conversations, car ils s'isolaient volontiers dans les réunions mondaines où ils se retrouvaient, cette amitié s'était renforcée. Ils s'étaient reconnus de la même trempe.

Dans l'embrasure d'une fenêtre, Winston se pencha vers Paul et lui parla sur le ton de la confidence.

« Frank m'a dit que vous revoyez beaucoup Emma, depuis quelque temps. J'en suis enchanté, Paul... »

Devant la mine stupéfaite de son interlocuteur, il poursuivit en souriant :

« Je sais, on me prend volontiers pour le grand frère rétrograde, du genre à défendre farouchement la vertu de son innocente petite sœur. Emma n'est pas innocente et vous êtes tous les deux assez grands pour vous débrouiller, bien que vos vies respectives me paraissent d'une incroyable complication. Mais c'est vous que cela regarde, et je vous donne ma bénédiction pour ce qu'elle vaut, c'est-à-dire peu de chose... Voyez-vous, Paul, reprit-il d'un air sérieux, Emma a besoin de vous. Vous êtes sans doute le seul qui soit capable de lui tenir tête, de l'empêcher de faire n'importe quoi. Elle a du charme et des qualités mais elle n'est pas facile à vivre et elle fait peur à presque tous les hommes. Pour être heureuse, il lui faut un homme plus fort qu'elle. Je crois que vous êtes celui-là. Me suis-je bien exprimé ? »

Touché de cette « bénédiction » inattendue, Paul sourit.

« Oui, mon vieux Winston, et je vous en remercie... Mais ce n'est pas à moi que vous devriez le dire ! Votre chère petite sœur ne veut pas bouger d'un pouce et j'aurais besoin d'un sérieux coup de main.

— Frank et moi nous tuons à le lui dire, avec autant de succès que si nous parlions à un mur... Je crois pouvoir vous dire que son inflexibilité vient de ce qu'elle vous croit toujours sur le point de repartir en Australie. Ce serait normal, après tout, vous avez vos intérêts là-bas.

— Je lui ai pourtant expliqué que je comptais rester, que je m'étais organisé pour tout diriger d'ici en retournant en Australie peut-être une ou deux fois par an, au plus. Elle fait la sourde oreille, au point que je n'ose même plus lui en parler.

— Vous êtes trop subtil, Paul, et c'est là votre erreur. Sans avoir votre expérience dans ce domaine, dit-il avec un sourire ironique, je connais assez les femmes pour savoir qu'il faut souvent les bousculer, les prendre par la main pour les emmener là où on veut.

— Emma n'est pas comme les autres...

— Pas possible? s'écria Winston en éclatant de rire. Il n'empêche que vous devriez réfléchir à ce que je vous dis, Paul. Enfoncez-lui dans la tête que vous n'allez plus disparaître au premier courant d'air, elle finira par comprendre. »

Paul hocha la tête pensivement et regarda autour de lui. Emma était en train de parler avec Frank et Nathalie et les parents de celle-ci. Il faisait une chaleur accablante de juillet et la plupart des invités paraissaient en souffrir à l'exception d'Emma qui, par un de ses miracles coutumiers, semblait sortir d'une boîte. Fraîche, radieuse, d'une élégance irréprochable, elle éclipsait toutes les autres. Comment fait-elle, se dit Paul avec admiration, pour rester ainsi digne et calme après les avanies qu'Arthur lui a infligées depuis plus de deux heures?

Surpris, il la vit soudain s'éloigner du petit groupe et traverser le salon comme si elle partait. Paul tendit précipitamment son verre à Winston :

« Gardez-le moi une minute, mon vieux. Je reviens. »

Il rattrapa Emma dans le vestibule et la prit par le bras avec autorité :

« Où allez-vous si vite? Je croyais être le seul à savoir fuir lâchement!

— Mes pieds me trahissent! répondit-elle en riant. J'ai pensé qu'il valait mieux m'éclipser discrètement pour ne pas donner le signal du départ. Il faut aussi que je passe par le magasin avant la fermeture... »

Et échapper le plus vite possible à son mufle de mari, se dit Paul.

« Alors, venez, dit-il. Je vais vous conduire. »

Là voiture avançait lentement dans les embouteillages de ce samedi après-midi. Emma fit un effort pour bavarder mais tomba vite dans un silence maussade et Paul comprit qu'elle fulminait intérieurement. Les motifs n'en étaient guère difficiles à deviner. Arthur s'était couvert de ridicule et son inqualifiable conduite avait rejailli sur Emma qui, d'habitude, n'en avait cure. Cette fois, cependant, son mari avait dépassé la mesure et Emma était résolue à ne plus jamais se montrer en public avec lui. Elle était surtout mortifiée que cela se soit passé en présence de Paul.

Elle lui jeta un regard de côté mais ne put rien deviner de ce qu'il pensait. Depuis leurs retrouvailles, ils étaient régulièrement sortis ensemble à chacun des voyages d'Emma dans la capitale. Paul l'emmenait au restaurant, au théâtre, à des réceptions. Il était toujours courtois et plein de charme mais semblait étrangement détaché, comme s'il ne faisait qu'accomplir des devoirs mondains. Emma s'attendait à ce que, passé les premières soirées, il s'enhardisse et tente de la reconquérir. Etonnée et vaguement soulagée, elle constatait qu'il n'en était rien et se trouvait partagée entre le plaisir de le voir et la crainte de succomber à l'attirance qu'il exerçait toujours sur elle. Car si son mariage était un désert, elle avait réussi à organiser le reste de sa vie et redoutait d'y voir apporter de nouveaux bouleversements. Seul Paul était capable de faire voler en éclats la relative tranquillité d'esprit qu'elle avait si chèrement acquise. Emma ne voulait plus l'aimer pour ne plus risquer de souffrir. Mais elle était consciente de se priver d'un bonheur pour préserver une tranquillité qui, au fond, ne la satisfaisait pas.

L'absurdité de sa position la plongea dans un nouvel accès de mélancolie. Elle feignit de consulter sa montre et se tourna vers Paul en se forçant à sourire :

« Il est plus tard que je ne pensais et je n'arriverai jamais à temps au magasin. Déposez-moi plutôt à la maison, voulez-vous ?

— Comme vous voudrez. »

Il n'avait cessé de l'observer discrètement et la mine pensive d'Emma l'avait ému. Tout en conduisant, Paul s'efforçait de deviner les sentiments qu'Emma éprouvait pour lui. Quand ils sortaient ensemble, elle était toujours gaie, charmante mais distante, et il s'était résigné à penser qu'elle était devenue insensible à sa séduction. Il ne savait que trop combien son apparente trahison avait détruit la confiance qu'elle lui faisait naguère et il croyait la rassurer par un comportement irréprochable. Mais ses efforts restaient vains et la conversation avec Winston lui avait ouvert les yeux. N'avait-il pas emporté Emma de haute lutte, précisément, par la fougue de son offensive à la hussarde ? Cette technique, qui lui réussissait à coup sûr avec les autres, avait porté ses fruits avec Emma elle-même, au prix d'une apparente retraite. N'attendait-elle pas de lui qu'il prenne l'initiative, pour la décharger consciemment ou non du poids d'une décision paralysante ? Elle avait été trop blessée pour faire les premiers pas ou même encourager ceux de Paul. Par excès de prudence, il se condamnait à la défaite. D'ailleurs, il ne s'agissait plus d'une simple entreprise de séduction. Il était question de leur bonheur à tous deux, de leurs vies mêmes. Que lui était-il arrivé, à lui l'irrésistible don Juan, pour se montrer si timoré ?

En arrivant dans Belgrave Square, la décision s'imposa à lui. Il dépassa Wilton Mews, fit le tour de la place et repartit en direction de Mayfair.

Emma leva les yeux, plus étonnée qu'alarmée :

« Où allez-vous ? Je croyais que vous me rameniez à la maison ?

— C'est bien ce que je fais. A la mienne.

— Mais...

— Pas de mais, Emma ! » dit-il d'un ton sans réplique.

Elle se raidit, serra son sac à main contre sa poitrine. La protestation qui lui montait aux lèvres resta dans sa gorge soudain sèche et cette subite initiative de Paul la laissa sans réaction. C'était la première fois qu'il l'emmenait chez lui et la perspective d'être seule avec lui la terrifiait. Elle, qui n'avait peur de rien ni de personne, avait peur de Paul McGill! Elle, une adulte parfaitement capable de se défendre, avait peur d'un homme qui avait été son amant et qu'elle aimait avec passion! C'était non seulement ridicule, c'était puéril. Aurait-elle peur de prendre un risque qui n'en était pas un?

Paul avait l'air encore plus troublé qu'elle. Le visage figé, les muscles tendus, il serrait si fort le volant que ses jointures blanchissaient. En le voyant ainsi, Emma sentit son cœur battre plus vite. Elle n'était donc pas seule à redouter cette confrontation. Fallait-il y trouver un réconfort ou un motif d'inquiétude?

La voiture s'arrêta dans un crissement de pneus devant un immeuble de Berkeley Square. Paul alla ouvrir la portière d'Emma et la prit par le bras pour lui faire traverser le hall et monter dans l'ascenseur. Elle sentait ses doigts qui s'incrustaient dans sa chair mais elle aurait été incapable de se passer de ce soutien, tant ses jambes se dérobaient. Paul ne la lâcha pas, même après qu'ils furent entrés dans l'appartement. Il claqua la porte et tira violemment Emma pour la serrer contre lui. Alors, il leva sa voilette de sa main libre, la dévisagea un instant et écrasa ses lèvres contre les siennes. Emma tenta d'abord de se dégager, mais elle n'était pas de force à desserrer l'étreinte de Paul. Elle sentait trembler les bras qui la broyaient. Le cœur de Paul battait à tout rompre contre sa poitrine et se mêlait au tumulte du sien. Reprise par une faim qu'elle ne parvenait plus à tromper, elle entrouvrit les lèvres et s'abandonna à ce baiser si longtemps attendu, si passionnément désiré. Le corps soudé à celui de Paul, elle se laissait submerger par un flot de sensations qu'elle avait cru oubliées et qui revenaient l'assaillir avec une netteté et une force décuplée par une trop longue absence.

Cette étreinte dura une éternité, à peine interrompue de loin en loin par un regard, un souffle, un sursaut de désir exacerbé par l'attente. Emma sentait ses craintes s'évanouir, ses défenses se volatiliser. Elle était prête à se donner, elle ne voulait plus que céder au raz de marée de sa sensualité trop durement frustrée.

C'est alors que Paul s'arracha soudain à leur embrassement et la repoussa contre le mur en la tenant à bout de bras. Il approcha son visage de celui d'Emma et elle eut l'impression d'être brûlée par la flamme de son regard.

« Ose dire que tu ne m'aimes pas, chuchota-t-il. Ose dire que tu ne me désires pas... »

Ils haletaient tous deux. Avant qu'elle réponde, il reprit :

« Non, ne me dis rien, je le vois, je le sais. Viens. »

Il la lâcha et lui prit doucement la main pour la guider vers la chambre. Une fois là, il alla tirer les rideaux et la pièce fut plongée dans une pénombre fraîche. Emma resta immobile, les yeux fixés sur la silhouette de Paul, admirant la souplesse féline de sa démarche, la puissance virile qui émanait de lui. Sa présence l'enveloppait d'ondes de désir, de plaisir. De tout son cœur, de tout son corps, elle l'appelait.

Il revint vers elle. Il lui ôta son chapeau, qu'il jeta négligemment sur une chaise. Il fit lentement glisser ses gants. Il déboutonna sa robe de soie jaune, qui tomba à ses pieds comme une flaque de soleil. Sans cesser de la regarder en souriant, il finit de la dévêtir à gestes lents et doux. Quand il eut lui-même arraché ses vêtements, il la fit asseoir sur le lit, s'agenouilla devant elle, enfouit sa tête au creux de ses cuisses. D'un geste si familier qu'elle ne l'avait jamais oublié, Emma caressa ses cheveux drus, sa nuque, son dos où elle sentait les muscles rouler sous ses doigts.

« Je n'ai jamais cessé de penser à toi, murmura-t-il. Pas un jour où je ne t'ai désirée, où je n'ai eu besoin de ta présence, besoin de toi. Je n'ai jamais cessé de t'aimer.

— Je n'ai jamais cessé de t'aimer, Paul. Pas un jour où je ne t'ai désiré, où je n'ai pleuré d'être loin de toi. »

Un instant plus tard, ils étaient étendus l'un contre l'autre, dans les bras l'un de l'autre comme si le temps écoulé avait miraculeusement disparu. Les caresses intimes se refirent d'elles-mêmes, avec les mêmes gestes sûrs et tendres dont ils savaient faire monter leur désir en le retardant, pour mieux en accroître l'intensité.

Haletante, les yeux clos, le corps tendu comme une harpe, Emma avait encore assez de lucidité pour comprendre la nature unique du moment qu'elle vivait. Elle n'avait jamais aimé que Paul. Rien ni personne n'avait jamais compté autant que lui, ni ne compterait jamais davantage. S'il devait partir maintenant, si elle ne devait jamais le revoir, l'instant qu'ils partageaient valait largement des jours, des années de souffrance. Elle en garderait le souvenir ébloui jusqu'à son dernier souffle. Avec lui, et lui seul, elle avait connu cette extase. Lui, et lui seul, la comblait d'un tel sentiment de plénitude...

Quand il la prit enfin, incapables l'un et l'autre de retarder plus longtemps l'assouvissement d'un désir prêt à devenir douloureux, plus rien n'exista. Le passé redevint le présent, les souvenirs la réalité. La peine se transmua en bonheur, la tristesse en plaisir. Fondus l'un en l'autre, ils communièrent à cette source qu'ils avaient crue tarie. Naguère, ils croyaient s'aimer. Aujourd'hui, ils atteignaient l'impossible, le dépassaient, le sublimaient. Ils ne formaient plus qu'un en embrassant l'univers dans leur étreinte.

Longtemps plus tard, apaisés, épuisés mais incapable de se séparer, ils continuaient à se vivifier au contact de leurs corps nus.

« Jamais plus je ne te quitterai, Emma. Aussi longtemps que je vivrai, je ne me séparerai plus jamais de toi. Tu crains encore que je ne te fasse du mal, je le sais. Mais il ne faut pas avoir peur.

— Je n'ai plus peur, Paul. Je te crois et je sais que nous vivrons toujours ensemble. Et puis... »

Elle eut un sourire un peu triste.

« Te souviens-tu de ce texte que tu m'avais récité, avant de partir pour le front ? Il était d'Abélard à Héloïse, je crois. Ce qui est arrivé n'est arrivé que par ma faute. Tu me demandais d'avoir la foi. Si je l'avais gardée, quand tu es parti en 1919, nous aurions tous deux évité bien des souffrances. Jamais plus je ne perdrai la foi, Paul. Désormais, je croirai toujours en toi. En notre amour. »

Il la serra plus fort contre lui, embrassa une mèche de ses cheveux.

« Le temps perdu peut se rattraper, dit-il avec un sourire confiant. Nous le rattraperons, Emma. Nous le rattraperons. »

44

Par une froide soirée de décembre, Emma referma en frissonnant la porte de sa grande maison des environs de Leeds. Elle enleva son manteau de zibeline, cadeau de Paul lors de leur voyage à New York l'hiver précédant, et traversa le hall d'un pas vif en pensant à lui. Elle voulait lui téléphoner tout de suite, avant d'être absorbée et retardée par des tâches domestiques, pour le prévenir qu'elle serait à Londres le lendemain.

Parvenue à la porte de la bibliothèque, elle s'arrêta sur le seuil, stupéfaite.

« Edwina ? Quelle surprise ! Je croyais que les vacances de Noël ne commençaient que la semaine prochaine.

— C'est exact. »

Assise sur un canapé, la jeune fille était pâle, les traits tirés. Elle avait répondu avec une sécheresse hargneuse qui n'échappa pas à Emma. Celle-ci s'approcha, voulut se pencher pour l'embrasser, mais Edwina détourna la tête. Emma s'assit en face de sa fille et l'observa attentivement.

« Qu'as-tu ma chérie ? Es-tu revenue en avance à la maison parce que tu étais malade ?

— Non, je suis ici parce que je voulais vous voir. Vous parler de ceci, dit-elle en jetant à Emma une enveloppe qu'elle venait de sortir de sa poche.

— Je ne sais pas ce qu'on t'apprend à ton pensionnat, gronda Emma, mais sûrement pas les bonnes manières ! »

Elle ramassa l'enveloppe tombée à ses pieds. Edwina la regardait avec hostilité.

« Inutile de l'ouvrir, c'est mon acte de naissance. Comme vous vous obstiniez à me le refuser, j'ai écrit moi-même pour en avoir la copie. Je comprends, maintenant, pourquoi vous me le cachiez ! »

L'enveloppe se mit à trembler dans la main d'Emma. Elle se sentit pâlir et fut incapable de répondre.

« Ne faites donc pas cette tête-là, mère ! C'est plutôt à moi d'être choquée. C'est moi qui suis une bâtarde ! »

Elle avait prononcé ce dernier mot sur un tel ton qu'Emma eut un mouvement de recul.

« Comment avez-vous pu me faire croire si longtemps que j'étais la fille de Joe Lowther ! Blackie O'Neill, votre cher vieil ami, parlons-en ! Toujours à vous suivre comme un toutou, sans même se dégoûter de vous avoir déjà vue avec deux maris... C'est du propre ! Vous me révoltez. Pendant des années, j'ai pleuré la mort de Joe et vous ne m'avez rien dit ! C'est pire que de la méchanceté, c'est de la cruauté !

— Cela aurait-il diminué ta peine que je te dise la vérité, Edwina ? répondit Emma d'une voix tremblante. Joe était vraiment ton père, dans le meilleur sens du terme. Il t'aimait autant, sinon davantage, que son propre fils. Tu l'aimais toi aussi et tu l'aurais autant pleuré en sachant la vérité. Si tu n'étais pas sa fille par le sang, il t'a considérée comme son enfant pour tout le reste et c'est ce qui compte.

— Vous ne m'avez menti que pour protéger votre précieuse réputation ! Menteuse ! Ma mère n'est qu'une menteuse ! »

Emma ne savait que répondre à ces accusations lancées par cette jeune fille de dix-huit ans dont elle était incapable de comprendre la colère. Elle ne savait comment calmer ou détourner ce torrent d'accusations.

« Quel nom dois-je porter dorénavant, ma très chère mère ? reprit Edwina. O'Neill ? Ou peut-être Harte ? Ai-je même un nom, vais-je encore découvrir d'autres mensonges ? De quel droit osez-vous me reprocher mes manières, vous qui me donnez l'exemple de la débauche et du mensonge ?

Emma sursauta, comme sous l'effet d'une gifle. Mais elle préféra ne pas relever les insultes qu'Edwina venait de lui jeter au visage.

« Tu t'appelles Lowther, Edwina. Joe t'a adoptée, tu es donc officiellement sa fille et tu portes son nom.

— C'est tout ce que je voulais savoir, dit Edwina en se levant. Rendez-moi ce papier, j'ai eu assez de mal à l'obtenir. Adieu, je m'en vais. »

Elle arracha l'enveloppe des mains d'Emma qui se leva à son tour et voulut la retenir par le bras.

« Ne me touchez pas ! hurla Edwina en se dégageant.

— Je t'en prie, Edwina, reviens et assieds-toi, dit Emma avec calme. Tu es en âge de discuter raisonnablement et de manière sensée. Je sais que tu es bouleversée, je sais ce que tu dois penser, mais donne-moi au moins une chance de t'expliquer, de te dire...

— Ce que vous avez à dire ne m'intéresse pas. Je pars.

— Où cela ? Où veux-tu aller ? Non, Edwina, dit Emma en tendant la main, l'air implorant. Ne pars pas, je t'en supplie. Parlons d'abord, laisse-moi t'expliquer, tu me pardonneras peut-être de t'avoir caché la vérité. Je ne l'ai fait que pour ton bien. Reviens, ma chérie. Reviens...

— Je vous ai déjà dit que cela ne m'intéresse pas. Je quitte cette maison pour ne plus y remettre les pieds, est-ce clair ?

— Mais... Où vas-tu aller ? »

Emma dut faire un effort pour ne pas pleurer. Edwina lui lança un regard froid.

« Je vais passer les fêtes de Noël chez la cousine Freda, à Ripon. Ensuite, je compte aller en Suisse, dans cette école où vous aviez refusé de m'envoyer. Veuillez faire le nécessaire pour mon inscription. Vous êtes assez riche pour tirer les ficelles qu'il faut, ajouta-t-elle avec un sourire de mépris, et me faire inscrire au milieu de l'année. Je compte également que vous réglerez les frais d'internat et que vous continuerez à me verser de l'argent de poche.

— T'ai-je jamais privée de quelque chose, Edwina ? Mais je t'en prie, ne pars pas comme cela. Parlons de...

— Je n'ai plus rien à vous dire. »

Edwina tourna le dos et traversa la pièce. Arrivée à la porte, elle s'arrêta, se retourna et darda sur sa mère un regard de ses yeux gris que la haine et le mépris rendaient froid comme un couperet.

« Je vous hais, déclara-t-elle posément. Aussi longtemps que je vivrai, je ne veux plus jamais vous revoir. »

Emma contempla longtemps la porte qu'Edwina avait fait claquer derrière elle. Elle finit par se laisser tomber dans un fauteuil et se cacha le visage dans les mains pour pleurer en silence. Depuis des années, elle s'était efforcée d'éviter l'horrible scène qui venait de se dérouler. Elle ne savait pas, elle n'avait jamais su comment prendre Edwina et redoutait de rompre les derniers liens, même ténus, les derniers soupçons d'affection qui l'unissaient encore à sa fille. Car Edwina, elle ne le savait que trop, n'avait jamais aimé que Joe et Freda et les marques d'affection qu'Emma lui avait prodiguées, souvent avec maladresse, n'avaient jamais éveillé le moindre écho dans son cœur sec. Emma eut l'envie fugitive d'aller la retrouver dans sa chambre et de lui révéler le nom de son vrai père. Mais cela ne servirait à rien qu'aggraver un peu plus son désarroi et sa rancœur.

Un flot de souvenirs envahit son esprit. Ses luttes, ses sacrifices, tout cela avait-il été vain, inutile, nuisible ? Des années durant, Emma avait tout fait pour protéger sa fille. Contre qui, en fin de compte, et contre quoi ? Ce n'est pas des Fairley qu'elle avait eu à souffrir... Emma avait toujours cru faire de son mieux. Pourquoi avait-elle échouée ?

Elle essuya ses larmes, et son optimisme reprit le dessus. En ce moment, Edwina était encore sous le choc. Dans quelques semaines, quelques mois tout au plus, elle serait calmée et entendrait raison. Elles pourraient se réconcilier. Elle allait la persuader de revenir après Noël, avant de partir pour la Suisse. A ce moment-là, elles pourraient au moins conclure un armistice...

Ranimée par cette pensée, Emma monta vivement l'escalier, déjà souriante. Mais Edwina n'était nulle part. Stupéfaite, Emma resta plantée au milieu de sa chambre déserte, contemplant les armoires où ne pendaient plus que des cintres, les commodes aux tiroirs vides, les rayons de bibliothèque désertés, la coiffeuse où ne s'alignaient plus brosses et flacons. Prise d'un pressentiment, Emma alla à la fenêtre. La Rolls-Royce n'était plus devant la porte. Edwina avait sans doute ordonné au chauffeur de la conduire à la gare.

Le front appuyé à la vitre froide, Emma sentit alors son courage l'abandonner. Elle avait compris qu'il n'y aurait sans doute plus de réconciliation et qu'elle avait définitivement perdu sa fille. Pâle, les jambes flageolantes, elle alla dans sa chambre et tendit la main vers le téléphone pour appeler Blackie et le mettre au courant de ce qui s'était produit. Mais elle se souvint que Blackie était en Irlande jusqu'après les fêtes. Quant à Paul... Non, il ne fallait pas en parler à Paul. Pas encore.

Emma resta longtemps prostrée sur une chaise. Elle pensait moins à sa propre peine qu'à celle que sa fille était en train d'éprouver et qu'elle était impuissante à soulager. Elle se leva enfin, alla s'asperger le visage à l'eau froide dans la salle de bain, refit soigneusement son maquillage. Quand elle eut suffisamment repris sur elle pour être certaine que sa voix ne tremblait pas, elle retourna près du téléphone et appela Arthur à son étude.

« Comptes-tu rentrer dîner ce soir ? demanda-t-elle.

— Euh... non. Pourquoi ?

— Il faut que je te voie. C'est même urgent, car je compte partir pour Londres demain matin. Je n'en aurai pas pour longtemps, une demi-heure tout au plus. »

Arthur accepta de mauvaise grâce d'être là dans une vingtaine de minutes.

Quand il entra dans la bibliothèque, où Emma l'attendait, il leva les sourcils avec surprise.

« Mon Dieu, qu'as-tu donc ? demanda-t-il avec curiosité. Tu as une tête à faire peur. »

Emma se recomposa une expression impassible pendant qu'il allait se verser à boire. Arthur revint s'asseoir en face d'elle.

« Je suis tout oreilles, ma chère, dit-il avec un sourire ironique. Qu'as-tu de si urgent à me dire ?

— J'attends un enfant », dit Emma calmement.

Arthur était en train de porter son verre à ses lèvres et, pour la première fois sans doute, ne termina pas son geste. D'une main mal assurée, il le reposa sur la table basse, dévisagea Emma, les yeux écarquillés par l'incrédulité, et finit par éclater de rire.

« Oh ! non, c'est trop drôle ! Il y a donc sur terre un homme assez courageux ou assez inconscient pour coucher avec toi ! Qui est donc ce héros, que je le félicite ?

— Je ne t'ai pas appelé pour te le dire. J'avais simplement l'intention de t'apprendre que je suis enceinte de quatre mois, que je compte garder cet enfant et que tu le reconnaîtras quand il sera né. »

Arthur sursauta :

« Quoi ? Il n'est pas question que je reconnaisse un de tes bâtards ! Je préfère demander immédiatement le divorce.

— Je ne pense pas, Arthur, répondit Emma avec un sourire froid. Il ne me convient pas de divorcer pour le moment.

— Et si cela me convient, à moi ? »

Emma ne répondit pas. Elle alla déplacer une étagère qui dissimulait un petit coffre-fort, qu'elle ouvrit pour en sortir un dossier. Revenue s'asseoir en face d'Arthur, elle le regarda froidement.

« Ton père est un monsieur fort respectable, Arthur, et il a les idées strictes de sa génération. J'ai beau éprouver pour lui une sincère affection, je suis forcée de constater qu'il a l'esprit étroit et un tempérament coléreux, ce sur quoi tu seras d'accord, je pense. C'est pourquoi je ne doute pas un instant qu'il te déshériterait jusqu'au dernier sou et sans la moindre hésitation si les documents que voici lui étaient mis sous les yeux... C'est exactement ce que j'ai l'intention de faire si tu persistes à vouloir demander un divorce maintenant ou à tenter quelque démarche inopportune. Lis donc, c'est fort intéressant... »

Elle tendit le dossier à Arthur, qui le prit en fronçant les sourcils.

« Ton père, reprit Emma, ne sera pas plus surpris que tout le Yorkshire et la moitié de Londres au récit de tes innombrables infidélités, de ton ivrognerie et de la passion que tu as depuis peu pour le jeu le plus crapuleux. Mais je crois qu'il sera choqué d'apprendre que son fils et unique héritier entretient des rapports que je qualifierai de coupables, pour être polie, avec de beaux jeunes gens d'une moralité infiniment plus douteuse que leurs penchants sexuels. »

Arthur l'avait écoutée en silence, mais il était devenu blême.

« C'est un mensonge ! hurla-t-il. Un ignoble mensonge !

— Non, Arthur. Vois-tu, je te fais surveiller depuis plusieurs années déjà. Je n'ignore rien de ta vie privée ni de tes débauches que tu crois secrètes mais qui, je le déplore, font trop souvent scandale.

— C'est faux ! dit-il en s'étranglant. Tu bluffes.

— Lis donc, tu le verras bien. »

Il baissa les yeux sur le dossier, qu'il feuilleta rapidement en changeant de couleur. Alors, après avoir jeté à Emma un regard de défi, il se mit à en déchirer posément les feuilles qu'il jetait l'une après l'autre dans la cheminée. Emma le regarda faire sans rien dire.

Quand il eut terminé, elle éclata de rire.

« Tu es comique, mon pauvre Arthur ! Tu t'es donné tout ce mal pour détruire des copies. Me croyais-tu donc assez bête pour ne pas en avoir conservé les originaux ?

— C'est un chantage éhonté !

— C'est bien possible. Il n'empêche que ce dossier sera remis à ton père.

— Il sera ravi quand il apprendra ton adultère !

— Je supporte les tiens depuis des années. Ne joins pas la bêtise au mauvais goût et à la mauvaise foi, je te prie. »

Temporairement accablé, Arthur eut le réflexe de vider son verre d'un trait. Cela ne le réconforta pas. Tremblant, le visage couleur de cendre, il dévisageait Emma avec haine.

« Sale garce ! murmura-t-il entre ses dents. Tu as gagné cette manche, mais pas la partie, tu verras... »

Toujours impassible, Emma soutenait son regard. Arthur hésitait. Il se leva enfin et traversa la pièce à grandes enjambées. Arrivé à la porte, il s'arrêta, la main sur la poignée, se retourna pour faire face à Emma.

« Je te hais ! dit-il d'une voix de fausset. Je te hais et je ne veux plus jamais te revoir. »

Emma resta un moment immobile, les yeux fixés sur la porte qu'il venait de claquer derrière lui.

Cela faisait la deuxième fois de la soirée qu'on lui disait les mêmes mots au même endroit.

45

Le dos rond, les mains dans les poches, Paul McGill arpentait nerveusement le salon d'Emma. Il s'arrêta un instant à la fenêtre, regarda distraitement Wilton Mews où ne passait qu'un gros chat. Le grondement de Londres ne venait pas troubler le calme de la petite rue, où les arbres dénudés d'un jardin tendaient leur branches noires.

Paul se retourna enfin pour regarder Emma.

« Je ne te comprends pas, dit-il. Pourquoi n'as-tu pas demandé le divorce ? Nous étions pourtant d'accord pour que tu reprennes ta liberté. Pourquoi attendre ? Est-ce parce que Constance me refuse le divorce ? Est-ce parce que tu n'as toujours pas confiance en moi, parce que tu crains que je ne te quitte? Explique-moi tes raisons!

— Arrête de tourner en rond et viens t'asseoir près de moi, calmement. »

Quand Paul l'eut rejointe, Emma lui prit la main.

« J'ai entièrement confiance en toi, Paul, et ma décision n'a rien à voir avec ta propre situation. Je sais que tu t'efforces toujours de la régulariser, comme je sais que je me séparerai d'Arthur. Mais pas avant la naissance du bébé. Je veux que cet enfant ait un nom, Paul, comprends-tu? Je me refuse absolument à ce que sa naissance illégitime figure à son état civil. »

Paul sursauta :

« Tu veux que mon enfant porte le nom d'Ainsley? Non, Emma, je ne le tolérerai pas! »

Emma eut un mouvement de surprise. C'était la première fois que Paul lui parlait aussi durement. Tout en comprenant les motifs de sa révolte, il fallait qu'elle lui fasse partager ses raisons à elle. Elle reprit d'un ton persuasif :

« Il ne suffit pas de penser à nous, Paul. Il faut avant tout penser à cet enfant qui...

— C'est précisément à lui que je m'intéresse! l'interrompit-il avec impatience. Je veux pouvoir lui donner ma protection, mon affection, tout ce que je possède. Je me refuse à ce qu'il grandisse sans me connaître! Est-ce trop demander que de vouloir élever cet enfant plutôt que de le laisser vivre sous le toit d'un Ainsley? Tu sais pourtant ce que je pense de cet individu...

— Je le sais encore mieux que toi, Paul. Notre enfant ne vivra jamais chez Arthur. Il sera élevé à Londres, avec toi, avec nous. Mais il faut aussi le protéger du monde et ne pas lui faire porter toute sa vie le poids de l'illégitimité.

— J'ai assez d'argent pour le protéger de ce genre de choses, Emma! dit Paul avec un claquement de langue impatient. Je t'ai dit par ailleurs que je comptais l'adopter immédiatement après sa naissance. C'est pourquoi je veux être inscrit comme son père sur les registres d'état civil. Je le veux, Emma!

— Et moi, je m'y refuse absolument ! » s'écria-t-elle.

Il distingua sur son visage les traces d'une souffrance qu'il n'avait encore jamais vue. Soudain déconcerté, Paul prit la main d'Emma qu'il porta à ses lèvres avec un regard à la fois tendre et interrogateur.

Emma le dévisagea intensément, encore hésitante. A la fin, elle prit une profonde inspiration et commença à parler. Elle lui dit tout, depuis sa scène de la veille avec Edwina. Elle remonta le cours du temps en dépeignant son enfance dans la chaumière de Fairley, son adolescence désespérée au château. Elle lui parla d'Edwin, de son premier amour terminé dans le naufrage de ses illusions et sa fuite angoissée à Leeds. Elle lui décrivit sa vie laborieuse, ses luttes, ses privations, son travail incessant pour amasser sou par sou le dérisoire capital qui devait la sauver. Elle parla de la tentative de viol et des menaces de Gerald Fairley, et de la vengeance qu'elle en avait tiré. Elle ne laissa dans l'ombre aucun détail, déroula sans passion ni regret, sans l'embellir ni le noircir, le cours de son existence. Simplement, objectivement, sans s'apitoyer, elle fit à Paul l'inventaire émouvant de tout ce qui peut se glisser dans l'espace d'une vie.

Paul l'avait écoutée en silence, captivé, bouleversé comme il ne l'avait encore jamais été. Quand elle eut terminé, il la prit dans ses bras, la serra contre lui avec une tendresse protectrice, un amour encore plus profond s'il se pouvait. Longuement, incapable de rien dire, il lui caressa les cheveux.

« Qui est assez fou pour croire ce monde civilisé ? murmura-t-il enfin à son oreille. Emma, mon amour, laisse-moi te donner ce que tu n'as jamais eu, te guérir des peines que personne n'a soignées... »

Il la sentit trembler contre lui, l'écarta pour la regarder dans les yeux :

« Pourquoi ne m'avoir rien dit plus tôt ! Croyais-tu que ton passé changeait l'amour que j'avais pour toi ? Tu me connais bien mal... Savoir que tu as subi tant d'épreuves, surmonté tant d'adversités, bâti ta vie avec tant de courage te rend encore plus irremplaçable !

« — Je n'ai jamais cherché à te cacher ma vie, Paul. L'occasion ne s'en était pas encore présentée, voilà tout ! Comprends-tu, maintenant, pourquoi je ne veux pas encore divorcer ? Je ne peux plus supporter l'idée qu'un de mes enfants, le nôtre surtout, puisse un jour me jeter au visage les reproches qu'Edwina m'a faits hier soir. »

Paul hocha la tête sans répondre.

Leur enfant, une fille, naquit au début de mai 1925 dans une clinique de Londres. Paul arpenta nerveusement la salle d'attente, comme tous les pères. Il serra dans ses bras une Emma encore dolente et pleura de joie. S'il fit inscrire le nom d'Ainsley sur le certificat de naissance, il choisit le prénom de Daisy, qui avait été celui de sa mère.

Le lendemain, il arriva dans la chambre d'Emma, le visage épanoui et les bras pleins de fleurs. Il s'assit sur le lit, embrassa Emma. Ils se regardèrent longuement, trop émus pour parler.

Finalement, sous le regard ébahi d'Emma, Paul lui prit la main, en ôta l'alliance et alla la jeter par la fenêtre. Toujours sans un mot, il sortit de sa poche un anneau de platine qu'il glissa à l'annulaire de la jeune femme. Il prit ensuite un écrin où se trouvait une autre bague. C'était une émeraude d'une taille et d'un éclat uniques, qui appartenait à sa famille depuis plusieurs générations et que sa mère et sa grand-mère avaient portée.

Quand il l'eut passée au doigt d'Emma, il sourit comme un enfant :

« Voilà ! La cérémonie manquait peut-être de solennité et de la présence du clergé, mais elle a la même valeur à mes yeux. Tu es désormais ma femme, Emma. Et rien jusqu'à la mort ne pourra nous séparer. »

Depuis son installation en Angleterre, en 1923, Paul McGill affichait constamment ses sentiments envers Emma. Il n'avait pas honte de laisser voir qu'il était passionnément amoureux d'elle, et cet amour imprimait sa marque sur toutes ses actions. Cette passion s'intensifia encore avec la naissance de leur fille : Emma et l'enfant devinrent le pivot autour duquel tourna sa vie entière, et sa seule raison d'être. Leur existence influençait jusqu'à la manière dont Paul menait ses affaires. Les déceptions, les revers, les craintes qu'il avait pu connaître furent balayés au profit d'un espoir indéfectible en l'avenir. Il n'importait guère à Paul que Daisy ne portât pas son nom. Elle n'en était pas moins son enfant, son sang. C'est par elle qu'allait se perpétuer la lignée fondée par son grand-père, capitaine au long cours écossais établi à Coonamble en 1852.

Aussi, en dépit des obstacles que dressaient les complications de leurs vies conjugales respectives, Paul entendait ne plus se séparer de ces deux êtres qui comptaient pour lui plus que tout. Au début de l'automne 1925, il fit l'acquisition au nom d'Emma d'un hôtel particulier de Belgrave Square qu'il fit aménager de façon singulière. Au rez-de-chaussée, il se garda un petit appartement de célibataire. Les trois étages supérieurs, luxueusement installés, furent réservés à Emma, Daisy et au personnel. En apparence, la maison comportait deux parties nettement séparées, chacune dotée de son entrée. En fait, elles communiquaient par un ascenseur dissimulé dans l'épaisseur des murs.

Ils vivaient donc ensemble, mais dans la plus grande discrétion. Car Emma répugnait à afficher trop ouvertement leur liaison, à cause de ses enfants. Paul ne se privait pas de la taquiner sur cette dichotomie de son caractère, sans aller jusqu'à la taxer d'hypocrisie. Intrépide en affaires, montrant le plus souverain mépris pour l'opinion d'autrui, elle se montrait en effet étrangement timorée en ce qui concernait les racontars que pourrait provoquer sa vie privée. « Quand je serai divorcée, cela n'aura plus aucune importance », disait-elle quand Paul la poussait dans ses retranchements. Il se contentait de sourire avec indulgence, car il comprenait que les réticences d'Emma dans ce domaine avaient leurs racines dans les préjugés tenaces hérités de son enfance.

Ce divorce, dont on parlait tant sans plus guère y croire, survint en fin de compte plus tôt qu'on ne s'y attendait. Au mois de juin 1925, un mois après la naissance de Daisy, Paul avait accordé à Emma la satisfaction de la faire baptiser à Leeds — formalité jugée indispensable par Emma pour assurer la légitimité de la naissance. Paul avait toutefois insisté pour être présent et s'était rendu dans le Yorkshire en compagnie de Frank et Nathalie. En tant que vieil ami de la famille, sa présence était assez naturelle pour ne pas faire jaser. Les choses voulurent qu'elle passât inaperçue. Quelques jours avant le baptême, en effet, la mère d'Arthur Ainsley était morte subitement. Survenant si peu de temps après les obsèques, le baptême se déroula donc sans faste. Encore sous le coup de leur deuil, Frederick Ainsley et son fils Arthur ne prêtèrent aucune attention aux faits et gestes des invités et Arthur, en tout cas, se désintéressa totalement de cette cérémonie où il savait n'avoir aucune part. Daisy avait donc été baptisée et regagna Londres dès le lendemain avec sa mère. Moins de six mois plus tard, âgé et affaibli, Frederick Ainsley rejoignait son épouse dans la tombe et léguait à son fils le Patrimoine familial. C'est alors qu'Arthur, dans un accès imprévu de galanterie dont on ne le croyait pas capable, consentit à accorder le divorce à Emma en prenant à sa charge tous les torts. Les frères et les proches d'Emma en restèrent stupéfaits. Emma garda son calme : elle avait discrètement provoqué le geste « chevaleresque » de son ex-mari au prix d'un généreux cadeau de vingt mille livres...

Dès que le jugement fut signifié, Emma tint parole et modifia sa vie du tout au tout. Elle fit venir les jumeaux, Robin et Elizabeth, pour vivre avec elle à Londres sans qu'Arthur, comme elle s'en doutait, songeât à élever la moindre protestation. Emma avait ainsi fait coup double. Elle était enfin débarrassée de l'insupportable présence de son mari. Elle soustrayait ses enfants à sa déplorable influence.

Toujours pensionnaire, Kit vint désormais passer toutes ses vacances scolaires avec sa mère et ne cacha jamais qu'il approuvait sans réserve sa liaison avec Paul, pour qui il éprouvait une sincère admiration. Le jeune garçon ne versa pas non plus de larmes sur la soudaine disparition de son beau-père, avec qui il ne s'était jamais entendu. Quant à Emma, fait sans précédent, elle consentit à réorganiser sa vie professionnelle de manière à passer la plus grande partie de son temps à Londres. Elle nomma Winston directeur général des magasins et des filatures du Yorkshire, qu'elle se contentait de superviser depuis son quartier général installé dans son grand magasin de Knightsbridge. Elle n'allait désormais à Leeds qu'une fois par mois, parfois moins souvent encore, pour régler avec Winston les affaires les plus importantes.

Paul et Emma continuaient cependant à observer une certaine prudence dans leurs rapports, pour ne pas choquer inutilement les enfants. Mais, à mesure que le temps passait, personne ne songea plus à s'étonner de leur singulière cohabitation, ni même de l'étrange maisonnée d'Emma où vivaient en bonne intelligence des enfants tous nés de pères différents. Dès le début, Paul avait pris en main son rôle de chef de famille et s'y était affirmé. Sa fermeté et sa bonté lui permettaient de le tenir sans contestation et les enfants éprouvaient pour lui une véritable affection. Ainsi, Emma finit par oublier graduellement ses inquiétudes. Avec patience, Paul lui faisait comprendre que leur fortune, qui les plaçait au-dessus des conventions qui régissent le commun des mortels, les rendait quasi invulnérables à la médisance et à la censure de la société. Elle finissait par l'admettre et vivait désormais sans plus apporter de restrictions à son bonheur.

Ainsi libérés des dernières contraintes, Paul et Emma étaient inséparables. Paul la couvrait de bijoux, de toilettes et de fourrures. Il recevait somptueusement, Emma à ses côtés. On les voyait partout, au théâtre, à l'opéra, dans les dîners et les bals. Ils fréquentaient la meilleure société britannique et internationale qui, en cette époque brillante, se pressait à Londres et leur faisait fête comme aux meilleurs d'elle-même. Paul ne faisait plus un voyage, d'affaires ou de plaisir, sans emmener Emma. Elle l'accompagnait régulièrement à New York et au Texas, où ses affaires pétrolières se développaient, et alla même plusieurs fois avec lui en Australie, à l'occasion des voyages qu'il y faisait annuellement.

Fidèle à sa promesse, Paul s'efforçait sans trève de se libérer de son mariage. Mais Constance s'obstinait à lui refuser le divorce et c'était là la seule ombre à son bonheur. Il avait légalement adopté Daisy et pris ses dispositions pour que la mère et la fille soient définitivement à l'abri du besoin. Mais ce n'était pour lui qu'un pis-aller, car il aurait désespérément souhaité épouser Emma et mettre de l'ordre dans sa vie de manière définitive. C'était Emma, curieusement, qui manifestait le plus de calme à ce sujet et qui, sûre désormais de la fidélité de Paul, ne cessait de le réconforter en lui répétant que les choses s'arrangeraient tôt ou tard. L'ironie de ce renversement d'attitudes ne lui échappait pas et elle parvenait à l'en faire rire.

La vie d'Emma aurait été sans nuage si elle avait réussi à se réconcilier avec Edwina. Mais celle-ci se refusait obstinément à tout rapprochement. Les seuls rapports entre la mère et la fille passaient par l'intermédiaire de Winston, qui se chargeait de veiller à l'entretien d'Edwina pour le compte d'Emma. La jeune fille était restée deux ans en Suisse avant de s'installer dans un appartement à Mayfair où elle menait une vie mondaine dans un tourbillon de fêtes et de sorties. Elle profitait de tous les avantages de la fortune de sa mère à qui elle refusait tout autre privilège, sans pour autant se priver d'en éblouir les riches oisifs dont elle faisait sa compagnie exclusive. Emma n'avait pas voulu restreindre les dépenses folles d'Edwina et lui garantissait une rente annuelle qui aurait fait l'aisance d'une famille entière. Elle espérait toujours ramener Edwina au sein de sa famille, mais se montrait assez avisée pour ne plus lui faire d'ouvertures de paix. Le premier pas, s'il devait y en avoir un, devait être le fait de la jeune fille elle-même et avoir été motivé par son propre désir de réconciliation.

Ainsi, à l'exception de ce nuage qui l'assombrissait, la vie d'Emma était heureuse, illuminée de l'amour de Paul et de celui non moins intense qu'elle lui vouait. En grandissant, Daisy lui réservait des joies de plus en plus vives et Emma s'avouait parfois qu'elle aimait sa dernière-née davantage que les autres. Car Daisy était véritablement l'enfant de l'amour, la seule qu'elle ait conçue et portée avec une joie sans arrière-pensée. Il existait entre la mère et la fille une intimité qu'Emma n'avait connue avec aucun de ses autres enfants et que renforçait le temps. Daisy lui était chère, aussi, par sa ressemblance frappante avec Paul. De son père, qui l'adorait sans la gâter, elle prenait instinctivement des attitudes ou des intonations qui faisaient battre le cœur d'Emma. Gaie, vive, pleine d'affection envers tous ceux qui l'approchaient, Daisy avait également pris à sa mère ce qu'elle avait de meilleur. Pour Paul et Emma, l'enfant était un continuel émerveillement.

Quand Daisy eut cinq ans, Paul l'emmena avec Emma en Australie. Après avoir passé une semaine à Sydney, ils allèrent séjourner un mois à Coonamble, où vivait toujours Howard. Avec une surprise attendrie, Emma et Paul furent témoins de l'entente qui s'établit d'emblée entre la petite fille et son demi-frère. Daisy, en effet, communiquait avec lui comme personne n'y était jamais parvenu. L'affection qu'elle lui portait, le besoin qu'Howard avait de sa présence touchèrent leurs parents, au point que Paul ne voulut plus priver son fils de la joie que Daisy mettait dans sa vie et emmena celle-ci dorénavant tous les ans à Coonamble.

Les années passèrent, si vite qu'Emma en perdait le compte. Elle voyait les enfants grandir et quitter la maison de Belgrave Square où, hier encore semblait-il, ils jouaient avec insouciance. Kit était devenu un beau jeune homme et faisait ses études à l'université de Leeds. Les jumeaux étaient partis au pensionnat en se plaignant amèrement d'être séparés pour la première fois de leur vie. Emma en éprouva elle-même un vif chagrin. Car si Daisy était la préférée de tous ses enfants, Robin était incontestablement celui de ses fils qu'elle aimait le mieux. Il n'avait hérité aucun des défauts de son père et ressemblait physiquement à Winston. C'était un jeune garçon plein de vie, à l'intelligence pénétrante, doué d'humour. Il se révéla excellent élève et Emma se consola de ses longues absences, pendant l'année scolaire, en fondant sur lui de grands espoirs pour l'avenir.

Elizabeth, sa sœur jumelle, avait également beaucoup plus pris aux Harte qu'aux Ainsley. Il arrivait parfois qu'Emma, en la surprenant dans certaines attitudes, réprime un cri tant elle voyait de ressemblance avec sa propre mère. Dès son plus jeune âge, Elizabeth avait toujours été ravissante. Son visage aux traits fins et expressifs était comme nimbé d'une opulente chevelure noire. Elle avait un charme naturel dont elle savait user, parfois abuser. Emma avait malheureusement remarqué, au fil des ans, quelques traits de caractère qui l'inquiétaient. Elizabeth trahissait parfois un naturel violent qu'elle ne savait pas maîtriser et Paul était d'accord avec elle pour convenir que la discipline du pensionnat saurait seule mater ce tempérament rebelle.

Plus vite encore que sa famille, les affaires d'Emma n'avaient fait que croître. Le magasin de Knightsbridge était connu dans le monde entier, tandis que ceux du nord de l'Angleterre se contentaient plus modestement d'une flatteuse réputation dans tout le pays. Les filatures, sagement gérées, prospéraient à un rythme moins soutenu, cependant, que les usines de confection des vêtements Kallinski, où se fabriquaient toujours les robes *Lady Hamilton*. Mais c'était du côté de *M.R.M. Ltd*, désormais rebaptisée *Harte Enterprises*, que se trouvait la source de la véritable puissance d'Emma. Le holding s'était sans cesse enrichi de nouvelles prises de participation qui s'étendaient maintenant au monde entier. En suivant ses propres intuitions, en écoutant les conseils expérimentés que Paul lui prodiguait, Emma avait si sagement investi qu'elle avait triplé sa fortune — ainsi d'ailleurs que celle de ses frères qui lui en avaient confié la gestion. A quarante-six ans, Emma était plusieurs fois millionnaire en livres sterling. Elle était devenue une puissance financière avec qui il fallait compter à Londres comme sur les principales places européennes et même mondiales.

Le bonheur de sa vie de famille avec Paul, la conduite absorbante de ses affaires n'avaient pas affaibli l'intérêt que portait Emma à la famille Fairley. Après sa ruine, consommée en 1923, Gerald avait liquidé les dernières miettes de sa fortune et mené une existence misérable dépendant exclusivement des subsides de son frère Edwin. Il était mort en 1926, consumé par les excès auxquels il s'était toujours adonné, et sans laisser de regrets derrière lui. Le regard froid d'Emma se posait désormais sur le seul Edwin, dont elle suivait attentivement la carrière. Elle aurait éprouvé une grande joie à le voir échouer, mais cette satisfaction lui était refusée. Edwin s'était acquis une réputation flatteuse d'avocat pénal et l'on parlait déjà de lui pour un poste de Conseiller de la Couronne. Tout en résidant à Londres, où il avait son cabinet, il n'avait pas rompu tous ses liens avec le Yorkshire. Il se rendait régulièrement à Leeds où il s'occupait attentivement de la *Yorkshire Morning Gazette,* dont il était le président et l'actionnaire majoritaire, selon les désirs d'Adam, son père, qui avait occupé les mêmes fonctions avec le même dévouement.

Il ne manquait plus à Emma que d'acquérir ce journal pour être pleinement satisfaite et elle était résolue à mettre tout en œuvre pour arriver à ses fins. Winston, Blackie, Frank lui-même avaient beau lui répéter qu'elle en avait assez fait aux Fairley pour considérer sa vengeance comme assouvie, Emma refusait d'en démordre. Il restait ce dernier bastion Fairley dans le Yorkshire et, si modeste fût-il, il fallait qu'elle l'emporte.

Peu à peu, avec un luxe de précautions, Emma fit procéder à l'acquisition des actions du journal qui se trouvaient à vendre et attendit le moment de porter l'estocade. Elle savait que le journal s'il jouissait d'une assez large diffusion, bouclait difficilement son budget et tournait parfois à perte. Mais Edwin réussissait à le maintenir à flot et, au vif dépit d'Emma, ne se dessaisissait d'aucune de ses actions pour faire rentrer des capitaux frais. Emma avait beau détenir une forte minorité, elle ne pouvait toujours rien contre lui. Elle devait donc se contenter encore de rêver au jour où elle pourrait enfin chasser Edwin. Ce jour-là, et ce jour-là seulement, sa vengeance serait complète.

Un jour de l'été 1935, durant une de leurs réunions quotidiennes, Winston apprit à Emma qu'il venait de recevoir une offre permettant de prendre le contrôle du *Sheffield Star*. Le visage d'Emma s'éclaira d'un sourire de joie. Une semaine plus tard, elle réalisait une opération similaire en devenant propriétaire du *Yorkshire Morning Observer* concurrent direct de la *Gazette*, qui rencontrait de grandes difficultés.

« Nous tenons notre cheval de Troie contre Edwin Fairley ! s'écria-t-elle. Puisque je n'arrive pas à m'introduire dans son conseil d'administration, pénétrons, en force, dans son domaine. Avec ces deux journaux et les quelques autres que nous allons bien trouver, il faudra désormais qu'il compte avec la concurrence ! »

Avec enthousiasme, Emma et Winston esquissèrent le plan de campagne. Il fallait de l'argent frais. Emma en avait. Une direction énergique, Emma n'avait qu'à puiser dans les rangs de ses collaborateurs. De la publicité, Emma n'aurait pas de peine à faire négocier des contrats. Enfin, et surtout, une équipe rédactionnelle de valeur, et Frank était parfaitement bien placé pour recommander des journalistes compétents. Il ne restait plus qu'à nommer cette nouvelle branche de *Harte Enterprises*, ce qui fut fait sur-le-champ. Avec la *Yorkshire Consolidated Newspaper Co Ltd*, Emma prenait pied dans le monde de la presse et se dotait d'une arme redoutable contre Edwin Fairley.

Depuis quelques instants, Winston arpentait pensivement la pièce. Il s'approcha d'une fenêtre et regarda dehors. Leur conversation avait lieu, ce jour-là, dans le petit salon au premier étage de Pennistone, une grande demeure à allure de château qu'Emma avait achetée près de trois ans auparavant non loin de Ripon. La maison était ancienne, de lignes simples et belles. Sous le soleil éclatant de ce dimanche d'août, le jardin était particulièrement beau. Les gazons de haies taillées, les massifs de fleurs formaient un ensemble à la fois somptueux et plein d'intimité, comme les jardins anglais savent seuls le faire. On entendait le choc assourdi de balles de tennis, indiquant que Paul se livrait à son sport favori, et Winston se demanda comment il avait le courage de jouer par une telle chaleur.

Son sourire le quitta vite, car il était porteur d'une nouvelle qu'il ne savait comment présenter à Emma. Il réfléchit encore et se dit que le mieux était sans doute de la lui apprendre sans détours.

Il se retourna et vit qu'Emma le regardait, intriguée par son long silence. Winston prit un ton dégagé :

« Au fait, j'ai eu Edwina au téléphone, hier. Elle se marie.

— Edwina se marie ? s'écria-t-elle en sursautant. Avec qui ?

— Jeremy Standish.

— Le comte de Dunvale ? Impossible !

— Si, Emma. Le mariage doit avoir lieu dans quinze jours, en Irlande bien entendu, dans son château de Clonloughlin.

— Winston, tu plaisantes ! s'écria Emma. Il est infiniment plus âgé qu'elle ! Ce mariage est ridicule, voyons !

— Qu'y pouvons-nous, Emma ? Edwina a vingt-neuf ans, elle devrait être assez grande pour savoir ce qu'elle fait. En outre, si tu veux mon avis, ce mariage lui mettra peut-être dans la tête le plomb dont elle a grand besoin... Standish a une grosse fortune, ce qui n'est pas non plus à dédaigner... »

L'énoncé de cette dernière qualité du futur fit faire à Emma un geste désinvolte. Il en fallait davantage pour l'impressionner.

« Je suppose qu'elle n'invite personne de la famille ? demanda Emma.

— Non, en effet. Sauf moi... répondit Winston en

hésitant. Elle m'a demandé de la conduire à l'autel.

— J'en suis ravie, Winston ! s'écria Emma, l'air sincèrement heureux. Au moins, cela prouve qu'elle t'aime et ta présence représentera dignement la famille. Elle n'a... elle n'a pas parlé de moi ?

— Non, Emma... »

Il y eut un bref silence. Emma détourna les yeux.

« Je vais lui envoyer un beau cadeau, tu m'aideras à le choisir, n'est-ce pas ? »

Elle avait parlé très vite, pour changer le sujet d'une conversation qui devenait pénible. Quelques instants plus tard, elle avait recommencé à parler affaires, au vif soulagement de son frère.

Quand Winston revint d'Irlande, Emma lui posa mille questions sur Edwina, son mari et la cérémonie. Winston y répondit de son mieux et calma comme il put les craintes que ressentait Emma à la pensée de voir sa fille mariée à un homme de vingt ans son aîné. Selon toutes les apparences, Edwina rayonnait de bonheur, sans toutefois que l'on puisse savoir si c'était parce qu'elle se retrouvait comtesse de Dunvale, et membre désormais d'une des plus vieilles familles d'Irlande, ou parce qu'elle aimait son mari. Celui-ci, de son côté, semblait avoir une passion pour Edwina et la sincérité des sentiments de l'époux était sûrement moins sujette à caution que celle de la nouvelle comtesse.

Un an plus tard, l'union porta ses fruits et Emma se trouva grand-mère pour la première fois. Edwina donna naissance à un fils qui fut baptisé Anthony George Michael et qui, en qualité d'aîné, eut droit au titre de Lord Standish en attendant d'hériter la couronne comtale de son père. Emma écrivit à sa fille une lettre de félicitations accompagnée d'un cadeau royal. Elle reçut, en retour, une note de remerciements aussi froide qu'elle était courte, mais où Emma vit un nouvel espoir de réconciliation avec Edwina. Kit, de son côté, ne se gêna pas pour exprimer son scepticisme. Vexé de n'avoir pas été invité à l'aristocratique mariage de sa sœur, il en prit prétexte pour la bombarder de remarques désobligeantes sur le peu d'égards qu'elle avait pour sa famille, sur son snobisme et autres défauts qu'il clamait à tout venant à la première occasion. Excédé de l'entendre, Paul en arriva à lui interdire de parler de sa sœur en présence de sa mère. Car Paul comprenait le prix qu'attachait Emma à ce dernier espoir de ne pas perdre sa fille aînée et, bien que sans illusion lui-même, refusait de l'en priver.

Emma finit par se résigner et affecta d'oublier Edwina. Sa vie était plus prenante que jamais et, à l'exception de cette douloureuse épine enfoncée dans son flanc, elle n'avait autour d'elle que des sujets de satisfaction. Kit travaillait dans les filatures où il s'initiait aux affaires. Robin, qui terminait sa dernière année de collège, se préparait à entrer à Cambridge pour y faire des études de droit. Elizabeth, aussi mondaine de tempérament que sa sœur Edwina, était en Suisse. Le jour arriva enfin où Daisy, à son tour, s'apprêta à quitter la maison pour aller au pensionnat. Pour la première fois, Emma et Paul se retrouvèrent seuls dans la grande maison de Belgrave Square.

« Ma pauvre chérie, dit Paul en souriant, j'ai bien peur que tu ne sois désormais condamnée à ma seule compagnie.

— Ne dis pas cela, Paul ! Bien sûr, les enfants me manquent, et surtout Daisy. Mais je suis heureuse que nous ayons enfin un peu de temps à nous deux.

— Un peu de temps ? Enormément, veux-tu dire ! Des années et des années devant nous... Je ne sais pas ce que tu en penses, mais la perspective de vieillir avec toi ne me déplaît pas du tout », lui dit-il avec un sourire attendri.

On était dans les premiers jours de septembre 1938. Et tandis qu'elle était assise dans le confort douillet de sa bibliothèque, que les derniers rayons du soleil baignaient d'ombres dorées, Emma ne pouvait rien imaginer qui puisse compromettre son bonheur et sa sécurité. Paul et elle s'aimaient comme au premier jour. Ils étaient en paix avec eux-mêmes et le monde qui les entourait. Ils discutèrent longuement de leurs projets d'avenir, des prochaines vacances de Noël à Pennistone, de leur voyage aux Etats-Unis après le Jour de l'An. Puis ils allèrent dîner chez Quaglino, un restaurant italien à la mode, et s'y conduisirent en jeunes mariés, se tenant par la main et riant aux éclats sous les regards amusés des dîneurs. Ce fut l'une des soirées les plus gaies, les plus insouciantes qu'ils aient passées depuis des mois.

Pourtant, l'ombre du nazisme ne cessait de s'allonger sur l'Europe. Depuis sa prise du pouvoir, cinq ans auparavant, Hitler lançait ses troupes fanatisées à l'assaut des pays voisins. On savait que la guerre devenait inévitable. Ce n'était plus qu'une question de temps.

46

« Une guerre dans le Pacifique me semble aussi inévitable que celle qui va éclater en Europe, dit Paul McGill. Les faits sont ce qu'ils sont et le Japon s'est industrialisé au même rythme que l'Allemagne. Les deux pays ont les mêmes ambitions impérialistes. L'Amérique ferait bien de se préparer, Dan, car l'Europe, hélas ne l'est guère.

Daniel P. Nelson hocha la tête pensivement. Il était l'un des hommes les plus puissants des Etats-Unis, héritier d'une énorme fortune édifiée par son illustre grand-père, avec des méthodes jugées depuis discutables.

« Je partage votre opinion, Paul, répondit-il. Je l'ai exprimée pas plus tard que la semaine dernière au Président. Roosevelt n'est pas aussi aveugle qu'on veut bien le dire. Mais le pays se remet encore mal de la dépression et il est normal de porter plus d'attention aux problèmes intérieurs. Savez-vous qu'il y a encore dix millions de chômeurs ?

— Je sais. Mais je sais aussi, et c'est ce qui m'inquiète, que le Congrès en est toujours à la mentalité qui prévalait, il y a quelques années, au moment du vote de la loi de neutralité. Ce serait du suicide. Les Etats-Unis ne peuvent pas rester neutres dans un conflit mondial.

— Roosevelt fera peut-être contrepoids, car il n'est pas foncièrement partisan de l'isolationnisme et se rend compte que la chute de l'Europe entraînerait à terme celle de l'Amérique... Mais assez parlé de choses aussi déprimantes devant Emma !

— Je suis concernée comme tout le monde par les événements actuels, Dan, dit Emma avec gravité. Mon frère est journaliste politique, à Londres et il nous a toujours dit que Hitler était un illuminé, prêt à tout pour assurer son empire sur le monde. Malheureusement, comme son ami Winston Churchill, mon frère Frank prêche dans le désert. Quand donc le monde ouvrira-t-il les yeux ?

— La perspective d'une nouvelle guerre mondiale est trop effrayante pour que les gens veuillent la voir, ma chère amie. L'opinion publique a toujours eu de la méfiance pour les Cassandre et préfère s'enfouir la tête dans le sable. C'est plus commode. »

Paul fit à Emma un discret signe de la tête et elle comprit qu'il voulait parler affaires avec Dan Nelson.

« Je vous quitte, messieurs, dit-elle en souriant. Vous me monopolisez depuis trop longtemps et je néglige mes autres invités à cause de vous. »

Elle s'éloigna sous le regard admiratif de Dan Nelson et les deux hommes allèrent s'enfermer dans le petit salon.

Tandis qu'elle passait de groupe en groupe, Emma ne pouvait chasser de son esprit les pensées déprimantes que cette conversation avait ravivées. La foule élégante rassemblée dans son luxueux appartement de la Cinquième Avenue, à New York, affectait la gaieté et l'insouciance. Mais il était manifeste que tout le monde pensait aux menaces de guerre qui se précisaient de jour en jour. En ce 3 février 1939, les esprits avertis se rendaient compte que la capitulation de Munich, quelques mois auparavant, n'avait pas sauvé la paix, bien au contraire. Ce matin même, Emma avait reçu une longue lettre de Frank, pleine de prédictions pessimistes. Selon lui, la guerre éclaterait avant la fin de l'année et Emma savait que son frère, particulièrement bien informé, ne parlait pas à la légère.

La pensée de ses fils lui causa un serrement de cœur, car ils étaient tous deux en âge d'être mobilisés. Allait-il encore y avoir une génération entière sacrifiée au monstre de la guerre? Malgré la chaleur qui régnait dans la pièce, Emma frissonna. Elle revit trop clairement Joe et Blackie partant pour la Grande Guerre, Winston mutilé. Ces vingt dernières années n'avaient donc été qu'un armistice au milieu d'un conflit permanent? Quand donc cette horreur cesserait-elle?

Paul revenait au grand salon et Emma le contempla avec admiration. Il était, et de loin, le plus beau de tous les hommes présents. La réception était donnée en l'honneur de son cinquante-neuvième anniversaire et il était encore aussi jeune d'allure que vingt ans auparavant. Dans sa chevelure noire, que le temps n'avait pas raréfiée, quelques mèches argentées ajoutaient à sa séduction. Le regard de ses yeux bleus était toujours aussi vif et si ses paupières étaient marquées de quelques rides, le reste de son visage en était toujours dépourvu. Dans son habit, qui soulignait sa silhouette athlétique, il irradiait la puissance et la sûreté de soi.

Il l'aperçut et, de loin, lui fit un clin d'œil complice. Emma se sentit presque rougir. Elle allait avoir cinquante ans en avril et cela faisait vingt et un ans qu'elle connaissait Paul, seize ans qu'elle vivait avec lui. Les seize années les plus extraordinaires de sa vie, les plus enrichissantes, les plus totalement heureuses. Elles avaient connu des nuages, certes. Par moments, Paul pouvait se montrer aussi autoritaire et inflexible qu'elle-même et leurs personnalités s'étaient déjà heurtées avec fracas. Mais Emma avait volontiers cédé à l'autorité masculine de Paul, tandis qu'il avait toujours eu la sagesse de ne pas se mêler des affaires d'Emma, où elle régnait sans partage. Emma savait aussi que Paul, à l'occasion de ses voyages, avait du mal à ne pas exercer ses pouvoirs de séduction sur des femmes promptes à céder à son charme. Mais il ne lui avait jamais donné le moindre prétexte à se plaindre, n'avait jamais causé la plus petite humiliation à Emma, qu'il aimait toujours aussi profondément. Et celle-ci lui pardonnait d'autant plus volontiers ses passades qu'elle n'éprouvait aucune jalousie, tant elle était sûre de la fidélité de Paul. Elle savait que, avec lui, elle avait eu la chance unique de rencontrer un homme exceptionnel. Le bonheur de partager sa vie était trop grand pour l'amoindrir par des mesquineries.

Pendant les jours qui suivirent, Paul ne reparla plus de la guerre menaçante et Emma évita soigneusement d'aborder ce pénible sujet. Ils allèrent, comme prévu, au Texas où était le siège de la *Sydney-Texas Oil Co*, rebaptisée *Sitex* depuis quelques mois. Paul profita de ce voyage pour acquérir de nouveaux permis de forage dans la région d'Odessa, ce qui entraîna de vives discussions avec Harry Marriott, son associé. Emma ne l'aimait pas et ne s'en était pas cachée quand elle avait fait sa connaissance, quelques années auparavant. Elle fit à nouveau part de ses réticences à Paul pendant leur retour à New York et lui demanda pourquoi Marriott avait soulevé des objections aux acquisitions de Paul.

« Parce qu'il n'aime pas prendre des risques, l'imbécile ! répondit Paul en riant. Ce pauvre Harry a de bonnes intentions, j'en conviens, mais il manque totalement d'imagination. Ces permis de forage seront un jour les plus riches de ceux que nous détenons, j'en ai la conviction.

— Il est heureux que tu détiennes la majorité, répondit Emma. Sinon, Marriott mettrait des bâtons dans les roues et compromettrait l'expansion de l'entreprise.

— C'est bien pour cela que j'ai pris mes précautions ! Je suis assez avisé pour ne pas investir des millions de dollars sans en garder le contrôle. »

Emma devint pensive :

« Ne t'arrive-t-il pas de regretter que Daisy ne soit pas un garçon, demanda-t-elle en hésitant.

— Grand dieu, non ! Pourquoi me dis-tu cela ?

— Howard n'est pas capable de prendre ta suite, le pauvre. Et tu pourrais à bon droit être déçu de n'avoir pas eu de fils pour continuer la dynastie McGill.

— Pourquoi Daisy n'en serait-elle pas capable ? répondit Paul sérieusement. Si elle hérite du caractère de sa mère, cette chère enfant peut fort bien devenir une des plus redoutables femmes d'affaires du siècle ! poursuivit-il avec un sourire. Un jour, elle se mariera, elle aura des enfants. Ce seront mes petits-enfants, Emma. Où vois-tu la fin de la dynastie, comme tu dis ? »

Une fois de plus, se dit Emma, Paul avait raison.

Un jour, vers la fin de février, Paul revint à la maison si préoccupé qu'Emma comprit tout de suite qu'il avait dû se produire quelque chose de grave. Ses soupçons se précisèrent quand il l'embrassa distraitement avant de se verser à boire, ce qui ne lui arrivait jamais d'aussi bonne heure dans l'après-midi.

« Qu'y a-t-il, Paul ? demanda-t-elle en hésitant. Tu as l'air d'avoir rencontré un fantôme.

— On ne peut décidément rien te cacher, ma chérie ! » répondit-il avec un rire forcé.

Il prit le temps d'allumer une cigarette et de s'asseoir avant de poursuivre :

« J'ai retenu pour toi une cabine sur le *Queen Mary* qui part jeudi prochain. »

Emma réprima un cri de surprise mais eut du mal à cacher l'inquiétude qui la saisissait.

« Tu ne m'accompagnes donc pas ? demanda-t-elle. Il était pourtant prévu que nous rentrerions ensemble...

— C'est malheureusement devenu impossible. Il faut d'abord que je retourne passer quelques jours au Texas régler des questions urgentes et enfoncer mes instructions dans le crâne de Harry. Ensuite, je partirai directement pour l'Australie.

— Mais tu ne devais pas y aller avant la fin de l'année !

— A la fin de l'année, Emma, il sera sans doute trop tard. C'est pourquoi je dois absolument y partir le plus tôt possible pour m'occuper de mes affaires. Tu sais ce que je pense des Japonais et de la menace qu'ils vont bientôt faire peser sur tout le Pacifique. Je ne peux pas me permettre de traiter cela à la légère. »

Emma pâlit. Elle se leva et vint impulsivement se mettre aux pieds de Paul en levant vers lui un regard implorant :

« Ne pars pas, je t'en supplie ! J'ai peur... Si la guerre éclate, tu seras coincé là-bas, nous serons peut-être séparés des années... Non, Paul, je t'en conjure, ne me laisse pas ! »

« Il faut pourtant que j'y aille, Emma, tu le sais. Mais je te promets de ne pas rester longtemps, deux mois tout au plus. Si la guerre devait éclater, c'est alors que je serais bloqué en Angleterre et que je ne pourrais pas y retourner de longtemps. Allons, souris ! Deux mois, ce n'est pas si long, après tout. »

Emma ravala ses larmes, se força à sourire et n'insista pas, car elle savait que Paul — comme elle — ne pouvait être fléchi quand il avait pris une décision. Les intérêts énormes qu'il avait en Australie entraînaient pour lui de très lourdes responsabilités. Et Emma comprenait parfaitement les motifs impérieux qui provoquaient son départ malgré la conjoncture internationale inquiétante.

C'est pourquoi elle se força, pendant les quelques jours qui restaient, à se montrer gaie et insouciante. Mais la perspective de cette séparation l'angoissait plus que de raison et les pressentiments les plus sombres ne cessèrent de la hanter pendant sa traversée pour l'Angleterre. Ils ne la quittèrent pas même quand elle se fut réinstallée dans la maison de Belgrave Square, où tout lui rappelait Paul et évoquait les jours heureux qu'ils y avaient coulés ensemble.

47

Quand Paul sortit de la clinique, aux environs de Sydney, il pleuvait à torrents. Il releva le col de son imperméable et courut à sa voiture. Mais il était trempé en se glissant à l'intérieur.

Il se débarrassa de son vêtement, qu'il jeta d'un geste rageur sur la banquette arrière, et épongea tant bien que mal son visage ruisselant avec son mouchoir. Au moment de mettre le contact, il se ravisa et alluma d'abord une cigarette. Ses mains tremblaient, la colère l'aveuglait. Il avait dû, quelques instants plus tôt, faire appel à toute sa volonté pour ne pas frapper Constance, et la violence des émotions qui l'agitaient encore l'effrayait. De sa vie il n'avait levé la main sur une femme. Jamais il n'avait été emporté par une telle vague de fureur et de haine.

Mécontent de lui-même, il jeta sa cigarette à peine entamée par la vitre entrouverte et manœuvra lentement pour sortir du parking. Il y avait longtemps que sa patience et sa pitié envers Constance s'étaient évanouies. Il en était arrivé à la détester. A la haïr. La simple pensée d'être encore lié à elle un seul instant le révoltait. Il n'y avait plus à hésiter, plus le moindre scrupule à avoir. Demain, non, tout à l'heure, il allait conférer avec ses hommes de loi. Il était inconcevable qu'on ne puisse trouver un moyen quelconque d'obtenir le divorce. Il était impensable que lui, Paul McGill, avec la fortune et la puissance dont il disposait, puisse depuis vingt-sept ans se trouver enchaîné à cette folle qui ne s'accrochait plus à lui que pour le faire souffrir. Que lui avait-il donc fait pour qu'elle veuille le punir, pour qu'elle consacre ses brefs éclairs de lucidité à le traîner dans son enfer ? Au début, Paul avait été un mari irréprochable. Ce n'est que quand Constance s'était mise à boire et à le tromper qu'il s'était éloigné d'elle. Maintenant, cette sinistre plaisanterie n'avait que trop duré. Il lui fallait sa liberté. A tout prix. Pour Emma, pour Daisy. Cette liberté, Paul allait désormais tout mettre en œuvre pour l'obtenir. Il ne reculerait plus devant rien. Rien.

Les mains crispées sur le volant, il quitta le parking pour s'engager sur la route de Sydney. Pris par ses pensées, les nerfs tendus, il accéléra, sentit avec une joie sauvage la lourde Daimler lui obéir docilement et bondir, comme un prolongement de lui-même. La pluie redoublait de violence, projetant de véritables paquets d'eau sur le pare-brise que les essuie-glaces étaient impuissants à dégager. Paul aborda trop vite le virage, vit trop tard le camion qui approchait en tenant le milieu de la chaussée. Ses réflexes le trahirent : il freina brutalement, donna un coup de volant trop brusque. Emportée par son élan, déséquilibrée par la fausse manœuvre, la voiture continua sur sa lancée, dérapa, glissa. Paul tenta désespérément d'en reprendre le contrôle. Mais il était trop tard. Après un tête-à-queue la Daimler franchit le talus, parut s'envoler, retomba dans un champ en contrebas et fit plusieurs tonneaux avant de s'immobiliser en s'écrasant contre un arbre. Juste avant de perdre conscience, Paul sentit le volant lui écraser la poitrine et le tableau de bord lui fracasser les jambes.

Ce fut le chauffeur du camion qui parvint à l'extraire de l'amas de tôles déchiquetées une fraction de seconde avant que le réservoir d'essence ne prenne feu. Paul était toujours inconscient quand, près de deux heures plus tard, une ambulance le déposa enfin à l'hôpital de Sydney. Il lui fallut près de quatre jours pour sortir du coma. De l'avis unanime des médecins, c'était un véritable miracle qu'il ait survécu.

En manœuvrant avec habileté son fauteuil roulant, Paul traversa le cabinet de travail pour s'installer à son bureau. Il voulait se plonger une dernière fois dans les documents que Mel Harrison, son avocat, avait préparés sur ses instructions et qu'il lui avait remis une semaine auparavant, à sa sortie de l'hôpital. Depuis, Paul les avait lus et étudiés maintes fois. Il n'y avait trouvé aucune omission, aucune ambiguïté. Satisfait, il voulait néanmoins les revoir avant d'y apposer sa signature. Trois heures plus tard, convaincu que ses intentions étaient clairement exprimées et ses volontés à l'épreuve des procès, Paul sourit de contentement. C'était la première fois depuis des mois qu'il manifestait un certain plaisir.

Il était près de six heures du soir et Mel Harrison

n'allait sans doute plus tarder à arriver. Depuis son accident, trois mois auparavant, Paul avait trouvé en lui un ami d'un dévouement et d'une fidélité exemplaires, toujours là quand il avait besoin de lui, toujours prêt à offrir son aide. Il avait pris soin des affaires de Paul, réglé les problèmes délicats ou confidentiels, passé de longues heures à remonter son moral chancelant. En fait, à l'exception de rares et très proches collaborateurs, Paul n'avait voulu recevoir personne en dehors de Mel Harrison. Car il ne voulait ni ne pouvait offrir en spectacle son visage ravagé, qu'il avait découvert avec horreur quand on lui avait enfin retiré ses pansements. Il se sentait incapable de subir la pitié ou le dégoût des autres.

Combien de temps tiendrait-il encore? Il ferma les yeux et s'efforça de combattre le désespoir qui revenait l'étouffer. Vivre ainsi diminué lui était insupportable et il regrettait amèrement de n'avoir pas écouté Emma qui, à New York, l'avait suplié de ne pas partir. Son obstination avait causé sa perte. Car c'était bien ainsi qu'il se voyait, perdu. Un infirme enchaîné à son fauteuil roulant, dépendant des autres pour les choses les plus insignifiantes de la vie, lui qui avait toujours plié les événements à son gré. C'était intolérable, avilissant. Il se sentait réduit à l'impuissance d'une vie végétative contre laquelle ni sa fortune ni sa volonté ne pouvaient quelque chose. Valait-il la peine de vivre dans de telles conditions? Question lancinante.

Un coup frappé à la porte l'arracha à sa sombre méditation. Smithers, le valet de chambre qui le servait depuis de longues années, annonça Mel Harrison et se retira après avoir servi aux deux hommes leur whisky habituel. Ils choquèrent leurs verres, échangèrent quelques propos plaisants, parlèrent des documents à signer.

« J'ai beaucoup pensé à Emma, ces derniers temps, dit Harrison quelques instants plus tard, et j'en ai même parlé à ma femme. Ne crois-tu pas que nous devrions lui demander de venir?

— Non! s'écria Paul. Il n'en est pas question! »

Il fit pivoter son fauteuil roulant pour faire face à son ami, qu'il dévisagea avec colère.

« J'interdis qu'on la prévienne! reprit-il. Je refuse absolument de me montrer à elle dans cet état. En plus, ce serait de la folie de la faire venir. Les nouvelles ne cessent de s'aggraver et la guerre peut éclater d'un jour à l'autre. Il serait absurde de lui faire traverser la moitié du monde dans de telles conditions.

— Bien sûr, Paul... Il n'empêche que je redoute sa réaction quand elle finira par apprendre la vérité. Tu as pu user de ton influence pour empêcher les journaux de parler de ton accident, j'ai pu lui mentir dans mes lettres. Mais n'est-il pas grand temps que tu la mettes au courant ? Elle y a droit.

— Non, Mel ! En aucun cas il ne faut qu'elle sache... Pas pour le moment, du moins, poursuivit-il en s'adoucissant. Plus tard, peut-être... Et puis, comment annoncer à une femme comme Emma, pleine de vie, passionnée, qu'elle se retrouve désormais avec un infirme sur les bras, un impotent cloué dans une petite voiture, défiguré, impuissant... Oui, Mel, définitivement impuissant. Comment lui dire cela, je te le demande ? C'est impossible. Je ne peux pas. »

L'avocat dut se lever précipitamment pour dissimuler à Paul l'émotion que provoquait cet aveu. Il affecta d'aller remplir son verre avant de revenir s'asseoir en face de son ami.

« Tu la sous-estimes, Paul, dit-il après avoir bu une gorgée de whisky. Tu sais mieux que moi combien Emma a de force de caractère, combien elle t'aime. Elle voudrait au contraire se trouver près de toi en ce moment, pour t'aider, pour te manifester son amour. Crois-moi, préviens-là. »

Paul secoua la tête avec lassitude.

« Non, Mel, ne revenons plus là-dessus. Je refuse absolument de l'encombrer d'un poids mort. Je ne suis plus bon à rien pour elle. A vrai dire, je ne suis plus bon à rien pour moi non plus.

— Que tu refuses de la faire venir, insista Harrison, je le comprends encore. Mais pourquoi n'irais-tu pas toi-même en Angleterre ? La traversée ne dure qu'un mois et...

— C'est impossible. Tu sais que je dois aller presque quotidiennement à l'hôpital pour y recevoir des soins que je ne trouverais jamais à bord d'un navire, si moderne soit-il. Et puis, ce n'est pas tout, Mel. »

Il s'interrompit brièvement avant de reprendre avec calme :

« Je suis condamné, Mel. Les paraplégiques meurent généralement d'une infection rénale. Dans mon cas, on s'efforce encore de la combattre, c'est tout. »

Mel Harrison pâlit.

« Et... combien de... ? »

Il fut incapable de terminer sa question.

« Six mois, neuf tout au plus.

— Il doit bien y avoir des spécialistes qui...

— Non, Mel, il n'y a rien à faire. La moelle épinière a été complètement écrasée et aucun médecin au monde ne sait comment s'y prendre pour réparer ce genre de dégâts. »

Paul avait parlé avec ironie et Mel Harrison détourna les yeux pour regarder le feu. Il ne trouvait pas de mots pour exprimer ce qu'il ressentait ni, à plus forte raison, pour réconforter son ami. L'accident de Paul avait été grave mais ses amis croyaient qu'il pourrait vivre encore de longues années, même handicapé et cloué dans un fauteuil roulant. Pas plus que les autres, l'avocat ne s'attendait à un tel verdict.

« Allons, mon vieux, reprends-toi ! dit Paul avec bonne humeur. J'ai plus que jamais besoin de ton optimisme et de ta gaieté. Comme, en plus, tu es devenu mon bras droit et que je ne peux rien faire sans toi, je n'ai pas la moindre envie d'avoir toute la journée une tête d'enterrement sous les yeux. Buvons plutôt encore un verre. Avec le dîner, je te ferai goûter aux excellents bourgognes que m'a légués mon cher père qui, comme tu le sais, avait autant de goût pour les bons vins que pour les jolies femmes. Autant en profiter, n'est-ce pas ? »

Paul prit les verres vides et les posa sur ses genoux pour manœuvrer son fauteuil roulant. Incapable de répondre, Mel le suivit des yeux et se moucha bruyamment pour dissimuler son émotion. Les larges épaules de son ami, qui dépassaient du dossier, soulignaient de manière tragique la paralysie qui le frappait. Comment un corps si plein de vie pouvait-il être à jamais réduit à l'immobilité, un visage tellement attirant si affreusement défiguré? Paul supportait pourtant son épreuve avec un stoïcisme qui fit de nouveau l'admiration de Mel. Oui, se dit-il, Paul méritait qu'on l'aide et qu'on lui donne sans réserve tout ce dont il aurait besoin pendant les derniers jours de sa vie.

Plus tard, ce même soir, longtemps après le départ de Mel Harrison, Paul se retrouva seul dans son cabinet de travail. Il avait posé devant lui un ballon de cognac et fumait sans arrêt tout en réfléchissant calmement à la longue conversation qu'il avait eue avec son ami. Mel avait sans doute raison : il était de son devoir d'écrire à Emma et de lui dire la vérité. Dans ses lettres précédentes, Paul avait minimisé son accident en s'excusant, sous prétexte d'un surcroît de travail, d'avoir tardé à écrire. Il avait trouvé d'autres mauvaises raisons pour expliquer qu'il ne pouvait pas encore rentrer en Angleterre. Mais il ne pouvait désormais plus mentir. S'il y avait une personne au monde envers qui il ne pouvait se permettre une tromperie, si minime soit-elle, c'était bien Emma. Au nom de leur amour, de ce qu'ils avaient été, de ce qu'ils étaient encore l'un pour l'autre, il lui devait la vérité. Toute la vérité.

Il écrasa sa cigarette dans un cendrier, vida d'un trait son verre, alla s'installer à son bureau et commença d'écrire :

Sydney, le 24 juillet 1939
Emma mon très cher amour,
Tu es ma vie...

Il leva les yeux, tendit la main et prit le cadre d'or posé devant lui. C'était une photo d'Emma. Elle avait été prise quelques jours après la naissance de Daisy et jamais Emma n'avait éclaté d'une beauté plus radieuse, le visage illuminé de ce sourire dont seule elle avait le secret. Paul la contempla longuement, intensément, le cœur battant à se rompre. Il ne se rendit même pas compte que des larmes lui brouillaient la vue et coulaient sur ses joues. D'un geste impulsif, il serra le portrait sur sa poitrine, comme s'il avait pu tenir Emma elle-même dans ses bras.

Il s'absorba alors dans une longue réflexion. Il se rappela le passé, il tenta d'évoquer l'avenir. Et il ne continua pas sa lettre.

48

Songeur, Frank Harte sortit du bar où il venait de passer une heure et descendit Fleet Street en direction du *Daily Express*. L'éditorial qu'il avait écrit le matin était encore sur son bureau et il avait voulu s'en éloigner pour mieux y réfléchir et le voir avec du recul.

Mais sa méditation avait été difficile, sinon impossible. Le bar était plein de journalistes et Frank n'avait entendu que des conversations alarmistes, vu que des visages soucieux. L'angoisse était générale, les bruits de guerre de plus en plus menaçants. N'avait-il pourtant pas été trop violent dans son article ? L'opinion avait beau amorcer un revirement contre ce triste imbécile de Neville Chamberlain, Frank avait-il le droit d'exiger le congédiement du Premier ministre ? Lord Beaverbrook, le « Vieux », était de cet avis et le magnat de la presse anglaise, ami intime de Winston Churchill, pesait d'un grand poids. Mais irait-il jusqu'à soutenir son trop fougueux collaborateur qui osait s'attaquer ainsi au gouvernement ? Etait-il même opportun, en ces temps de crise, de compromettre l'unité nationale ?

Encore indécis, Frank poussa la porte de l'immeuble de verre et d'acier qui faisait scandale dans Fleet Street, mais où le « Vieux » avait exprimé sa foi dans l'avenir de l'Empire et dans le pouvoir de la presse. Arrivé dans son bureau, Frank jeta négligemment son chapeau sur une chaise, s'assit dans son fauteuil, posa les pieds sur sa table et prit le texte de son éditorial qu'il relut sans complaisance. Il fut convaincu : ce qu'il disait était juste et l'article était bien écrit. Il n'allait donc pas y changer un mot avant de le donner à Arthur Christiansen, son rédacteur en chef.

Quand Frank lui fit part de ses hésitations, ce dernier endossa sans réserve la teneur de l'éditorial et le fit immédiatement porter à la composition. Satisfait, Frank s'attarda un instant dans la grande salle de rédaction avant de quitter le journal. Il était tard, en ce dimanche soir, et la première édition du lundi allait tomber dans quelques heures à peine. L'agitation frénétique, le bruit assourdissant, l'odeur de l'encre fraîche étaient pour Frank une drogue dont il ne pouvait plus se passer. Il était devenu, depuis quelques années, un romancier aux succès flatteurs et aurait pu vivre confortablement et avec honneur la vie d'un homme de lettres. Mais il avait trop le journalisme dans le sang pour se priver longtemps de ce sentiment unique de participer à la vie du monde entier. Autant se priver de respirer.

Par habitude autant que par curiosité, il s'arrêta devant les téléscripteurs des agences de presse. Celui de *Reuter* cliquetait furieusement et Frank eut le temps de parcourir la dernière dépêche avant qu'un grouillot ne l'arrache en courant pour la porter à la rédaction. Les nouvelles s'assombrissaient d'heure en heure, la guerre était désormais imminente. Frank allait s'éloigner quand la machine se remit en marche. Dès les premiers mots, il resta figé, le regard collé à la bande de papier qui se déroulait devant lui. Atterré, il fit un pas de côté pour vérifier si la nouvelle apparaissait sur les téléscripteurs des autres agences. *Associated Press* terminait sa transmission en termes presque identiques. *United Press* avait une phrase de retard. Il ne pouvait plus y avoir aucun doute. La nouvelle tombait partout, de toutes les sources. Ce n'était ni une erreur ni une méprise.

Frank arracha la dépêche du téléscripteur *United*

Press, la fourra dans sa poche et quitta la salle de rédaction. Il fut à peine conscient de prendre l'ascenseur et de héler un taxi dans la rue. En dépit de la chaleur de ce mois d'août, il se sentait glacé et ses mains tremblèrent quand il voulut allumer une cigarette. Affalé sur la banquette, il ne put que se demander où il allait puiser le courage de parler.

En arrivant chez Emma, il la trouva en compagnie de Winston, de passage à Londres pour quelques jours. Ils avaient fini de dîner et prenaient le café au salon. Emma se leva et vint embrasser son frère avec un sourire joyeux :

« Nous t'avons attendu aussi longtemps que nous avons pu ! Nous n'espérions même plus te voir ce soir. Où étais-tu ?

— J'ai été retardé au journal, je suis désolé.

— Cela ne fait rien, puisque tu es là. Veux-tu boire quelque chose ?

— Oui, volontiers. Un grand cognac, s'il te plaît. Tu comptes rester à Londres quelques jours, Winston ? ajouta-t-il en se tournant vers son frère aîné.

— Sans doute jusqu'au milieu de la semaine. Veux-tu que nous déjeunions ensemble demain ?

— Avec plaisir. »

Frank s'était assis dans un fauteuil. Quand Emma vint lui tendre son verre et s'asseoir devant lui, elle le dévisagea un instant et fronça les sourcils.

« Tu es pâle comme un linge, Frank. Qu'y a-t-il ? Es-tu malade ?

— Non, fatigué, c'est tout... »

Il avala son verre d'un trait et se leva aussitôt :

« Je peux m'en servir un autre ? demanda-t-il. Ce soir, j'en ai vraiment besoin. »

Emma hocha la tête. Pendant que Frank allait remplir son verre, elle échangea avec Winston un regard plein de surprise inquiète.

« C'est vrai, Frank, tu n'as pas l'air dans ton assiette, intervint Winston. Pour que tu boives autant, tu dois avoir quelque chose.

— Mais non, je n'ai rien, dit Frank en se rasseyant.

La situation devient intenable, c'est suffisant je crois. Les nazis vont envahir la Pologne d'un jour à l'autre et il n'y a vraiment pas de quoi se réjouir... »

Emma et Winston l'assaillirent de questions sur la situation internationale, auxquelles Frank s'efforça de répondre de manière cohérente.

« Grand dieu, et les enfants ! s'exclama Emma en portant la main à son cou. Kit et Robin vont être mobilisés. Et ton Randolph, Winston ! Il a l'âge, lui aussi.

— Je ne le sais que trop, répondit Winston d'un air sombre. Il parle de s'engager dès cette semaine. Dans la marine. Je ne pourrai rien faire pour l'en empêcher. »

Emma lança à son frère aîné un regard angoissé.

« Au moins, Simon est encore trop jeune, dit-elle en se tournant vers Frank.

— Cette année, oui. Mais si la guerre dure... »

Frank se leva et alla remplir un verre de cognac qu'il apporta à Emma.

« Tiens, reprit-il, bois cela. Tu vas en avoir besoin.

— Moi ? Et pourquoi donc ? D'ailleurs, tu sais que j'ai horreur du cognac et des liqueurs fortes.

— Bois-le quand même. »

Surprise de cette insistance inattendue, Emma porta le verre à ses lèvres et en avala quelques gouttes avec une moue de dégoût. Elle le reposa tout de suite sur une petite table devant elle et leva vers son frère un regard inquiet. La pâleur de Frank se doublait de plis d'anxiété au coin des lèvres et Emma fut soudain frappée du pressentiment d'un drame. Elle serra convulsivement ses mains l'une contre l'autre :

« Qu'y a-t-il, Frank ? Pourquoi tous ces mystères ? Il s'est passé quelque chose, n'est-ce pas ?

— Oui, Emma, répondit-il en avalant sa salive. J'ai de mauvaises nouvelles à t'annoncer... »

Malgré ses efforts, la voix de Frank se brisa et il dut s'interrompre. Winston intervint, sourcils froncés :

« Parle, voyons ! S'agit-il du journal, as-tu des ennuis d'argent ?

— Non, non, il ne s'agit pas de cela du tout. C'est au sujet de... de Paul.

« — Tu as de mauvaises nouvelles de Paul ? s'écria Emma.

— Oui. Et ce n'est pas facile à dire, crois-moi. Paul... Paul est mort. »

Il avait dit ces derniers mots d'une voix presque inaudible. Emma le dévisageait avec stupeur.

« Quoi, qu'as-tu dit ? Je n'ai pas compris. J'ai reçu une lettre de lui pas plus tard qu'avant hier et... »

Elle s'interrompit soudain et se mit à trembler, livide. Frank vint s'agenouiller à ses pieds et lui prit la main :

« Oui, Emma, Paul est mort. La nouvelle est tombée sur les téléscripteurs au moment où je quittais le journal pour venir ici.

— Non, non, c'est impossible, il doit y avoir une erreur. Cela ne peut être qu'une affreuse erreur, voyons !

— Non, Emma, dit Frank avec douceur. Les dépêches étaient toutes identiques. Il n'y a pas d'erreur. »

Emma semblait foudroyée. Immobile, blanche, les yeux exorbités, elle paraissait ne plus rien voir ni rien entendre. Incapable de poursuivre, Frank cherchait désespérément ses mots, sachant bien que rien ne pourrait amortir la force du coup qu'il avait porté à sa sœur.

Elle sursauta soudain, serra convulsivement la main de Frank.

« De quoi est-il mort ? Est-ce des suites de ses blessures ? M'avait-il caché la vérité sur son état ?

— J'ai bien peur que oui, Emma... »

La sonnerie stridente de la porte d'entrée l'interrompit. Emma lança un regard désemparé vers Winston qui se levait déjà. Quand il arriva dans le vestibule, il vit que la femme de chambre faisait entrer Henry Rossiter, banquier de Paul en Grande-Bretagne, et devenu celui d'Emma. D'un regard, les deux hommes comprirent qu'ils étaient au courant de la même tragique nouvelle.

« Comment le prend-elle ? demanda le banquier en serrant la main de Winston.

« Elle n'a pas encore pleinement compris, je crois. La réaction se fera sentir plus tard et je frémis en y pensant.

« — Pauvre Emma... Par qui l'a-t-elle appris ? »

Winston le lui expliqua en quelques mots. Au salon, Henry Rossiter se pencha pour embrasser Emma.

« Je suis venu aussi vite que j'ai pu... commença-t-il.

— Vous a-t-on appelé de Sydney ? l'interrompit Emma. Qui vous a parlé ? Que savez-vous ?

— Mel Harrison essayait de me joindre depuis le déjeuner mais j'étais malheureusement à la campagne...

— Pourquoi n'a-t-il pas pris avec contact avec moi ?

— Il préférait ne pas vous savoir seule, Emma.

— Quand Paul est-il mort ?

— On a trouvé son corps dimanche soir. Vous savez qu'à Sydney il est déjà lundi matin et Mel a commencé de m'appeler dès qu'il est arrivé de chez Paul. Il ne pouvait pas retarder beaucoup plus longtemps l'arrivée des journalistes, à partir du moment où la police...

— La police ? s'écria Emma. Qu'a donc à faire la police dans la mort de Paul ? »

Henry Rossiter jeta à Frank un regard perplexe. Frank avait bien pensé cacher à Emma une partie de la vérité mais il se rendait maintenant compte de l'inutilité de ce pieux mensonge. Elle l'apprendrait tôt ou tard par les journaux ou une indiscrétion et mieux valait la mettre au courant avec ménagement que risquer, plus tard, un choc imprévu et infiniment plus brutal. Frank se décida donc à répondre :

« Paul s'est suicidé.

— Tu mens ! Jamais Paul n'aurait fait cela. C'est impossible, impossible !

— Si Emma, c'est vrai. »

Elle dévisagea son frère, qui lui avait entouré les épaules d'un bras protecteur. Soudain hagarde, le visage défait, elle se mit à secouer violemment la tête comme pour nier la réalité des mots qu'elle venait d'entendre. Autour d'elle, les trois hommes la regardaient avec une gravité douloureuse, comme pour confirmer la véracité de la nouvelle.

« Non ! Vous mentez ! Cela ne peut pas être vrai ! » hurla-t-elle d'un ton hystérique.

Elle se débattit pour échapper à Frank qui voulait la

retenir, se leva d'un bond et courut vers le milieu de la pièce en poussant des cris inarticulés où le nom de Paul revenait en leitmotiv. Les bras tendus comme pour le serrer contre elle, elle ne pouvait que refermer ses mains sur le vide. Elle s'arrêta brusquement, vacilla en gémissant. Winston la retint au moment où elle allait tomber et la guida fermement vers le canapé où il la fit rasseoir. Frank lui tendit son verre encore plein :

« Bois cela, Emma.

— Nous sommes avec toi, Emma, nous ne t'abandonnerons pas », dit Winston.

Elle prit machinalement le verre qu'elle faillit répandre, le porta en tremblant à ses lèvres et le vida d'un trait. Un instant suffoquée par l'alcool, elle parut enfin se calmer et se redressa.

« Je veux tout savoir, Frank, dit-elle d'une voix rauque. Si tu ne veux pas me rendre folle, ne me cache rien. »

Frank consulta du regard les deux autres, sortit de sa poche la dépêche *United Press* et en entreprit la lecture avec lenteur :

Le célèbre industriel Paul McGill a été trouvé diman-che soir chez lui, mort d'un coup de feu en plein cœur. Il y a quatre mois, M. McGill avait été victime d'un grave accident d'automobile qui l'avait laissé paralysé des jambes et partiellement défiguré. Ses médecins esti-ment que M. McGill a attenté à ses jours dans un moment de dépression vraisemblablement causée par son état de santé. Les enquêteurs n'ont trouvé aucun écrit justifiant ou annonçant son geste fatal. Fils de Bruce McGill et petit-fils du capitaine Andrew McGill, Paul McGill était considéré comme l'un des hommes les plus riches du monde et occupait le premier rang de l'économie australienne. Ses intérêts allaient de...

Frank interrompit sa lecture et releva les yeux :

« Le texte continue en donnant le détail des affaires de Paul, de ses états de service pendant la guerre, de l'histoire de sa famille. Il est inutile que je continue, n'est-ce pas ? »

Emma ne répondit pas. Prostrée, le corps secoué d'un tremblement nerveux, elle baissait la tête et regardait fixement un dessin du tapis. Au bout d'un long silence, elle se tourna enfin vers Henry Rossiter :

« Pourquoi ne m'avoir rien dit ? Pourquoi m'avoir caché qu'il était paralysé et défiguré ? J'aurais immédiatement été auprès de lui. Ma place était avec lui. Je l'aimais... »

Elle dut s'interrompre, étouffée par les larmes.

« Mel Harrison voulait vous prévenir dès le début, répondit le banquier. C'est Paul qui s'y est toujours catégoriquement opposé. Il ne voulait pas que vous le voyiez dans cet état, ni devenir pour vous un fardeau. »

Emma ouvrit la bouche pour répondre mais ne put articuler aucun son. Un fardeau ! Paul, un fardeau... Ce mot lui tournait dans la tête comme un croc qui lui arrachait ce qui lui restait de lucidité. Comment, pourquoi Paul avait-il refusé de la laisser venir à lui quand il avait le plus besoin d'elle ? A la seule évocation de ses souffrances, du désespoir qui l'avait mené à la mort, Emma se sentait sombrer dans un océan de folie. Elle n'entendait, ne voyait plus rien. Le monde avait cessé d'exister. Sans comprendre, elle voyait de grosses larmes tomber sur l'émeraude qu'elle portait au doigt, sur l'alliance que Paul lui avait donnée, le lendemain de la naissance de Daisy, en prononçant la formule rituelle : « Jusqu'à ce que la mort nous sépare. » La mort était venue et les avait séparés. Paul était mort et elle était seule.

Elle releva la tête, regarda autour d'elle sans rien voir qu'une brume opaque. Elle sentait son corps engourdi, glacé, saisi lui aussi par la paralysie. Jamais plus elle ne pourrait bouger, marcher, vivre. La douleur qui commençait à l'étreindre, Emma comprit en un éclair qu'elle ne la quitterait plus. Sans lui, elle ne pourrait plus vivre. Elle n'avait plus rien. Devant elle s'alignaient des années vides, froides, noires qui dureraient, interminables, jusqu'à ce qu'elle meure à son tour. Irait-elle rejoindre Paul, alors ?

Henry Rossiter s'était discrètement retiré. Winston et Frank observaient leur sœur avec désespoir. Un moment plus tard, n'y tenant plus, Winston appela son

médecin qui arriva peu après. On administra un cal-
mant à Emma, on la porta au lit. Il fallut la déshabiller
en luttant contre ses membres raidis et glacés. Deux
heures durant, des sanglots et des râles la secouèrent. Il
fallut doubler la dose des calmants pour qu'elle som-
brât finalement dans un sommeil qui ressemblait à la
mort.

Winston, Frank et le médecin restèrent à son chevet
jusqu'à ce qu'ils la vissent dormir. En refermant la
porte, Winston s'essuya furtivement les yeux et soupira.

« Ce n'est encore que le début », dit-il à mi-voix.

La vie d'Emma Harte avait été traversée de tragédies.
Sous les coups de l'adversité, il lui était arrivé de chan-
celer sans que rien cependant ait jamais pu la faire
plier. La mort de Paul McGill l'abattit comme un chêne
frappé par la foudre.

En apprenant la nouvelle, ses enfants — à l'exception
d'Edwina — se hâtèrent de venir près d'elle. Ils avaient
pour Paul une affection aussi profonde que s'il avait été
leur père, et Daisy, sa propre fille, plus que les autres.
Mais ils surent tous prendre sur eux pour offrir à leur
mère le réconfort dont elle avait tant besoin. En vain.

A leur tour, Natalie, la femme de Frank, et Charlotte,
celle de Winston, vinrent se joindre à la famille. Blackie
O'Neill et Bryan, son fils, David Kallinski et ses deux
fils, Ronnie et Mark, arrivèrent en renfort. Aucun d'entre eux ne parvint à percer l'inconscience où Emma
était murée. Après chacune de leurs brèves visites dans
sa chambre, ils se retrouvaient au salon ou dans la
bibliothèque et passaient de longues heures silencieuses, le visage figé par l'angoisse.

Avec son robuste optimisme, Blackie s'efforçait de les
rassurer. Il évoquait les épreuves qu'Emma avait victorieusement surmontées, il répétait que rien ne pouvait
la terrasser. Mais les jours se succédaient et Emma
restait couchée, immobile, comme morte. Elle passait
par des alternances de prostration complète et de délire
incohérent où l'équilibre de sa raison donnait les plus
vives inquiétudes. Se refusant à prendre toute nourri-

ture, elle devint si affaiblie que Winston envisagea de la faire hospitaliser. Au premier mot qu'on lui en dit, elle retrouva assez de force pour refuser de telle manière qu'on n'osa plus en parler de peur d'aggraver son état.

De toutes les heures de la journée, celles de l'aube étaient les pires. A demi morte, à demi folle de douleur, elle restait immobile dans son lit, les yeux fixés sur la lueur grise qui filtrait par les fenêtres, le regard vitreux comme celui d'une aveugle. Mais, derrière cette apparente inconscience, son esprit bouillonnait de pensées insoutenables. Pourquoi Paul l'avait-il rejetée ? ne cessait-elle de se répéter. Pourquoi n'avait-elle pas réussi à lui faire pleinement mesurer la profondeur et la solidité de l'amour qu'elle avait pour lui ? Elle s'en voulait amèrement de n'être pas partie pour l'Australie dès qu'elle avait appris la nouvelle de son accident « sans gravité ». Elle aurait dû deviner, elle aurait dû sentir que Paul était en danger. Peut-être aurait-elle été capable de détourner de son cœur le canon de l'arme. Si elle avait fait preuve de plus de courage, de plus d'amour, elle aurait volé à son chevet même s'il n'avait subi que quelques égratignures. Elle l'aurait peut-être sauvé, elle aurait sûrement adouci ses souffrances. Plus elle y pensait, plus sa responsabilité la torturait. Paul était mort par sa faute à elle. Elle avait failli à son devoir. Elle l'avait tué.

Dans un des rares moments de lucidité d'Emma, Henry Rossiter lui avait appris l'évolution fatale des blessures de Paul, que les médecins avaient condamné. Cette idée fit peu à peu son chemin dans l'esprit embrumé d'Emma qui en arriva, non sans rechutes et sans longs débats intérieurs, à admettre qu'un homme comme Paul, si actif et si amoureux de la vie, puisse préférer abréger ses jours que les finir misérablement. Petit à petit, sa culpabilité finit par lui apparaître comme une manifestation d'apitoiement sur son propre sort et une lâcheté. Mais cette évolution s'accompagnait d'accès d'une étrange colère mêlée à un sentiment d'impuissance. Il était en effet incompréhensible que Paul soit mort sans lui avoir écrit, sans un dernier adieu. Or, elle devait reconnaître les faits, les jours passaient sans que lui parvînt la moindre lettre.

Winston était resté à Londres et avait pris en main la direction du magasin de Knightsbridge tout en faisant office de maître de maison à Belgrave Square. Après le départ des autres membres de la famille, il avait préféré garder Daisy à la maison plutôt que de la renvoyer à son pensionnat. Ce fut elle qui réussit finalement là où les autres avaient échoué et qui parvint à percer le brouillard de démence où disparaissait sa mère. Car, à quatorze ans, Daisy avait une maturité assez exceptionnelle pour savoir surmonter sa propre douleur et tourner tous ses efforts vers la guérison d'Emma. A force de patience, elle réussit à l'alimenter, à lui parler, à faire cesser les crises de larmes qui l'épuisaient. Emma fixait longuement le visage de sa fille et croyait y voir les traits de Paul. Au début, ces semi-hallucinations déclenchaient une crise de désespoir plus vive que les précédentes. Peu à peu, elles se calmèrent. Daisy redevenait elle-même aux yeux d'Emma, sa fille, la fille de Paul dont elle était le vivant prolongement.

Un soir, plus de quinze jours après avoir recommencé à s'alimenter, Emma s'endormit enfin d'un sommeil naturel. Daisy l'avait bercée dans ses bras, comme si elle avait été son enfant, lui avait prodigué les consolations, les paroles apaisantes. Quand elle se réveilla quelques heures plus tard, Emma se sentit reposée, rafraîchie et redevenue presque normale. Son regard tomba tout de suite sur la silhouette de Daisy, recroquevillée dans un fauteuil à son chevet et cette vision lui fit un choc salutaire. Pour la première fois, elle se vit avec lucidité, comprit objectivement le rôle que sa fille avait assumé auprès d'elle et en eut honte. Elle, l'indomptable Emma Harte, s'était lamentablement affalée comme une chiffe. Elle avait fait porter à sa fille, une enfant, tout le poids de sa douleur alors que Daisy avait elle-même tant besoin d'amour et de réconfort pour supporter son propre chagrin. Elle s'était abandonnée à ses fantasmes, elle avait failli à ses devoirs de mère. Elle était impardonnable.

Au prix d'un violent effort, elle parvint à se lever. Ses muscles affaiblis et ankylosés manquèrent la trahir mais elle réussit à faire les quelques pas jusqu'au fauteuil. En sentant sa mère penchée sur elle, Daisy se réveilla instantanément, le regard plein d'inquiétude. Elle saisit la main d'Emma, se leva pour la soutenir :

« Maman ! Qu'avez-vous ? Vous sentez-vous plus mal ? »

Emma prit Daisy dans ses bras, la serra contre elle.

« Non, ma chérie. Je crois au contraire que je vais mieux. Beaucoup mieux... »

Chancelante, s'appuyant contre Daisy dont elle caressait tendrement les cheveux, Emma poursuivit d'une voix qui allait en s'affermissant :

« Pardonne-moi, Daisy. J'ai eu tort de t'accabler ainsi de mon chagrin sans penser au tien. Je te demande pardon du fond du cœur. Maintenant, tu vas quitter ce fauteuil et aller te coucher dans ton lit. Tu n'as plus à t'inquiéter pour moi, je vais mieux et demain je serai guérie. La semaine prochaine, tu pourras retourner au pensionnat, revoir tes amies. »

Daisy considéra sa mère avec stupéfaction. Elle fit une moue chagrinée, ses yeux bleus déjà pleins de larmes :

« Mais, maman, je ne veux pas vous quitter ! Je veux m'occuper de vous, comme Paul l'aurait voulu. Il ne faut pas que vous restiez seule... »

Emma l'interrompit d'un sourire attendri :

« Tu t'es déjà occupée de moi bien mieux que tous les médecins de la terre, ma chérie. Maintenant, c'est à mon tour de te soigner. Va dormir, Daisy. Tu en as bien plus besoin que moi. »

Daisy ne fut pas capable de retenir plus longtemps ses larmes et enfouit son visage au creux de l'épaule d'Emma.

« Allons, allons, mon enfant, murmura Emma. Il faut que nous soyons braves toutes les deux, tu m'entends ? »

Daisy continuait de pleurer, le corps secoué de gros sanglots où l'on devinait plus de soulagement que de peine.

« J'ai eu si peur, maman, parvint-elle à murmurer. Si peur... J'ai cru que vous alliez mourir.

— Non, ma Daisy, je ne mourrai pas. Il faut que je vive au contraire. Que je vive pour toi. »

Par un bel après-midi ensoleillé de la fin septembre, Emma traversa le salon d'un pas encore dolent pour aller s'asseoir devant la cheminée où flambait un grand feu. Elle n'arrivait plus à se réchauffer. La guerre avait été déclarée le 3 septembre, près de trois semaines auparavant et, malgré la douleur qui l'occupait encore tout entière, Emma ne pouvait ignorer la situation tragique où le monde s'enfonçait. La mobilisation générale s'était effectuée avec infiniment plus de rapidité que dans sa jeunesse et nul ne pouvait se dissimuler que les hostilités seraient longues et les épreuves sans commune mesure avec ce que l'on avait connu.

Pelotonnée frileusement dans son fauteuil, Emma n'était plus que l'ombre d'elle-même. Sa maigreur, sa pâleur étaient soulignées par une simple robe noire que n'égayait aucun bijou. Elle se refusait à porter autre chose que l'émeraude et l'alliance de Paul. Mais sa chevelure souple et brillante laissait présager son rétablissement.

Un soudain appel à la porte la fit se retourner avec un sursaut. Blackie, souriant comme à l'accoutumée, entrait d'un pas vif. Emma se leva avec effort pour l'accueillir. Après les premières effusions, ils s'assirent devant la cheminée et parlèrent quelques instants de la guerre, de la mobilisation, des plus jeunes qui voulaient s'engager. Ils parlèrent de David Kallinski, veuf depuis peu, et dont les deux fils étaient déjà sous les drapeaux. Emma dit à Blackie que, malgré l'avis des médecins, elle comptait reprendre son travail la semaine suivante :

« Cela te fera du bien, *mavournęen*, approuva Blackie. Le travail te changera enfin les idées.

— Comment vraiment les changer, Blackie ? répondit Emma avec tristesse. Comment peut-on continuer à vivre seul, après avoir perdu un être qu'on aime plus que soi-même ? Je me suis souvent demandé comment tu avais fait après la mort de Laura.

— Je me le suis souvent demandé moi-même, vois-tu. Il y faut du temps, je crois. De la patience... Après l'enterrement, quand je suis retourné au front, j'ai tout fait pour me trouver sur le passage des balles. Mais elles n'ont pas voulu de moi. Ou bien je suis trop mécréant, ou bien Dieu a voulu me protéger à cause des prières de ma Laura. Me protéger contre ma propre folie, ai-je compris après la guerre. Car j'ai mis du temps à me pardonner d'avoir voulu mourir quand j'avais la responsabilité de mon fils à élever. C'est lui qui m'a aidé, Emma. C'est à Bryan que je dois d'avoir vécu et d'être redevenu un homme. Toi, tu as Daisy.

— Je sais, murmura Emma. Mais je me demande encore comment je pourrai longtemps vivre sans Paul...

— Tu le pourras, Emma. L'âme est plus forte qu'on ne le croit. Te souviens-tu de ce que Laura disait au sujet de la mort ?

— Je me rappelle ses paroles comme si elle les avait dites hier. La mort n'existe pas tant que l'on vit dans la mémoire des vivants. Elle a dit aussi que Dieu ne donne jamais à ses enfants de fardeau trop lourd pour eux... Parfois, je me demande ce qu'elle voulait dire. »

Devant l'amertume dont Emma avait ponctué ses derniers mots, Blackie fit une brève grimace.

« Tu as tort, *mavourneen*. Laura était aussi sage que bonne et elle ne parlait jamais pour ne rien dire. Nous ne sommes pas seuls, Emma. Nous avons toujours Dieu pour nous soutenir, nous accompagner... Pourquoi n'essaies-tu pas de prier ?

— Parce que je ne crois pas en Dieu », répondit Emma sèchement.

Blackie préféra sagement ne pas poursuivre la discussion et parla d'autre chose.

Mais quand il fut parti, à la nuit tombée, Emma resta longtemps assise devant sa fenêtre à ruminer les paroles de Laura que Blackie lui avait remises en mémoire. Le ciel, ce soir-là, était d'une pureté et d'une profondeur exceptionnelles et les étoiles scintillaient par centaines en un spectacle qui évoquait l'infini. Peu à peu, Emma se sentit envahie d'un sentiment inconnu. Ce Dieu auquel elle refusait de croire existait-il vraiment? A peine s'était-elle posé la question qu'une voix presque imperceptible, au tréfonds d'elle-même, se fit entendre pour répondre par l'affirmative. Emma, cette fois, fut incapable de la faire taire. Une paix inhabituelle s'insinuait en elle.

Soudain, elle sursauta. Elle sentait la présence de Paul dans la pièce. Il était là, près d'elle, en elle. Elle eut un sourire heureux, le premier depuis la mort de Paul. Bien sûr, se dit-elle, Laura avait raison. Paul est avec moi, en moi puisque je le porterai dans mon cœur tant que je vivrai. Quand je mourrai à mon tour, peut-être alors nous retrouverons-nous si ce Dieu de Laura existe vraiment...

Malgré ses derniers doutes, Emma dormit cette nuit-là plus paisiblement que depuis des semaines. Le lendemain, elle reçut une lettre de Paul. Elle avait été postée la veille de sa mort et avait mis près de six semaines pour parvenir à destination. Emma la contempla longuement avant d'avoir le courage de l'ouvrir.

Emma, mon amour,
Tu es ma vie. Je ne peux pas vivre sans ma vie et pourtant je ne peux pas non plus vivre avec toi. Il faut donc mettre fin à une existence qui ne nous donne plus l'espoir de vivre ensemble. Ne va surtout pas croire que mon suicide soit le fait d'un accès de lâcheté. C'est au contraire le dernier acte de ma volonté. Je reprends ainsi le contrôle de mon destin, que j'avais perdu ces derniers mois. Infirme, j'étais enchaîné. En me tuant, je reprends ma liberté et je retrouve ma dignité. Je n'avais pas d'autre choix.

Je mourrai avec ton nom sur mes lèvres, ton visage devant mes yeux, mon amour pour toi plus vivant que jamais dans mon cœur. Nous avons eu de la chance, tu sais. Nous avons vécu ensemble tant de moments inoubliables, partagé tant de choses merveilleuses. Leur souvenir ne m'a jamais quitté, comme il ne te quittera

jamais tant que tu vivras. Jamais je ne pourrai te
remercier assez de m'avoir donné les plus belles années
de ma vie.

  Si je ne t'ai pas fait venir près de moi, c'est parce que
je ne voulais pas que tu sois enchaînée, si peu de temps
que cela dure, à un impotent. J'ai peut-être eu tort, j'en
conviens. Mais je voulais aussi que tu te souviennes de
moi tel que j'ai été et non tel que je suis devenu après
cet accident. Orgueil mal placé, simple vanité? Peut-
être. Je te supplie quand même d'essayer de compren-
dre mes raisons. Je te supplie surtout de me pardonner.

  J'ai foi en ton courage, Emma. Tu continueras à vivre,
tu poursuivras ton chemin. Il le faut. Tu le dois. Car sur
toi seule repose désormais l'avenir de notre enfant. Elle
est l'incarnation de notre amour et je sais que tu l'élè-
veras aussi brave, aussi bonne, aussi forte que tu l'es. Je
te la confie, elle est mon bien, notre bien le plus pré-
cieux.

  Quand tu recevras cette lettre, je serai déjà mort.
Mais je continuerai à vivre en Daisy. C'est elle, Emma,
qui est désormais notre avenir et le tien.

  Je t'aime de tout mon cœur et de toute mon âme. Et
je prie Dieu, s'Il veut bien m'écouter, que nous soyons
un jour réunis pour l'éternité.

                                                    Paul

Quand elle eut fini sa lecture, Emma resta longtemps
immobile. Des larmes silencieuses ruisselaient sur ses
joues. Devant elle, sous ses yeux, elle voyait Paul
comme s'il vivait encore, grand, fort, élégant, irrésistible. Elle voyait l'éclat de ses yeux bleus, entendait sonner son rire. Elle s'en souviendrait à jamais comme il
avait voulu qu'elle le revoie. Avec l'image parfaite de
celui qu'elle aimait, Emma voyait défiler les années de
bonheur qu'ils avaient vécues, goûtait encore les instants les plus beaux de leur amour.

C'est ainsi qu'elle lui pardonna. Paul ne l'avait pas
repoussée, ne l'avait pas trahie. Ce qu'elle avait d'abord
pris pour une dérobade était la plus belle preuve de son
amour et il la lui faisait parvenir de l'au-delà.

Vers le début d'octobre, Mel Harrison réussit à embarquer dans un hydravion pour Karachi d'où, à bord d'un transport militaire, il parvint à gagner Londres. Son premier soin fut, en arrivant, de prendre contact avec Emma. Il avait accompli ce long et périlleux voyage pour faire enregistrer en Grande-Bretagne le testament de Paul McGill.

Pâle, frêle d'allure dans ses vêtements de deuil, Emma manifesta sa surprise en arrivant chez les hommes de loi londoniens chargés des affaires de Paul. Son étonnement redoubla quand on l'informa que M. McGill l'avait nommée exécutrice testamentaire.

Ne sachant que dire, elle s'assit pour écouter la lecture du document. Il débutait par une assez longue liste de legs à des vieux serviteurs et à des proches collaborateurs de Paul. Il était ensuite stipulé qu'un capital inaliénable de deux millions de livres était affecté en usufruit à Constance et Howard. A la mort du dernier survivant, cette somme devait être distribuée à des œuvres de bienfaisance.

Mais c'était Emma qui était instituée légataire universelle de l'énorme fortune de Paul, à seule charge pour elle de la léguer intégralement à Daisy et à sa descendance. Muette de stupeur, Emma écouta le notaire énumérer d'une voix monotone la litanie des actions, des propriétés et des entreprises de toutes natures disséminées dans le monde entier et qui faisaient d'elle une femme fabuleusement riche.

Ce n'est pas cela, toutefois, qui toucha le plus Emma. En la traitant ainsi, Paul avait fait d'elle sa femme légitime et non quelque maîtresse, même tendrement aimée. Après sa mort autant que dans la vie, Paul faisait preuve envers elle d'égards, de tendresse, d'estime dont Emma pouvait se sentir fière. Le simulacre de mariage célébré dans sa chambre de clinique avait été aussi indissoluble que si leur union avait été bénie par Dieu et par les hommes. En elle, Paul avait trouvé le dépositaire de sa dynastie et le proclamait hautement. Emma avait désormais le devoir de ne pas le décevoir.

49

Sans que son deuil s'adoucisse, sans que l'absence de Paul la fasse moins souffrir, Emma apprit peu à peu à dominer ses émotions et accepter la constante compagnie de sa douleur. Au fil des semaines, elle redevint elle-même, en apparence du moins. La gravité de la situation internationale était telle qu'Emma finit par fondre dans l'angoisse générale ses souffrances particulières.

L'entrée en guerre de la Grande-Bretagne lui posait par ailleurs des problèmes suffisants pour détourner son esprit de la perte qu'elle avait subie et la forcer à sortir de l'hébétude où elle était encore tentée de se réfugier. Ses deux fils étaient sous les drapeaux, Kit dans l'infanterie et Robin dans la R.A.F. Elizabeth, qui était entrée au Conservatoire royal d'art dramatique au début de l'été 1939, venait de se marier avec un ami de Robin, lui aussi pilote dans la R.A.F., Tony Barkstone. Emma avait retenu les objections qui lui venaient devant le jeune âge d'Elizabeth, qui n'avait que dix-huit ans, et son caractère primesautier qui semblait mal la destiner au mariage. Mais les jeunes gens avaient l'air éperdument amoureux et Tony, qui risquait sa vie comme ses camarades, avait tant insisté qu'Emma n'avait pas voulu troubler le bonheur du jeune couple. En janvier 1940, d'ailleurs, Elizabeth céda à l'esprit patriotique qui emportait le pays et abandonna ses études dramatiques pour s'engager comme infirmière dans la Croix-Rouge, à la vive surprise de sa mère. Devant le sérieux avec lequel la plus fantasque de ses enfants semblait prendre ses nouvelles responsabilités, Emma en arriva à penser que le mariage l'avait transformée. Quant à Daisy, qu'Emma avait un moment envisagé d'envoyer aux Etats-Unis pour la mettre en sûreté, elle était toujours pensionnaire à Ascot.

Emma s'était surtout plongée dans le travail qui restait le meilleur dérivatif à ses soucis. Par Henry Rossiter, devenu son conseiller financier, elle correspondait régulièrement avec Mel Harrison en Australie et Harry Marriot au Texas; la surcharge de responsabilités qui lui étaient échue, bien loin de l'accabler, la régénérait. Au début du printemps 1940, Emma avait retrouvé le dynamisme de sa jeunesse, le même que durant la Grande Guerre, lorsqu'elle était seule à mener ses affaires.

La tragédie de Dunkerque épargna sa famille. Du 1er au 3 juin 1940, Emma vit revenir ses enfants. Mais la chute de la France laissait la Grande-Bretagne seule face à l'ennemi. Et Winston Churchill, le Premier Ministre, ne pouvait promettre à ses compatriotes que « de la sueur, du sang et des larmes ».

Cet été-là fut le pire qu'Emma se souvint avoir vécu. La bataille d'Angleterre faisait rage et la R.A.F. ne pouvait opposer aux vagues inépuisables des bombardiers allemands qu'une poignée d'appareils et l'héroïsme de ses pilotes. Durant les interminables nuits d'alerte, contemplant par la fenêtre le ciel noir sillonné de projecteurs ou embrasé par l'explosion des bombes, Emma ne pouvait penser sans angoisse à ces jeunes hommes qui ne reviendraient peut-être plus et dont certains étaient ses propres fils. Elle n'avait pas de mots pour réconforter Elizabeth, qui était revenue vivre avec elle et dont l'angoisse était aussi forte pour le sort de Tony, son mari, que de Robin, son frère jumeau.

Emma avait pris l'habitude d'aller tous les jours à pied à son magasin de Knightsbridge. Elle n'y voulut rien changer et parcourut Londres tout l'été dans le fracas des explosions, des sirènes et des immeubles qui s'écroulaient. Parfois, à la vue d'un monument familier réduit en un tas de décombres ou d'une rue rayée de la carte, Emma faisait une grimace de douleur. Car, souvent, ces lieux l'avaient vue avec Paul et ces destructions effaçaient un peu de ses souvenirs. Mais en dépit des dévastations qui s'accumulaient journellement et de l'expression harassée des passants croisés dans la rue, Emma ne pouvait s'empêcher d'éprouver de la fierté devant l'héroïsme tranquille de ses compatriotes. Rien ne paraissait pouvoir les abattre. Parfois, une voix à l'accent cockney lançait un lazzi qui faisait rire et détendait un moment l'angoisse. Souvent, une chanson jaillissait spontanément des lèvres de sauveteurs couverts de plâtras ou de rescapés de l'enfer. Oui, se disait-elle, Churchill avait raison en proclamant : « Nous ne nous rendrons jamais. » Participer à ces humbles exploits quotidiens allégeait ses soucis et ravivait son énergie.

L'été se termina. En septembre, les docks de l'East End furent presque entièrement rasés par les bombes. Les attaques ennemies s'intensifièrent, forçant les as de la R.A.F. à des prodiges comme s'il s'agissait de manœuvres de routine. Il n'était bien entendu plus question de permissions et Emma ne revit ni Robin ni son gendre pendant de longues semaines. Dès le mois d'octobre, cette prodigieuse résistance commença de porter ses fruits. Hitler avait tenté de briser le moral des Anglais avant d'envahir leur île : il avait essuyé sa première défaite.

Le *Blitz* sévissait toujours et la guerre semblait devoir s'éterniser, avec son cortège de destructions, de privations et de deuils. Mais la vie continuait. En 1942, June, la femme de Kit, donna naissance à une fille, Sarah. La même année, Daisy quitta son pensionnat pour revenir vivre avec Emma et Elizabeth dans la grande maison de Belgrave Square qui résonna à nouveau de rires et de joyeuses conversations. Robin venait souvent pour de brèves permissions, non sans amener avec lui deux ou trois camarades. « Tous les hôtels sont pleins ou démolis, vous n'allez pas leur refuser l'hospitalité ! » disait-il chaque fois en embrassant sa mère. Emma ne leur refusait ni l'hospitalité ni l'admiration.

A Noël, bénéficiaire d'une permission inattendue, Robin arriva, escorté comme d'habitude de trois amis. Dès l'instant où David Amory passa le seuil de son salon, Emma sentit son cœur s'arrêter de battre. Il était grand, brun et beau, avec des yeux bleus, un sourire éblouissant et une aisance pleine de charme qui évoquaient irrésistiblement Paul McGill. Sans doute, David ne possédait-il pas l'ensemble des traits de caractère qui rendaient Paul unique. Mais son apparition inattendue éveilla en Emma des échos doux-amers de sa première rencontre avec Paul dans la salle à manger du Ritz, au début de 1918. A vingt-quatre ans, David Amory était déjà considéré comme un as entre les as, ainsi que l'attestaient glorieusement les nombreuses décorations sur sa poitrine.

Ce Noël-là fut particulièrement joyeux. La maison résonnait sans cesse des rires, de la musique que déversait le phonographe, du cliquetis des verres et des propos moqueurs qu'échangeaient les jeunes pilotes avec les filles de leur hôtesse. Emma avait retrouvé la gaieté de sa vie avec Paul, elle qui n'avait jamais eu de jeunesse et ignorait ce qu'était l'insouciance. Mais, soit qu'elle se mêlât aux fêtes ou qu'elle se retirât calmement dans un coin du salon en feignant de s'absorber dans un tricot, elle ne cessait d'observer attentivement David Amory et Daisy. Comme Emma vingt-trois ans plus tôt, Daisy était littéralement ensorcelée par le jeune pilote qui ressemblait si fort à son père. David, de son côté, semblait avoir eu le coup de foudre pour Daisy qu'il ne quittait jamais. Mi-attendrie, mi-inquiète, Emma les voyait tomber amoureux en sachant qu'elle ne pourrait pas intervenir. Pourquoi, d'ailleurs, aurait-elle voulu les en empêcher? Daisy était pourtant si jeune...

A la fin de ces trop brèves vacances, David Amory revint aussi souvent à Belgrave Square qu'il lui fut possible, soit en compagnie de Robin, soit même seul quand il s'enhardit assez pour le faire. Emma ne fut pas longue à l'adopter. Le jeune homme était d'une vieille famille du Gloucestershire et poursuivait de brillantes études de droit à la déclaration de guerre. Il était doué d'une intelligence vive et tempérée par la raison, d'une grande droiture de caractère, d'une gentillesse et d'un charme si irrésistibles qu'Emma ne put que donner son approbation quand Daisy lui demanda enfin la permission de l'épouser. Ils se marièrent en mai 1943, quelques jours à peine après le dix-huitième anniversaire de la jeune fille.

La cérémonie se déroula sans faste, comme le

mariage d'Elizabeth près de trois ans auparavant. Winston l'accompagna à l'autel, Robin fut le garçon d'honneur. Les parents et la jeune sœur de David vinrent à Londres pour la circonstance et les jeunes mariés passèrent leur nuit de noces au Ritz. Dès le lendemain, David retournait à la base aérienne et Daisy réintégrait la maison maternelle.

A son tour, Robin se maria en janvier 1944 avec Valérie Ludden, une amie d'Elizabeth et infirmière comme elle. Quelques semaines plus tard, Elizabeth donnait naissance à un fils, qui fut nommé Alexandre. Elle alla peu après s'installer dans une maisonnette non loin de la base où Tony, son mari, était cantonné.

Ainsi, Emma se retrouva de nouveau seule dans sa grande maison. Tous ses enfants étaient mariés, elle était trois fois grand-mère. Mais sa beauté et sa vivacité étaient revenues, plus éclatantes que jamais et elle ne paraissait pas ses cinquante-cinq ans. Winston et Frank, à qui la solitude de leur sœur faisait une peine sincère, se dépensaient discrètement pour lui présenter des prétendants. Emma les éconduisait régulièrement. Jamais personne ne pourrait remplacer Paul dans sa vie.

En janvier 1945, Daisy donna naissance à une fille. A cette nouvelle, Emma se précipita à la clinique en dissimulant de son mieux l'émotion qui l'étreignait.

« Comment vas-tu l'appeler ? » demanda-t-elle à sa fille après les premières effusions.

Daisy eut un sourire amusé :

« Paula. Comme mon père. »

L'impassibilité proverbiale d'Emma ne résista pas à cette déclaration. Devant sa mine effarée, Daisy éclata de rire :

« Voyons, maman, ne faites pas cette tête-là ! Pour une femme aussi évoluée que vous, vous faites parfois preuve d'une surprenante naïveté. Vous ne vous doutiez donc pas que j'étais au courant ? »

Emma avala sa salive sans pouvoir répondre.

« J'ai compris que Paul était mon père quand j'étais déjà toute petite, reprit Daisy d'un air attendri. D'abord parce qu'il vivait toujours avec nous. Et puis parce que ma ressemblance avec lui était trop frappante pour être ignorée. Quant à Arthur Ainsley, dont je porte le nom, je ne l'avais jamais vu... De toute façon, poursuivit-elle en redevenant sérieuse, Paul me l'a dit lui-même quand j'avais douze ans.

— Paul te...Non! s'exclama Emma. Il n'a pas pu faire une chose pareille !

— Mais si. Il m'a dit que j'étais assez grande pour le comprendre. Il a même ajouté que c'était un secret que nous devions garder entre nous pour ne pas vous faire de peine. Et il m'a tout expliqué, pourquoi vous ne pouviez pas vous marier, comment il m'avait légalement adoptée...

— Et cela ne t'a rien fait d'apprendre que ta naissance était illégitime ?

— Maman, de grâce, ne soyez pas si vieux jeu! Je préfère mille fois être la fille illégitime de Paul McGill que la fille légitime d'un Arthur Ainsley, croyez-moi! »

En voyant Emma pleurer, Daisy se pencha pour la serrer dans ses bras.

« Je vous aime, dit-elle tendrement. Et j'aimais Paul autant que vous. Vous avez été les meilleurs parents dont on puisse rêver.

— Pourquoi ne m'as-tu rien dit plus tôt? Pourquoi ne m'en as-tu pas parlé quand Paul est mort ?

— Vous aviez trop de chagrin pour que j'y ajoute un souci bien inutile. »

Emma ne pouvait rien répondre. Quand une infirmière apporta, quelques instants plus tard, la petite fille emmaillotée dans ses langes, Emma la prit dans ses bras, bouleversée. Elle tenait le premier petit-enfant de Paul, le premier maillon de cette lignée dont elle avait assuré la pérennité. Seule la pensée que Paul n'était plus là pour voir sa petite-fille assombrit son bonheur et sa fierté.

Une semaine plus tard, Daisy et Paula vinrent s'installer à Belgrave Square et la petite fille devint immédiatement pour Emma le centre du monde, au point qu'elle usurpait à Daisy son rôle de mère. Mais la jeune femme la laissait faire avec indulgence, trop heureuse de voir sa mère redevenir joyeuse et souriante. Ensemble, elles passaient de longues heures à échafauder des projets d'avenir pour Paula.

L'avenir, en ce début de 1945, retrouvait des couleurs d'espoir, comme si la naissance de Paula avait été un heureux présage, disait souvent Emma. L'invasion du Reich amena enfin la capitulation des nazis et le 8 mai marqua la défaite de la tyrannie qui avait voulu s'approprier le monde. Ce jour-là, Emma était à Leeds et but le champagne avec Winston et Charlotte. Mais elle ne ressentait pas la jubilation éprouvée en 1918 et la joie de tous était teintée de tristesse, tant la lutte avait été âpre et les pertes cruelles. Cette fois, cependant, Emma et ses proches avaient été épargnés. Peu à peu, ses fils et ses gendres revinrent au foyer. Blackie O'Neill retrouva son Bryan, David Kallinski ses deux fils. Pour eux, le sort avait été clément.

En cette belle fin de matinée d'août 1950, le petit salon de Pennistone était inondé de lumière quand Blackie O'Neill y entra de son pas toujours vif.

« Félicitations, Emma ! s'écria-t-il dès la porte. Winston vient de m'apprendre que tu as emporté ta dernière victoire. La *Yorkshire Consolidated Newspaper Company* a, paraît-il, pris le contrôle de la *Yorkshire Morning Gazette*. Ainsi, tu as définitivement gagné, n'est-ce pas ? »

Emma rendit à son vieil ami son baiser affectueux.

« Oui, répondit-elle avec un sourire ironique. Mais tu n'en avais jamais douté, je pense ?

— Non, en effet. Comment as-tu fait ? Je serais curieux de le savoir.

— Rien de très mystérieux. Il m'a suffi d'avoir de la patience. Et j'avais devant moi un adversaire qui n'était plus à la hauteur. Depuis des années, mes journaux grignotaient peu à peu le tirage de la *Gazette*. Edwin Fairley n'a jamais été un homme d'affaires et il aurait mieux fait de se cantonner à ses plaidoiries. Dernièrement, il a commis des erreurs qui lui ont été fatales, comme par exemple de vendre un gros paquet d'actions. Il a perdu la majorité il y a près de deux ans.

— Il était quand même resté président du conseil d'administration, si je ne me trompe ?

— Peut-être. Mais sa position était devenue précaire et ne reposait que sur le vote de quelques autres actionnaires. Depuis longtemps, ils étaient préoccupés des pertes du journal. Il a donc suffi de leur faire des offres alléchantes pour les parts qu'ils détenaient. Edwin a simplement été chassé de son poste par le vote de la dernière assemblée générale. J'avoue quand même avoir été surprise quand, à son tour, il a consenti à me vendre ce qui lui restait d'actions.

— Bien joué, approuva Blackie. Mais ce qui m'étonne c'est que tu n'aies pas assisté à cette fameuse séance pour voir de tes yeux la défaite d'Edwin. C'est Winston qui t'y a représentée, m'a-t-il dit. Pourquoi ? »

L'expression d'Emma se durcit brusquement, comme si elle s'était appliqué un masque sur le visage.

« Il y a quarante-cinq ans, presque jour pour jour, j'ai dit à Edwin Fairley que je ne poserais jamais plus les yeux sur lui. J'ai tenu parole jusqu'à présent. Pourquoi changer ? »

Blackie haussa les épaules d'un geste résigné.

« Bien sûr... Winston t'a-t-il dit comment Edwin avait réagi en apprenant que tu avais provoqué sa chute ?

— En apparence, il est resté impassible. Les avocats sont généralement de bons acteurs, tu sais. Mais Winston m'a quand même dit avoir remarqué dans ses yeux comme du soulagement et même du plaisir. Je me demande bien pourquoi, ce journal appartenait à sa famille depuis trois générations... Il était sans doute soulagé d'être débarrassé d'un fardeau devenu trop pesant et qu'il était incapable de porter.

— Oui, sans doute... »

Blackie hocha pensivement la tête. Edwin Fairley devait, en effet, avoir éprouvé un certain soulagement et même une sorte de plaisir à voir ainsi consommer sa défaite. Mais il s'agissait probablement de motifs bien différents de ceux auxquels Emma, à l'esprit toujours positif, avait fait allusion.

Elle n'avait pas remarqué le changement d'attitude de Blackie et se leva avec vivacité :

« Il faut que j'aille chercher Paula, c'est l'heure de son déjeuner, dit-elle en s'éloignant. Attends-moi un instant, Blackie, je ne serai pas longue. »

Blackie se leva à son tour pour aller sur la terrasse, par la porte-fenêtre grande ouverte. Accoudé à la balustrade, il la suivit des yeux pendant qu'elle descendait les marches et s'engageait dans l'allée qui menait à la pièce d'eau. Paula jouait sur la pelouse et Emma se pencha pour lui parler et la prendre dans ses bras. La main en visière pour se protéger du soleil, Blackie continuait à l'observer.

Dans la distance, découpée contre la masse plus sombre des haies taillées, la silhouette d'Emma était restée d'une sveltesse juvénile. Avec sa légère robe d'été et la masse opulente de sa chevelure, qu'elle teignait désormais dans le châtain-roux de sa jeunesse, elle avait l'allure de la jeune adolescente que Blackie avait rencontrée par hasard sur la lande. Attendri, il revoyait la jeune servante de Fairley Hall.

En près d'un demi-siècle, que d'événements s'étaient produits dans la vie de cette femme hors du commun ! Elle avait résisté à tout et elle était toujours là, prête à poursuivre son chemin avec la même énergie.

Déjà, elle se rapprochait d'un pas alerte de jeune fille en tenant Paula par la main.

« Cette petite est comme ton ombre, dit Blackie en souriant.

— Nous formons une curieuse paire, n'est-ce pas, la vieille dame et la petite fille de cinq ans ! répondit-elle en riant. Mais nous nous comprenons sans doute mieux que si nous avions le même âge... »

Elle baissa les yeux vers Paula et lui posa la main sur la tête, en un geste plein de douceur protectrice.

« Vois-tu, Blackie, cette enfant représente désormais tous mes espoirs, tous mes rêves. Mon avenir, c'est elle. Et je n'en veux plus d'autre. »

EPILOGUE
1968

*Je suis seul. Autour de moi, le phari-
saïsme a tout envahi. Vivre sa vie jusqu'au bout n'est pas un jeu d'enfant.*

Boris PASTERNAK, *Docteur Jivago*

50

EMMA ne mourut pas.

Tout le monde, dans son entourage, s'accorda pour dire qu'il était miraculeux de voir une femme de soixante-dix-huit ans survivre aux complications d'une pneumonie aussi sévère. On s'émerveilla d'une capacité de récupération qui lui permit de quitter la clinique au bout d'à peine trois semaines. Quand on lui rapporta ces propos, Emma ne répondit rien. Elle se contenta de sourire : ces gens ne savaient donc pas que l'envie de vivre est plus forte que tout, plus puissante même que la mort ? Certains, pourtant, auraient dû mieux la connaître. Il en fallait davantage pour abattre Emma Harte.

Elle passa deux jours de « convalescence » chez elle, à Belgrave Square. C'en était déjà trop pour son impatience. Au matin du troisième jour, se sentant complètement rétablie, elle se leva, s'habilla et se fit conduire à son bureau. Ses employés lui firent une ovation : ils n'avaient jamais douté de la voir revenir aussi vite et aussi vaillante. Paula fut la seule à afficher son inquiétude, vite dissipée quand elle vit sa grand-mère, qui allait fêter son soixante-dix-neuvième anniversaire dans à peine plus d'un mois, escalader les marches à une allure qu'elle avait peine à suivre. Elle eut quand même un mouvement de surprise quand Emma lui annonça calmement, vers la fin de l'après-midi, qu'elle comptait passer le week-end suivant à Pennistone.

« Toute la famille sera là, ajouta-t-elle avec un sourire.

— Que voulez-vous dire, grand-mère ?

— De qui crois-tu donc que je parle ? De tes oncles et tantes, de tes cousins... »

Le sourire de Paula s'effaça définitivement :

« Moi qui espérais que vous y alliez pour vous reposer ! Pourquoi inviter tous ces gens-là ? Passe encore pour mes cousins et cousines, ils vous adorent. Mais leurs parents ! Ils s'arrangent toujours pour faire des scènes. Et vous n'êtes pas encore assez remise pour supporter le remue-ménage d'une maison pleine.

— C'est ce qui te trompe, ma petite, je suis au mieux de ma forme. Je puis également te garantir qu'ils seront tous d'une sagesse exemplaire. Et j'ai aussi pensé qu'il serait bienséant de réunir ces « gens-là », comme tu dis, après ma maladie. Ils sont quand même ma famille et je n'ai guère l'occasion de les voir, tu ne crois pas ? »

Le ton franchement sarcastique de sa grand-mère fit lever les yeux à Paula, et sa curiosité se transforma vite en inquiétude en reconnaissant l'éclat belliqueux des yeux d'Emma. La jeune fille eut un léger frisson de crainte et se borna à hocher la tête.

Les jours suivants, Paula s'abstint prudemment d'aborder de nouveau le sujet. Malgré les airs innocents et la bonne humeur qu'elle affectait, Emma mijotait manifestement quelque chose et Paula avait surpris des bribes de conversations téléphoniques qui ne faisaient qu'aggraver sa curiosité inquiète. Quel motif impérieux, se demandait-elle, pouvait bien pousser sa grand-mère à réunir ainsi tout le monde à Pennistone ? Ses enfants ne l'aimaient pas et n'en faisaient pas mystère. Entre eux, ils étaient désunis. Leurs propres enfants n'entretenaient avec leurs parents que des rapports de convenance et Paula était la seule à éprouver pour ses parents, David et Daisy Amory, une sincère affection. Le seul véritable amour qui existât dans la famille sautait une génération et régnait entre Emma et ses petits-enfants. Alors, à quoi bon s'imposer cette épreuve et l'infliger, du même coup, aux plus jeunes qui auraient cent fois préféré, comme Paula, passer seuls le week-end avec Emma dans cette grande maison chaleureuse, en fait leur vrai foyer ?

La semaine passa sans que Paula trouve de réponse à ses questions. Le vendredi matin, Emma et elle quittèrent Londres sous une bruine glaciale mais, à mesure que la Rolls-Royce progressait sur l'autoroute, le temps s'éclaircissait sans pour autant apaiser les pressentiments de Paula. Elle jetait de temps à autre un regard perplexe sur Emma, qui dormait paisiblement. Le ronronnement régulier du moteur, la chaleur, le déroulement monotone du paysage finirent par avoir raison des appréhensions de la jeune fille qui s'assoupit à son tour. Peut-être s'était-elle trompée et ce week-end, dont elle se faisait une montagne, n'apporterait-il d'autre surprise — elle serait de taille, il est vrai — que celle d'une simple réunion de famille.

Quand la limousine stoppa, vers midi, dans la cour de Pennistone, le soleil brillait dans un ciel sans nuages, un soleil de mars éclatant mais froid, comme le Yorkshire en a le secret au début du printemps. Une forte brise soufflait de la lande et faisait frissonner les jonquilles, dont l'or tranchait sur le vert sombre des pelouses. Il avait plu pendant la nuit et les branches dénudées des arbres chatoyaient sous la lumière crue. Ragaillardie par ces retrouvailles avec son pays natal, Emma sauta allégrement de voiture avant que le chauffeur n'ait eu le temps d'ouvrir la portière. Elle resta un long moment à respirer avidement l'air vivifiant, chargé des fortes senteurs de la lande et où perçait déjà l'acidité du renouveau tout proche. Ici, elle était heureuse, elle était chez elle, aux racines de sa vie et de sa puissance. Elle contemplait avec un sourire la longue façade de pierre grise à l'austérité adoucie par les petits carreaux des fenêtres, où jouaient les reflets du soleil et du ciel. Pour Emma, Pennistone avait toujours été un refuge et une source de réconfort et ce jour-là elle en ressentit, plus que jamais, l'effet bienfaisant.

Mais elle ne put s'attarder davantage car Paula la tirait par le bras en la grondant de son imprudence à s'exposer au froid. Emma la suivit avec un sourire indulgent. Les deux femmes gravirent d'un pas rapide les marches de la terrasse. Elles n'avaient pas fini de la traverser quand la lourde porte de chêne s'ouvrit toute grande et Hilda, la gouvernante, se précipita à leur rencontre en leur souhaitant joyeusement la bienvenue.

Les effusions durèrent longtemps car Hilda, une femme du pays au service d'Emma depuis que celle-ci avait acheté et restauré Pennistone, faisait virtuellement partie de la famille. La gouvernante éprouvait une véritable dévotion pour Emma, qu'elle décrivait à tout venant comme « une grande dame pas fière et si bonne qu'on dirait un ange du Paradis ». Emma jouissait d'une réputation légendaire dans toute la région, moins pour sa fortune que pour ses innombrables bonnes actions accomplies avec une générosité discrète. Ainsi, se plaisait à clamer Hilda, Madame avait payé les études universitaires de son fils Peter et accordé des bourses d'études à de nombreux garçons de Pennistone et de Fairley. Elle avait également institué une fondation pour distribuer des secours aux nécessiteux, donné du travail aux enfants du pays victimes du chômage et répandu ses largesses tant et si bien que Hilda aurait étranglé de ses propres mains quiconque se serait permis devant elle la moindre remarque désobligeante envers sa patronne, qu'elle vénérait comme une sainte.

Le grand hall resplendissait, les coupes et les vases regorgeaient de fleurs champêtres. Emma et Paula parvinrent enfin à s'arracher aux embrassades d'Hilda et, avant le déjeuner prévu pour une heure, allèrent se rafraîchir. Quand Emma eut abandonné son tailleur de voyage pour une confortable robe de laine et refait sa coiffure, elle s'installa dans le petit salon contigu à sa chambre, la pièce de la maison qu'elle préférait entre toutes.

Elle avait accordé tous ses soins à sa décoration et à son ameublement. C'était une grande pièce, rendue plus lumineuse encore par la peinture claire légèrement dorée des murs, qui réfléchissait le soleil. Les beaux meubles anciens, les cristaux et l'argenterie disposés dans des vitrines ou sur des guéridons, les tableaux de maître créaient un cadre à la somptuosité discrète où l'on se sentait à l'aise. Au-dessus de la cheminée, un grand paysage de Turner faisait resplendir son ciel bleu comme une fenêtre ouverte sur le rêve. Tout, dans ce décor, reflétait la personnalité et le goût d'Emma.

Quand elle se fut réchauffée devant la cheminée, Emma alla remplir deux verres de sherry qu'elle apporta devant un canapé disposé en face de l'âtre et attendit Paula. Sur la table basse, elle prit le numéro du jour de la *Yorkshire Morning Gazette* qu'elle parcourut d'un œil appréciateur. Depuis qu'elle en avait nommé Jim Fairley rédacteur en chef, le quotidien du matin — tout comme le *Yorkshire Evening Standard*, journal du soir qui faisait aussi partie du groupe que dirigeait le jeune homme — avait subi une remarquable transformation. Modernisé dans sa présentation et sa typographie, étoffé par la collaboration de journalistes de qualité, le journal avait presque doublé son tirage et, grâce à l'augmentation de ses ressources publicitaires, avait dorénavant une exploitation largement bénéficiaire. Elle pouvait se féliciter d'avoir laissé carte blanche à Jim, qui n'avait cessé de faire preuve de qualités dignes d'admiration. Mais il y avait Paula. Il était impossible à Emma de penser à Jim sans l'associer à Paula dans son esprit. Sa petite-fille et le petit-fils d'Edwin mêlaient leurs destins au sien, leur avenir à son passé d'une manière désormais inextricable.

L'arrivée de Paula la tira de ses réflexions. Emma lui fit un sourire affectueux que la jeune fille lui rendit. Elle était déterminée à faire dès maintenant bonne figure, puisque de toute façon il lui fallait se résigner à l'inévitable et subir la présence de ses oncles et tantes, et elle ne pouvait faire moins pour sa grand-mère. Elle alla s'asseoir à côté d'elle et les deux femmes trempèrent leurs lèvres dans le sherry.

« Il fait si beau, aujourd'hui, que je pensais aller faire une promenade à cheval dans la lande, dit Paula quelques instants plus tard. Quand les autres doivent-ils arriver ?

— Certains dès ce soir, probablement, le reste demain.

— Tante Elizabeth va-t-elle amener son mari ?

— Elle en a donc un, en ce moment ? répondit Emma avec un rire sarcastique.

— Vous êtes méchante, grand-mère ! dit Paula avec un sourire amusé. Vous savez bien, Gianni, le comte italien.

— Il est comte comme je suis le pape ! Il m'a plutôt l'air d'un maître d'hôtel. »

Paula rit de bon cœur.

« Je le trouve très gentil, dit-elle. Bien trop, si vous voulez mon avis, pour supporter tante Elizabeth.

— C'est en effet étonnant qu'il dure aussi longtemps, celui-là. Elizabeth aurait déjà dû changer de mari depuis plus d'un an, pour respecter son rythme habituel !

— Vous êtes mauvaise langue, grand-mère ! dit Paula en s'esclaffant. Après tout, vous avez eu plusieurs maris, vous aussi.

— Pas autant qu'elle et ils ne rajeunissaient pas systématiquement à mesure que je vieillissais. Pauvre Elizabeth, je suis peut-être méchante, c'est vrai. Il est quand même incroyable, à son âge, qu'elle soit encore sentimentale comme à seize ans et s'imagine trouver chaque fois l'amour parfait. Je me demande si elle aura du plomb dans la tête un jour ou l'autre... »

Jusqu'à la fin du déjeuner, elles passèrent en revue les membres de la famille. Pour chacun, Paula trouvait un commentaire où Emma reconnaissait l'esprit mordant et lucide qu'elle n'avait jamais elle-même perdu.

Pendant que Paula galopait sur la lande, Emma se retira dans son petit salon pour donner un dernier coup d'œil aux documents signés la veille de sa maladie. Elle passa ensuite quelques coups de téléphone à Londres pour régler les derniers détails de son opération et vérifia une dernière fois le plan de la table et le menu du dîner du lendemain soir. Satisfaite, elle alla ensuite s'étendre dans sa chambre car, même rétablie, elle sentait le besoin de repos. Le week-end allait être rude. Elle s'y préparait pourtant sans appréhension ni inquiétude, avec simplement l'anticipation de l'ennui et du dégoût que lui causeraient les scènes déplaisantes qui ne manqueraient pas de se produire à l'issue du grand dîner de famille.

Emma avait toujours eu horreur des drames. Leur violence lui répugnait autant que leur inutilité et elle faisait tout pour les éviter, particulièrement avec ses enfants. Elle savait pourtant que, en dépit du calme qu'elle affectait vis-à-vis de Paula, il fallait s'attendre à des querelles plutôt sordides au cours des prochaines quarante-huit heures. Aussi était-ce moins par fatigue que pour mieux se préparer à subir ces pénibles assauts qu'elle prenait du repos et se détendait. A l'exception de Daisy, elle ne croyait aucun de ses enfants capable de faire face avec courage et dignité à une crise imprévue. S'ils s'en révélaient dignes, ce qui constituerait sa plus grande et sa plus heureuse surprise, peut-être alors éviterait-on en partie l'ignoble étalage du linge sale de la famille. Elle craignait cependant que son espoir ne soit une fois de plus déçu.

Car Emma connaissait assez ses enfants pour prévoir leurs réactions à la bombe qu'elle s'apprêtait à faire exploser. Elle n'éprouvait pourtant aucun remords, aucune pitié car c'était eux-mêmes, par leur bassesse, qui la forçaient à leur porter ce rude coup pour se défendre. Elle ne ressentait, finalement, que de la tristesse, une tristesse mêlée de dépit, au spectacle de ses enfants qui trahissaient tous les espoirs qu'elle avait placés sur eux. Depuis longtemps, Emma avait renoncé à se faire aimer d'eux et avait appris à se passer de leur avis et même de leur intérêt pour tout ce qui la concernait. Elle n'avait pourtant jamais encore eu l'occasion de douter de leur fidélité et la découverte de leur complot lui avait porté un coup très dur. Devant tant de duplicité et de vilenie, son abattement avait toutefois vite fait place à la colère et au mépris : ils n'avaient pas même fait preuve de quelque habileté dans leurs machinations. Ils n'étaient pas plus capables de trahir qu'ils ne savaient aimer. Et c'étaient là ses enfants!

Emma se força à abandonner ces désagréables réflexions, qui l'agitaient malgré elle, et retrouva la paix en évoquant ceux qu'elle aimait et qui s'en montraient dignes, Daisy, Paula, ses autres petits-enfants. Elle s'endormit alors calmement jusqu'à ce que Hilda vienne la réveiller pour le thé.

Paula était revenue de sa promenade et attendait sa grand-mère dans le petit salon. Emma s'arrêta un instant sur le seuil pour l'admirer avec émotion. Elle évoquait tellement le souvenir de Paul, elle avait en même temps su prendre à Emma tant de traits et d'attitudes que celle-ci fut un moment tentée d'en verser des larmes d'attendrissement. Mais déjà la jeune fille l'accueillait avec joie et la détournait de ce bref moment de faiblesse.

« Depuis que je suis rentrée, j'ai reçu un tas de coups de téléphone, s'écria-t-elle. Tante Elizabeth arrivera demain matin avec son mari et les jumelles. Emily m'a tenue au bout du fil pendant un quart d'heure, comme d'habitude, pour me dire qu'elle arrive ce soir avec Sarah pour le dîner mais qu'Alexandre sera sans doute en retard parce que oncle Kit lui fait reprendre des tas de chiffres pour de nouvelles machines ou je ne sais quoi d'autre. Jonathan va arriver par le train sans encore savoir quand et Philip viendra peut-être avec lui ou avec Emily. Vous voyez, tout se passe comme d'habitude, dans le plus grand désordre! Les autres appelleront probablement d'ici ce soir pour prévenir.

— Hilda leur préparera un dîner froid, ils pourront manger à n'importe quelle heure. Sers donc le thé, ma chérie. Regarde encore ce monceau de victuailles que nous a préparé cette pauvre Hilda! Elle nous prend pour des ogres!

— Rassurez-vous, grand-mère, je meurs de faim et j'en viendrai à bout. »

Elles bavardèrent quelques instants pendant que Paula faisait honneur aux préparations de la cuisinière.

« Au fait, ma chérie, dit Emma en souriant. J'ai vérifié le plan de table pour demain soir. Veux-tu y jeter un coup d'œil, voir si rien ne m'a échappé ? J'ai fait de mon mieux pour séparer ceux qui ne s'entendent pas et rapprocher ceux qui ont envie de l'être mais tu remarqueras peut-être des choses que je n'aurais pas vues. »

Avec une hésitation imperceptible, Emma prit la feuille de papier pliée et la tendit à Paula. Elle retint malgré elle sa respiration et observa sa petite-fille avec une curiosité qui n'était pas exempte d'une certaine inquiétude.

La jeune fille parcourut rapidement le papier des yeux, s'arrêta soudain, bouche bée, regarda sa grand-mère avec incrédulité et baissa de nouveau les yeux vers le plan avec une stupeur croissante. Elle rougit, pâlit et la feuille échappa à ses doigts tremblants.

« Pourquoi m'avoir fait cela, grand-mère ? demanda-t-elle d'une voix étouffée. Vous n'aviez pas le droit d'inviter Jim sans me prévenir, ni surtout de le placer à côté de moi... »

Incapable de se dominer plus longtemps, Paula courut à la fenêtre pour dissimuler son émotion. Emma regarda un instant sa silhouette qui se détachait à contre-jour, ses épaules secouées par des sanglots mal réprimés. Il était grand temps de faire cesser ce chagrin, qui lui faisait autant de mal qu'à Paula elle-même.

« Viens ici, ma chérie. Assieds-toi et parlons calmement. »

Paula se retourna avec répugnance et revint lentement s'asseoir sur le bord de son siège. Jamais sa grand-mère ne s'était encore montrée inutilement cruelle, avec elle moins qu'avec tout autre. Elle s'apprêta donc à écouter l'explication, car il devait y avoir une raison impérieuse qui exigeait qu'elle sacrifiât pour quelques heures la paix de son esprit.

« J'ai invité Jim en partie parce qu'il joue un rôle dans les affaires de la famille, Paula, et que l'objet de la réunion de demain soir est précisément d'en parler. Mais je l'ai aussi et surtout invité pour toi et il a été enchanté d'accepter, je m'empresse de te le dire. »

La stupeur de Paula était si totale, son trouble si touchant qu'Emma ne put retenir un léger sourire.

« Pour moi ? Que voulez-vous dire, pour moi ? dit enfin Paula en balbutiant. Je ne comprends plus. Vous qui avez haï les Fairley toute votre vie.. »

Emma se leva et vint s'asseoir à côté de sa petite-fille. Elle lui prit la main, la dévisagea longuement, émue par la détresse qui transparaissait sur son visage.

« Je suis une vieille dame, ma chérie, dit-elle à voix basse. Une vieille dame fatiguée d'avoir lutté toute sa vie. J'ai été amère, j'ai été rancunière, c'est vrai. Mais j'ai réussi à acquérir un peu de sagesse, tout au long de ces années. Maintenant, sans avoir honte de tout ce que j'ai fait, j'ai appris à ouvrir les yeux, à voir les choses sous un jour différent. Et je me suis demandé de quel droit les rancunes d'une vieille dame avec un pied dans la tombe pouvaient empêcher d'être heureuse la personne que j'aime le plus au monde. Je me suis soudain rendu compte combien j'étais égoïste, vaniteuse, méchante en un mot, de permettre à des vengeances vieilles de soixante ans de venir encore m'aveugler. »

Paula écoutait en secouant la tête, les yeux écarquillés par l'incompréhension et l'incrédulité. Emma reprit en souriant :

« Tout ce que j'essaie de te dire, ma chérie, c'est que je ne vois plus aucun inconvénient à ce que tu recommences à voir Jim Fairley. J'ai eu hier avec lui une longue conversation d'où j'ai déduit que ses sentiments à ton égard n'ont pas changé. Il m'a confirmé ses intentions et c'est pourquoi je lui ai dit que je lui donnais volontiers mon autorisation s'il voulait t'épouser. En fait, ma chérie, je vous donne ma bénédiction à tous deux. Soyez heureux, vous me rendrez heureuse. »

Paula était toujours muette. Les paroles de sa grand-mère ne parvenaient pas à pénétrer dans son esprit ou, plutôt, elle se refusait encore à les comprendre. Pendant des mois, elle s'était forcée à ne plus penser à Jim, à se faire à l'idée qu'ils ne pouvaient bâtir leur avenir ensemble. Elle s'était jetée dans le travail comme seul dérivatif à son chagrin, sans arriver à le surmonter. A travers ses larmes, elle voyait le visage brouillé d'Emma, cette grand-mère que depuis l'enfance elle aimait, en qui elle croyait. Et ce visage lui souriait avec tendresse. Fallait-il vraiment croire ce qu'elle venait d'entendre?

« Mais alors, dit-elle d'une voix entrecoupée, vous avez changé d'avis?

— Oui, ma chérie. J'ai changé d'avis. »

Ces mots brisèrent enfin les dernières barrières dont Paula avait tenté de protéger son esprit encore endolori. D'un seul coup, comme un barrage qui cède, elle pleura à gros sanglots et se jeta dans les bras d'Emma qui la serra contre elle en lui caressant la joue pour sécher ses larmes.

« Je ne veux plus jamais te voir malheureuse, ma chérie, murmura Emma à son oreille. Plus jamais. Et je te demande pardon de t'avoir fait souffrir.

Paula ne répondit pas. Elle pleurait de plus belle, mais c'était par excès de bonheur. Emma la lâcha, lui caressa la joue en souriant.

« Ne pleure plus, ma chérie. Va te refaire une beauté et appelle Jim. A cette heure-ci, il est encore au bureau. A ta place, j'irais le rejoindre à Leeds, vous pourriez dîner tranquillement tous les deux. Emily et Sarah me tiendront compagnie, les autres vont arriver, ne t'inquiète surtout pas pour moi. Je peux très bien me passer de toi une soirée, j'ai d'autres petits-enfants! »

Paula l'embrassa avec fougue et sortit en courant. Pensive, mélancolique, Emma resta longuement auprès du feu, l'esprit occupé de Paula et de Jim Fairley. Le dernier de la lignée allait-il, indirectement, lui apporter au soir de sa vie cette paix de l'esprit qu'elle avait si longtemps et si vainement cherchée? Allait-elle enfin exorciser une fois pour toutes les fantômes qui revenaient la hanter?

« Pourquoi faire porter aux vivants le poids des péchés des morts? » murmura-t-elle.

En s'entendant, elle eut un sursaut. Cette phrase, ne l'avait-elle pas prononcée dans son délire, le jour où elle avait cru mourir, où elle avait revu Edwin et un cortège de fantômes surgis de son passé?

Mourir... Emma se redressa avec un sourire. Il n'en

était pas davantage question que de s'attendrir inutilement. Elle avait encore bien trop à faire.

51

Le lendemain soir, alors que le jour déclinait, Emma se prépara à son dernier combat. Elle avait depuis longtemps perdu le goût de la lutte et avait cru enterrer à jamais la hache de guerre le jour où, en emportant la *Yorkshire Morning Gazette*, elle avait parachevé sa vendetta contre les Fairley. Devoir la déterrer pour s'en servir contre ses propres enfants lui répugnait. Mais il fallait préserver le patrimoine, résultat de soixante ans d'efforts incessants, et le transmettre intact à ceux qui y avaient droit. Cette pensée balaya ses dernières hésitations.

Les acteurs du drame qui allait se jouer étaient tous arrivés, certains la veille au soir, les autres dans le courant de la journée. Elle était prête, elle aussi. Elle s'assura d'un coup d'œil que son porte-documents était bien posé derrière son bureau. Un regard dans un miroir lui confirma l'ordonnance de sa toilette et de sa coiffure. Ce soir, elle avait voulu paraître imposante et y était admirablement parvenue. Une robe de soie noire sortie de chez un grand couturier, ses cheveux gris argent roulés en une simple torsade, sa parure d'émeraudes pouvaient inspirer le respect aux plus blasés. Avec un sourire satisfait, Emma Harte alla s'asseoir devant le feu et but une gorgée de sherry. Ses petits-enfants étaient venus, à son invitation, avec la joie qu'ils manifestaient toujours. Les autres, à l'exception de David et Daisy, n'étaient là que par curiosité, pour voir si leur vieille mère était aussi gâteuse qu'ils l'espéraient, si elle avait résisté aussi victorieusement qu'on le disait à la maladie qui aurait dû l'emporter. Car elle allait avoir soixante-dix-neuf ans dans un mois et elle avait beau ne pas porter son âge, il devenait indécent de la voir narguer ainsi la mort! S'ils s'attendent à me trouver agonisante, se dit Emma avec un sourire sardonique, ils vont avoir une surprise...

Paula entra à ce moment-là et s'arrêta sur le seuil. Ses pressentiments de la semaine précédente revinrent l'assaillir. Sa grand-mère avait pu protester qu'il ne s'agissait que d'une simple réunion de famille, à la faveur de laquelle elle comptait aborder certaines affaires sans importance, Paula ne pouvait pas s'y tromper. Cette lueur dans le regard, ce pli de la bouche proclamaient manifestement qu'Emma Harte s'apprêtait à livrer bataille. Mais contre qui ?

A l'arrivée de sa petite-fille, l'expression belliqueuse s'effaça si soudainement que Paula douta de ce qu'elle venait de voir.

« Tu es ravissante, ma chérie! s'écria Emma. Viens boire un sherry, nous avons bien le temps. Les autres sont au salon, j'imagine ?

— Ils y arrivent un par un. Oncle Blackie tient admirablement son rôle de maître de maison. A-t-il vraiment quatre-vingt-deux ans ? Cela me paraît incroyable !

— Blackie est un homme incroyable, répondit Emma avec un soupir attendri. Cela va faire soixante-quatre ans que nous sommes amis... Jim est-il arrivé ?

— Oui, et son entrée a fait sensation! Les oncles et tantes n'en croyaient pas leurs yeux de voir un Fairley dans cette maison, et pour une réunion de famille par-dessus le marché! Si vous aviez vu la tête d'oncle Robin!

— Il ne peut pas souffrir Jim. Depuis qu'il est député de Leeds, il s'imagine, je me demande pourquoi, que mes journaux devraient être entièrement consacrés à sa propagande pseudo-socialiste. Il tient Jim pour seul responsable de ce que nous fassions régulièrement campagne pour ses adversaires.

— Si ses électeurs voyaient comment il vit! s'esclaffa Paula. Lui, le défenseur des travailleurs exploités... »

Les deux femmes rirent de bon cœur.

« Mais assez parlé de Robin. Jim a-t-il déjà vu ton père ?

— Ils sont ensemble en ce moment dans la bibliothèque. Jim aimerait vous voir seule avant le dîner, grand-mère. Cela vous convient-il?

— Bien sûr. Tu lui diras de monter quand j'en aurai fini avec ta tante Edwina. Es-tu heureuse, maintenant, ma chérie?

— Follement, grand-mère. Vous avez changé ma vie.

— Ton bonheur compte plus pour moi que mes rancunes de vieille folle. Vois-tu, les Fairley m'ont rendue très malheureuse depuis que j'ai eu quatorze ans. Il y a une sorte de justice à ce que le dernier d'entre eux soit la cause du dernier bonheur de ma vie...

— Si vous les détestiez tant que cela, pourquoi avoir confié vos journaux à Jim? demanda Paula avec curiosité.

— Je me le demande encore, figure-toi! répondit Emma en riant. En fait, c'est très simple. Quand j'ai cherché un candidat à ce poste, Jim s'est présenté. J'ai été tellement surprise de voir son nom que je l'ai convoqué et il a bien fallu que je fasse taire mes préjugés. Il était le meilleur, de très loin, et j'aurais été idiote de me priver de lui. Et puis, poursuivit-elle avec un sourire ironique, j'ai aussi dû éprouver sur le moment un certain plaisir à avoir un Fairley pour employé... Mais je n'aurais jamais pensé que vous vous rencontreriez. Peux-tu me dire, à ton tour, ce qui s'est passé? Je me suis souvent posé la question.

— Ce n'est pas à Leeds que j'ai fait sa connaissance, si cela peut vous rassurer. Nous nous sommes rencontrés par hasard dans l'avion. Je revenais de Paris, où j'avais été pour les inventaires, et il rentrait de vacances, je crois. Il m'a vue dans l'aérogare et s'est arrangé pour se faire attribuer le siège à côté du mien. Il m'a tout de suite plu. Quand il s'est présenté, j'ai failli m'évanouir! Connaissant votre histoire, je savais qu'il ne fallait pas le revoir.

— Ce qui ne t'a pas empêchée de le faire. Tu es décidément aussi têtue que moi! »

Parce que c'est vous qui m'avez élevée, faillit répondre Paula. Elle se contenta de sourire.

« Nous avons dîné ensemble le lendemain, reprit-elle, et je ne pouvais plus me cacher que je l'aimais. De son côté, Jim n'avait pas fait le rapprochement et ne savait pas qui j'étais, car mon nom ne lui disait rien. C'est le maître d'hôtel qui a vendu la mèche en venant chanter vos louanges et en me demandant pourquoi il ne vous avait pas revue depuis plus d'un mois. Ce pauvre Jim s'en est presque étranglé sur son rôti! Ensuite, nous avons quand même continué à sortir ensemble jusqu'au moment où j'ai senti qu'il valait mieux rompre. Vous connaissez la suite. »

Emma avait écouté pensivement le récit de Paula.

« Ainsi, c'est le hasard... murmura-t-elle.

— Disons plutôt le destin », corrigea Paula.

Emma releva vivement les yeux et pâlit. Avant qu'elle ne réponde, on frappa à la porte et Edwina fit une entrée légèrement vacillante. Elle portait un verre plein de whisky et décocha à Paula un regard venimeux.

« Vous vouliez me voir, mère? demanda-t-elle d'un ton aigre.

— Oui, Edwina. Viens t'asseoir. Je vois que tu as déjà un verre, il est donc inutile que je t'offre à boire. Laisse-nous, Paula, et dis à Jim que je le verrai dans cinq minutes. »

Edwina, comtesse douairière de Dunvale, traversa majestueusement le petit salon et vint s'asseoir en face de sa mère sans chercher à dissimuler son antipathie. Emma l'observa un instant avec attention. Voilà, se dit-elle, de quoi aurait eu l'air Adèle Fairley si elle avait vécu jusqu'à cet âge. A soixante-deux ans, Edwina n'avait pas aussi bien vieilli que sa mère. Sa délicate beauté blonde s'était évanouie pour faire place à la couperose, aux fards et aux teintures. Quant à la lumière froide de ses yeux gris, elle était depuis longtemps brouillée par les vapeurs du whisky.

Emma termina son examen et but posément une gorgée de son sherry.

« Tu as une très jolie robe, ce soir, se força-t-elle à dire aimablement.

— Je ne pense pas que vous m'ayez fait venir pour

me complimenter sur ma mise, répliqua Edwina. Pourquoi vouliez-vous me voir, mère? Avez-vous l'intention de me le dire?

— Certainement. Laisse-moi quand même te poser d'abord une question. Pourquoi as-tu accepté mon invitation?

— Votre invitation? Disons plutôt vos ordres, comme d'habitude... »

Elle s'interrompit pour avaler une rasade de whisky.

« Si vous voulez vraiment le savoir, reprit-elle aigrement, je ne suis venue que sur l'insistance de mon fils et de mon mari. Anthony vous adore. Ni les désirs de sa mère ni sa passion pour les chevaux ne l'empêchent de venir se jeter aux pieds de sa chère grand-mère. Quant à Jeremy, il a tellement le sens de la famille qu'il espère toujours nous rabibocher, vous et moi. Franchement, je me serais volontier passée de venir s'ils n'avaient pas insisté au-delà du supportable.

— Quand ton oncle Winston a négocié notre réconciliation en 1951, j'espérais mettre fin à cette guerre froide... Enfin, trêve de querelles inutiles. Je voulais te voir pour te parler d'un sujet qui t'intéresse, j'espère. Il s'agit de ton père. »

Le visage d'Edwina se durcit.

« Cela ne m'intéresse en rien! Il est en ce moment en train de faire le pitre au beau milieu du salon... Je me demande vraiment comment vous pouvez manquer de tact au point de m'imposer sa présence! Cela vous amuse sans doute de manipuler les gens comme des pions, n'est-ce pas?

— Tu ne m'as jamais très bien connue, Edwina, répondit Emma calmement. La présence ici de Blackie O'Neill n'a rien qui puisse te choquer. D'abord parce que c'est un homme hautement respectable. Ensuite parce qu'il n'est pas ton père. »

La stupeur d'Edwina donna presque envie de rire à Emma.

« Alors, pourquoi son nom figure-t-il sur mon acte de naissance? parvint-elle enfin à balbutier.

— Quand j'avais seize ans et que je t'attendais, j'étais

seule au monde et sans un sou. Blackie a proposé de m'épouser, par amitié et par compassion. J'ai refusé, bien entendu. Il a quand même insisté pour assumer ta paternité, pensant qu'il valait mieux avoir à l'état civil le nom d'un homme honorable que la mention « née de père inconnu ». Il l'a également fait pour nous protéger, toi et moi, contre certaines tentatives de chantage, qui n'ont d'ailleurs pas manqué de se produire par la suite... »

Le souvenir de Gerald Fairley fit apparaître une crispation sur le visage d'Emma. Edwina en oubliait de boire.

« Alors, qui était mon père ? Vit-il encore ?

— Il est mort. C'était Edwin Fairley. »

Edwina en eut un haut-le-corps et répandit quelques gouttes de scotch sur sa robe.

« Edwin Fairley ? Vous voulez parler de Sir Edwin Fairley, conseiller de la Couronne, le célèbre avocat mort l'année dernière et dont tous les journaux ont parlé ? Grand Dieu ! »

Edwina s'effondra sur un fauteuil et avala précipitamment une gorgée de whisky pour reprendre ses esprits. Emma l'observait, en partie soulagée d'avoir enfin dit la vérité à sa fille, en partie attristée et écœurée de sa réaction. Au bout d'un instant de silence, Edwina se redressa, plus comtesse douairière que jamais :

« Pourquoi ne pas me l'avoir dit le soir où je vous ai montré mon acte de naissance ?

— Tu ne m'en avais guère laissé le temps, si tu t'en souviens, répliqua Emma sèchement. Tu as fui sans me laisser placer un mot et je ne t'ai plus revue pendant des années. De toute façon, je ne crois pas que je te l'aurais dit ce soir-là. Tu étais encore trop jeune, les Fairley trop proches de moi pour que j'accepte de gaieté de cœur de te jeter à leur tête.

— Alors, pourquoi me le dire maintenant ? A quoi rime cet accès de franchise posthume ?

— Parce que je vais annoncer ce soir les fiançailles de Paula avec Jim Fairley. Tu es sa tante et sa seule parente, son père et sa mère étant morts dans un accident d'avion en 1948. L'occasion me paraît donc bonne de rapprocher la famille. Je ne veux pas non plus qu'il reste des secrets ou des mensonges entre Jim et Paula. Il faut qu'ils entrent dans la vie sans rien qui puisse les séparer. Je voulais également te dire la vérité avant de mourir. C'est bien la moindre des choses, n'est-ce pas ? »

Edwina réprima un ricanement méprisant à cette dernière déclaration et marqua un temps avant de répondre, le regard perdu dans le vague.

« Ainsi, je suis la fille d'Edwin Fairley. Il était d'une excellente famille et je n'aurai pas honte de dire qu'il était mon père, lui au moins. Je ne vois aucun inconvénient à ce que vous en parliez à Jim, au contraire.

— Je t'en sais gré, Edwina », dit Emma avec ironie.

La comtesse de Dunvale se leva, rayonnante malgré ses efforts pour garder l'air désagréable.

« Je regrette que vous ne m'ayez pas dit la vérité plus tôt, mère. Les choses auraient été différentes entre nous. »

Emma se retint pour ne pas répondre qu'elle en doutait sérieusement. Elle fit un sourire, hocha la tête.

« C'est possible », dit-elle.

Elle suivit des yeux sa fille qui se dirigeait vers la porte en titubant avec distinction. Pauvre Edwina, se dit-elle. Son snobisme est tel qu'elle est prête à oublier sa bâtardise, qu'elle me jetait au visage, du moment qu'elle se sait la fille d'un gentilhomme... Si Edwin avait été duc et pair, elle aurait donné un bal pour célébrer l'événement.

Arrivée à la porte, Edwina se retourna en hésitant :

« Une dernière chose, mère. Si les Fairley vous ont causé tant de torts, comme vous le répétiez sans cesse, pourquoi m'avoir donné le prénom de mon père ? »

Emma ne put retenir un sourire sarcastique.

« Un simple lapsus, j'en ai peur... Mais ceci est une autre histoire qui ne regarde que moi. A tout à l'heure. »

Edwina haussa les épaules et disparut. Quelques instants plus tard, Jim entrait à son tour. Emma l'observa tandis qu'il traversait la pièce et se dirigeait vers elle.

A trente ans, James Arthur Fairley avait une taille élevée, de larges épaules, un corps mince et de longues jambes qui lui donnaient une allure remarquablement élégante. Son visage aux traits austères, presque ascétiques par moments, était étrangement adouci par une bouche généreuse et sensuelle et des yeux gris-bleu expressifs. Ses cheveux châtain clair un peu longs étaient négligemment coiffés. Mais il n'y avait aucun laisser-aller dans sa tenue, à l'élégance impeccable et discrète. Ce soir, il portait un smoking à la mode victorienne, alors fort en vogue, avec une chemise au plastron ruché rehaussé de boutons de saphir. On l'aurait dit descendu d'un portrait ancien et Emma, en le voyant s'avancer, fut ramenée soixante ans en arrière, à ce grand dîner donné à Fairley Hall par Olivia Wainright un soir de 1904. C'était Adam Fairley qu'elle voyait brusquement surgir devant elle. Jim était le portrait de son arrière-grand-père et Emma laissa échapper un léger cri de surprise vite corrigé par un sourire de bienvenue.

« Je suis heureuse de vous accueillir dans la famille, mon cher Jim, dit-elle en lui tendant la main.

— C'est pour moi un honneur et une joie, madame, répondit-il, en s'inclinant respectueusement. J'aime Paula profondément et je ferai tout pour la rendre heureuse.

— Je vous crois, Jim, je vous crois. Servez-vous donc à boire et venez vous asseoir. »

Le jeune homme alla se verser un verre de vin à la console qui servait de bar et Emma, en le voyant évoluer avec aisance et distinction, se demanda comment cette ressemblance avec le *Squire* ne l'avait pas frappée plus tôt. Etait-ce le costume qu'il portait ce soir? N'était-ce pas plutôt son propre aveuglement, né de ses préjugés tenaces? Jim revenait déjà et, d'un geste qu'Emma avait si souvent vu faire à Adam, s'accouda à la cheminée.

« Paula m'a dit que vous vouliez me parler? dit-elle en levant les yeux vers lui.

— Oui, madame. Mais auparavant je voulais vous donner quelque chose. »

Il posa son verre et sortit de sa poche une petite boîte qu'il tendit à Emma. Elle la prit avec un regard étonné et l'ouvrit avec curiosité.

Elle vit d'abord un mouchoir de batiste jauni par le temps. Il était replié de telle sorte que les initiales brodées E.F. apparaissaient au-dessus. Quand elle le déplia, elle ne put retenir un léger tremblement. Un galet peint reposait dans les plis de l'étoffe. C'était le galet qu'elle avait trouvé avec Edwin dans la caverne au Sommet du Monde et sur lequel était peint un portrait de femme. Les couleurs étaient parfaitement préservées, aussi vives que lorsqu'elles y avaient été posées, plus de trois quarts de siècle auparavant. Emma le contempla longuement, avec émotion, avant de lever vers Jim un regard interrogateur.

« Avant de mourir, dit-il gravement, mon grand-père me l'a confié en me disant de vous le donner, car il devait vous appartenir, a-t-il dit. »

Emma serra les lèvres, plus bouleversée qu'elle ne voulait l'admettre. Ainsi, Edwin Fairley avait pensé à elle jusque sur son lit de mort...

« Pourquoi ? demanda-t-elle à mi-voix.

— Permettez-moi d'abord de revenir un peu en arrière. Mon grand-père savait que Paula et moi nous voyions car, dès les premiers temps, je l'avais emmenée à Harrogate pour la lui présenter. Je n'avait pas compris, ce jour-là, pourquoi mon grand-père avait pâli comme s'il avait vu un fantôme. Par la suite, il s'est pris d'une très vive affection pour Paula et se réjouissait à la perspective de notre mariage. C'était son vœu le plus cher et cela paraissait lui redonner l'énergie de sa jeunesse. Peu après, Paula a rompu brutalement avec moi en m'expliquant que vous n'accepteriez jamais de faire entrer un Fairley dans la famille et que vous aviez pour nous une haine dont elle ne comprenait pas elle-même les causes. Elle m'a cependant expliqué qu'elle ne voulait rien faire qui puisse vous blesser, car vous aviez déjà subi trop de peines dans votre vie. J'ai eu beau faire, beau dire, j'ai tenté de plaider ma cause, de la supplier de me laisser vous en parler, elle n'a rien voulu entendre. J'ai alors compris qu'il valait mieux ne pas insister, la laisser se calmer et changer d'avis, ce qu'elle n'a d'ailleurs jamais fait de son plein gré comme vous le savez maintenant. »

Emma hocha la tête avec un sourire triste.

« Vous en avez donc parlé à votre grand-père à ce moment-là ? demanda-t-elle.

— Oui, en l'adjurant de m'expliquer les raisons de l'incompréhensible comportement de Paula. Au début, il a obstinément refusé de répondre. Comme je savais que vous lui aviez arraché le contrôle de la *Gazette* en 1950, je lui ai demandé si cette querelle entre nos familles provenait de conflits d'intérêts et il n'a pas voulu s'en expliquer davantage. Quand Paula a cessé de me voir, cela lui a fait un tel choc qu'il a commencé à décliner. Vous savez peut-être que c'est lui qui m'a élevé. Mais nous avions beau être plus proches l'un de l'autre que si j'étais son fils, j'étais totalement impuissant à vaincre sa résistance. Finalement, il a dû se sentir près de mourir car il m'a appelé près de lui en décembre dernier...

— Et c'est alors qu'il vous a donné ce galet et qu'il vous a tout raconté, compléta Emma d'une voix sourde. Il vous a dit ce qui s'était passé entre nous pendant notre jeunesse, n'est-ce pas ?

— Oui, madame, il m'a tout dit. Il espérait que vous finiriez par plier et nous donner votre bénédiction, à Paula et à moi. Si vous persistiez à refuser, je devais alors aller vous voir avec ce portrait. Car il fallait, pensait-il, que vous sachiez qu'il s'agissait de votre mère et non d'Olivia Wainright, comme il l'avait d'abord cru.

— Je m'en doutais, dit Emma. C'est Adam qui l'a peint, n'est-ce pas ?

— En effet. Après la mort d'Olivia, grand-père a voulu le rendre à son père, pensant qu'il y serait attaché pour des raisons sentimentales, et Adam l'a refusé en lui expliquant pourquoi. Mon arrière-grand-père et votre mère avaient eu... une liaison quand ils étaient très jeunes.

— Je m'en doutais aussi, sans jamais avoir voulu y croire. Etes-vous sûr de ce que vous dites, Jim ?

— Oui, madame. Mon grand-père m'a rapporté en détail la conversation qu'il avait eue avec son père. Adam et Elizabeth étaient extrêmement amoureux l'un de l'autre. Quand elle s'est aperçue qu'elle était enceinte, elle s'est enfuie de Fairley. Adam l'a retrouvée quelques semaines plus tard à Ripon. Il était alors décidé à abandonner sa carrière militaire, à rompre avec son père s'il le fallait et à émigrer en Amérique avec votre mère. Mais il était déjà trop tard. L'enfant est né avant terme et Adam n'a jamais su s'il s'agissait d'un accident naturel ou provoqué par quelque charlatan. Elizabeth a été gravement malade à la suite de cette fausse couche et ne voulut pas accepter de prendre la fuite avec Adam. Quand elle a été guérie, elle est retournée à Fairley où elle a épousé John Harte, votre père. Depuis, elle n'a jamais plus adressé la parole à Adam Fairley. »

Emma avait écouté ce récit en silence, le visage toujours impassible mais le cœur agité de violentes émotions. Voilà sans doute la raison pour laquelle j'ai toujours éprouvé une haine instinctive envers Adam, se dit-elle avec amertume. Mais pourquoi ? Comment l'aurais-je su ? Elle fouilla sa mémoire en vain. Peut-être avait-elle assisté, toute petite, à une querelle entre ses parents. Peut-être avait-elle, inconsciemment, prêté l'oreille à des ragots de village, enfouis au plus profond de sa mémoire. Peut-être était-ce une simple intuition...

Jim voyait les yeux de la vieille dame s'assombrir et, d'un geste impulsif, vint s'asseoir près d'elle pour lui prendre la main :

« J'espère ne pas avoir rouvert de vieilles blessures, madame. Il fallait, je crois, que je vous rapporte les confidences de mon grand-père. Je voulais aussi vous remettre ce portrait, bien que vous ayez accepté mon mariage avec Paula.

— Non, Jim, vous n'avez pas rouvert de blessures et

je suis contente que vous m'ayez dit tout cela. J'aimais beaucoup ma mère et il ne me restait rien d'elle, pas même une photographie. Ce portrait me cause une grande joie. Mais poursuivez, vous avez sûrement autre chose à me dire.

— En effet, madame. Quand il m'a donné ce portrait, grand-père a fait une réflexion qui m'a beaucoup touché. Il m'a dit que les Fairley avaient toujours été attirés par les femmes de votre famille mais que leurs amours avaient été malheureuses. « Dis à Emma, m'a- « t-il dit, qu'elle mette fin à cette malédiction. Dis-lui « qu'elle accorde à la génération présente le bonheur « que les hasards de la naissance avaient refusé à celles « qui l'ont précédée. Dis-lui que c'est elle, et elle seule, « qui détient désormais le pouvoir d'unir nos familles « si longtemps séparées et qui se sont si longtemps « cherchées. » Il pleurait en disant ces mots et je lui ai juré que je vous rapporterais ses paroles. »

Emma leva vers Jim un regard troublé par les larmes. Elle prit la main du jeune homme et la serra avec force.

« Pourquoi ne pas être venu plus tôt, Jim? Votre grand-père est mort à la fin de l'année dernière, il y a plus de trois mois.

— Je comptais vous voir en janvier, mais vous étiez avec Paula aux Etats-Unis. Vous êtes tombée malade dès votre retour et je ne voulais pas vous troubler pendant votre convalescence. J'allais désespérer, poursuivit-il en souriant, quand c'est vous qui avez fait le premier pas en me disant que vous approuviez notre mariage.

— C'est un pas que je suis bien contente d'avoir fait, mon cher Jim. Votre grand-père avait raison, dit-elle avec un soupir. Trois générations de Harte et de Fairley ont été malheureuses en amour, près de cent ans... Il était grand temps que cela cesse, en effet. »

Alors, à sa stupeur, Emma vit Jim Fairley se mettre à genoux devant elle.

« Ce n'est pas tout, madame. Juste avant de rendre son dernier soupir, grand-père m'a demandé une der-

nière chose. « Quand tu auras rapporté à Emma ce que
« je viens de te dire, m'a-t-il dit, tu t'agenouilleras
« devant elle et tu imploreras son pardon pour tout ce
« que les Fairley lui ont fait subir, tu lui demanderas
« surtout de me pardonner. Dis-lui que je n'ai jamais
« cessé de l'aimer, que ma vie sans elle ne valait pas la
« peine d'être vécue. Je suis à moitié mort le jour où
« Emma m'a rejeté, dans la roseraie, et j'ai chèrement
« payé tout le mal que je lui ai fait ce jour-là. » Il a
beaucoup insisté pour que je vous rapporte textuellement ses paroles et m'a fait jurer de vous transmettre
sa prière, car il ne pourrait reposer paisiblement dans
sa tombe, disait-il, s'il n'avait pas votre pardon. Il a
alors perdu conscience et ne s'est réveillé, quelques
heures plus tard, que pour se dresser assis sur son lit.
Je l'ai entendu crier d'une voix forte : « Emma, attends-
« moi ! Je te rejoindrai au Sommet du Monde ! » Puis il
est mort paisiblement dans mes bras. »

Emma ne faisait plus d'effort pour cacher ses pleurs.
Un long moment plus tard, elle s'essuya les yeux et
serra la main de Jim.

« Pauvre Edwin, murmura-t-elle. Pauvre Edwin... De
nous deux, c'est encore lui qui aura le plus souffert. Que
son âme repose en paix, mon petit. Je lui pardonne de
grand cœur, à lui et à tous les Fairley. Avant de me
rendre malheureuse, voyez-vous, Edwin m'avait donné
tant de bonheur... »

Elle dut s'interrompre, de nouveau étouffée par ses
larmes. Celui qu'elle voyait agenouillé devant elle
n'était plus Jim mais Edwin, son Edwin qu'elle avait
tant aimé et qu'elle aimait peut-être encore pour le bonheur innocent et tout neuf qu'ils avaient connu. Oui,
pauvre Edwin, se dit-elle avec un serrement de cœur.
Toute ma vie, j'ai cherché à me venger de lui alors que
sa conscience l'avait déjà durement puni. Si j'avais su,
que de souffrances auraient pu être évitées, que d'efforts inutiles épargnés. C'est lui, Edwin, qui m'a aidée à
parfaire cette revanche. Voilà l'explication de l'éclair de
soulagement et de joie que Winston a vu dans ses yeux
le jour où j'ai pris la *Gazette*. Ce jour-là, Edwin avait

compris, lui, que ma vengeance était terminée, qu'elle n'avait plus de raison d'être. Et maintenant, par-delà la tombe, il me donne son petit-fils...

« Madame, madame ! »

Jim l'appelait, inquiet. Emma se força à sourire.

« Rassurez-vous, Jim, je vais bien. Soyez gentil, prêtez-moi votre mouchoir. Le mien est déjà trempé et je n'ai pas le courage d'aller en chercher un autre. Vieille bête que je suis... Je ne peux quand même pas descendre au salon annoncer vos fiançailles avec des larmes plein les yeux ! »

Quand elle eut repris contenance, Emma fit relever le jeune homme, qui l'aida à se mettre debout.

« Une dernière chose, dit-elle en souriant. J'ignore si votre grand-père était au courant, mais son enfant a vécu. C'est ma fille aînée, Edwina, la comtesse de Dunvale, précisa-t-elle avec une emphase moqueuse. Elle est à la fois votre tante par alliance et votre grand-tante par le sang. »

Jim eut un sourire amusé :

« Je m'en étais douté en la voyant. Elle ressemble de manière étonnante aux portraits que j'ai vus de mon arrière-grand-mère, Adèle. Mais, depuis qu'elle vit en Irlande, elle paraît avoir pris goût aux boissons locales... »

Emma pouffa de rire.

« Vous êtes observateur, mon jeune ami ! Et maintenant, donnez-moi le bras, voulez-vous ? Je vais vous imposer la corvée de me conduire au salon.

— Je n'aurais pu souhaiter plus grand honneur, madame. »

52

Le dîner touchait à sa fin. Emma présidait, entourée de ses enfants, de leurs maris et femmes, de ses petits-enfants et de ceux qui lui étaient chers. Le repas avait été exquis, les vins irréprochables. L'ambiance était maintenant détendue, et les jalousies, les rancœurs et les haines disparaissaient derrière les propos de bonne compagnie et les sourires à l'apparence sincère. Et cependant, Emma sentait encore subsister des traces de la tension et du malaise qui l'avaient accueillie quand elle était entrée au salon au bras de Jim Fairley. Cela ne venait pas de ses petits-enfants qui, à son apparition, l'avaient immédiatement entourée de la joyeuse affection qu'ils lui manifestaient toujours. De leur côté, ses enfants s'étaient montrés civils, sinon aimables. Mais Emma avait vite senti que, à la seule exception de Daisy et de son mari, les autres faisaient preuve d'une courtoisie forcée où perçait la prudence cauteleuse ou l'hostilité mal voilée. Amusée plus qu'écœurée, Emma leur avait offert sa grâce habituelle et son charme plein d'aisance, avec l'impassibilité qui la rendait toujours indéchiffrable. Eux, elle les lisait à livre ouvert.

Elle avait été amusée de voir que les quatre conspirateurs s'évitaient avec une ostentation presque risible. Les regards inquiets que se lançaient parfois Kit et Robin ne lui avaient cependant pas échappé, alors même qu'ils affectaient de ne pas se parler. Elizabeth elle-même, toujours si attachée à son frère jumeau, faisait ce soir comme si elle ne le connaissait pas et flirtait outrageusement avec Blakie, qui accueillait ses attentions et ses flatteries avec une bonne humeur blasée. Quant à Edwina, elle n'avait pas quitté son fils d'une semelle depuis qu'elle était redescendue de chez Emma. Celle-ci avait annoncé officiellement les fiançailles. On avait sablé le champagne, porté des toasts, souhaité aux jeunes gens beaucoup de bonheur, comme il est d'usage en pareilles circonstances. A aucun moment, malgré l'évidente stupeur de ses enfants en voyant qu'Emma faisait entrer un Fairley dans sa famille, il n'y avait eu un mot déplacé ou une attitude inconvenante, ce qui était déjà remarquable.

Et maintenant, tandis qu'elle grignotait distraitement son dessert, Emma observait une dernière fois sous ses paupières mi-closes les quatre conspirateurs à qui elle

454

allait donner le coup de grâce. Car c'en serait fini des frictions, des jalousies, des vains projets capables d'échauffer leur imagination. Emma exerçait moins une vengeance qu'elle ne faisait œuvre de salubrité et déblayait le terrain pour ses petits-enfants.

Elle posa brièvement les yeux sur Kit, qui ressemblait de plus en plus à Joe Lowther. Pompeux, balourd, totalement dénué d'imagination, il n'avait pris de son père que les défauts, qu'il exagérait comme à plaisir, plutôt que de cultiver ses qualités d'honnêteté, de droiture et de bonne humeur. Comment avait-il été assez naïf pour faire confiance à Robin qui, en bon politicien qu'il était, l'aurait trahi au premier prétexte? En regardant son second fils, Emma eut un bref serrement de cœur. Robin était particulièrement beau et séduisant, ce soir, et Emma avait toujours eu un faible pour lui. Le savoir l'instigateur de cet ignoble complot lui causait une peine plus profonde qu'elle ne l'avait cru d'abord. Elle le voyait maintenant sans illusions, tel qu'il était vraiment, volubile, charmeur, politicien jusqu'au bout de ses ongles manucurés, toujours prêt à promettre et compromettre... Quelle dommage, se dit-elle, qu'il ait hérité d'Arthur Ainsley, son père, cette vanité démesurée qui avait fini par l'aveugler et le priver de tout jugement.

Elizabeth, sa sœur jumelle, était en un sens beaucoup plus intelligente et plus fine qui lui, mais elle se donnait rarement la peine d'exercer ses dons. Eblouissante dans une robe de lamé et couverte de diamants, Elizabeth donnait d'elle-même l'image de ce qu'elle était : un miroir aux alouettes, un leurre. A quarante-sept ans, elle était encore belle à tourner les têtes. Mais elle était restée impulsive, fantasque, puérile parfois. Et ce qui était pardonnable chez une jeune fille devenait détestable chez une femme de son âge. En fait, se dit Emma en l'observant, Elizabeth n'est pas heureuse. Elle ne l'a sans doute jamais été. Combien de maris avait-elle collectionnés depuis son divorce d'avec Tony Barkstone, le séduisant pilote de la R.A.F. dont elle avait eu Alexandre et Emily? Emma elle-même en avait perdu le compte. Voyons, s'amusa-t-elle à énumérer, il y avait d'abord eu ce Michael Villiers, qui se disait descendant d'un compagnon de Guillaume le Conquérant, puis Derek Linde, héritier d'une grosse fortune du marché noir et qui avait été le père des jumelles, Amanda et Francesca. Après cela, Elizabeth avait perdu le goût des Britanniques et il lui avait fallu chercher ses maris à l'étranger. Elle avait commencé par un prince polonais au nom imprononçable, suivi assez vite par une série où figuraient un Belge, un Suisse ou peut-être un Français. Maintenant, ce pseudo-comte italien, qui avait une bonne quinzaine d'années de moins que sa trop séduisante épouse. Croyait-elle vraiment ce gigolo amoureux de ses charmes ? se demanda Emma avec une ironie amère.

Ledit comte faisait d'ailleurs des frais à la comtesse Edwina, à côté de qui il était assis, et celle-ci jouait son rôle de douairière avec une condescendance méprisante à donner la nausée. Maintenant qu'elle se savait née Fairley, elle allait s'empresser de snober le monde entier...

Avec un soupir, Emma se détourna de la galerie de portraits qu'elle venait de peindre. Ce n'était pas d'eux qu'elle pouvait attendre un réconfort dans sa vieillesse. Elle leur gardait quand même une profonde reconnaissance, car ils lui avaient donné ses petits-enfants, et cela valait bien quelques désillusions. Sans quitter son sourire énigmatique, elle continua de faire des yeux le tour de la table. A l'autre bout, assis en face d'elle à la place du maître de maison, trônait Blackie O'Neill, plus imposant, plus plein de dignité que jamais. Ses cheveux étaient devenus blancs comme la neige, mais toujours aussi drus et bouclés. Son teint hâlé resplendissait de santé, ses yeux charbonneux étincelaient toujours de malice et de joie de vivre. Octogénaire, il n'avait rien perdu de sa carrure athlétique et s'était à peine alourdi à la ceinture, tandis que son esprit fonctionnait avec la même clarté et la même détermination qui avaient fait de lui l'un des premiers entrepreneurs du Royaume-Uni. C'était lui le seul survivant de « ses hommes », comme disait parfois Emma. Car Winston et Frank, ses deux frères, étaient morts à quelques mois l'un de l'autre en 1962, et David Kallinski avait lui aussi disparu en 1967. Emma et lui restaient donc seuls témoins de leur jeunesse, aussi indestructibles que les rochers de la lande.

Emma remarqua alors Emily qui lui faisait des signes désespérés de sa place. D'un signe de tête, elle lui indiqua de venir la rejoindre.

« Qu'as-tu donc ? Tu t'agites comme si tu avais été piquée par la tarentule. Si tu continues, tu vas faire scandale. »

La jeune fille se pencha pour chuchoter à l'oreille de sa grand-mère :

« C'est tante Edwina qui fait scandale ! Elle est complètement partie, avec ses quatre whiskies, ses six flûtes de champagne et les deux bouteilles de vin qu'elle a bues pendant le dîner. Elle est en train de martyriser ce pauvre Gianni, qui n'est pourtant pas méchant et à qui maman en fait déjà voir de toutes les couleurs. D'ailleurs, maman ne vaut guère mieux. Je ne sais pas ce qu'elle a, ce soir, elle ne boit pourtant pas tant que cela, d'habitude... On ferait peut-être mieux de sortir de table, vous ne croyez pas ? »

Emma eut un sourire amusé : elle se doutait fort bien de ce qui causait la nervosité inhabituelle de ses filles.

« Merci de m'avoir prévenue, ma chérie. Rends-moi service, veux-tu ? File dans mon petit salon, tu y prendras mon porte-documents et tu le mettras discrètement derrière le petit bureau de la bibliothèque.

— Bien sûr, grand-mère. Mais il faut d'abord que je fasse quelque chose. »

Emily retourna à sa place et, sans se rasseoir, prit son verre en se grattant bruyamment la gorge pour imposer le silence. Le brouhaha des conversations cessa brusquement et les regards étonnés des convives se tournèrent vers elle. Avec son aplomb coutumier, Emily fit taire d'un geste les derniers murmures et prit la parole :

« Il ne m'appartient peut-être pas de faire des reproches à mes aînés. Mais je tiens à exprimer ma surprise que personne n'ait encore pensé à porter un toast à grand-mère, qui vient de sortir d'une grave maladie. Je propose donc que nous levions nos verres à sa santé, car nous l'aimons tous et toutes de tout notre cœur... »

Elle s'interrompit pour mieux ménager ses effets et darda un regard furieux sur Kit et Robin, qu'elle détestait cordialement. En cet instant, l'éclat de ses yeux verts rappelait irrésistiblement celui d'Emma dans ses mauvais moments et les deux hommes baissèrent instinctivement la tête.

« Je lève donc mon verre, reprit-elle, à Emma Harte, à qui nous devons tous tant de choses et, surtout, tant de bonheur. Que Dieu nous la garde encore de longues années !

— A Emma Harte ! » répondirent les autres à l'unisson.

Profondément touchée par le geste inattendu de sa petite-fille, Emma était plus encore fière d'elle. A vingt et un ans, Emily n'avait peur de rien ni de personne, pas même de ses redoutables oncles. En voyant leur expression rageuse, Emma réprima un sourire et se leva :

« Merci, Emily, merci à vous tous, mes enfants. Et maintenant je vous propose d'aller à la bibliothèque y prendre le café et les liqueurs. »

Et jouer le dernier acte de cette tragi-comédie, se retint-elle d'ajouter. D'un geste plein de majesté, elle leva son verre, fit mine d'y boire avant de le reposer. Alors, elle quitta la première la salle à manger, dans un grand envol de soie noire, ses yeux aussi étincelants que les émeraudes qu'elle portait à son cou et à ses doigts, la démarche aussi ferme et alerte qu'elle l'avait toujours été. Médusés, admiratifs, attendris, ils lui emboîtèrent tous le pas.

Moins majestueuse que le grand salon, la bibliothèque était une pièce noblement proportionnée, avec un haut plafond aux poutres apparentes et des boiseries de chêne ciré. Les belles reliures anciennes, les tapisseries, les meubles simples et accueillants lui donnaient une atmosphère intime et chaleureuse. Emma s'installa comme à son habitude devant la cheminée dont la hotte montait jusqu'au plafond, et elle ne put retenir un sourire ironique en la voyant. Le haut-relief qui l'ornait représentait le jugement de Salomon. Elle ne l'avait pourtant pas prémédité...

Emily vint la rejoindre après avoir déposé le porte-documents à l'endroit convenu. Sarah, la fille unique de Kit, vint augmenter leur petit groupe et Emma la détailla avec plaisir. Dieu merci, se dit-elle, elle n'a rien pris à son grand-père ni surtout à son père. Sarah, mince et vive, avait la chevelure châtain-roux de sa grand-mère et la laissait retomber autour de son visage fin aux traits un peu anguleux, qui s'en trouvaient adoucis.

Elle prit avec autorité le bras d'Emma :

« Je ne sais pas ce qu'a papa ce soir, dit-elle sur le ton de la confidence. Il a été énervé toute la soirée et je viens juste de le voir dans le hall avec oncle Robin. Ils avaient l'air furieux l'un contre l'autre. J'espère qu'ils ne vont pas encore tout gâcher avec une de leurs scènes !

— Rassure-toi, ma chérie, ce n'est sûrement rien de grave », répondit Emma en souriant.

Mais cette nouvelle l'amusait. Les conspirateurs étaient déjà en train de s'empoigner à la gorge, en voyant leur victime prête à leur échapper. S'ils savaient...

« C'est vrai ce que dit Sarah, intervint alors Emily. J'ai remarqué moi aussi que les parents ont tous l'air d'être dans leurs petits souliers, ce soir. Qu'est-ce qui leur arrive ? Maman est un paquet de nerfs et elle boit comme un trou. Oh ! et puis, tant pis pour eux, après tout ! Nous, au moins, on s'amuse bien !

— Absolument, ma chérie », approuva Emma.

Pendant qu'elles bavardaient toutes trois, les autres arrivèrent peu à peu dans la grande pièce. Ils s'assirent çà et là ou restèrent debout en petits groupes, selon leurs affinités. On servit le café, on passa les liqueurs et les cigares. Blackie, un cognac à la main et un énorme cigare à la bouche, s'approcha d'Emma en lui faisant un sourire épanoui.

« Tu es plus éblouissante que jamais, *mavourneen*! Si j'avais seulement deux ans de moins, je te jure que je demanderais ta main! déclara-t-il en retrouvant l'accent rocailleux de son Irlande natale.

— Il n'y a décidément pas d'âge pour faire des bêtises! répondit Emma en riant. A propos de bêtises, tu ferais bien de ne pas tant abuser de cela », dit-elle en désignant le cognac et le cigare.

Blackie éclata d'un rire sonore :

« Que veux-tu qu'il m'arrive? Que je meure subitement? J'ai déjà assez vécu pour me permettre de l'envisager sans m'en inquiéter! D'ailleurs, je plais encore aux jeunes femmes, regarde... »

Elizabeth, qui ne semblait pas soumise aux affres de ses complices, venait de surgir à côté de lui, plus séduisante que jamais, et se pendait à son bras pour l'entraîner à l'écart en lui chuchotant à l'oreille des paroles mystérieuses auxquelles Blackie réagissait en riant de bon cœur. Emily et Sarah avaient profité de l'aparté entre leur grand-mère et son vieil ami pour s'éclipser et Emma se retrouva seule devant la cheminée. Elle n'en éprouva nulle peine et profita de ce moment de calme pour observer autour d'elle et jeter des regards pleins d'affection sur ses neuf petits-enfants qui lui donnaient tant de joie. Comme attirés par un aimant, ils vinrent un à un la rejoindre et Emma fut bientôt entourée d'un bruyant essaim de jeunes gens et de jeunes filles dont le bavardage lui réchauffait le cœur.

Philip, qu'elle avait fait revenir d'Australie le semaine précédente, dévidait des anecdotes épiques sur ses chevauchées à Coonamble et éveillait en Emma le souvenir nostalgique des séjours heureux avec Paul. Il pouvait être fier de ses petits-enfants, pensa-t-elle en regardant Philip et Paula. A eux deux, l'avenir de la lignée McGill était en bonnes mains.

Paula n'écoutait pas son frère. Légèrement à l'écart, au bras de Jim Fairley, elle semblait boire ses paroles et les deux jeunes gens échangeaient des regards chargés de passion. Malgré elle, Emma en revint à penser aux Fairley. Elle avait passé le plus clair de sa vie à provoquer leur ruine. A quoi bon, en fin de compte ? Elle n'en avait tiré aucun plaisir durable, plutôt de l'amertume. Sa haine l'avait durcie et lui avait fait manquer d'innombrables plaisirs. Mais il était stérile de s'abandonner aux regrets. Paul lui avait dit une fois que le succès constitue la meilleure des vengeances et c'était vrai. Son ascension irrésistible aurait suffi à rejeter les Fairley dans l'ombre et elle y serait aussi bien parvenue sans l'aiguillon de sa haine. La fortune tant convoitée dans sa jeunesse, elle ne l'avait finalement acquise, aux prix de lourds sacrifices, que pour la léguer à ses descendants sans jamais en avoir pleinement profité. Cela aussi était sans doute une forme de justice.

Le brouhaha des conversations la ramena à la réalité, et Emma consulta sa montre. Il s'était écoulé une heure depuis qu'on était sorti de table et il était temps de lever le rideau sur le dernier acte. Elle se dégagea discrètement du groupe des jeunes qui l'entouraient, se glissa derrière la grande table-bureau dans l'angle de la pièce et cogna plusieurs fois sur le sous-main avec un presse-papier. Le silence se fit, les regards étonnés ou inquiets convergèrent sur elle.

« Installez-vous tous confortablement, dit-elle. J'aimerais vous entretenir de certaines affaires qui concernent la famille. »

Des quatre coins de la pièce, les aînés se consultèrent des yeux, alarmés. Les autres prirent place sur les canapés ou dans les fauteuils. Quand tout le monde fut assis, Emma s'installa au bureau, ouvrit son porte-documents et, en comédienne qui sait ménager ses effets, disposa soigneusement devant elle les divers documents qu'elle sortait un à un. Sentant son auditoire en haleine, elle chaussa ses lunettes, prit une liasse de feuillets et en commença la lecture d'une voix haute et claire.

« Je soussignée, Emma Harte Lowther Ainsley, domiciliée au château de Pennistone à Pennistone, comté du

Yorkshire, étant reconnue saine de corps et d'esprit, déclare que les présentes constituent mon testament établi dans les formes légales et qu'il annule et remplace tous autres testaments et codicilles que j'aurais pu précédemment établir. »

Un concert d'exclamations étouffées salua ce préambule. Il fut suivi d'un silence si total qu'on n'entendait plus même le souffle d'une respiration. Emma sourit en voyant la physionomie des quatre coupables, mais la dureté de son regard démentait sa mine enjouée.

« Je sais qu'il est peu courant de lire son propre testament, reprit-elle. Mais il n'existe aucune loi qui s'y oppose et vous savez tous, je pense, que je ne me suis jamais beaucoup encombrée des usages...

— Je trouve cela morbide, mère ! s'écria Elizabeth.

— Cela n'a rien de morbide et je te prie de ne pas m'interrompre, répliqua Emma. Je ne vais cependant pas vous infliger la lecture mot à mot de ce document qui comporte une centaine de pages et qui est rédigé en un jargon juridique que j'ai parfois moi-même du mal à comprendre. Je vais vous en résumer l'essentiel en termes intelligibles à tous et vous exposer comment j'ai décidé de disposer de ma fortune. »

Emma marqua une nouvelle pause et regarda lentement autour d'elle. Les quatre conspirateurs étaient pétrifiés. Elle reposa lentement le testament, s'accouda à la table en joignant les mains, du geste familier de l'orateur qui se prépare à une longue période, et reprit :

« Avant d'aborder mon testament proprement dit, je tiens toutefois à préciser que je n'ai pas recueilli la succession de Paul McGill sans conditions et qu'il ne m'est pas loisible, par conséquent, d'en disposer à ma guise. Le testament de Paul prévoyait que je devrais transmettre intégralement sa fortune à sa fille Daisy qui, à sa mort, devra la diviser également entre ses deux enfants, Philip et Paula. Je me suis donc conformée à ces dispositions, étant entendu que Daisy sera usufruitière sa vie durant de l'ensemble des revenus de cette succession. Par ailleurs, j'ai désigné Paula pour prendre ma place au conseil d'administration de *Sitex Oil Corporation*, où elle agira aux nom et lieu de sa mère. Philip, pour sa part, prendra en charge la totalité des intérêts McGill en Australie. Je les ai tous deux formés à cet effet et je ne doute pas qu'ils se montrent capables de faire face à ces responsabilités. Aucun autre de mes enfants et petits-enfants ne peut donc prétendre bénéficier de la succession McGill. Tout ceci est-il clair ? »

Il y eut des hochements de tête mais personne ne dit mot. Satisfaite, Emma reprit :

« Je vais maintenant aborder les principales clauses de mon propre testament... »

Elle s'interrompit un instant, dans un silence épais, et posa les yeux sur le fils unique d'Edwina qui, à trente-deux ans, portait le titre de comte de Dunvale.

« Anthony, lui dit-elle, viens près de moi. »

Intimidé, le jeune homme rougit, hésita et traversa enfin la pièce pour se placer à la droite de sa grand-mère qui lui fit un sourire affectueux.

« Je commence par toi car tu es l'aîné de mes petits-enfants, dit-elle. Anthony aura sa vie durant l'usufruit d'un capital de deux millions de livres placé par mes soins. Il héritera en toute propriété de la maison que je possède à la Jamaïque, avec tout ce qu'elle contient. »

Elle leva vers Anthony un regard amical avant de continuer d'un ton familier.

« Je ne te laisse aucun intérêt dans mes affaires, mon cher petit, car tu n'y as jamais travaillé et surtout parce que la gestion de tes propriétés d'Irlande te prend tout ton temps. Tu hériteras par ailleurs de ton père une fortune assez considérable. J'espère que tu comprends mes raisons et que tu ne te sens pas lésé. »

Anthony rougit de plus belle :

« Pas le moins du monde, grand-mère ! s'écria-t-il. Vous êtes si généreuse que je ne sais que dire ni comment vous remercier. »

Il fit mine de regagner sa place. Emma le retint d'un geste :

« Non, reste ici, derrière moi. Maintenant, au tour des deux plus jeunes, Amanda et Francesca. »

Les deux jumelles, filles d'Elizabeth et petites-filles d'Arthur Ainsley, étaient assises par terre, aux pieds de Blackie. Elles se levèrent, l'air effaré, et s'approchèrent en se tenant la main.

« Allez vous mettre à côté de votre cousin, mes enfants, leur dit Emma en souriant. Je vous laisse à chacune l'usufruit d'un capital de deux millions de livres, dont vous commencerez à toucher les revenus quand vous atteindrez vos dix-huit ans. Vous ne comprenez peut-être pas encore très bien ce que cela veut dire mais je vous l'expliquerai plus tard.

— Vous n'allez pas mourir, grand-mère ? demanda Francesca, d'une voix tremblante.

— Non, ma chérie, répondit Emma avec un sourire rassurant. Je vous préviens seulement de ce que j'ai préparé pour votre avenir.

— Alors, on peut venir vivre ici, avec vous ? intervint Amanda, l'air plein d'espoir.

— Nous en reparlerons demain. Allez, mettez-vous ici et soyez bien sages. Et maintenant... »

Emma fit une pause, se redressa avec solennité et poursuivit d'une voix plus forte :

« Voici comment j'entends disposer des actions de *Harte Enterprises*, ma société holding qui, comme je vous le rappelle, coiffe la totalité de mes entreprises en Grande-Bretagne et possède de nombreuses participations en Europe et en Amérique. Il est inutile que je les énumère toutes, vous les connaissez bien et elles figurent en détail dans mon testament. »

Elle posa alors son regard sur Kit et sur Robin qui la dévisageaient, hypnotisés.

« Je lègue à mon petit-fils Alexandre Barkstone 52 p. 100 de mes actions de *Harte Enterprises*... »

Kit eut un gémissement de douleur et Robin lâcha un juron en se levant à demi. Emma les foudroya du regard pour les réduire au silence et continua :

« Je lègue de même à mes petits-enfants Sarah Lowther, Jonathan Ainsley et Emily Barkstone le solde de ces actions qu'ils se partageront également à raison de 16 p. 100 chacun. Venez ici, tous les quatre. »

Quand les quatre légataires furent alignés devant elle, la mine sérieuse, Emma les regarda en souriant :

« J'espère que vous comprenez, mes enfants, les motifs auxquels j'ai obéi en prenant ces dispositions. La seule manière de préserver l'intégralité de la société était d'en confier la majorité à une seule personne. J'estime qu'Alexandre est le plus qualifié, mais cela ne veut pas dire que je vous juge mal, loin de là. Vous continuerez donc à travailler dans les filiales dont vous prendrez la direction effective à ma mort. Vos salaires et les dividendes de vos actions dans la société-mère vous mettront à l'abri du besoin, je crois. J'ai cependant prévu un capital de un million de livres pour chacun de vous. J'espère que vous ne vous sentirez pas lésés les uns par rapport aux autres et que vous ne m'accuserez pas d'avoir fait du favoritisme. »

Ils assurèrent Emma qu'ils avaient parfaitement compris ses raisons et qu'ils l'approuvaient sans réserve, manifestèrent leur gratitude et allèrent se placer derrière elle, sur sa gauche. Sarah regardait fixement la cheminée, car elle était incapable de soutenir le regard furieux de son père, Kit, dont elle savait qu'il comptait sur la moitié de ces actions. Jonathan gardait les yeux baissés, pour éviter de subir la colère de Robin. Seuls, Alexandre et Emily restaient souverainement indifférents aux réactions de leur mère : Elizabeth affichait une stupeur qui aurait été comique en d'autres circonstances.

Emma énuméra ensuite les dispositions qu'elle avait prises concernant les résidences qu'elle possédait un peu partout dans le monde, les tableaux et objets d'art dont elles étaient remplies. Elle laissait ses bijoux, à l'exception des émeraudes McGill, à Sarah, Emily, Amanda et Francesca, sa collection de tableaux à Philip Amory, qui vint rejoindre ses cousins et cousines déjà alignés derrière Emma.

« Je ne te laisse rien d'autre, Philip, car la part qui te reviendra de la fortune de ton grand-père fera de toi un milliardaire. J'espère que tu me comprends. »

Le jeune homme hocha la tête, trop ému pour répondre.

« Daisy, viens ici », dit Emma en faisant un signe à sa plus jeune fille.

Sous les regards haineux de ses frères et sœurs, Daisy vint se placer à côté de son fils.

« Je lègue à Daisy la parure d'émeraudes que m'avait donnée son père. Je lui laisse aussi Pennistone avec tout ce qu'il contient, à seule charge pour elle de la transmettre à Paula après sa mort. »

Un concert de murmures s'éleva et Emma faillit grimacer sous les regards hostiles dont l'accablaient ses quatre autres enfants. Sans se départir de son impassibilité, elle se tourna alors vers Jim Fairley et lui fit signe de venir à son tour. Elle prit sur sa table un document plié et le lui tendit :

« Voici pour vous, Jim... »

Elle sourit devant la mine incrédule du jeune homme :

« Ce n'est pas un cadeau, mon cher Jim, une simple régularisation, sans plus. C'est votre nouveau contrat de directeur général de la *Yorkshire Consolidated.* Je l'ai établi pour dix ans, avec une clause d'indexation de vos salaires. Montrez-le à vos hommes de loi et rendez-le-moi signé, avec vos observations éventuelles, la semaine prochaine.

— Je ne sais comment... commença le jeune homme.

— Plus tard ! interrompit Emma. Venez vous mettre ici, avec les autres. »

Pendant que Jim Fairley prenait place, Emma but lentement un verre d'eau et se redressa, encore plus imposante.

« J'en arrive maintenant à la chaîne des grands magasins Harte », dit-elle avec solennité.

Elle fit une nouvelle pause, leva les mains qu'elle regarda un instant l'air pensif.

« Ces magasins, reprit-elle, je les ai créés à partir de rien, avec mes seules mains. Ils m'ont demandé une vie entière de travail pour devenir ce qu'ils sont, l'une des plus grandes chaînes au monde. Sortis de mes mains, ils doivent passer à d'autres mains, des mains capables de les tenir, de les diriger comme je l'ai fait moi-même. Entre les mains de quelqu'un qui me comprenne et sache appliquer les principes dont j'ai usé toute ma vie avec le succès que vous connaissez tous. C'est pourquoi... »

Emma s'interrompit, en une pause pleine d'un suspense qu'elle laissa volontairement croître jusqu'à devenir presque insoutenable.

« C'est pourquoi, reprit-elle, je lègue la totalité de mes actions Harte à ma petite-fille Paula Amory. »

Sa déclaration tomba dans un silence total. En entendant son nom, Paula se leva machinalement et vint vers sa grand-mère d'un pas mal assuré. Ses pressentiments ne l'avaient donc pas trompée et cette innocente réunion de famille cachait bien quelque chose. Mais elle ne s'était pas attendue à une telle succession de coups de théâtre, plus spectaculaires les uns que les autres. Dès les premiers mots d'Emma, elle avait commencé à frémir en prévoyant les répercussions que cela aurait dans la famille. Maintenant, elle se rendait compte que ses jambes la portaient à peine.

Elle parvint enfin à traverser la bibliothèque sans trébucher et s'arrêta en face d'Emma :

« Je ferai tout pour me montrer digne de votre confiance, grand-mère, dit-elle à mi-voix.

— Je le sais, ma chérie », répondit Emma en souriant.

Paula alla se placer à côté des autres. Elle comprit d'un coup d'œil la raison de ce rassemblement. La pièce, la famille plutôt, était divisée en deux camps. Derrière Emma, les fidèles qu'elle aimait et récompensait. De l'autre... Avec un regain d'inquiétude, Paula attendit qu'explose la prochaine bombe.

Emma affectait de consulter distraitement les documents étalés devant elle. Elle déclara enfin sans même relever les yeux, comme s'il s'agissait d'une dernière formalité :

« Pour conclure, ma fille Daisy et mon vieil ami et

banquier Henry Rossiter sont nommés exécuteurs testamentaires. »

Le silence retomba. Emma leva la tête, ôta ses lunettes et regarda. Edwina, Kit, Robin et Elizabeth semblaient paralysés et la dévisageaient fixement. Emma attendit qu'éclate enfin la rage qu'elle lisait dans les regards de ses quatre enfants. Elle s'était préparée à la subir, à la mater. Mais le silence durait et Emma se demandait avec étonnement s'ils n'allaient pas finalement se révéler encore plus vils qu'elle ne les avait jugés, trop lâches pour oser protester et la défier ouvertement.

Robin réagit le premier. Rouge de colère, il se leva d'un bond et prit d'instinct la pose, comme s'il était à son banc de la Chambre :

« Ce que vous venez de faire est indigne ! s'écria-t-il. Je comprends que vous ayez été forcée de respecter les clauses du testament McGill. Mais votre fortune personnelle devait nous revenir de droit ! De plein droit ! Nous sommes vos héritiers légitimes et je n'ai nullement l'intention d'accepter ce testament inique ! Je n'hésiterai pas, et mes frères et sœurs m'approuvent, à porter l'affaire devant les tribunaux. Il est manifeste que vous avez été scandaleusement influencée et que vous n'étiez pas en possession de votre raison quand vous avez rédigé cet invraisemblable testament. Nous le ferons casser, nous vous ferons interdire ! Et ce n'est pas tout...

— Silence, et assieds-toi ! »

Emma l'avait interrompu d'une voix si coupante, d'un ton si impérieux que Robin, malgré lui, dut se taire et retomba sur sa chaise. Emma s'était dressée et, appuyée des deux mains au bureau, l'écrasait de son mépris.

« Je vous ai en effet volontairement déshérités tous les quatre. J'avais pour cela d'excellentes raisons. Car je sais que vous conspiriez tous les quatre, pour m'arracher ma fortune, pour vous l'approprier aux dépens de vos propres enfants. C'est cela qui est indigne ! »

Elle leur assena un regard froid, marqua une nouvelle pause pour donner de l'emphase à ce qui allait suivre. Les quatre coupables ne soufflaient mot.

« Vous avez fait preuve de tant de bêtise, de tant de bassesse que je ne peux plus vous respecter. C'est navrant, c'est surtout pénible de devoir mépriser ses propres enfants. Mais je ne suis ni aussi méchante que vous le croyez, ni aussi vindicative que quiconque l'aurait été à ma place. Je ne toucherai donc pas aux revenus que je vous verse déjà depuis votre majorité, ce qui, je vous le rappelle, remonte à de longues années. Ils sont assez importants pour que vous en viviez et vous le savez. Quant à vouloir contester mon testament, Robin, je m'y attendais et j'ai pris mes précautions. »

Elle ouvrit un dossier, en sortit quatre rectangles de papier qu'elle agita devant elle :

« Voici des chèques, établis à l'ordre de chacun d'entre vous. Ils sont d'une valeur de un million de livres chacun. Ce n'est qu'une goutte d'eau par rapport à ce que vous auriez hérité si vous ne m'aviez pas trahie. C'est néanmoins une somme assez considérable pour exciter l'envie de bien des gens. N'allez surtout pas imaginer que je compte vous en faire cadeau. Non, avec cet argent, je vous achète. Comme tout le monde, vous avez un prix, je le sais. »

Elle posa les chèques, sortit d'autres documents :

« Voici des « contrats de vente » en bonne et due forme, poursuivit-elle d'un ton sarcastique. Pour encaisser mes chèques, qui sont payables dès lundi matin je vous le signale, il faut auparavant signer ceci. Il s'agit d'un engagement à respecter mon testament. Tu as pratiqué le droit jusqu'à ce que tu te lances dans la politique, Robin, tu peux donc comprendre ce que je dis. En signant ce papier, en encaissant l'argent, vous ne pourrez plus rien contre les dispositions que j'ai prises. »

Emma sourit devant la stupeur des autres.

« Vous allez vous demander si ce n'est pas la preuve de ma folie, reprit-elle. Pourquoi, en effet, vous faire cadeau d'une telle somme si j'ai pris, par ailleurs, toutes mes précautions pour que mon testament ne puisse être attaqué ? La réponse est fort simple : en aucun cas, sous aucun prétexte je ne tolérerai que vous jetiez le trouble dans mes affaires ni, surtout, que vous empêchiez mes petits-enfants, vos enfants, de jouir paisiblement de ce que je leur lègue. Vous perdriez votre procès à coup sûr. Mais entre-temps vous auriez soulevé tant de boue que je refuse d'en prendre le risque. En vous achetant, je prends une assurance, un point c'est tout. »

Emma se rassit et regarda les quatre accusés. Kit s'était tassé dans son fauteuil, rouge de honte et de colère, n'osant plus lever les yeux vers sa mère. Elizabeth se tordait nerveusement les mains, en proie à une indécision visible. Robin, le chef de bande, affectait de crâner. Seule de ses complices, Edwina restait parfaitement calme, comme si rien de tout cela ne la concernait.

Emma n'avait pas encore prêté attention à ses belles-filles et au comte italien, le seul de ses gendres présent. Elle se tourna vers eux, leur fit un sourire engageant :

« Et vous, qu'en pensez-vous ? Un million de livres, cela mérite que vous en parliez à vos conjoints. Vous avez votre mot à dire. »

June et Valérie, les femmes de Kit et de Robin, entretenaient avec leur belle-mère des rapports qui, sans être chaleureux, avaient toujours été excellents. Horrifiées au récit de la trahison manquée de leurs époux, elles se contentèrent de secouer la tête négativement. Conscient de son statut transitoire dans la famille, le séduisant Gianni refusa en termes fleuris de se mêler à cette sombre affaire. Emma se tourna alors vers les autres :

« Décidez-vous, dit-elle sèchement. Je n'attendrai pas toute la nuit.

Voyant qu'ils ne bougeaient pas, elle se leva et se mit à ranger ses dossiers dans le porte-documents.

« A votre aise, dit-elle avec un haussement d'épaules. Vous faites une bêtise de plus, ce qui, hélas ! ne me surprend pas. Vous laissez cet argent vous filer sous le nez, sans que vous puissiez faire quoi que ce soit contre mon testament. »

Elizabeth se leva d'un bond. Sous les regards courroucés de son frère jumeau, elle courut vers la table :

« Un stylo ! » dit-elle avec un geste impatient.

Elle avait à peine signé qu'Edwin la suivit, imité par Robin qui tremblait de rage. Kit fut le dernier à se présenter. Il était à peine capable de signer son nom et n'osa pas lever les yeux vers sa mère.

Emma les regarda s'éloigner en empochant leurs chèques. Son sourire méprisant s'adoucit tandis qu'elle bouclait son porte-documents et elle se tourna vers les autres :

« Maintenant que nous en avons terminé avec les affaires, mes enfants, amusons-nous ! »

Il y eut un instant de silence complet. Puis, comme Emma s'y attendait, un tumulte de rires, de questions, d'exclamations se mit à fuser. En un clin d'œil, elle se trouva entourée, pressée, bousculée par les jeunes qui l'acclamaient. Elle essuya la première vague, se dégagea et fit signe à Paula :

« Viens me rejoindre avec Jim dans mon petit salon et prends donc mon porte-documents. »

Elle traversa ensuite la pièce et glissa son bras sous celui de Blackie :

« Accompagne-moi donc là-haut. Nous prendrons tranquillement un dernier verre, dit-elle en souriant.

— Rien ne me fera plus de plaisir, *mavourneen !* Quelle représentation tu nous as donnée ! Dommage que tu n'aies pas fait carrière au théâtre, tu es douée, et je m'y connais... »

Ils quittèrent la bibliothèque, traversèrent le grand hall d'entrée et s'engagèrent dans l'escalier de pierre, que Jim et Paula gravissaient déjà. Au premier palier, Emma s'arrêta brièvement, se retourna pour regarder au-dessous d'elle. Massés à la porte de la bibliothèque, Edwina, Kit, Robin et Elizabeth la suivaient des yeux, le visage encore rouge ou contracté, la fureur et le dépit si clairement imprimés sur leurs traits qu'ils ressemblaient à des masques de théâtre. Emma leur jeta un dernier regard froid, leur tourna le dos avec un haussement d'épaules dédaigneux qui les gommait de son existence et reprit son ascension au bras de Blackie, avec la dignité d'une reine.

Quand elle entra dans son petit salon, elle fit signe aux autres de s'installer confortablement sur les canapés devant la cheminée et entra un instant dans sa chambre. Elle en ressortit quelques instants plus tard en portant un petit écrin et se posta devant la cheminée, le dos au feu.

« Mon cher Jim, avez-vous raconté à Paula ce que vous m'aviez dit avant le dîner ?

— Non, madame. J'ai pensé que c'était à vous de le faire.

— Je vous délègue ce soin. C'est une histoire aussi extraordinaire qu'émouvante qu'il faut que tu connaisses, Paula. Mais puisque cette soirée semble consacrée aux remises en ordre et que chacun reçoit ce qui lui revient, il me restait une dernière chose à faire, et c'est pourquoi je vous ai demandé de venir tous les deux. »

Elle ouvrit l'écrin, en sortit un médaillon d'or et le tendit à Paula.

« J'avais trouvé ce bijou dans les affaires de ma mère, après sa mort. Sur l'une des faces, il y a une inscription gravée : *De A à E — 1895*. Je suis sûre, désormais, qu'il avait été donné à ma mère, ton arrière-grand-mère, Paula, par Adam Fairley, l'arrière-grand-père de Jim. C'est à toi que ce souvenir revient. Prends-le, ma chérie. »

Intriguée, Paula prit le médaillon et l'examina avec curiosité.

« Tu me raconteras cette histoire, n'est-ce pas, Jim ? Elle me semble en effet extraordinaire. J'ignorais que nos deux familles se connaissaient depuis si longtemps. »

Emma fit un sourire énigmatique et se tourna vers Jim.

« J'avais aussi trouvé ceci, dit-elle. C'est une épingle de cravate, que ma mère gardait avec le médaillon. Appartenait-elle à votre arrière-grand-père Adam ? »

Le jeune homme prit l'objet qu'il examina attentivement.

« Mais oui ! s'écria-t-il. Dans les affaires de mon grand-père, j'avais retrouvé une photo de son père, encore très jeune. Il était en tenue de chasse et il me semble bien qu'il portait cette épingle à sa cravate !

— Gardez-la, Jim. Elle est à vous. »

Il se leva et prit la main d'Emma qu'il porta à ses lèvres en s'inclinant.

« Je ne sais comment vous exprimer mon émotion et ma gratitude, madame. Quant au contrat...

— N'en parlons plus. C'est bien le moins que je puisse faire pour vous, dit-elle avec un sourire triste. Et maintenant, allez, mes enfants, amusez-vous avec vos cousins et cousines. Blackie et moi avons à peine eu le temps de nous dire deux mots de toute la soirée et vous savez combien les vieux sont bavards. »

En embrassant sa grand-mère, Paula lui glissa à l'oreille :

« Depuis huit jours, je me doutais que vous mijotiez quelque chose. Mais je ne m'attendais pas à une pareille bombe ! Vous nous surprendrez toujours, grand-mère.

— Et j'espère bien que ce n'est pas fini ! répondit Emma en riant. J'ai encore quelques tours dans mon sac, tu verras ! »

Elle regarda les deux jeunes gens s'éloigner, la main dans la main. Son cœur se serra brièvement de joie et de mélancolie. Blackie l'observait avec attendrissement. Depuis soixante-quatre ans, il connaissait Emma et l'aimait d'un amour plus que fraternel. Ensemble, ils avaient parcouru une longue route, depuis la lande baignée de brouillard, une route jalonnée de joies et de peines, de succès et d'échecs. Jamais Emma n'avait cessé de le surprendre et de l'émerveiller.

« Ainsi, dit-il enfin avec un sourire, tu as mis un point final à ta vengeance en réunissant les deux familles. Tu sais, j'en arrive à me demander si tu n'es pas devenue sentimentale, sur tes vieux jours... »

Emma sourit et vint s'asseoir près de lui, en tirant pensivement sur sa robe pour en faire disparaître un imaginaire faux pli.

« C'est sans doute vrai, Blackie... Te rends-tu compte que je ferai un jour sauter sur mes genoux des enfants, mes arrière-petits-enfants, qui s'appelleront Fairley ?

Hier encore, c'était inimaginable. Demain, ce sera vrai...
Il ne faut jamais jurer de rien, vois-tu. »

Elle s'interrompit, pensive :

« Ce soir, Blackie, je suis heureuse. Heureuse d'avoir
enfin eu la sagesse de céder au cœur et à la raison avant
qu'il ne soit trop tard. Le bonheur de ces enfants me
récompense de tout. C'est sur eux, désormais, que
repose l'avenir.

— Oui, Emma. Et cela mérite un toast ! »

Blackie versa à boire et revint s'asseoir près d'elle. Ils
levèrent leurs verres gravement, les choquèrent :

« Je bois à ceux que nous avons aimés et qui ne sont
plus, à ceux que nous aimons et qui sont toujours près
de nous, dit-il. Je bois surtout à ceux qui vont naître et
que nous aimerons. Aux générations futures, Emma !

— Buvons à l'avenir, Blackie ! »

Bercés par leurs souvenirs, ils se laissèrent aller à
une longue méditation silencieuse. Ils se connaissaient
assez pour se communiquer leurs pensées sans avoir
besoin de les dire. Blackie, à un moment, prit la main
d'Emma et se tourna vers elle, sa mine sérieuse démen-
tie par l'éclair malicieux de ses yeux noirs :

« Satisfais ma curiosité, *mavourneen*. Ta vie a été
semée d'événements extraordinaires. Tu as toujours été
droit devant toi, tu as franchi tous les obstacles à la
poursuite de la fortune et de la puissance et tu les as
obtenues. Sans vraiment chercher le bonheur, je crois
que tu l'as trouvé parfois. Alors, dis-moi : aurais-tu
découvert autre chose, quelque trésor caché, quelque
secret magique dont tu pourrais faire profiter ton vieil
et fidèle ami ? »

Emma lui fit un sourire ironique :

« Oui, Blackie, je crois avoir découvert quelque
chose : le secret de la vie. Ou, du moins, l'un d'entre eux.

— Et quel est-il, ce secret ? »

Emma redevint grave, parut réfléchir. Puis sourit, de
ce sourire unique, radieux qui l'illuminait et qui n'appartenait qu'à elle.

« Il est simple, Blackie, et il tient en deux mots :
durer et tolérer. »

Elle fronça soudain les sourcils, comme si elle avait oublié quelque chose d'essentiel. Son visage s'éclaira de nouveau :

« Il y a plus simple encore, et c'est un secret qui tient en un mot. Bien peu de gens le connaissent, beaucoup le cherchent sans jamais le trouver. Il donne à la fois la puissance et la joie. Il ouvre toutes les portes, car il constitue la clef de l'univers. Ce mot, Blackie, tu le connais depuis longtemps, bien plus longtemps que moi : c'est *aimer*. »

TABLE

« Composition réalisée en ordinateur par IOTA »

IMPRIMÉ EN FRANCE PAR BRODARD ET TAUPIN
7, bd Romain-Rolland - Montrouge - Usine de La Flèche.
LE LIVRE DE POCHE - 12, rue François 1er - Paris.
ISBN : 2 - 253 - 02813 - 4